www.harleycanada.com

Le Guide de la Moto

LA BIBLE DES MOTOCYCLISTES

2010
16e ÉDITION

LES GUIDES
MOTOCYCLISTES

CRÉDITS

Pour leur soutien et les divers services qu'ils ont rendus et qui ont aidé la réalisation du Guide de la Moto 2010, nous tenons à sincèrement remercier les personnes suivantes. Merci à tous et à toutes.

Christian Lafrenière, Christian Dubé, Jocelyne Béslile, Louise Coulombe, Jean Tardif, Marc Bouchard, Sylvain Drouin, Nathalie Grégoire, Jacques Grégoire, Michel Boivin, Jacques Provencher, Daniel Héraud, Laurent Trudeau, Karen Caron, Sonia Boucher, Marylène Fallon, Jean-Pierre Belmonte, Roger Saint-Laurent, John Campbell, John Maloney, Didier Constant, Pete Thibaudeau, Jack Gramas et le personnel de l'ASM, Alan Labrosse, David Booth, Costa Mouzouris, Christian Touchais, Alain Trottier, Jean-Guy Bibeau, Charles Gref, Raymond Gref, Chantal Cournoyer, Marcel Muller, Marc Fontaine, Picotte Performance, Jacques Duval, Éric Lefrançois, Raymond Calouche, Alfred Calouche, Ilka Michaelson, Daniel Chicoine, Jean Leduc, Kimberly Moore, Warren Milner, Sara Brown, Michel Paradis, Jean Deshaies, Michel Olaïzola, Ian McKinstray, Nadine Barouche, Jennifer Howard, Jeff Comello, Christina DeGuzman, Stéphane Nadon, André Leblanc, Jacques Tinel, Jeff Quilty, Ottawa Goodtime Center, Nadon Sport, Jan Plessner, Karl Edmondson, Russ Brenan, Jeff Herzog, Greg Lasiewski, Agata Formato, Lauren Oldoerp, Joey Lombardo, Sean Alexander, Jon Rall, Julie Garry, Marie-Pierre Laflamme, Mario Lajoie, Andy White, Francis Ouimette, Patrick Beaulé, Norm Wells, Rob Dexter, Chris Duff, Chris Ellis, Thais Toro, Jim Callahan, Marc R. Lacroix, José Boisjoli, Philippe Normand, Rich Gonnello, Alex Carroni, Paul James, Jennifer Gruber, Erik Buell, Dana Wilke, Wille G. Davidson, Christine Eggert, John Bayliss, François Morneau, Steeve Bolduc, Natalie Garry, Martin Tejeda, Tim Kennedy, Bryan Hudgin, Luc Boivin, Robert Pandya, Steve Hicks, John Paolo Canton, Alain Mongenot, Tom Riles, Brian J. Nelson, Steven Graetz, Kinney Jones, Adam Campbell, Kevin Wing, Rob O'Brien et Colin Fraser.

Graphisme : CRI agence
Chargé de projet : Pascal Meunier
Coordonnatrice : Patricia Rheault
Direction artistique : Philippe Lagarde
Direction de l'infographie : Wolfgang Housseaux
Retouche photo : Claude Lemieux
Associé - directeur de la création : Christian Lafrenière
Révision linguistique : Anabelle Morante, Gilberte Duplessis
Révision technique : Ugo Levac
Rédacteur section hors-route : Claude Léonard
Éditeur, rédacteur en chef : Bertrand Gahel
Impression : Imprimerie Transcontinental
Représentant : Robert Langlois (514) 294-4157

LES GUIDES MOTOCYCLISTES

Téléphone : 1 (877) 363-6686
Adresse Internet : info@leguidedelamoto.com
Site Internet : www.leguidedelamoto.com

ÉDITIONS ANTÉRIEURES

Des éditions antérieures du Guide de la Moto sont offertes aux lecteurs qui souhaiteraient compléter leur collection. Les éditions antérieures peuvent être obtenues uniquement par service postal. Voici la liste des éditions que nous avons encore en stock ainsi que leur description :

* 2009 (français, 384 pages en couleurs)
* 2008 (français, 368 pages en couleurs)
* 2007 (français, 384 pages en couleurs)
* 2006 (français, 400 pages en couleurs)
* 2005 (français, 368 pages en couleurs)
* 2004 (épuisée)
* 2003 (français, 300 pages en couleurs)
* 2002 (français, 272 pages en couleurs)
* 2001 (français, 256 pages en noir et blanc avec section couleur)
* 2000 (français ou anglais, 256 pages en noir et blanc avec section couleur)
* 1995, 1996, 1997, 1998, 1999 (épuisées)

Pour commander, veuillez préparer un chèque ou un mandat postal à l'ordre de : *Le Guide de la Moto* et postez-le au : C.P. 55011, Longueuil, QC. J4H 0A2. N'oubliez pas de préciser quelle(s) édition(s) vous désirez commander et d'inclure votre nom et votre adresse au complet écrits de manière lisible, pour le retour ! Les commandes sont en général reçues dans un délai de trois à quatre semaines.

Coût total par Guide, donc incluant taxe et transport, selon l'édition :

* 30 $ pour les éditions 2009, 2008, 2007, 2006, 2005 et 2003
* 25 $ pour l'édition 2002
* 20 $ pour l'édition 2001
* 15 $ pour l'édition 2000

IMPORTANT : Les éditions antérieures du Guide de la Moto que nous offrons à nos lecteurs sont des exemplaires ayant déjà été placés en librairie. Il se peut donc qu'ils affichent certaines imperfections mineures, généralement des couvertures très légèrement éraflées. La plupart sont toutefois en excellent état.

Dépôt légal : Premier trimestre 2010
Bibliothèque nationale du Québec
Bibliothèque nationale du Canada
ISBN : 978-2-9809146-4-5
Imprimé et relié au Québec

IL AURAIT ÉTÉ CLASSÉ MEILLEUR DE SA CATÉGORIE. SI CETTE CATÉGORIE EXISTAIT.

Les roadsters Can-Am^{MC} Spyder^{MC} réinventent l'expérience de conduire. Leur conception unique en Y vous assure de ne jamais passer inaperçu. Il est équipé d'un système de stabilité de pointe, d'une transmission semi-automatique à 5 rapports avec marche arrière, en option, et d'un puissant moteur Rotax® bicylindre en V. Découvrez à votre tour ce que les milliers de conducteurs de roadster savent déjà, en visitant can-am.brp.com.

SPYDER RS

SPYDER RT

can-am

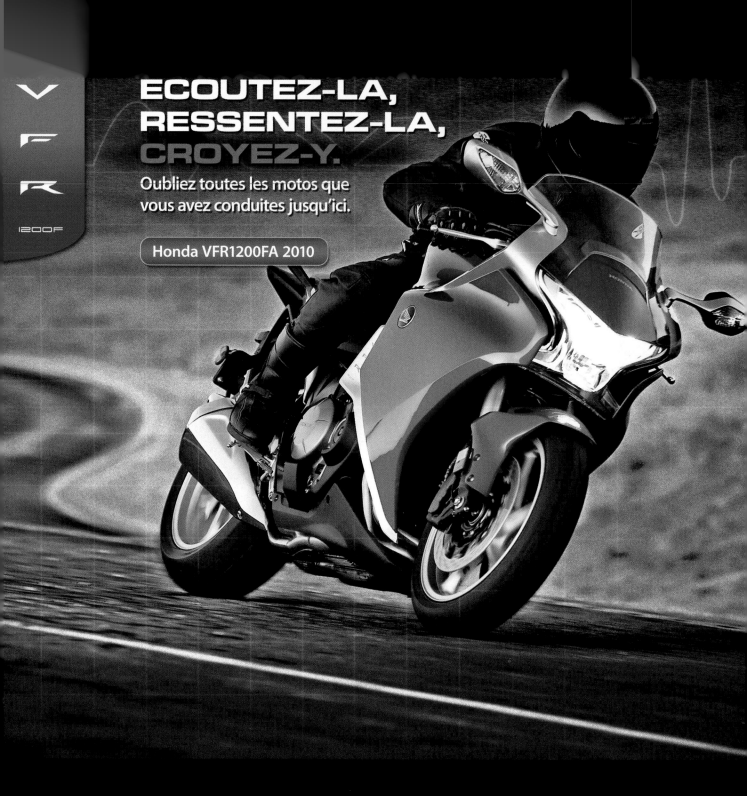

Pionnière d'une nouvelle culture, le tourisme supersport

Vous êtes un motocycliste unique; le temps est venu de vous procurer une motocyclette différente de tout ce qui a été fait jusqu'ici. Découvrez la révolutionnaire Honda VFR1200FA 2010, une routière sportive dotée d'un moteur V4 si avancé et si original qu'il produit une sonorité et une qualité de conduite encore jamais vues. Les sensations et les performances offertes par la VFR1200FA en font une motocyclette aussi appropriée pour une journée en piste que pour une randonnée à travers la province – elle est entièrement nouvelle et pratiquement sans défaut. Style, douceur et raffinement sans égal, avec une sonorité qui deviendra sûrement légendaire. **Rendez-vous chez votre concessionnaire de motocyclettes Honda et oubliez toutes les autres motos que vous avez conduites jusqu'ici.**

TABLE DES MATIÈRES

Pour des raisons de production,
les légendes ont été déplacées en page 12.

La moto étant avant tout une source de plaisir et d'évasion, on tente souvent d'éviter les sujets qui la touchent d'une manière qui n'est pas purement positive. Rédiger l'avant-propos d'un ouvrage comme *Le Guide de la Moto* en 2010 sans traiter du sujet de la difficile situation économique qui frappe l'industrie tout entière serait ainsi probablement plus «joyeux», mais cela équivaudrait aussi à jouer à l'autruche et à priver le lectorat de fort importantes informations concernant l'état actuel et l'avenir de la moto. En fait, au rythme auquel progresse cette situation et compte tenu des lourdes conséquences qu'a déjà eu la dégringolade économique sur notre sport, je crois qu'on ne devrait plus parler de crise, mais bien de moment pivot dans l'histoire de la moto. Sans que cela soit nécessairement une mauvaise chose, je suis d'avis que le monde de la moto pourrait ne plus être le même une fois cet épisode derrière nous, que l'industrie de la motocyclette pourrait à jamais s'en trouver transformée. Je crois qu'il ne s'agit plus d'une simple crise, mais plutôt d'une période de métamorphose profonde de laquelle le sport émergera avec un visage nouveau, un visage dont les traits auront été sculptés par la combinaison d'une multitude de facteurs touchant simultanément la moto. Les résultats de cette transformation sont d'ailleurs déjà perceptibles.

Pour plusieurs constructeurs, les ventes aux États-Unis ont chuté de presque la moitié en 2009. Lorsqu'on réfléchit un instant à cette statistique, on réalise que ces compagnies pourraient presque nourrir 2010, sans modèles 2010... Les États-Unis ne sont pas le Canada qui n'est pas le Québec, répondent certains. Vrai, sauf que les motos qui arrivent jusqu'au Canada et au Québec sont intimement liées à celles que choisissent nos voisins du sud. Tout est relié, on ne s'en sort pas. Pour cette raison, mais aussi parce que les ventes de motos au Canada n'ont pas été particulièrement reluisantes l'an dernier, la cuvée 2010 est fort intéressante puisqu'elle représente la combinaison des solutions de chaque manufacturier face à ce problème. D'une façon générale, nous pouvons nous compter très chanceux de continuer d'avoir accès à un choix de motos pratiquement aussi vaste qu'avant puisque tel n'est pas du tout le cas au sud de notre frontière où certaines compagnies ont soit choisi de ne pas offrir de 2010, soit choisi d'en offrir une poignée à peine. Cela dit, il reste que la quantité d'unités 2010 importées au Canada a quand même été ajustée à la baisse afin de tenir compte de la capacité du marché à les absorber, ainsi que pour donner la chance aux modèles non courants de trouver preneur. De véritables petites aubaines pourraient ainsi être dénichées pour qui se donne la peine de fouiller un peu.

Si l'un des effets de la crise économique aura été ressenti, chez nous, au niveau d'un choix de modèles ou de couleurs quelque peu réduit pour 2010, un autre effet, dans ce cas beaucoup plus profond, pourrait se manifester sous la forme d'une sérieuse transformation du type de motos produites à l'échelle planétaire. À titre d'exemple, personne ne sait trop ce qui se passera à moyen terme avec les sportives pures qui, en ne cessant d'évoluer et de se spécialiser, ont aussi continuellement réduit le nombre de leurs adeptes potentiels. Jusqu'à quand les constructeurs pourront-ils rester engagés dans cette formidable, mais oh combien onéreuse guerre technologique, et ce, surtout si les ventes ne se mettent pas à remonter? Jusqu'à quand les constructeurs pourront-ils déployer autant d'énergie pour satisfaire une poignée de motocyclistes experts et, ce faisant, négliger les nouveaux arrivants pour qui une 1000 sportive de 200 chevaux n'est d'aucun intérêt? La même question se pose chez les customs où les amateurs, après plusieurs années à acheter n'importe quel modèle ressemblant plus ou moins à une Harley-Davidson, et ce, même à fort prix, deviennent plus exigeants? Qu'arrive-t-il lorsque ces amateurs réclament du nouveau de la part des constructeurs, mais qu'ils se montrent en même temps réticents à payer les sommes demandées? L'une des solutions les plus faciles pour les grands manufacturiers — et elle est envisagée — serait de tout simplement cesser le développement et la vente de ces modèles extrêmement complexes et coûteux à développer pour se concentrer sur les marchés émergents comme l'Inde ou la Chine qui, eux, absorbent des quantités astronomiques de petites motos purement destinées à servir de moyen de transport économique. On parle de petites cylindrées ne requérant presque aucun développement, ne nécessitant presque aucun effort de marketing et coûtant littéralement quelques dollars à produire.

Est-ce donc dire que la moto telle que nous la connaissons serait une espèce en voie de disparition vouée à être remplacée par des gammes de petits engins conçus pour servir au transport de menues marchandises dans des pays en voie de développement? Probablement pas, et ce, pour une raison très simple. Les motos, les vraies, celles que nous roulons et qui nous passionnent, malgré le fait qu'elles coûtent beaucoup plus cher à concevoir que des vélos motorisés, comblent chez les motocyclistes de la partie de la planète qui n'est pas en voie de développement un besoin aussi profond qu'irremplaçable de liberté, de camaraderie, d'évasion et surtout de plaisir. Or, il s'agit d'un besoin que nous continuerons d'éprouver et que les constructeurs continueront d'essayer de combler, bien qu'il soit certain que la manière avec laquelle ils le feront évoluera et s'adaptera aux demandes et aux moyens des motocyclistes. Une évolution que *Le Guide de la Moto* suivra d'ailleurs de très près.

Bertrand Gahel

INDEX PAR MARQUE

MULTISTRADA 1200

Bénéficiant d'importantes avancées technologiques, la toute nouvelle Multistrada 1200 est quatre motos en une. Une puissante sportive, une routière capable de tourisme, une moto urbaine et même une aventurière tout-terrain… chacune accessible à la simple poussée d'un bouton. Audacieuse, propulsée par la passion et créée avec une liberté de design totale, la nouvelle Multistrada est confortable, performante et adaptable.

Toutes les données figurant dans les fiches techniques proviennent de la documentation de presse des constructeurs. Elles sont mises à jour avec les modèles courants et changent donc occasionnellement même si la moto n'a pas été modifiée. Les puissances sont toujours mesurées en usine par les constructeurs et représentent donc des chevaux « au moteur » et non à la roue arrière. Les performances représentent des moyennes générées par *Le Guide de la Moto*. Il s'agit d'attributs qui peuvent toutefois être dupliqués par un bon pilote, dans de bonnes conditions. Les vitesses de pointes sont mesurées et non lues sur les instruments de la moto, qui sont habituellement optimistes par une marge de 10 à 15 pour cent. Selon la mention, les poids sont soit donnés à sec, ce qui signifie sans essence, huile, liquide de frein, liquide de batterie, liquide de refroidissement, etc., soit donnés avec tous pleins faits. Enfin, les prix indiqués sont les prix de détail suggérés par les manufacturiers. Les prix en magasin peuvent varier selon la volonté de l'établissement de baisser ou hausser ce montant, ou encore en raison d'une hausse ou d'une baisse dictée par le constructeur.

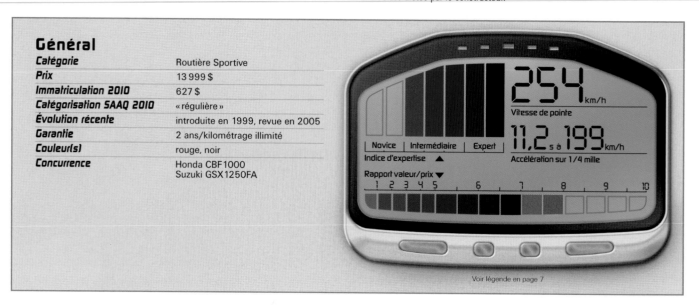

Général

Catégorie	Routière Sportive
Prix	13 999 $
Immatriculation 2010	627 $
Catégorisation SAAQ 2010	« régulière »
Évolution récente	introduite en 1999, revue en 2005
Garantie	2 ans/kilométrage illimité
Couleur(s)	rouge, noir
Concurrence	Honda CBF1000 Suzuki GSX1250FA

Voir légende en page 7

Données SAAQ

Les données concernant les coûts d'immatriculation ainsi que la catégorisation établie par la SAAQ proviennent des renseignements les plus à jour fournis par la SAAQ au moment d'aller sous presse. Lorsqu'un nouveau modèle n'a pas encore été catégorisé par la SAAQ, une mention NC (non catégorisé) apparaît à côté d'une catégorie qui devrait logiquement être celle que la SAAQ finira par adopter si ses propres critères ne changent pas. Il est important de réaliser que la catégorisation de la SAAQ n'est pas fixe et qu'une moto catégorisée « sport » une année peut devenir « régulière » l'année suivante, et vice versa. Ces situations devraient toutefois être rares, selon la Société. Le Guide de la Moto établit sa propre catégorisation et se détache complètement des critères de catégorisation de la SAAQ ainsi que de sa logique de tarification.

RAPPORT VALEUR/PRIX

Le Rapport Valeur/Prix du Guide de la Moto indique la valeur d'un modèle par rapport à son prix. Une moto peu dispendieuse et très généreuse en caractéristiques se mérite la plus haute note, tandis qu'une moto très dispendieuse qui n'offre que peu de caractéristiques intéressantes mérite une note très basse. Une évaluation de 7 sur 10 représente « la note de passage ». Tout ce qui est au-dessus représente une bonne valeur, et tout ce qui est en dessous une mauvaise valeur, à plusieurs degrés.

La note de 10/10 n'est donnée que très rarement au travers du Guide. Elle représente une valeur imbattable à tous les points de vues. Elle est généralement accordée à des montures affichant un prix budget, mais qui offrent des caractéristiques très généreuses.

La note de 9/10 est donnée à des montures de très haute valeur, soit parce que leur prix est peu élevé pour ce qu'elles ont à offrir, soit parce qu'elles offrent un niveau de technologie très élevé pour un prix normal, comme c'est le cas pour plusieurs sportives, par exemple.

La note de 8/10 est donnée aux montures qui représentent une valeur supérieure à la moyenne. Le prix n'est pas nécessairement bas, mais la qualité et les caractéristiques de ce qu'on achète restent élevées.

La note de 7/10 est donnée aux montures qui affichent un prix plus ou moins équivalent à leur valeur. On paie pour ce qu'on obtient, pas plus, pas moins.

La note de 6/10 est donnée aux modèles qui, sans nécessairement être de mauvaises motos, sont trop chères par rapport à ce qu'elles ont à offrir.

La note de 5/10 est donnée aux modèles dont la valeur est médiocre, soit parce qu'ils sont carrément trop chers, soit parce qu'ils sont simplement désuets.

À ce stade, ils ne sont pas recommandés par *Le Guide de la Moto*.

INDICE D'EXPERTISE

L'indice d'expertise du Guide de la Moto est un indicateur illustrant l'intensité ou la difficulté de pilotage d'un modèle, donc le niveau d'expérience que doit détenir son pilote. D'une manière générale, plus les graduations « allumées » sont élevées et peu nombreuses dans l'échelle, plus il s'agit d'une monture destinée à une clientèle expérimentée, comme une Suzuki GSX-R1000. À l'inverse, plus les graduations « allumées » sont peu nombreuses et basses sur l'échelle, plus il s'agit d'une monture destinée à une clientèle novice, comme une Yamaha V-Star 250. Il est à noter qu'il n'existe aucune étude liant directement la puissance ou la cylindrée aux accidents. En raison de leur nature pointue, certaines sportives peuvent toutefois surprendre un pilote peu expérimenté, tandis que le même commentaire est valable pour une monture peu puissante, mais lourde ou haute. De telles caractéristiques ont pour conséquence de repousser l'étendue des graduations « allumées » vers le côté Expert de l'indice. À l'inverse, certaines montures, même puissantes, ont un comportement général relativement docile, comme une Honda CBF1000. D'autres ont une grosse cylindrée, mais sont faciles à prendre en main, comme une Yamaha V-Star 1100. De telles caractéristiques ont pour conséquence d'élargir l'étendue des graduations « allumées » vers le côté Novice de l'indice, puisqu'il s'agit à la fois de modèles capables de satisfaire un pilote expérimenté, mais dont le comprtement relativement calme et facile d'accès ne devrait pas surprendre un pilote moins expérimenté. Ainsi, chaque graduation vers le haut indique des réactions un peu plus intenses ou un niveau de difficulté de pilotage un peu plus élevé, tandis que chaque graduation vers le bas indique une plus grande facilité de prise en main et une diminution du risque de surprise lié à des réactions inhérentes au poids ou à la performance. L'information donnée par l'indice d'expertise en est donc une qu'on doit apprendre à lire, et qui doit être interprétée selon le modèle.

DE L'ADRÉNALINE SANS LIMITES

Faites de la ville votre terrain de jeu urbain avec la nouvelle F800R. Son faible poids à vide lui confère une agilité supérieure et une maniabilité époustouflante combinées au couple le plus élevé de sa catégorie. La F800R est la moto choisie par le triple champion cascadeur du monde Chris Pfeiffer. Cette moto va entraîner l'amateur de sensations fortes dans une aventure exceptionnelle. Communiquez avec le détaillant BMW Motorrad de votre région pour plus de détails.

BMW

Model		
K1300GT	(+300)	21 900
R1200RT	(+1 200)	20 200
K1300S	(+340)	16 990
HP2 Sport	(+950)	27 590
S1000RR	NM	17 300
F800ST	(+150)	12 500
K1300R	(+500)	16 850
R1200R	(+450)	14 950
R1200R Touring Edition	NM	15 950
F800R	NM	9 990
F800R Chris Pfeiffer SE	NM	11 340
R1200GS	(+750)	17 650
R1200GS Adventure	(+1 100)	20 300
F800GS	(+280)	12 530
F650GS	(+285)	9 775

BRP CAN-AM

Model		
Spyder RT	NM	24 499
Spyder RT (A&C)	NM	26 499
Spyder RT-S	NM	28 499
Spyder RS	(+300)	19 299
Spyder RS-S	(+1 300)	21 799

DUCATI

Model		
1198R Corse	(+1 000)	49 995
1198S Corse	NM	29 995
1198S	(+1 000)	26 995
1198	(+0)	19 995
848	(+0)	16 495
Monster 1100S	(+0)	15 695
Monster 1100	(+0)	13 495
Monster 696	(+0)	9 995
Multistrada 1200S	(+4 000)	20 995
Multistrada 1200	NM	17 495
Hypermotard 1100 Evo SP	(-500)	17 495
Hypermotard 1100 Evo	(+0)	14 995
Hypermotard 796	NM	11 495
Streetfighter S	(+1 000)	22 495
Streetfighter	(+500)	17 495
GT1000	(+1 000)	13 495

HARLEY-DAVIDSON

Model		
Tri Glide Ultra Classic	(-710)	36 689
Street Glide Trike	NM	33 109
Electra Glide Ultra Limited	NM	29 339
Ultra Classic Electra Glide	(-480)	24 949
Electra Glide Classic	(-430)	22 569
Street Glide	(-430)	22 569
Road Glide Custom	NM	22 569
Road King Classic	(-420)	21 429
Road King	(-400)	20 189
Fat Boy	(-380)	18 999
Fat Boy Lo	NM	19 369
Heritage Softail Classic	(-1 640)	20 349
Softail Deluxe	(-1 180)	20 199
Softail Cross Bones	(-400)	20 189
Softail Custom	(-390)	20 279
Rocker C	(-470)	23 399
Super Glide Custom	(-300)	15 599
Super Glide	(-290)	14 449
Street Bob	(-280)	15 449
Wide Glide	NM	17 219
Fat Bob	(-330)	17 819
V-Rod Muscle	(-390)	20 439
Night Rod Special	(-390)	19 959
V-Rod	(-330)	17 819

Model		
Sportster XR1200	(-250)	12 829
Sportster 1200 Forty-Eight	NM	12 479
Sportster 1200 Nightster	(-110)	11 879
Sportster 1200 Custom	(-220)	11 879
Sportster 1200 Low	(-120)	11 789
Sportster 883 Iron	(-110)	9 459
Sportster 883 Low	(-170)	8 299
Screamin'Eagle Ultra Classic EG Dark	NM	43 359
Screamin'Eagle Ultra Classic EG	(-230)	42 769
Screamin'Eagle Street Glide	NM	36 829
Screamin'Eagle Softail Convertible	NM	33 259
Screamin'Eagle Dyna Fat Bob	(-590)	30 059

HONDA

Model		
Gold Wing AD	(+650)	31 499
Gold Wing AL	(+600)	29 999
ST1300A	(+300)	19 999
CBF1000	(+1 000)	12 999
CBF600	NM	9 899
VFR1200F	(+3 600)	18 299
VFR1200F DCT	PND	
CBR1000RR ABS	(-200)	16 399
CBR600RR ABS	(+300)	13 799
Varadero	(-800)	13 199
Fury	(-614)	15 499
Fury (couleur spéciale)	NM	15 799
Fury ABS	NM	16 799
Stateline ABS	NM	13 299
Sabre ABS	NM	13 399
Interstate	NM	14 449
Shadow Aero ABS	NM	9 799
Shadow Spirit ABS	NM	9 699
Shadow Spirit	(+100)	8 899
Shadow RS	NM	8 899
Shadow Phantom	NM	9 099

HYOSUNG

Model		
Fischer MRX	NM	9 995
GT 650 R 2 tons	(+500)	7 995
GT 650 R	(+500)	7 895
GT 650	NM	7 295
GT 250 R 2 tons	(-100)	5 195
GT 250 R	(+0)	4 995
GT 250	(+200)	4 695
Aquila V-80	(+500)	8 895
Aquila 250	(+0)	4 895

KAWASAKI

Model		
Voyager 1700 ABS	(+850)	22 549
Voyager 1700	(+800)	21 049
Concours 14 ABS	(+1 100)	20 199
Concours 14	(+1 100)	18 899
Ninja ZX-14 Édition Spéciale	(+1 000)	16 399
Ninja ZX-14	(+1 000)	16 099
Ninja ZX-10R Édition Spéciale	(+1 400)	16 199
Ninja ZX-10R	(+1 400)	15 999
Ninja ZX-6R Édition Spéciale	(+800)	13 399
Ninja ZX-6R	(+900)	13 199
Ninja 650R	(+500)	8 699
ER-6n	(+450)	8 249
Ninja 250R (vert)	(+500)	5 199
Ninja 250R (autres)	(+450)	4 999
Versys	(+500)	8 999
Vulcan 1700 Nomad	(+900)	18 699
Vulcan 1700 Classic LT	(+450)	17 699
Vulcan 1700 Classic	(+600)	15 999
Vulcan 900 Classic LT	(+900)	11 399

Model		
Vulcan 900 Classic	(+650)	9 599
Vulcan 900 Custom Édition Spéciale	(+900)	10 299
Vulcan 900 Custom	(+900)	9 899

KTM

Model		
1190 RC8R	NM	22 998
1190 RC8	(-2 000)	18 898
990 Super Moto T	NM	15 298
990 Adventure R	(-100)	17 098
990 Adventure	(-300)	16 698
690 SMC	(+400)	11 398
690 Duke	(+200)	11 598

SUZUKI

Model		
GSX1300R Hayabusa	(+1 100)	16 299
GSX-R1000	(+1 100)	16 599
GSX-R750	(+900)	13 899
GSX-R600	(+900)	13 299
GSX1250FA SE ABS	(+900)	13 299
GSX1250FA ABS	(+900)	11 799
GSX650F ABS	(+500)	9 299
SV650S ABS	(+600)	9 499
Gladius ABS	(+500)	9 399
V-Strom 1000 SE	(+800)	13 299
V-Strom 1000	(+800)	12 299
V-Strom 650 SE ABS	(+800)	10 799
V-Strom 650 ABS	(+700)	9 699
GS500F	(+500)	7 399
Boulevard C109R T	(+1 300)	19 299
Boulevard M109R	(+1 200)	16 799
Boulevard M109R Z	(+1 200)	17 299
Boulevard M90	(+900)	13 799
Boulevard C50 T	(+800)	10 799
Boulevard C50 SE	(+800)	10 699
Boulevard C50	(+600)	9 299
Boulevard M50	(+600)	9 499
Boulevard S40	(+500)	6 799
Marauder 250	(+300)	4 999

TRIUMPH

Model		
Sprint ST ABS	(+400)	13 999
Tiger ABS	(+400)	13 999
Tiger ABS SE	NM	14 599
Daytona 675	(+800)	11 999
Daytona 675 SE	NM	11 999
Speed Triple	(+550)	12 750
Speed Triple SE	NM	13 750
Street Triple R	(+700)	11 199
Street Triple	(+300)	9 999
Thruxton	(+400)	9 999
Scrambler	(+500)	9 999
Bonneville T100	(+200)	9 999
Bonneville SE 2 tons	NM	9 699
Bonneville SE	(+0)	9 399
Bonneville	(+0)	8 699
Rocket III Touring 2 tons	(+200)	19 199
Rocket III Touring	(+0)	18 699
Rocket III Roadster	NM	16 399
Thunderbird ABS 2 tons	NM	16 399
Thunderbird ABS	NM	15 899
Thunderbird 2 tons	NM	15 399
Thunderbird	NM	14 899
America 2 tons	(+400)	10 299
America	(+300)	9 999
Speedmaster 2 tons	(+400)	10 299
Speedmaster	(+300)	9 999

VICTORY

Model		
Vision Tour Premium ABS	NM	26 424
Vision Tour Premium	(+0)	25 867
Vision 8-Ball	NM	20 069
Arlen Ness Vision	(+0)	27 874
Cross Country	NM	20 069
Cross Roads	NM	17 839
Kingpin	(-1 820)	16 799
Kingpin 8-Ball	(-1 110)	14 499
Cory Ness Jackpot	(+0)	27 316
Jackpot	(+0)	20 626
Vegas LE	NM	17 839
Vegas	(-2 309)	16 199
Vegas 8-Ball	(-1 387)	13 999
Hammer S	(+0)	20 626
Hammer	(+0)	21 184
Hammer 8-Ball	NM	16 166

YAMAHA

Model		
Royal Star Venture S	(+100)	23 899
Royal Star Venture	(+100)	23 299
FJR1300A	(+100)	20 199
YZF-R1 (Rossi SE)	NM	17 617
YZF-R1	(+100)	16 799
YZF-R6	(+100)	13 299
FZ1	(+100)	13 199
FZ6R	(+100)	8 899
VMAX	(+1 000)	22 999
Stratoliner Deluxe	NM	22 999
Stratoliner S	(+100)	23 299
Roadliner S	(-800)	21 299
Roadliner	(-400)	19 699
Raider S	(+200)	19 999
Raider	(+200)	19 599
Road Star Midnight Warrior	(+100)	19 499
Road Star Warrior	(+100)	19 199
Road Star Silverado S	(+100)	19 199
Road Star Silverado	(+100)	18 449
Road Star S	(+100)	16 999
Road Star	(+100)	16 549
V-Star 1300 Tourer	(+100)	14 199
V-Star 1300	(+100)	12 599
V-Star 1100 Silverado	(+100)	12 899
V-Star 1100 Classic	(+100)	11 099
V-Star 1100 Custom	(+100)	10 499
V-Star 950 Tourer	(+100)	12 099
V-Star 950	(+100)	10 099
V-Star 650 Silverado	(+100)	9 899
V-Star 650 Classic	(+100)	8 499
V-Star 650 Custom	(+100)	8 099
V-Star 250	(+100)	5 499

Légende

PND = prix non déterminé

(-100) = coûte 100 $ de moins qu'en 2009

(+100) = coûte 100 $ de plus qu'en 2009

(+0) = aucune variation de prix par rapport à 2009

NM = nouveau modèle

Les prix indiqués sont les prix de base et n'incluent aucune option.

EST-CE QU'IL M'A VU?

Face à un véhicule qui tourne à gauche,
rouler à la vitesse permise,
c'est augmenter ses chances d'être vu.

Sécurité
routière

ON EST TOUS RESPONSABLES DE NOTRE CONDUITE

Société de l'assurance
automobile
Québec

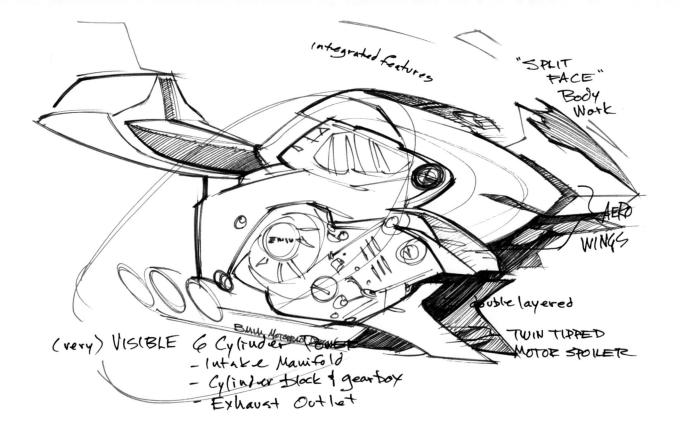

integrated features

"SPLIT FACE" Body Work

AERO WINGS

double layered

TWIN TIPPED MOTOR SPOILER

(very) VISIBLE 6 Cylinder Power
- Intake Manifold
- Cylinder block & gearbox
- Exhaust Outlet

Concept6

BMW a complètement transformé son image et sa gamme ces dernières années. L'arrivée en 2010 de la S1000RR devrait d'ailleurs convaincre les plus sceptiques que la marque de Munich n'est plus du tout celle qu'on connaissait il y a à peine 5 ans. L'étude de style qu'est la Concept6 est la preuve que cette transformation n'est pas complète et que cette progression n'est pas sur le point de ralentir. Comme son nom et ses 6 sorties d'échappement l'indiquent, le prototype sert à annoncer au monde que BMW dévoilera dans un avenir rapproché des montures propulsées par des 6-cylindres en ligne. La remplaçante de la K1200LT, qui pourrait d'ailleurs être introduite dès l'an prochain, serait vraisemblablement l'une des premières BMW à recevoir cette mécanique. Les motocyclistes ne réalisent pas toujours l'importance qu'a le 6-cylindres en ligne pour la marque allemande, mais il s'agit en fait d'un genre de signature mécanique pour la division automobile du constructeur, d'où le côté très naturel de son adaptation à la moto.

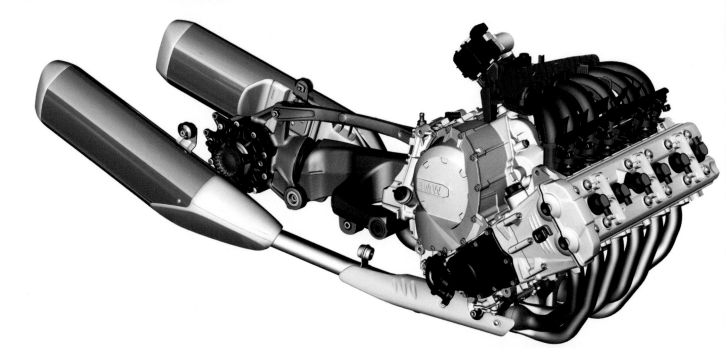

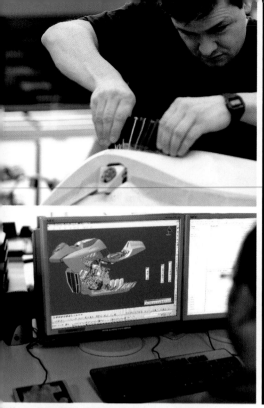

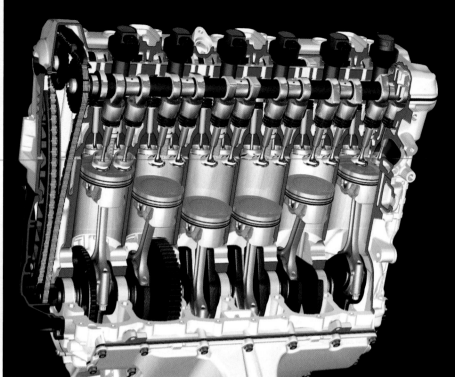

Proto ou fenêtre sur l'avenir ?

Il est souvent difficile de déterminer à quel point une étude de style comme la Concept6 est représentative d'une direction que compte prendre la compagnie qui la dévoile, ou si elle est simplement une pièce d'exhibition. Dans ce cas, nous savons déjà que le prototype sert à annoncer l'arrivée prochaine d'un tout nouveau 6-cylindres en ligne BMW. Mais y aurait-il plus derrière la Concept6 ? L'étude pourrait-elle carrément se transformer en modèle de production ? Serait-on, sans le savoir, en train d'observer la prochaine génération de la K-R propulsée par un 6-cylindres, une monture qui positionnerait BMW d'une manière au bas mot avantageuse dans l'univers des standards extrêmes ? La firme allemande ne répond évidemment pas à ces questions, mais à en juger par le travail qui se cache derrière la 6, supposer qu'il s'agit de plus qu'un support à moteur ne serait probablement pas farfelu.

DÉCOUVREZ DES CLASSIQUES PARFAITEMENT MODERNES.

Le look, le comportement et l'ingénierie. L'emblématique Twin parallèle. Juste comme il se doit. Une monture moderne. Une expérience moderne. Profondément Triumph. Classiques modernes à partir de seulement 8 699 $.

CONTACTEZ-NOUS POUR EN SAVOIR PLUS OU POUR RÉSERVER UN ESSAI. MIEUX ENCORE, ARRÊTEZ NOUS VOIR.

Chaque motocyclette Triumph neuve est couverte par une garantie de 2 ans sans limite de kilométrage. Les modèles illustrés sont accessoirisés.

CREATE
MY TRIUMPH

triumphmotorcycles.com

GO YOUR OWN WAY

Moto Vanier
776, boul. Wilfrid-Hamel
Québec (QC) G1M 2R3

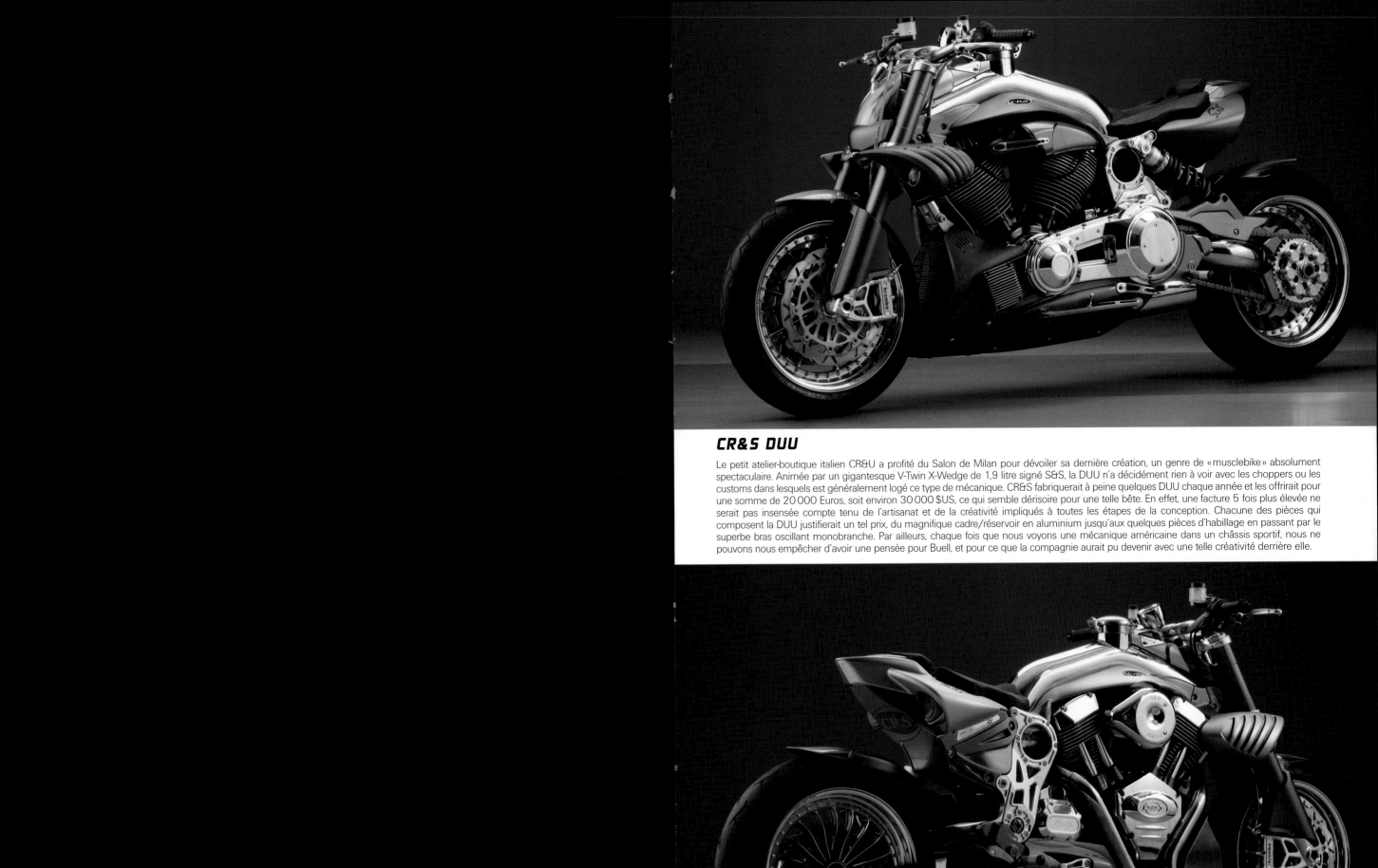

CR&S DUU

Le petit atelier-boutique italien CR&U a profité du Salon de Milan pour dévoiler sa dernière création, un genre de «musclebike» absolument spectaculaire. Animée par un gigantesque V-Twin X-Wedge de 1,9 litre signé S&S, la DUU n'a décidément rien à voir avec les choppers ou les customs dans lesquels est généralement logé ce type de mécanique. CR&S fabriquerait à peine quelques DUU chaque année et les offrirait pour une somme de 20 000 Euros, soit environ 30 000 $US, ce qui semble dérisoire pour une telle bête. En effet, une facture 5 fois plus élevée ne serait pas insensée compte tenu de l'artisanat et de la créativité impliqués à toutes les étapes de la conception. Chacune des pièces qui composent la DUU justifierait un tel prix, du magnifique cadre/réservoir en aluminium jusqu'aux quelques pièces d'habillage en passant par le superbe bras oscillant monobranche. Par ailleurs, chaque fois que nous voyons une mécanique américaine dans un châssis sportif, nous ne pouvons nous empêcher d'avoir une pensée pour Buell, et pour ce que la compagnie aurait pu devenir avec une telle créativité derrière elle.

GS Challenge

Charles Gref.
Instructeur certifié BMW

Cours sur route

Cours hors route

Moto Internationale BMW Motorrad, c'est tout ça et plus encore

- Grand choix de pièces, accessoires et vêtements BMW.
  Salle de montre avec plus de 30 modèles sur le plancher
- Département de motos d'occasion certifiées
  (prenons toutes marques de moto en échange)

MOTO INTERNATIONALE
BMW Motorrad
6695, St-Jacques Ouest, Montréal
514.483.6686   1.800.871.6686
www.motointer.com

SÉCURITÉ ACTIVE
BMW Motorrad
Formation
Moto Internationale

**Cours de perfectionnement
sur route et hors route**
Renseignez-vous pour notre calendrier
de la saison 2010 auprès d'Olivier Thibert
ou Chantal Cournoyer

Moto Internationale
www.motointer.com

Le plaisir de conduire.

Voilà pourquoi nous sommes des gagnants

Harley-Davidson Forty-Eight

Dévoilée au Salon de la Moto de New York en début d'année 2010, la nouvelle Forty-Eight est construite à partir de la plateforme de la Sportster 1200 et est offerte pour 12 479 $. Même si on a souvent tendance à ne donner que peu d'importance aux modèles de la famille Sportster, le cas de la Forty-Eight est très différent puisqu'elle a un rôle beaucoup plus large que celui de la simple monture d'entrée de gamme. La Forty-Eight est le résultat d'années d'efforts de la part de Harley-Davidson pour attirer une clientèle plus jeune que les Baby Boomer qui s'intéressent habituellement aux produits de la marque américaine. Celle-ci a d'abord cru que l'acquisition de Buell serait une façon d'amener vers elle des motocyclistes plus jeunes, mais cette tactique échoua et les portes de la marque Buell furent d'ailleurs fermées en grande partie pour cette raison. Puis, il y eut l'épisode des V-Rod qui ne remportent toujours pas le succès que Harley-Davidson espérait. La célèbre marque affirme avoir aujourd'hui choisi de se concentrer sur sa propre identité. Plutôt qu'essayer d'attirer les jeunes avec autre chose, Harley-Davidson tentera dorénavant de les séduire avec des Harley-Davidson. Celles-ci seront néanmoins clairement différentes des Fat Boy et compagnie qui sont largement associées par les jeunes à l'ennuyeux monde des adultes. La Forty-Eight est le parfait exemple d'une Harley-Davidson qui respecte en tout point la tradition de la marque, mais dont les lignes sont clairement plus jeunes.

Éditions limitées

Elles ne constituent peut-être pas les nouveautés les plus spectaculaires de 2010, mais pour leurs amateurs respectifs, chacune de ces éditions limitées a son importance. Celle de la GSX-R1000, dont 1000 exemplaires numérotés seront produits, marque les 25 années qui ont passé depuis le dévoilement de la toute première GSX-R750 en 1985. Rien n'indique que nous la verrons au Canada. La raison d'être de l'édition spéciale Dark de la version CVO de la Harley-Davidson Ultra Classic Electra Glide est moins profonde puisqu'elle ne marque aucun anniversaire. Il s'agit plutôt d'un modèle à tirage limité produit à 999 exemplaires que la firme de Milwaukee a dévoilé en tout début d'année 2010.

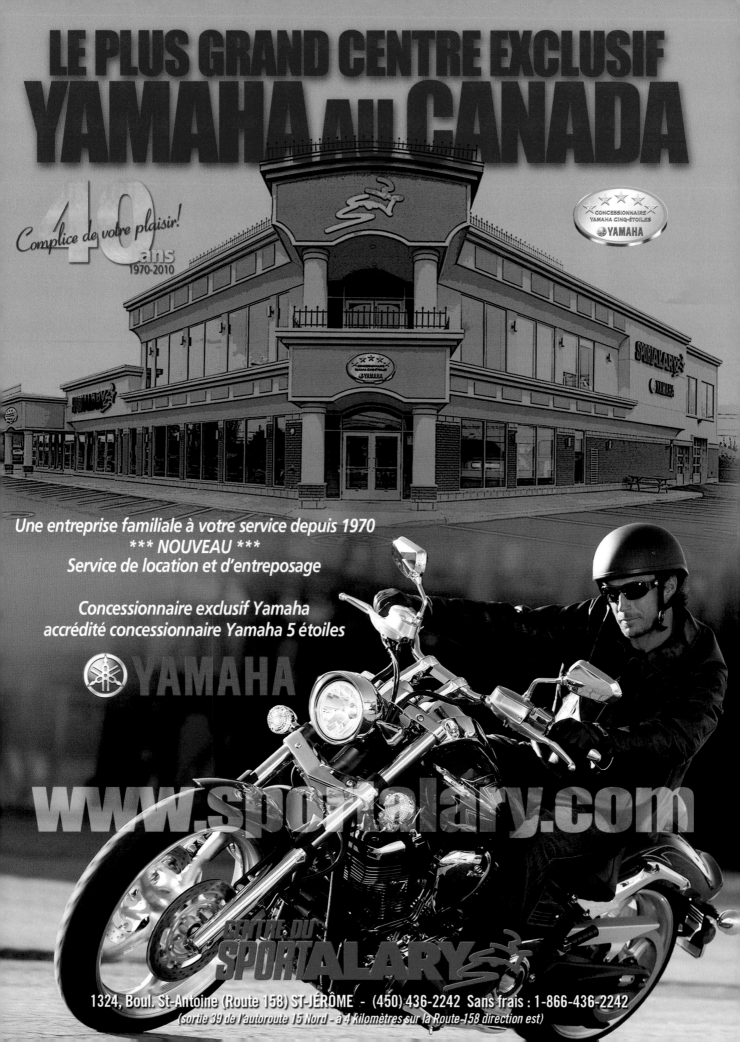

MV Agusta F4

Considérée depuis son dévoilement comme l'une des plus belles motos du monde, la MV Agusta est complètement repensée pour 2010, et ce, même si la nouvelle génération garde un air de famille extrêmement serré avec le modèle original. Toujours la propriété de Harley-Davidson, mais récemment mise en vente par le constructeur américain, MV Agusta est sans l'ombre d'un doute l'une des marques les plus prestigieuses de l'univers du motocyclisme. Pour cette raison, il était hors de question pour le manufacturier italien de risquer une nouvelle direction stylistique. Le parallèle entre la situation de la première F4 et de la Ducati 916 est évident puisque toutes les deux affichaient une ligne tellement aimée que les faire évoluer devenait très complexe. La leçon apprise par Ducati, qui a complètement abandonné le thème de la 916 en présentant la 999, aura servi à MV puisque la nouvelle F4 se veut au contraire une progression très naturelle de la version originale en ce qui concerne l'aspect visuel. Elle continue donc d'émerveiller et reste instantanément reconnaissable. Mais la moto est en réalité toute neuve puisque châssis et moteur ont été entièrement repensés. Désormais plus étroite de 4 cm, la F4 aurait perdu 10 kg et verrait la puissance de son 4-cylindres en ligne de 998 cc passer à un peu plus de 186 chevaux. La firme italienne ne mâche pas ses mots au sujet de la F4 puisqu'elle la décrit non

Yamaha FZ8

Aucune information officielle n'a été communiquée à propos de la toute nouvelle FZ8 avant d'aller sous presse. Yamaha a plutôt seulement relâché quelques photos afin de mousser l'arrivée éventuelle du modèle au courant de 2010. La nouveauté est néanmoins clairement propulsée par 4-cylindres en ligne dont la cylindrée devrait se situer autour de 800 cc, ce qui constituerait un heureux bond par rapport aux 600 cc que ces montures affichent habituellement, tandis que la partie cycle apparaît solidement construite avec fourche inversée et cadre en aluminium.

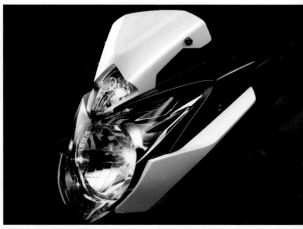

LE TOURISME REDÉFINI

LA NOUVELLE KTM 990 SMT VOUS AMÈNE À UN NOUVEAU NIVEAU DE VOYAGEMENT. UNE INDÉPENDANCE ILLIMITÉE – FAITES L'EXPÉRIENCE D'UNE NOUVELLE DIMENSION AU PLAISIR DE ROULER. DE L'ADRÉNALINE À PROFUSION, 115 HP, UNE CONDUITE PRÉCISE, UN DESIGN UNIQUE CONÇU POUR LE VOYAGEMENT LONGUE DISTANCE – DÉMONTRANT QUE KTM A MIS LA BARRE HAUTE DANS LA CATÉGORIE SPORT TOURISME. POUR PLUS DE RENSEIGNEMENTS AINSI QUE POUR OBTENIR LE CATALOGUE POWERPARTS VEUILLEZ CONTACTER VOTRE CONCESSIONNAIRE KTM. L'HEURE EST ARRIVÉE! WWW.KTMCANADA.COM

Foto: redeye

www.kiskadesign.com

SPORT TRAVEL

KTM

THUNDERBIRD. JUGEZ PAR VOUS-MÊME.

FAITES UN ESSAI AUJOURD'HUI. Proportions musclées. Style franc.
La nouvelle Thunderbird offre une tenue de route impeccable, des performances dynamiques et un freinage sûr.
C'est l'authentique expérience custom à la façon Triumph. À partir de 14 899$ PDSF. Brillant.

Chaque motocyclette Triumph neuve est couverte par une garantie de 2 ans sans limite de kilométrage. Les modèles illustrés sont accessoirisés.

CREATE MY TRIUMPH   triumphmotorcycles.com

TRIUMPH
GO YOUR OWN WAY

Monette Sports
251, boulevard des Laurentides, Laval (QC) H7G 2T7
Tél : 450 668-6466 • Téléc. : 450 668-6799 • Sans frais : 1 800 263-6466 • www.monettesports.com

Yamaha Super Ténéré

En matière de prototypes, celui de la Super Ténéré de nouvelle génération se veut décidément l'un des plus originaux jamais présentés, et ce, même s'il ne dit finalement pas grand-chose et laisse surtout place à l'imagination. On note quand même certains éléments fort intéressants dont un entraînement final qui semblerait être par arbre. Avec son bicylindre parallèle et ses intentions hors-routières apparemment très sérieuses, la prochaine Super Ténéré s'annonce comme une rivale directe de la BMW F800GS.

Aprilia RSV4

La firme italienne Aprilia se veut l'une des très rares compagnies ayant la capacité de donner du fil à retordre aux firmes japonaises sur le plan sportif. Récemment dévoilée, la RSV4, ici dans sa livrée Factory, est d'ailleurs destinée à rivaliser directement avec les machines d'un litre nippones. Et la S1000RR de BMW, bien sûr... L'Aprilia se montre unique à bien des égards, à commencer par la mécanique qui l'anime, le seul V4 de la classe. Ouvert à 65 degrés, d'une cylindrée de 999,6 cc et produisant 180 chevaux, il est extrêmement compact et permet aux dimensions de la moto tout entière d'être réduites. La situation canadienne d'Aprilia était incertaine au moment d'aller sous presse. Le distributeur original, de la part duquel nous n'avons d'ailleurs jamais eu la moindre collaboration, n'était apparemment plus responsable de la marque au pays, tandis que les meilleures informations que nous avons pu obtenir pointaient vers une distribution dorénavant gérée par la branche américaine du manufacturier.

« Deux motocyclettes ont changé nos vies... qui l'eût cru? Nos Royal Star Venture et l'Association Northern Stars sont devenues des parties intégrantes de notre existence. Chaque randonnée est synonyme de plaisir renouvelé! Ça, ce sont nos Yamaha. Yamaha, ça déménage autrement! »

Patricia et Scott Norris
Patricia et Scott Norris
Présidente et membre Gold Star, Association Northern Stars
Yamaha Royal Star Venture 2000, série Millenium

Venture S   **Stratoliner Deluxe**   **Road Star Silverado S**   **V-Star 1300 Tourer**   **V-Star 1100 Silverado**   **V-Star 950 Tourer**

Quads GG

Certains lecteurs du Guide de la Moto se demanderont assurément ce que peuvent bien venir faire de telles créations dans ces pages. Les liens qu'ont les quads de la compagnie allemande GG avec le milieu de la moto sont pourtant bel et bien réels. Tout d'abord, en ce qui concerne la mécanique puisque le Quadster illustré ci-haut est animé par le 4-cylindres en ligne de la BMW K1200S, tandis que le GG Quad illustré ci-bas est plutôt propulsé par le bicylindre Boxer 1150 de BMW. Mais l'aspect de ces véhicules que nous trouvons le plus intéressant est qu'il est parfaitement légal de circuler sur les routes publiques à leurs commandes, du moins sur d'autres marchés. Pourrait-on imaginer un jour les voir circuler chez nous ? Et pourquoi pas ? Après tout, un certain Can-Am Spyder dont le concept absolu n'est pas très différent roule déjà sur nos routes. Évidemment, le véhicule de BRP affiche une architecture à trois roues tandis que ces quads en ont quatre, mais il s'agit d'un détail qui ne change pratiquement rien au comportement général des deux types de véhicules puisqu'on est dans les deux cas assis dessus et qu'on tourne aussi à plat dans les deux cas. Toute comparaison serait néanmoins futile une fois arrivé le moment d'acquitter la facture puisque ces quads coûtent une véritable fortune, ainsi qu'en ce qui concerne la fabrication puisque ces derniers sont finalement des véhicules d'atelier, de boutique, ce qui est tout le contraire des Spyder.

313 millions de personnes ne peuvent pas se tromper.

LE SALON DE LA MOTO DE MONTRÉAL

26, 27 et 28 février 2010
Palais des congrès de Montréal

Vendredi – 12 h à 22 h
Samedi – 10 h à 21 h
Dimanche – 10 h à 17 h

ADMISSION
13⁵⁰
TAXES INCLUSES

PLACE-D'ARMES

Une propriété & présentation de :

MMIC CIMC
Motorcycle & Moped Industry Council
Le conseil de l'industrie de la motocyclette et du cyclomoteur

COHV CVHR
Canadian Off-Highway Vehicle Distributors Council
Conseil Canadien des Distributeurs de Véhicules Hors Route

Une production de :

ExpoMAX Canada inc.

www.salonmotomontreal.com

Fischer MRX

Importée au Canada par National Motorsports, la Fischer MRX est une moto de fabrication américaine construite autour du bicylindre de 650 cc qui anime la Hyosung GT650R, un modèle qui est aussi distribué par National Motorsports. Il s'agit d'une moto de toute petite série qui ne reprend de la Hyosung que le moteur injecté annoncé à 80 chevaux qu'elle loge dans un massif cadre maison en aluminium. Le bras oscillant affiche, lui aussi, de solides proportions. D'un point de vue technique, la MRX semble construite de manière relativement commune pour une sportive. Elle se distingue visuellement de la GT650R puisque la petite firme qui l'assemble n'a pas lésiné sur les arrêtes et les pointes afin de rendre son carénage aussi agressif que possible. Le silencieux est logé sous la selle en position haute, et rien n'a été prévu pour accueillir un passager. Le prix de détail suggéré de la Fischer est de 9 995 $.

CB 1100

La dernière fois que la CB1100 a paru dans ces pages, c'était sous la forme d'un prototype. Pour 2010, Honda fait l'annonce qu'il la produira, ce qui n'a rien d'étonnant lorsque l'on considère le stade de production dans lequel se trouvait déjà le modèle présenté comme «étude de style». Il s'agit évidemment d'une monture construite autour d'un thème rétro que bien des motocyclistes d'un certain âge risquent de trouver fort attrayante. La mécanique est un 4-cylindre en ligne refroidi par air de 1 100 cc, dans la plus pure tradition des CB. La version illustrée ici n'est pas le modèle de production, mais plutôt un exemple de l'effet qu'il est possible d'obtenir avec l'installation de quelques accessoires comme le petit carénage et la selle solo.

Guy Giroux

Trois accidents de moto sur quatre impliquent une collision avec un autre véhicule, généralement une automobile. Dans la majorité des cas l'automobiliste affirmera ne pas avoir vu la motocyclette. Arrangez-vous pour vous faire voir. Comportez-vous en tout temps comme si vous étiez invisible.

Dans les accidents n'impliquant pas d'autre véhicule, on retrouve deux types d'erreur de la part du pilote de la motocyclette; soit un mauvais freinage, soit une trop grande vitesse à l'amorce d'un virage.

Le mauvais freinage. Trois motocyclistes sur quatre n'ont pas utilisé leur frein avant. Ce dernier est pourtant responsable de la majeure capacité de freinage d'une motocyclette. Apprenez à vous servir de votre frein avant avec efficacité.

L'amorce de virage. Ayant l'impression d'être rentré trop vite dans un virage, le motocycliste fige et déborde de sa trajectoire. Dans la majeure partie des cas, la motocyclette disposait d'assez d'adhérence et de garde au sol pour prendre le virage à la vitesse en question. Dans une telle situation, inclinez d'avantage la motocyclette.

ATTENTION MOTOCYCLISTES

Dans presque un cas sur trois, le motocycliste n'a entrepris aucune manoeuvre pour éviter l'accident. Vous disposez de moins de deux secondes pour détecter, analyser et réagir lors d'une situation d'accident. Soyez toujours prêt même à faible vitesse. Trois accidents de motocyclettes sur quatre surviennent à moins de 50 km/h. Un seul sur 20 se produit à 100 km/h ou plus.

Fondation
PROMOCYCLE
WWW.PROMOCYCLE.COM

L'amorce de freinage

3- Freinage
- ✔ Application du frein avant avec pression appropriée
- ✔ Débrayage complet

4- Ajustement
- ✔ Ajustement de la pression du frein avant
- ✔ Ajustement de la pression du frein arrière

2- Équilibre (mise en)
- ✔ Mise à la verticale
- ✔ Pression au niveau des bras et jambes
- ✔ Redressement du torse
- ✔ Positionnement des doigts et pieds

1- Décélération
- ✔ Fermeture complète de la commande de l'accélérateur
- ✔ Application du frein arrière

Les études en matière de sécurité exposent clairement un sérieux problème d'exécution de la part de l'ensemble des motocyclistes au niveau du freinage d'urgence. Ce problème est caractérisé par un sous-freinage de la roue avant et un sur-freinage entraînant un blocage de la roue arrière.

Fondation
PROMOCYCLE
WWW.PROMOCYCLE.COM

Hybride Malaguti

Les Italiens sont parfois de drôles d'oiseaux. D'un côté, ils sont géniaux, comme le démontre ce concept de scooter hybride provenant de la firme Malaguti, dont nous n'avons, soit dit en passant, jamais entendu parler. Il s'agit d'un véhicule électrique alimenté par 4 batteries de type automobile logées dans le plancher, mais qui possède aussi un moteur à essence. Celui-ci ne sert toutefois que de génératrice dont le rôle est de charger les batteries au cas où elles seraient complètement à plat, ou de les assister durant des périodes de forte décharge comme le maintien d'une vitesse d'autoroute par exemple. Tout semble si logique et si bien réfléchi qu'on se demande ce qui empêche un tel concept d'être immédiatement mis en production. D'un autre côté, lorsqu'il s'agit de faire la promotion de ses produits normaux, Malaguti, cette compagnie pourtant ingénieuse, a recours aux techniques les plus primitives qui soient en matière de marketing puisqu'elle présente systématiquement ses scooters en compagnie de jeunes demoiselles toutes plus provocantes les unes que les autres. Mais qui pourrait bien croire qu'une telle tactique pourrait générer une quelconque visibilité ? Un instant… Est-ce qu'on ne viendrait pas tout juste de leur donner de la visibilité ?

ATLAS
LES PLUS BELLES
ROUTES DU MONDE

Montez, on vous amène. Enfin.

Je ne crois pas avoir d'autre choix que d'ouvrir cette nouvelle section du Guide de la Moto en faisant mes excuses à nos lecteurs et lectrices, puisqu'elle risque de générer un profond sentiment d'envie chez eux. Il s'agit d'un sentiment que je connais bien et auquel je me suis même habitué, puisqu'il fait partie de presque tous nos échanges. Mais là, je crains que ça ne devienne personnel, car dans ce cas, ce n'est plus la partie du travail qui consiste à sauter de moto en moto qui sera la source d'envie, mais plutôt les indescriptibles endroits où certains de ces essais se déroulent. Des endroits que je songe à vous faire découvrir depuis longtemps, mais auxquels des mots ne pourraient jamais rendre justice, pas plus que quelques photos sur un coin de page, d'ailleurs. Je me suis toujours dit que le jour où j'inviterais le lectorat du Guide de la Moto à voyager à mes côtés, ce serait en déployant toutes les ressources nécessaires pour que vous vous y sentiez. Pour que vous vous y croyiez. Rien de moins n'aurait été acceptable à mes yeux. Ces décors paradisiaques et ces routes incroyables ont une signification tout simplement trop profonde non seulement pour moi, mais aussi pour nous, motocyclistes, pour qu'ils ne soient pas traités et présentés d'une façon digne de leur valeur.

Sans trop entrer dans le sujet d'ennuyeux détails de production, j'expliquerai simplement que c'est un peu par hasard que l'occasion d'enfin traiter ce sujet dans les pages du Guide se manifesta. Pour des raisons surtout liées à la difficile période économique que traverse actuellement l'industrie de la moto, nous nous sommes retrouvés avec un certain nombre de pages libres. En effet, la combinaison de facteurs comme des gammes amincies ou même des disparitions de manufacturiers nous ont laissés avec un « problème » d'espace disponible. Problème que la comptabilité a d'ailleurs immédiatement transformé en « économie » d'achat de papier. Mais malheureusement pour elle, j'avais déjà « dépensé » les pages. Finalement, après toutes ces années à parler des modèles, mais jamais, ou presque, du décor souvent magique de l'essai, j'allais pouvoir vous amener avec moi. Vous montrer non seulement ces fameuses routes « sinueuses » dont on parle régulièrement dans Le Guide, mais aussi, et c'est mon but, vous faire carrément vivre ces endroits, ces pays, ces cultures, ces vues, ces routes. Décidément, la comptabilité n'a eu aucune chance.

Comme les lecteurs moins assidus du Guide se demanderont peut-être à quoi riment ces endroits, une brève explication est probablement de mise à ce sujet. Le Guide de la Moto a le privilège d'être l'une des très

rares publications canadiennes que les constructeurs invitent de manière régulière à assister à des événements de calibre souvent mondial qui tournent tous autour du même thème, la présentation d'une nouveauté. Il s'agit d'événements dont la planification s'étend parfois sur des années et qui sont organisés de manière à en mettre plein la vue à la presse afin qu'elle retourne chez elle avec la meilleure impression possible du produit évalué. Or, l'atteinte de ce but passe par des itinéraires qui ne tiennent certes pas du hasard et qui se veulent plutôt une enfilade des plus belles routes du monde. C'est là que j'aimerais vous amener. Pour ce faire, toutefois, les mots ne suffiraient pas.

Il est une satisfaction qu'amène une série de virages le long de la majestueuse Highway One, qui longe le Pacifique, qui ne peut tout simplement pas être décrite. Tout comme celle de contempler un paysage sans fin du haut d'une montagne, en Espagne. Car c'est aussi ça, la moto. C'est aussi voir, respirer et vivre la route, elle et la nature qui la longe. Je vous invite donc, pour la toute première fois, à monter avec moi non pas pour découvrir le comportement d'un quelconque modèle, mais plutôt pour voir, respirer et vivre la route et la nature qui la longe.

Nous le ferons comme des complices de voyage qui s'émerveillent dans leur casque, sans le besoin de dire un mot, devant la grandeur et la beauté de la nature qui se dresse tout autour d'eux.

J'aurais pu vous amener à plusieurs autres endroits, mais il a fallu choisir et ma décision fut de vous faire voir la Californie, où plusieurs Kawasaki furent récemment présentées, et un état qui ne cesse de m'éblouir et de m'émouvoir malgré les douzaines de fois où j'y ai roulé. Nous traverserons aussi l'Atlantique pour aller nous balader en Espagne et visiter Barcelone, où Triumph a présenté sa nouvelle custom, la Thunderbird. Et comme il n'y a pas qu'à l'autre bout du globe où les routes sont belles et où la nature est prenante, nous ferons même une petite escapade dans la magnifique nature québécoise. Bon, assez d'en parler. Si vous le voulez bien, montez, je vous amène.

Bertrand Gahel

Montserrat, Espagne

La randonnée qui mène de Barcelone à la région touristique de Montserrat n'est ni particulièrement longue ni très intéressante. Mais le dépaysement, une fois sur place, est total. Le bourdonnement de la ville a soudainement fait place à de calmes panoramas à couper le souffle. À tout bout de champ, on ne veut que s'arrêter et contempler.

Qui dit montagne dit aussi routes de montagne. C'est inévitable et c'est aussi pourquoi les constructeurs choisissent très souvent des villes se trouvant à proximité de régions montagneuses comme camp de base pour leurs événements. Non seulement l'altitude permet d'absorber pleinement l'environnement, mais l'ascension, la descente ou le contournement d'une montagne signifie aussi d'innombrables virages. Bref, le parfait outil d'évaluation.

Barcelone, la magnifique

En plus d'être un véritable musée à ciel ouvert où des sculptures de tous genres se succèdent en ne cessant de surprendre, Barcelone est aussi littéralement envahie de scooters, comme la plupart des villes européennes, d'ailleurs. Le contraste, lorsqu'on arrive du Québec, est choquant. Alors qu'on a souvent, chez nous, l'impression de déranger, d'être considérés comme des intrus, voire des nuisances sur les routes, là-bas, deux roues ne sont synonymes de rien de péjoratif du tout. Au contraire, en fait, puisque la moto, et surtout les scooters, font non seulement partie intégrante du décor, mais aussi de la culture. Voitures et deux-roues se côtoient, souvent de très près, mais sans conséquence. Les scooters sont stationnés partout, souvent dans des espaces attitrés, chacun d'eux représentant potentiellement une voiture de moins sur la route. Bien sûr, le climat se prête à l'utilisation de ce genre de moyen de transport, mais il y a plus. Il y a quelque chose qui, chez nous, ne semble pas correspondre à la volonté générale. Malheureusement. Pourtant, des villes comme Montréal se prêteraient tellement bien et si facilement à ce genre de philosophie.

Lac Beauregard, Québec

Certains décors ne peuvent tout simplement pas être admirés lorsqu'on s'en tient à la route. Pour accéder à cette autre facette de la nature et de la moto, il faut en sortir et s'en éloigner, chose que Le Guide de la Moto ne fait pas assez souvent. Nous avons profité de l'organisation du GS Challenge et de l'accueil de la Pourvoirie du Lac Beauregard pour effectuer une escapade hors-route qui nous a non seulement rappelé à quel point notre coin de Terre peut être beau, mais aussi combien il est carrément thérapeutique de s'éloigner autant que possible de la circulation, des limites de vitesse et des règles en général.

Crédit photo : Marcel Muller

Laguna Seca, Californie

En matière d'environnement de rêve, pour les fervents de conduite sportive, un circuit de calibre mondial est un peu l'équivalent d'une randonnée dans les Alpes pour un amateur de tourisme. Site de la ronde américaine du Championnat du monde de MotoGP, la piste de Laguna Seca, située à Monterey en Californie, propose un tracé et un environnement intimement liés au relief recouvert de collines de la région. On ne se rend pas compte de grand-chose à partir du circuit en raison du niveau élevé de concentration qu'exige la piste qui ne cesse de monter et descendre, mais on ne peut qu'être impressionné lorsqu'on ralentit un peu et qu'on observe ce qui se passe autour.

Roebling Road, Géorgie

On a parfois tendance à l'oublier, mais les États-Unis sont magnifiques. Chaque état semble avoir sa saveur, son odeur et ses couleurs. La Géorgie se distingue, entre autres, par sa végétation dense et gracieuse. Le modeste, mais chaleureux circuit de Roebling Road, où Honda tient de temps en temps son lancement annuel, y est situé.

Crédit photo : Rob O'Brien

Crédit photo : Adam Campbell

Californie, États-Unis

La Californie est inimitable, irremplaçable. Certaines des plus belles routes du monde et certains des plus beaux coins qu'on puisse imaginer s'y trouvent. Les innombrables collines qui marquent son relief font partie intégrante de l'expérience qu'elle réserve, et aucun véhicule ne permet d'absorber la féerie des scènes qu'elle offre mieux que la moto.

Côte Pacifique, Californie

Comme si la beauté du relief montagneux de certaines régions de la Californie n'était pas suffisamment impressionnante, l'état borde également l'Océan Pacifique sur toute sa longueur. Il serait impensable qu'une randonnée californienne ne comporte pas une portion côtière. Les intéressés devront néanmoins prévoir plus de temps puisqu'ils ne pourront s'empêcher de constamment vouloir s'arrêter afin d'observer des scènes toutes plus majestueuses les unes que les autres.

Highway One, Californie

Lorsqu'il est question des plus belles routes du
monde, la sublime Highway One qui longe toute
la côte californienne se veut un incontournable.
Pointez-vous une journée de semaine et l'infinité
de virages qui la composent sera à votre
disposition. Littéralement située entre mer et
montagnes, elle constitue décidément l'une des
merveilles du monde du motocyclisme.

L'un des aspects les plus magiques de la Highway One est la diversité des perspectives qu'elle offre. Autant elle permet de s'émerveiller devant le panorama du Pacifique, autant elle réserve des surprises comme cette plage où les « lions de mer » viennent s'échouer de manière régulière pour des raisons de reproduction.

Jolie route, Californie
Certaines images, comme celle-ci, se passent de commentaires.

On dit souvent à la blague qu'on ne doit pas manquer sa courbe, dans ces endroits, sous peine de faire « le coyote ». Ça semble drôle et caricatural comme image, mais la réalité ne serait pas très différente. Un certain élément de danger accompagne souvent les randonnées dans ce genre d'environnement, mais un simple niveau de concentration adéquat règle le cas.

San Francisco, Californie

Visiter San Francisco et ses principaux points d'intérêt comme le célèbre Golden Gate ou Alcatraz, l'île qu'on voit au milieu de la baie, est très divertissant. Mais grimper tout en haut de la montagne voisine, à moto, afin de profiter d'une vue d'ensemble de la splendide ville n'est pas mal non plus. Le minuscule point vert lime, tout en bas à gauche, juste à la limite du pont, est la remorque de Kawasaki USA, stationnée derrière l'hôtel qui nous servit de base lors de la présentation de la Voyager 1700.

Palm Springs, Californie

La variété des décors qu'offre la Californie ne cesse de surprendre. Palm Springs en est un excellent exemple puisqu'on passe en quelques minutes à peine d'un environnement montagneux dont la végétation est dense et abondante à un paysage désertique où les cactus prennent le premier plan.

Crédit photo : Adam Campbell

Les faces de la Californie sont toutes plus belles les unes que les autres, surtout lorsqu'on s'éloigne des centres urbains et de leurs immenses autoroutes de béton. L'état est l'incarnation même d'un terrain de jeu presque infini pour la moto. Nous le recommandons d'ailleurs chaudement à nos lecteurs. La satisfaction est garantie.

CETTE SECTION HORS-ROUTE DU GUIDE DE LA
MOTO EST SIGNÉE PAR CLAUDE LÉONARD, QUE
L'ON VOIT ICI SUR UNE KTM 300XC-W 2010,
NÉGOCIANT AVEC SON ÉLÉGANCE COUTUMIÈRE LA
SPÉCIALE EXTRÊME DE LA RONDE QUÉBÉCOISE DU
CHAMPIONNAT CANADIEN D'ENDURO DISPUTÉE À
LABELLE L'AUTOMNE DERNIER. APRÈS AVOIR
RETROUVÉ LES PÉDALES, LÉONARD A REMPORTÉ
LA CATÉGORIE 50 PLUS. VIEUX ET VITE ? DISONS
UN SUR DEUX...

UNE ANNÉE DE CONTRASTES

Pour des raisons variées qui, étonnamment, semblent parfois en
flagrante opposition l'une à l'autre, le millésime 2010 s'impose comme
une étape marquante de l'évolution de la moto hors-route.

Traditionnellement, le secteur du hors-route est reconnu comme un
domaine où ça brasse. D'abord littéralement, de par la nature même de
l'activité, mais aussi de façon plus générale, en ce qui a trait au
dynamisme de l'évolution de ce marché. En étant intimement associé
au monde de la compétition, le développement des nouveaux modèles
est en perpétuel bouillonnement. Et dans les salles de montre, les ventes
demeurent fortement influencées tant par l'évolution concrète des
performances que par la perception des résultats obtenus en course, au
niveau professionnel comme au niveau amateur. En hors-route, même
les débutants sont doucement obsédés par la question « c'est laquelle
qui marche le plus c't'année ? ».

Au premier examen, l'année modèle 2010 reflète assez fidèlement
l'évolution traditionnelle du secteur. Si la quantité de nouveautés est
limitée, la qualité se montre nettement à la hauteur. Le porte-étendard
du renouveau pour 2010, la spectaculaire nouvelle Yamaha YZ450F,
s'impose même comme rien de moins qu'une des motos les plus
innovatrices jamais mises sur le marché.

Donc, à l'avant-scène de l'offre 2010, on dénombre de nombreuses
nouveautés qui brillent de tous leurs feux. Mais derrière, il se cache cette
année un important trou noir, d'où aucune lumière ne peut s'échapper.

LES NOUVEAUTÉS

Même si la YZ450F (nous l'examinons en détail ailleurs sur ces pages)
est de loin l'attraction principale, Yamaha n'a pas mis tous ses œufs dans
le même panier puisque la firme aux trois diapasons a aussi fortement
remanié sa YZ250F de motocross pour 2010.

Chez Honda, en plus de poursuivre le développement de la CRF450R
de nouvelle génération lancée l'an dernier, on rapplique avec une toute
nouvelle CRF250R, maintenant alimentée par injection et dotée d'une
partie cycle complètement repensée.

Du côté de Kawasaki, les 4-temps de motocross (KX450F et 250F) ont
chacune droit à un nombre appréciable d'améliorations. Les verts se
sont aussi penchés sur le marché récréatif en révisant leur petite
KLX110 pour enfants, puis en créant une toute nouvelle variante, la
KLX110L, conçue pour être pilotée par un adulte.

Suzuki propose aussi de nombreux changements à ses deux 4-temps
de motocross en 2010, dans le but avoué de radicaliser leur
personnalité. La RM-Z250 est la plus changée des deux, gagnant
l'injection électronique et une dose d'attitude. Suzuki se lance par
ailleurs enfin dans le marché de la hors-route de type enduro avec la
sortie de la toute nouvelle RMX450Z, une version « amadouée, mais
pas trop » de la RM-Z450 de motocross.

Du côté de KTM, la gamme presque complète a droit à des
changements qui semblent mineurs sur papier, mais qui ont des
répercussions bien senties sur le comportement des motos, tant sur
piste qu'en sentier. Le fabricant autrichien a par ailleurs annoncé l'arrivée
prochaine d'une toute nouvelle arme en motocross, la 350SX-F, qui
bouscule la tradition tant en termes sportifs qu'à l'interne chez KTM (voir
notre encadré sur cette moto un peu plus loin).

Yamaha YZ450F

Honda CRF250R

Kawasaki KLX110

Suzuki RMX450Z

Husqvarna TE250

Puis, il y a Husqvarna, qui poursuit son retour en force en Amérique du Nord en désignant un tout nouveau distributeur canadien. Jadis distribuées au compte-gouttes, les nouvelles Husky, incluant les modèles utilisant le compact nouveau moteur 250 4T, seront offertes dans un nouveau réseau étendu de concessionnaires québécois. Selon le distributeur, tous les modèles TE de type enduro sont homologués auprès de Transport Canada, et peuvent circuler légalement sur la route, ce qui est une excellente nouvelle pour les amateurs de double-usage.

2010 VS 2009

Malgré ces signes de dynamisme, la cuvée 2010 demeure un millésime un peu bizarre. En dehors des projecteurs, il existe en effet une importante zone d'ombre, où le marché demeure toujours empêtré dans les décombres de la récente crise économique. Cette dernière a frappé particulièrement fort aux États-Unis, où la vente de motos neuves a chuté considérablement, même si la pratique du sport comme telle demeure très populaire, avec des spectateurs et une participation à la hausse dans le cas de plusieurs séries.

Pour les fabricants, la morosité économique s'est traduite par un nombre important de motos non vendues dans les salles de montre. De plus, les stocks des distributeurs américains ont dû absorber de nombreux retours de motos faisant suite à des faillites de concessionnaires, motos qu'il faut redistribuer dans le réseau nord-américain. L'illustration la plus percutante de la profondeur de ce malaise est la gamme Honda qui, pour 2010, ne comprend officiellement que deux modèles : la CRF450R et la CRF250R. Ceci ne veut pas dire que la douzaine d'autres modèles Honda habituellement à son catalogue sont disparus de la circulation. Ils sont tout simplement reconduits à titre de modèles 2009.

Traditionnellement, le Guide de la Moto répertorie uniquement les motos qui sont offertes officiellement en tant que modèles de l'année courante. Cette année, face à cette situation inédite, nous avons décidé de faire exception à cette règle en incluant des modèles 2009 dans notre Guide 2010. Afin de refléter la réalité dans les salles de démonstration, les CRF150R et RB de motocross, les deux CRF-X d'enduro, les six CRF récréatives et les deux modèles L double-usage de Honda sont inclues, avec la mention qu'il s'agit de modèles 2009. KTM compte aussi quelques modèles dans la même situation.

LA QUESTION DES $

Le prix indiqué dans la fiche technique des modèles identifiés comme des 2009 est le même que celui que nous avons affiché dans notre édition 2009, et représente le prix de détail suggéré initial de ce modèle. Évidemment, ce prix ne tient pas compte des rabais offerts chez les concessionnaires pour encourager l'achat de modèles non courants. Ce prix est aussi inférieur à ce qu'il serait si la moto en question était offerte en version 2010. Tous les modèles de l'année courante de tous les fabricants sont en effet frappés d'augmentations cette année, allant généralement de 100 $ à 500 $, et parfois plus.

Les rabais incitatifs offerts peuvent être intéressants, mais il faut tenir compte du fait que ces rabais reflètent en grande partie la dépréciation, et que quand viendra le temps de la revente, un modèle 2009 demeurera un 2009, qu'il ait été acheté neuf en 2010 ou pas. Il faut aussi considérer que les concessionnaires des autres marques peuvent aussi avoir en stock des modèles 2009 équivalents, affichant des rabais équivalents.

Il est par ailleurs intéressant de noter que KTM a limité l'augmentation du prix de ses 2010 à 100 $ pour la plupart des modèles, alors que les augmentations de la concurrence japonaise sont habituellement beaucoup plus élevées. Le résultat est que les prix des machines orange sont globalement plus compétitifs qu'ils ne l'ont jamais été.

KTM 350SX-F

KTM a volé la vedette au dernier Salon de Milan en présentant ce prototype d'une nouvelle 350SX-F, puis en confirmant que l'ex-champion du monde Antonio Cairolli allait la mener en piste lors du prochain championnat du monde de motocross en catégorie MX1 contre les 450 de la concurrence. La nouvelle moto étonne d'abord par sa cylindrée, choisie parce qu'elle permet d'obtenir la légèreté et la maniabilité d'une 250, avec plus de puissance. Grand spécialiste des motos de niche, KTM affirme que cette cylindrée est plus facile à exploiter qu'une 450, surtout pour un pilote moyen. Tout en restant fidèle au cadre en acier, KTM abandonne sa suspension arrière fixe PDS pour un nouveau système articulé à biellettes. L'alimentation est par injection, nourrie par la batterie qui alimente le démarreur électrique. KTM USA ayant annoncé que Mike Alessi piloterait la moto en championnat US de motocross l'été prochain, nous avons demandé au responsable de la compétition et du marketing chez KTM Canada, Andy White, quand les 400 motos de production exigées pour que la moto soit homologuée atterriraient chez les concessionnaires US. «Les 400 motos requises seront offertes en juin aux États-Unis. L'arrivée de la 350 au Canada n'est pas encore précisée.»

YZ450F 2010 : YAMAHA VIRE TOUT À L'ENVERS.

En lançant sa YZ400F à moteur 4-temps en 1998, Yamaha a littéralement révolutionné la pratique même du motocross. Avec sa radicale YZ450F 2010, la firme aux trois diapasons frappe une fois encore un gros coup, moins percutant sur le plan sportif, mais tout aussi audacieux sur le plan technologique. Avec son tout nouveau moteur à cylindre incliné vers l'arrière et inversé (alimentation par l'avant, échappement par l'arrière), la YZ450F redéfinit les règles.

Au-delà de son architecture, ce moteur se distingue du précédent par sa course plus courte, sa culasse à 4 soupapes (au lieu de 5) et son axe de bielle décalé permettant de réduire le frottement latéral du piston, tout en transmettant les forces générées par l'explosion des gaz de façon plus directe au vilebrequin. L'alimentation est confiée à un système d'injection sans batterie, et l'échappement est assuré par un système en colimaçon baptisé Tornado.

Contrairement à ce qu'on peut penser, la nouvelle disposition du moteur n'a pas été adoptée dans le simple but d'augmenter la puissance. En fait, le développement de la nouvelle YZ450F était avant tout axé sur le comportement. Le thème clé de toute l'opération était la centralisation des masses, qui consiste à rapprocher les composantes lourdes de la moto le plus près possible du centre de gravité de l'ensemble. La nouvelle architecture du moteur a permis non seulement de mieux centrer ce dernier, mais aussi d'autres composantes comme le réservoir à essence (maintenant plus bas sous la selle) et la suspension arrière (la boîte à air a été relocalisée derrière la colonne de direction pour libérer de l'espace).

Le résultat est impressionnant. Yamaha a présenté sa nouvelle 450 à la presse canadienne sur le circuit du Stade olympique la veille du dernier Supermotocross avec en piste des modèles 2009 et 2010. Même si la nouvelle technologie et l'adoption de l'injection ont ajouté du poids, la centralisation des masses est réussie puisque la 2010 semble plus légère que la 2009 une fois en piste. Le moteur est plus puissant, surtout en première moitié de plage, la direction est plus précise et la suspension demeure parmi les meilleures de sa catégorie.

Le prix de détail suggéré de la YZ450F 2010 a été majoré de 1 000 $ par rapport à celui du modèle précédent. C'est à la fois raisonnable, si l'on tient compte des nombreuses avancées technologiques, et beaucoup, si l'on considère le contexte économique actuel. On peut même s'étonner de voir la nouvelle moto se pointer dans un creux de vague financier majeur (particulièrement aux États-Unis). Il faut comprendre que Yamaha a pris la décision de développer son nouveau porte-étendard il y a près de 3 ans, alors que l'économie roulait toujours à fond de cinquième.

Yamaha a fait un pari risqué en lançant sa nouvelle YZ450F. En 2001, le fabricant de vélos américain Cannondale a tenté une approche technologique très similaire en lançant une machine de motocross qui se voulait révolutionnaire. Il a raté son exécution et a sombré dans la faillite. Heureusement pour les comptables de Yamaha, les ingénieurs ont cette fois visé dans le mille.

MX 450 4T

CRF450R

L ongtemps numéro 1 de la catégorie reine en motocross, la CRF450R a été complètement revue l'an dernier, et les résultats sont mitigés. Son nouveau moteur plus compact a alors gagné un système d'injection électronique mais a perdu de son apprécié caractère viril. Le moteur pouvait aussi caler sur coup de piston à bas régime et son redémarrage pouvait être laborieux. Côté comportement, l'équilibre des suspensions n'était pas à point et la moto portait trop sur l'avant. Pour 2010, Honda a apporté des correctifs. Le système de gestion de l'injection a été revu pour améliorer la bande de puissance et résister au calage. Un nouveau système de décompression automatique facilite le démarrage et des réglages de suspension revus améliorent le comportement.

Moteur-refroidissement	monocylindre 4-temps de 449 cc - liquide
Transmission-embrayage	5 rapports - manuel
Cadre-roues avant/arrière	aluminium - 21 pouces / 19 pouces
Poids-selle-réservoir	106,5 kg - 954 mm – 5,7 litres
Prix-garantie	9 299 $ - aucune

MX 450 4T

KX450F

D epuis sa sortie en 2006, la puissance est le point fort de la KX450F, et c'est plus vrai que jamais en 2010. Les ingénieurs ont apporté une série de petits changements au moteur, incluant un tout nouveau piston, une culasse révisée, des radiateurs plus costauds et diverses modifications à l'embrayage et à l'échappement. L'effet cumulatif est impressionnant. La large bande de puissance allie un caractère costaud et fort en couple à bas régime, une vivacité volontaire et une allonge très en santé, qui rendent la machine verte particulièrement enivrante à piloter. La partie cycle a aussi été peaufinée, mais la KX demeure une machine imposante, tant côté gabarit que sensation de poids. Elle n'est pas facile à dompter, mais elle a du caractère à revendre.

Moteur-refroidissement	monocylindre 4-temps de 449 cc - liquide
Transmission-embrayage	5 rapports - manuel
Cadre-roues avant/arrière	aluminium - 21 pouces / 19 pouces
Poids-selle-réservoir	112 kg - 965 mm - 7 litres
Prix-garantie	9 299 $ - aucune

MX 450 4T

450SX-F

A u plus fort de la lutte dans la classe 450 depuis sa refonte complète en 2007, la KTM 450 SX-F connaît une légère évolution en 2010. Doté d'un piston renforcé, de nouveaux réglages de carburateur et d'une boîte cinq vitesses révisée, le moteur demeure un des plus puissants de la catégorie à haut régime. Sans être à son mieux en bas, il demeure efficace et se montre facile à utiliser grâce à la progression exemplaire de sa bande de puissance, qui s'ébranle doucement puis s'affirme avec une force grandissante. Son toujours exclusif démarreur électrique demeure un plus appréciable, surtout à la suite d'une chute. La géométrie du châssis évolue vers la stabilité en 2010 avec une colonne de direction abaissée et des tés de fourche à offset augmenté.

Moteur-refroidissement	monocylindre 4-temps de 449 cc - liquide
Transmission-embrayage	5 rapports - manuel
Cadre-roues avant/arrière	acier - 21 pouces / 19 pouces
Poids-selle-réservoir	104 kg - 985 mm - 8 litres
Prix-garantie	8 698 $ - 1 mois

MX 450 4T

RM-Z450

L ancée en 2008 et très peu changée en 2009, la première machine de cross de grande série à utiliser l'injection électronique revient avec quelques modifications ciblées pour 2010. Le moteur, qui livrait une puissance généreuse et facile à exploiter à bas et moyen régimes, mais s'effaçait un peu vite en haut, a reçu des modifications à l'injection, aux arbres à cames et à la culasse qui corrigent ce problème en bonifiant sensiblement l'allonge. Suzuki a aussi revu le châssis en modifiant la rigidité du cadre et en rehaussant la colonne de direction. La suspension, qui se distinguait surtout par sa souplesse, a été revue tant au niveau du calibre des ressorts que de l'amortissement afin d'offrir un comportement plus ferme et mieux contrôlé à haute vitesse.

Moteur-refroidissement	monocylindre 4-temps de 449 cc - liquide
Transmission-embrayage	5 rapports - manuel
Cadre-roues avant/arrière	aluminium - 21 pouces / 19 pouces
Poids-selle-réservoir	112 kg - 955 mm - 6,2 litres
Prix-garantie	8 799 $ - aucune

YAMAHA
YZ450F

NOUVEAUTÉ
MX 450 4T

Yamaha a lancé la nouvelle ère 4T du motocross il y 12 ans. En 2010, la firme aux trois diapasons a réinventé son approche en revoyant complètement la disposition du moteur, tant pour améliorer son rendement que pour l'intégrer à une partie cycle repensée (pour une description des spectaculaires changements apportés à la YZ450F, consultez l'introduction à la section Hors-route du Guide). Le résultat est impressionnant. Même si la 2010 injectée est un peu plus lourde que la 2009, elle procure une sensation de légèreté étonnante dès qu'elle s'élance. La direction est nettement plus précise qu'avant. Sans être exceptionnel, le nouveau moteur est plus puissant à bas et moyen régimes que son prédécesseur. La YZ impressionne sur papier et sur piste.

Moteur-refroidissement	monocylindre 4-temps de 449 cc - liquide
Transmission-embrayage	5 rapports - manuel
Cadre-roues avant/arrière	aluminium - 21 pouces / 19 pouces
Poids-selle-réservoir	108,3 kg - 989 mm - 7 litres
Prix-garantie	9 499 $ - aucune

KTM
KTM 250SX

MX 250 2T

Au sein des cinq grands, KTM demeure de loin le fabricant le plus dynamique dans le domaine du moteur 2T. Et parmi toutes les 2T orange, la 250SX est la plus « racer », dotée d'un moteur puissant qui frappe avec un bel enthousiasme. Elle est peu changée pour 2010, mais les légères améliorations visant la stabilité du châssis et la durabilité du moteur suffisent à la garder dans le coup. Elle constitue une excellente alternative aux machines 4T pour ceux qui cherchent une moto amusante et facile d'entretien pour aller s'amuser dans des parcs de motocross. Sans vraiment être moins polyvalente que la Yamaha YZ250, la 250SX est plus typée motocross, en ce sens que KTM offre aussi sa 250 2T en versions XC et XC-W pour les amateurs de sentier.

Moteur-refroidissement	monocylindre 2-temps de 249 cc - liquide
Transmission-embrayage	5 rapports - manuel
Cadre-roues avant/arrière	acier - 21 pouces / 19 pouces
Poids-selle-réservoir	95,4 kg - 985 mm - 8 litres
Prix-garantie	7 698 $ - 1 mois

YAMAHA
YZ250

MX 250 2T

Le fait que la version 2010 de la 250 2-temps de Yamaha soit essentiellement inchangée par rapport à la 2009, qui elle-même demeurait très proche du modèle 2006, n'est pas étonnant. Dans le contexte actuel, le fait que Yamaha a décidé de conserver sa 250 2T au catalogue est en soi une sorte de surprise. C'est aussi une excellente nouvelle, car la YZ250 demeure une machine très compétente, qui offre une alternative tout à fait intéressante aux machines 4T. Sa suspension est excellente et son moteur est un modèle d'efficacité, offrant une combinaison de vivacité et de plage d'utilisation presque parfaite. Les 450 4T sont plus rapides, mais le rapport qualité/prix/performances/polyvalence/économie d'entretien de la YZ250 est imbattable.

Moteur-refroidissement	monocylindre 2-temps de 249 cc - liquide
Transmission-embrayage	5 rapports - manuel
Cadre-roues avant/arrière	aluminium - 21 pouces / 19 pouces
Poids-selle-réservoir	105 kg - 997 mm – 8 litres
Prix-garantie	8 399 $ - aucune

HONDA
CRF250R

NOUVEAUTÉ
MX 250 4T

L'an dernier, Honda a complètement revu sa CRF450R en lui donnant un nouveau moteur à injection et une partie cycle repensée. Cette année, c'est au tour de la CRF250R de subir un traitement similaire. L'injection est bien calibrée et corrige les problèmes d'hésitation qui affligeaient l'ancienne version à carburateur. Le nouveau moteur a toutefois perdu la linéarité très appréciée de son prédécesseur, au profit d'une bande de puissance plus intense, concentrée dans le milieu de la plage. Le nouveau cadre plus étroit affiche une géométrie plus ramassée qui rend le comportement de la CRF250R passablement plus incisif, un peu comme ce fut le cas pour sa grande sœur l'an dernier. Il en résulte une machine nettement plus radicale qu'auparavant.

Moteur-refroidissement	monocylindre 4-temps de 249 cc - liquide
Transmission-embrayage	5 rapports - manuel
Cadre-roues avant/arrière	aluminium - 21 pouces / 19 pouces
Poids-selle-réservoir	102,5 kg - 955 mm – 5,7 litres
Prix-garantie	8 299 $ - aucune

NOUVEAUTÉ
MX 250 4T

HUSQVARNA
TC250 Husqvarna

Avec son tout nouveau moteur beaucoup plus compact et léger que son prédécesseur et que ceux de la concurrence, la TC250 est le nouveau porte-étendard de la firme italienne au célèbre nom suédois. Même si sa sortie coïncide avec la prise en charge financière de la firme par BMW, ce moteur était prévu depuis longtemps, son développement ayant débuté il y a trois ans. Techniquement, le succès est total, puisqu'il est près de 15 % moins haut, large et lourd que la norme dans cette catégorie. Ceci a permis aux ingénieurs de le loger dans le même cadre que la CR125 2T. Alimenté par un carburateur (les autres versions ont droit à l'injection), il est un peu en retrait côté puissance face à ses rivaux. Mais la partie cycle de la TC250 est très saine.

Moteur-refroidissement	monocylindre 4-temps de 249,5 cc - liquide
Transmission-embrayage	5 rapports - manuel
Cadre-roues avant/arrière	acier - 21 pouces / 19 pouces
Poids-selle-réservoir	99 kg - 985 mm – 7 litres
Prix-garantie	7 998 $ - 90 jours

MX 250 4T

KAWASAKI
KX250F Kawasaki

Après avoir effectué une révision importante, et réussie, du moteur de sa 250F en 2009, Kawasaki l'a retouché à nouveau pour 2010 lui greffant, entre autres un piston plus performant et un nouvel échappement (en inox au lieu du titane d'avant). Le résultat est positif, puisque le petit 4-temps voit sa bande de puissance bonifiée tout en conservant sa plage généreuse et sa vivacité. C'est vraiment un excellent moteur, à la fois souple et puissant, qui peut plaire tant à un débutant qu'à un coureur chevronné. Le décompresseur automatique a été retravaillé pour faciliter le démarrage, qui était parfois problématique. La transmission parfois récalcitrante a aussi été retravaillée. De nouveaux réglages de suspension complètent la révision.

Moteur-refroidissement	monocylindre 4-temps de 249 cc - liquide
Transmission-embrayage	5 rapports - manuel
Cadre-roues avant/arrière	aluminium - 21 pouces / 19 pouces
Poids-selle-réservoir	104,3 kg - 955 mm – 8 litres
Prix-garantie	8 499 $ - aucune

MX 250 4T

KTM
250SX-F KTM

La deux et demie de KTM est la moins changée des machines de cette catégorie. En fait, elle est presque identique à la version 2009. Ce n'est pas très excitant dans une salle de montre, mais sur la piste c'est loin d'être dramatique puisque la machine orange était très bien cotée l'an dernier et le demeure face à la concurrence 2010. Le moteur est d'une importance capitale dans cette catégorie, et celui de la 250SX-F est à ce point performant que KTM s'est permis de lui greffer un nouveau silencieux plus gros qui réduit le bruit, mais étouffe aussi un peu la puissance maxi. Malgré cela, la Katé demeure la reine des chevaux à haut régime. De nouveaux tés de fourche et des réglages de suspension repensés améliorent son comportement.

Moteur-refroidissement	monocylindre 4-temps de 249 cc - liquide
Transmission-embrayage	6 rapports - manuel
Cadre-roues avant/arrière	acier - 21 pouces / 19 pouces
Poids-selle-réservoir	98 kg - 985 mm – 8 litres
Prix-garantie	8 098 $ - 1 mois

MX 250 4T

SUZUKI
RM-Z250

Depuis sa refonte en 2007, la RM-Z250 était considérée comme une machine efficace et performante, mais plus ciblée pour un pilote novice que pro avec son moteur privilégiant les bas et moyen régimes, son châssis super maniable et sa suspension souple. Pour 2010, Suzuki radicalise son approche. Maintenant alimenté par injection électronique, le moteur fortement révisé a aussi reçu une nouvelle bielle plus costaude au fini miroir permettant de hausser le régime maximal. Des révisions à la culasse, au calage des arbres à cames et à l'échappement contribuent à augmenter la puissance à haut régime. Le cadre a été redessiné afin d'optimiser ses caractéristiques de rigidité et a reçu un nouveau bras oscillant. Les ressorts et l'amortissement sont plus fermes.

Moteur-refroidissement	monocylindre 4-temps de 249 cc - liquide
Transmission-embrayage	5 rapports - manuel
Cadre-roues avant/arrière	aluminium - 21 pouces / 19 pouces
Poids-selle-réservoir	104,5 kg - 955 mm - 6,5 litres
Prix-garantie	7 999 $ - aucune

 YAMAHA
YZ250F

NOUVEAUTÉ
MX 250 4T

S'il est évident que de gros dollars ont été dépensés sur la refonte poussée de la nouvelle 450F, Yamaha n'a pas pour autant laissé sa 250F en plan. La version 2010 a droit à un tout nouveau cadre, une suspension révisée, un nouvel habillage et un moteur repensé. La culasse, qui abrite toujours cinq soupapes (la 450 est passée à quatre) a été retravaillée au niveau de l'échappement et reçoit un mécanisme de distribution allégé. Un allumage recalibré, un échappement redessiné et un carburateur révisé (l'injection se laisse attendre...) complètent l'effort, qui vise (et réussit) à améliorer la puissance à bas et moyen régimes. Le châssis plus incisif, le moteur plus volontaire et la ligne plus fine donnent une nature plus joueuse à la nouvelle YZ250F

Moteur-refroidissement	monocylindre 4-temps de 249 cc - liquide
Transmission-embrayage	5 rapports - manuel
Cadre-roues avant/arrière	aluminium - 21 pouces / 19 pouces
Poids-selle-réservoir	102,8 kg - 984 mm - 7 litres
Prix-garantie	8 599 $ - aucune

KTM
KTM 150SX

MX 125 2T

La 150SX perd une autre rivale cette année puisque sa petite sœur, la 125SX, a été rayée du catalogue KTM. Ce n'est pas une surprise, puisque la 150 fait tout ce que la 125 pouvait faire, en mieux. Lancée en 2007 sur une base de 125SX, il s'agit essentiellement de la même moto dont le moteur a gagné 20 cc après avoir été retravaillé en alésage et en course. Cette approche est à noter puisqu'elle a permis à KTM d'obtenir des gains en performance plus complets qu'un simple réalésage. Le moteur est ainsi plus plein en bas que celui de la 125 puis pousse plus fort tout en conservant l'allonge classique d'une petite cylindrée. Légère et maniable, la 150SX est une excellente machine d'apprentissage. L'entretien est beaucoup moins onéreux que celui d'une 4T.

Moteur-refroidissement	monocylindre 2-temps de 143 cc - liquide
Transmission-embrayage	6 rapports - manuel
Cadre-roues avant/arrière	acier - 21 pouces / 19 pouces
Poids-selle-réservoir	90,8 kg - 985 mm - 8 litres
Prix-garantie	7 498 $ - 1 mois

 HUSQVARNA
CR125

MX 125 2T

Posez la question à des pilotes chevronnés comme le multiple champion d'enduro-cross Guy Giroux et l'ancien N° 5 canadien de motocross Mario Paquette, et ils vous diront qu'il n'y a rien qui vaille une 125 2T pour apprendre à vraiment piloter une moto. Et que la vaste majorité des jeunes pilotes gagneraient à passer par là avant de passer à une 250 4T. Malheureusement, le choix devient rare dans cette catégorie, mais heureusement, la Husky CR125 s'ajoute à la courte liste. Elle remplit à merveille le cahier de commandes de la 125 classique : une moto légère et maniable, avec un moteur performant et enthousiaste, mais pointu. La CR125 répond aussi à un autre critère important, soit celui d'être très abordable, à l'achat comme à l'entretien.

Moteur-refroidissement	monocylindre 2-temps de 125 cc - liquide
Transmission-embrayage	6 rapports - manuel
Cadre-roues avant/arrière	acier - 21 pouces / 19 pouces
Poids-selle-réservoir	95 kg - 985 mm - 7 litres
Prix-garantie	6 669 $ - 90 jours

 YAMAHA
YZ125

MX 125 2T

Il y a cinq ans, elle était la reine d'une catégorie prestigieuse. Aujourd'hui, elle est presque devenue une curiosité. Inchangée pour 2010 après avoir connu une évolution annuelle mesurée à la suite de sa dernière refonte importante en 2005, la seule survivante de la dynastie japonaise des 125 2T est, de toute évidence, en fin de carrière. Mais elle demeure une excellente petite moto, légère, nerveuse et très agréable à piloter grâce à son moteur vif et efficace et sa suspension à la fine pointe dans ce domaine. Son grand avantage commence avec son prix (1 100 $ de moins qu'une YZ250F 4T) et se poursuit avec son coût de réparation minime par rapport à celui d'une 4T. Pointue, mais légère et amusante, elle demeure une excellente machine d'initiation au motocross.

Moteur-refroidissement	monocylindre 2-temps de 124 cc - liquide
Transmission-embrayage	6 rapports - manuel
Cadre-roues avant/arrière	aluminium - 21 pouces / 19 pouces
Poids-selle-réservoir	94 kg - 998 mm - 8 litres
Prix-garantie	7 499 $ - aucune

Couleur 2009

HONDA
CRF150R (B)

Dans le domaine du motocross, la CRF150R est en quelque sorte une anomalie. Alors que partout ailleurs le moteur 4-temps domine outrageusement tant l'offre dans les salles de montre que les résultats en course, dans la catégorie des petites machines de motocross, la Honda demeure seule dans le camp 4-temps. Malgré un net avantage côté puissance et allonge du moteur, le fort prix à payer à l'achat comme à l'entretien a de toute évidence freiné l'élan du 4T. Son poids plus important et son démarrage plus difficile prennent aussi des proportions plus importantes lorsque le pilote est de petit gabarit. Lancée en 2007 et essentiellement inchangée depuis, elle demeure offerte en versions R à petites roues (14/17 pouces) et RB à grandes roues (16/19).

Moteur-refroidissement	monocylindre 4-temps de 149 cc - liquide
Transmission-embrayage	5 rapports - manuel
Cadre-roues avant/arrière	acier - 17 (19) pouces / 14 (16) pouces
Poids-selle-réservoir	83 (85) kg - 833 (866) mm – 4,3 litres
Prix-garantie	5 799 $ (5 899 $) - aucune

KTM
105SX *KTM*

La KX100 ayant disparu du catalogue Kawasaki, la 105SX devient la seule monture sur le marché qui réponde aux critères originaux de la classe dite Super Mini, soit des grandes roues (19 pouces avant et 16 arrière) et un moteur 2-temps de moins de 112 cc. Même si elle nous revient essentiellement inchangée, elle demeure tout à fait actuelle puisque pas plus tard que l'an passé, elle a eu droit à une fourche plus costaude, un nouvel amortisseur et quelques retouches au moteur et à la transmission. Conçue pour briller sur une piste de motocross, la 105SX demeure une machine très polyvalente, ce qui en fait un excellent choix comme hors-route à tout faire pour un pilote de petite taille. La version XC typée enduro-cross n'est pas offerte en 2010.

Moteur-refroidissement	monocylindre 2-temps de 104 cc - liquide
Transmission-embrayage	6 rapports - manuel
Cadre-roues avant/arrière	acier - 19 pouces / 16 pouces
Poids-selle-réservoir	68 kg - 899 mm – 5 litres
Prix-garantie	5 848 $ - 1 mois

KAWASAKI
KX85

La KX85 hérite de responsabilités accrues dans les salles de montre cette année, Kawasaki Canada ayant décidé de rayer du catalogue 2010 sa sœur à grandes roues, l'excellente et polyvalente KX100. Même si son développement est pour l'essentiel figé dans le temps depuis plusieurs années, la KX85 demeure une machine intéressante. Fiable, assez performante et facile à gonfler, elle fera surtout le bonheur d'un jeune pilote qui débute dans cette catégorie. La plage de puissance relativement généreuse de son moteur à valve d'échappement KIPS est facile à exploiter, son ergonomie assez ramassée sied particulièrement aux jeunes de petite taille, et ses suspensions efficaces mais relativement souples se prêtent bien à une utilisation variée.

Moteur-refroidissement	monocylindre 2-temps de 84 cc - liquide
Transmission-embrayage	6 rapports - manuel
Cadre-roues avant/arrière	acier - 17 pouces / 14 pouces
Poids-selle-réservoir	65 kg - 840 mm – 5,6 litres
Prix-garantie	4 699 $ - aucuneune

KTM
85SX *KTM*

Parce que de nombreuses 85SX n'ont pas trouvé preneur en 2009, particulièrement aux États-Unis, KTM a décidé de ne pas offrir de 85SX 2010 en Amérique du Nord et de redistribuer les 2009 neuves mais invendues dans l'ensemble de son réseau nord-américain. Il faut dire que l'an dernier, la SX85 coûtait quelque 20 pour cent de plus que les 85 2-temps japonaises, ce qui lui a de toute évidence nui en cette période de récession. Ce prix supérieur se justifiait par la présence de composantes exclusives comme son système de refroidissement à double radiateur, son guidon en aluminium, son embrayage à commande hydraulique et son cadre arrière amovible en aluminium. Elle est belle et bien équipée, mais sur la piste, elle ne se démarque pas vraiment du peloton.

Moteur-refroidissement	monocylindre 2-temps de 84 cc - liquide
Transmission-embrayage	6 rapports - manuel
Cadre-roues avant/arrière	acier - 17 pouces / 14 pouces
Poids-selle-réservoir	68 kg - 865 mm – 5 litres
Prix-garantie	5 498 $ - 1 mois

 SUZUKI
RM85

 YAMAHA
YZ85

MX ÉCOLIERS

La dernière survivante de la légendaire gamme RM à moteurs 2-temps de Suzuki a, une fois de plus, évité le couperet et nous revient pour une autre année. Essentiellement inchangé depuis plusieurs années, le design de la RM85 montre quelque peu son âge, mais demeure dans le coup grâce à son petit monocylindre à admission dans le carter et valve à l'échappement qui offre une puissance compétitive, s'imposant surtout par la générosité de sa plage d'utilisation. La RM s'extirpe plus facilement d'un virage serré et est plus facile à exploiter à fond que certaines rivales plus pointues. Son moteur plus convivial en fait un excellent choix pour un débutant qui appréciera aussi sa suspension relativement souple et sa sensation de légèreté.

MX ÉCOLIERS

Si vous avez aimé les YZ85 des dernières années, vous allez à coup sûr aimer la version 2010 puisqu'il s'agit essentiellement de la même moto. Ses concurrentes directes n'ayant pas vraiment bougé, la petite YZ conserve sa place au haut de la hiérarchie 85 cc 2-temps en termes de performances pures, grâce à la puissance impressionnante de son moteur 2T à haut régime. Démuni d'une valve à l'échappement, le moteur de la petite Yamaha se montre plutôt creux en bas, une sensation accentuée par une transition un peu brusque quand les chevaux arrivent avec force à mi-régime. Ajoutez une suspension assez ferme et une ergonomie relativement généreuse, et vous obtenez une 85 passablement intense qui vise surtout les jeunes pilotes expérimentés.

Moteur-refroidissement	monocylindre 2-temps de 85 cc - liquide
Transmission-embrayage	6 rapports - manuel
Cadre-roues avant/arrière	acier – 17 pouces / 14 pouces
Poids-selle-réservoir	65 kg - 850 mm – 4,9 litres
Prix-garantie	4 599 $ - aucune

Moteur-refroidissement	monocylindre 2-temps de 85 cc - liquide
Transmission-embrayage	6 rapports - manuel
Cadre-roues avant/arrière	acier - 17 pouces / 14 pouces
Poids-selle-réservoir	71 kg - 864 mm – 5 litres
Prix-garantie	4 799 $ - aucune

 KAWASAKI
KX65

KTM
65SX

MX ÉCOLIERS

Excluant les machines à distribution limitée comme la Cobra américaine, la petite Kawa est la seule alternative à la KTM 65SX. Moins moderne et performante que cette dernière, la KX65 demeure un excellent choix pour un jeune pilote prêt à passer d'une mini à embrayage automatique à une vraie machine de motocross à embrayage manuel. Elle offre un moteur performant et des suspensions efficaces, tout en demeurant conviviale. De plus, moyennant un entretien normal, elle se montre très robuste et durable, permettant d'accumuler les heures en selle sans faire sauter la banque. La KTM est plus hot, mais le commanditaire paternel de plusieurs équipes de course familiales appréciera que la machine verte coûte presque 700 $ de moins que l'orange.

MX ÉCOLIERS

Inchangée pour 2010 mais complètement revue en 2009, la KTM 65SX se distingue de l'ancienne version, et de la concurrence, par son moteur totalement repensé à cylindre et vilebrequin repositionnés verticalement afin d'optimiser le centrage des masses et la performance de l'admission. Plus puissant, ce moteur comprend un agencement inédit à valve d'échappement sensible à la pression dans le système. Le tout a par ailleurs été logé dans un nouveau cadre doté de nouvelles suspensions plus efficaces. Pour la compétition, sous la gouverne d'un pilote doué, la 65SX est nettement l'arme de choix dans sa catégorie. Même si elle demeure importante, la différence de prix entre la 65SX et la Kawasaki KX65 a diminué de 300 $ en 2010.

Moteur-refroidissement	monocylindre 2-temps de 65 cc - liquide
Transmission-embrayage	6 rapports - manuel
Cadre-roues avant/arrière	acier – 14 pouces / 12 pouces
Poids-selle-réservoir	57 kg - 760 mm – 3,8 litres
Prix-garantie	4 049 $ - aucune

Moteur-refroidissement	monocylindre 2-temps de 65 cc - liquide
Transmission-embrayage	6 rapports - manuel
Cadre-roues avant/arrière	acier - 14 pouces / 12 pouces
Poids-selle-réservoir	55,4 kg - 750 mm – 3,5 litres
Prix-garantie	4 748 $ - 1 mois

KTM
50SX KTM

KTM est le seul des cinq grands fabricants à offrir une machine de compétition taillée sur mesure pour un tout jeune pilote. Et le fabricant autrichien prend son rôle très au sérieux, puisqu'il a complètement revu sa petite 50SX en 2009. Le nouveau moteur à trois arbres réalignés utilise un embrayage entraîné par l'arbre intermédiaire afin de minimiser les pertes de puissance et d'améliorer la durabilité. Il s'agit d'un détail important puisque la performance de l'embrayage automatique peut compter autant que la puissance du moteur côté reprises en sortie de virage. Le design particulier du moteur permet par ailleurs de mieux centraliser les masses et de minimiser l'effet de couple de la chaîne, facilitant le travail de la suspension arrière.

Moteur-refroidissement	monocylindre 2-temps de 49 cc - liquide
Transmission-embrayage	1 rapport - automatique
Cadre-roues avant/arrière	acier - 12 pouces / 10 pouces
Poids-selle-réservoir	39,8 kg - 684 mm - 2,3 litres
Prix-garantie	4 048 $ - 1 mois

NOUVEAUTÉ
HR 500 4T

HUSQVARNA
TE630 Husqvarna

Husqvarna offre en fait trois modèles TE dans cette catégorie. Les TE450 et TE510 sont avant tout des motos d'enduro ayant la particularité d'être légales sur la route, tandis que la nouvelle TE630 se rapproche plus d'une machine double-usage classique. Nous les avons combinées pour des raisons d'espace, et avons choisi de présenter la 630 parce qu'elle est nouvelle et que les deux autres ressemblent à la TXC450 décrite plus loin. Le gros monocylindre de 600 cc de la nouvelle TE630 est une version réalésée du moteur 570 offert précédemment sur le marché européen. Il est alimenté par un système d'injection électronique Mikuni à papillon de 45 mm. L'embrayage est à commande hydraulique. L'échappement à double silencieux est doté d'un catalyseur.

Moteur-refroidissement	monocylindre 4-temps de 600 cc - liquide
Transmission-embrayage	6 rapports - manuel
Cadre-roues avant/arrière	acier - 21 pouces / 18 pouces
Poids-selle-réservoir	150 kg - 945 mm - 12 litres
Prix-garantie	9 465 $ - 1 an / kilométrage illimité

HR 500 4T

KTM
530XCR-W SIX DAYS KTM

Vous voulez une machine qui a «du moteur» pour vous amuser tous azimuts? Oubliez les 450 de motocross et signez ici, ici et là pour une 530XC-W. Propulsée par une version à longue course du plus récent moteur XC4 à simple arbre à cames en tête, logé dans un châssis très proche des versions motocross, la 530XC-W déménage pas à peu près. Son couple omnipotent en fait un régal à piloter, particulièrement dans des sections ouvertes. Dans le serré, même si elle demeure efficace, la masse en mouvement sous la culasse demeure importante, et ce gros gyroscope finit par user son pilote. Pour 2010, elle a droit à diverses modifications ciblées visant le cadre, la suspension et autres détails ergonomiques. Un peu excessive, mais oh combien jouissive!

Moteur-refroidissement	monocylindre 4-temps de 510 cc - liquide
Transmission-embrayage	6 rapports - manuel
Cadre-roues avant/arrière	acier - 21 pouces / 18 pouces
Poids-selle-réservoir	112 kg - 985 mm - 9 litres
Prix-garantie	10 098 $ - 1 mois

MODÈLE 2009
HR 500 4T

HONDA
CRF450X HONDA

La CRF450X est toujours basée sur la Honda 450 de motocross d'ancienne génération. Il faudra donc patienter encore une autre année au moins avant d'avoir droit à une X basée sur la nouvelle 450R à injection électronique. En 2008, Honda a apporté une série de modifications bien ciblées à la CRF450X qui ont radicalisé sa personnalité. Auparavant reconnue comme une machine de sentier agréable, mais plus corpulente qu'athlétique, la CRF450X est du coup devenue plus sportive. Amincie sur le plan de l'ergonomie, plus aiguisée sur le plan de la géométrie et dotée d'un nouvel amortisseur de direction, elle affiche depuis un comportement passablement plus incisif en sentier. La CRF450X demeure moins typée course que ses rivales chez KTM.

Moteur-refroidissement	monocylindre 4-temps de 449 cc - liquide
Transmission-embrayage	5 rapports - manuel
Cadre-roues avant/arrière	aluminium - 21 pouces / 18 pouces
Poids-selle-réservoir	113 kg - 962 mm - 8,7 litres
Prix-garantie	9 099 $ - aucune

 Husqvarna
HUSQVARNA
TXC450

 **HR 500 4T**

Comme la gamme XC de KTM, la gamme TXC de Husqvarna est basée d'assez près sur les machines de motocross (dans ce cas-ci la TC450, non disponible au Canada) avec des révisions côté châssis et moteur pour élargir quelque peu leur champs d'activité. La 450 est une machine de la vieille école, en ce sens qu'elle affiche un comportement calme et stable à l'européenne, et est propulsée par un moteur qui a du vécu et qui se distingue par une bande de puissance large et forte en couple. Pour 2010, la TXC450 a droit à une nouvelle fourche montée dans de nouveaux tés et à un nouveau bras oscillant plus court. Son nouvel habillage est plus résistant. Elle conserve son alimentation par carburateur, mais sa petite sœur, la TXC250, a droit à l'injection.

Moteur-refroidissement	monocylindre 4-temps de 449 cc - liquide
Transmission-embrayage	5 rapports - manuel
Cadre-roues avant/arrière	acier - 21 pouces / 18 pouces
Poids-selle-réservoir	105 kg - 968 mm – 7,2 litres
Prix-garantie	8 854 $ - 90 jours

Kawasaki
KAWASAKI
KLX450

HR 500 4T

Apparue sur le marché canadien en 2008, un an après sa sortie aux États-Unis, et essentiellement inchangée depuis, la KLX450 repose sur la même approche que celle privilégiée par Honda pour sa 450X et Yamaha pour sa WR450, à savoir un adoucissement poussé de la 450 de motocross. Son moteur est efficace et agréable, avec une large plage de puissance, mais il gagnerait à être un peu plus viril. Ce commentaire est un peu étonnant, considérant qu'il est basé sur le moulin rageur de la KX450F originale. La suspension souple et progressive affiche un bel équilibre et, jumelée à une direction précise, rend la KLX amusante et étonnamment compétente en sentier. Mais comme ses deux rivales japonaises, la grosse Kawa demeure plus promenade que compétition.

Moteur-refroidissement	monocylindre 4-temps de 449 cc - liquide
Transmission-embrayage	5 rapports - manuel
Cadre-roues avant/arrière	aluminium - 21 pouces / 18 pouces
Poids-selle-réservoir	115 kg - 940 mm – 8 litres
Prix-garantie	9 499 $ - aucune

 KTM
KTM
450XC-W SIX DAYS (400XC-W)
HR 500 4T

Après avoir ajouté un cinquième rapport à sa 450SX pour 2010, KTM a décidé de limoger sa 450XC-F, qui était une version cinq vitesses à peine amadouée de la 450 de motocross. Reste donc la 450XC-W, qui se distingue de la SX non seulement par ses suspensions calibrées pour la souplesse, mais surtout par l'utilisation du plus récent moteur enduro à SACT et boîte six vitesses. Beaucoup plus fonceuse que ses rivales japonaises, elle reçoit de légères améliorations au cadre et à la suspension en 2010. La 400XC-W est essentiellement la même moto, avec un piston plus petit. Ce moteur se distingue par sa nature plus costaude et uniforme qu'un 250 4T, mais moins rageuse et difficile à contrôler qu'un 450. Pas la plus spectaculaire, mais très efficace.

Moteur-refroidissement	monocylindre 4-temps de 449 (393) cc - liquide
Transmission-embrayage	6 rapports - manuel
Cadre-roues avant/arrière	acier - 21 pouces / 18 pouces
Poids-selle-réservoir	112 kg - 985 mm – 9 litres
Prix-garantie	9 798 $ (9 398 $) - 1 mois

 **Suzuki**
SUZUKI
RMX450Z
NOUVEAUTÉ
HR 500 4T

Trois ans après Kawasaki, cinq ans après Honda et ce qui semble une éternité après Yamaha, Suzuki lance enfin une version enduro de sa 450 de motocross. La nouvelle machine jaune fait revivre une appellation disparue du répertoire Suzuki il y a une quinzaine d'années, à l'époque de la RMX250 d'enduro à moteur 2-temps. Sur papier, la nouvelle RMX450Z semble suivre une approche semblable à celle des KTM 450 XC, à savoir une machine relativement proche de la version motocross, moins diluée que les CRF450X, KLX450R et YZ450WR. Le châssis, incluant le même réservoir à essence en alu, se veut très proche de la RM-Z450 de motocross. Le moteur, qui conserve l'injection électronique, a une culasse modifiée pour le couple et un démarreur électrique.

Moteur-refroidissement	monocylindre 4-temps de 449 cc - liquide
Transmission-embrayage	5 rapports - manuel
Cadre-roues avant/arrière	aluminium - 21 pouces / 18 pouces
Poids-selle-réservoir	124 kg - 980 mm – 8 litres
Prix-garantie	9 599 $ - aucune

HR 500 4T
YAMAHA
WR450F

Personne ne sera surpris d'apprendre que la WR450F nous revient essentiellement inchangée pour 2010. Mais on peut tout de même rêver à l'apparition d'une nouvelle génération basée sur la spectaculaire, et très efficace, nouvelle YZ450F de motocross. Pour le moment, la WR450F demeure basée sur la YZ450F d'il y a quatre ans, ce qui n'est pas une mauvaise nouvelle en soi puisqu'elle est reconnue comme une machine de sentier efficace et agréable, affichant en prime un très bon bilan sur le plan de la durabilité. Avec son moteur fort en couple, sa direction précise et sa suspension souple et bien amortie, la grosse WR est surtout à l'aise en mode promenade. Dans des conditions «course», son poids et sa suspension molle refroidissent les ardeurs.

Moteur-refroidissement	monocylindre 4-temps de 449 cc - liquide
Transmission-embrayage	5 rapports - manuel
Cadre-roues avant/arrière	aluminium - 21 pouces / 18 pouces
Poids-selle-réservoir	124 kg - 980 mm - 8 litres
Prix-garantie	9 599 $ - aucune

HR 300 2T
HUSQVARNA
WR300
 Husqvarna

Le retour en force de la marque Husqvarna au Canada est une bonne nouvelle pour les amateurs de motos à moteur 2-temps. Le fabricant italien offre en effet une gamme assez complète de ce côté, surtout dans la catégorie des machines à vocation enduro et enduro-cross. La WR300 est très proche de la WR250, aussi offerte au Canada en 2010, mais devrait se montrer plus populaire chez la clientèle qui risque d'être attirée par de telles machines. Évidemment, la comparaison avec les reines de la catégorie, les KTM 300, est inévitable. La WR300 est un peu moins évoluée et raffinée, mais elle n'est pas larguée. Son moteur est un peu plus rugueux, mais pousse fort. Son plus grand avantage se situe au niveau du prix, qui est passablement plus bas. .

Moteur-refroidissement	monocylindre 2-temps de 293 cc - liquide
Transmission-embrayage	5 rapports - manuel
Cadre-roues avant/arrière	acier - 21 pouces / 18 pouces
Poids-selle-réservoir	103 kg - 975 mm – 9,5 litres
Prix-garantie	8 049 $ - 90 jours

HR 300 2T
KTM
300XC / XC-W KTM

KTM fabrique sa «grosse 250» depuis des lunes, mais ce fut longtemps une machine un peu rugueuse, dotée d'un moteur qui poussait fort, mais manquait nettement de raffinement. La KTM 300 de nouvelle génération a résolu ces problèmes et se veut une des meilleures machines sur le marché. Si vous cherchez une moto tout usage, se montrant aussi à l'aise sur un sentier difficile que sur une piste de cross, la polyvalence de la KTM 300XC est difficile à battre. Si vous êtes surtout un gars de bois, que ce soit pour le loisir ou la compétition, la 300XC-W est nettement mieux adaptée avec sa transmission plus étagée et surtout sa suspension plus souple. Le moteur a un couple d'enfer qui se joue des difficultés en sentier. L'ultime machine de vétéran.

Moteur-refroidissement	monocylindre 2-temps de 293 cc - liquide
Transmission-embrayage	5 rapports - manuel
Cadre-roues avant/arrière	acier - 21 pouces / 18 pouces
Poids-selle-réservoir	100,4 (101,5) kg - 985 mm – 11 litres
Prix-garantie	8 798 $ (8 998 $) - 1 mois

HR 300 2T
KTM
250XC / XC-W KTM

Sur papier, il n'y a pas grand-chose qui sépare la KTM 250 de la 300. Mais il s'agit bel et bien de deux outils différents. Reconnue comme la meilleure machine d'enduro pure et dure de la planète, la KTM 250 (comme la 300) se contente de changements mineurs au châssis en 2010. Sans être aussi puissant que celui de la 300, son moteur affiche une plus grande vivacité, jumelée à une souplesse impressionnante, qui confère à la 250 une fluidité de comportement diaboliquement efficace en forêt. Si pour les KTM 300 et 200, les versions XC-W sont généralement préférables pour le hors-route québécois (loisir comme compétition), dans le cas de la 250, le choix est moins clair. Pour un pilote rapide et agressif, la version XC peut représenter un meilleur choix.

Moteur-refroidissement	monocylindre 2-temps de 249 cc - liquide
Transmission-embrayage	5 rapports - manuel
Cadre-roues avant/arrière	acier - 21 pouces / 18 pouces
Poids-selle-réservoir	100,4 (101,5) kg - 985 mm – 11 litres
Prix-garantie	8 598 $ (8 798 $) - 1 mois

KTM 200XC-W
HR 300 2T

La version XC à saveur cross-country de la 200 disparaît en 2010, remplacée par la nouvelle 150XC. Ce n'est pas un drame puisque pour la majorité des adeptes de sentier, la version enduro XC-W de la 200 a toujours représenté l'option la plus efficace. Elle permet de mieux tirer profit des avantages de légèreté et maniabilité de l'approche 200 dans des conditions difficiles. En sentier, la légèreté est un atout indéniable, et la 200 joue très bien cette carte, sans faire de sacrifice important côté puissance. En alliant un poids à la 125 et du muscle à la 250, la 200 fonce sans défoncer son pilote. Le moteur affiche une bonne souplesse jusqu'à mi-régime, et pousse fort partout. La suspension souple avale roches et racines avec aplomb.

Moteur-refroidissement	monocylindre 2-temps de 193 cc - liquide
Transmission-embrayage	6 rapports - manuel
Cadre-roues avant/arrière	acier - 21 pouces / 18 pouces
Poids-selle-réservoir	95 kg - 925 mm ~11 litres
Prix-garantie	8 098 $ - 1 mois

KTM 150XC
NOUVEAUTÉ
HR 300 2T

En concoctant cette nouvelle version XC de sa 150SX, KTM a créé la machine de progression idéale pour les jeunes pilotes qui sont prêts à passer d'une super mini à une moto pleine grandeur. Plus maniable et surtout moins lourde et moins intimidante qu'une 250 4T, la 150XC se montre passablement plus efficace qu'une 125 en sentier. Son moteur a gagné à la fois en alésage et en course par rapport à celui de la 125SX, ce qui lui permet d'avoir plus de coffre en bas sans payer de prix côté puissance et allonge en haut. Les jeunes (et moins jeunes) pilotes apprécieront sa vivacité, qui exige toutefois une certaine agressivité pour foncer. La XC se distingue de la SX par son gros réservoir, son volant moteur plus lourd et sa suspension plus souple.

Moteur-refroidissement	monocylindre 2-temps de 143 cc - liquide
Transmission-embrayage	6 rapports - manuel
Cadre-roues avant/arrière	acier - 21 pouces / 18 pouces
Poids-selle-réservoir	92 kg - 925 mm ~11 litres
Prix-garantie	8 098 $ - 1 mois

HUSQVARNA WR 125
HR 300 2T

L'appellation WR (de l'anglais Wide Ratio, faisant référence à une boîte à rapports espacés) a été lancée par Husqvarna il y a plus de 30 ans pour différencier ses modèles d'enduro de ses machines de motocross (les CR, pour Close Ratio, ou rapports rapprochés). La WR125 poursuit la tradition. Il s'agit d'une très bonne petite moto, qui tire surtout son épingle du jeu côté prix. Effectivement, elle coûte environ 1 500 $ de moins qu'une KTM 150XC, et 1 000 $ de moins qu'une Yamaha YZ125. Son comportement est très sain, et elle utilise le même cadre que les nouvelles Husky 250 4-temps (ça explique le vide entre le réservoir à essence et la culasse). Son moteur est un peu creux à mi-régime, mais il est dans le coup en haut (pour un 125).

HONDA CRF250X
MODÈLE 2009
HR 250 4T

Comme sa grande sœur, la CRF450X, la 250X est une version assouplie côté moteur et suspension de la CRF250R de motocross de génération précédente. Sa suspension privilégiant la souplesse avale sans broncher roches et racines, alors que son moteur à démarreur électrique livre un couple généreux à bas régime, qui le rend étonnamment efficace dans le serré et lorsque l'adhérence est précaire. L'adoption d'un carburateur plus modeste a aussi l'avantage d'éviter les trous à la remise des gaz qui affligeaient l'ancienne version motocross à carbu. Mais autant la CRF250X excelle dans le serré, autant elle n'est pas une machine de grands espaces : son moteur s'essouffle assez rapidement et sa suspension molle devient imprécise quand ça brasse trop.

Moteur-refroidissement	monocylindre 2-temps de 125 cc - liquide
Transmission-embrayage	6 rapports - manuel
Cadre-roues avant/arrière	acier - 21 pouces / 18 pouces
Poids-selle-réservoir	100 kg - 975 mm ~ 7 litres
Prix-garantie	6 552 $ - 90 jours

Moteur-refroidissement	monocylindre 4-temps de 249 cc - liquide
Transmission-embrayage	5 rapports - manuel
Cadre-roues avant/arrière	aluminium - 21 pouces / 18 pouces
Poids-selle-réservoir	102 kg - 957 mm ~ 8,3 litres
Prix-garantie	8 299 $ - aucune

NOUVEAUTÉ
HR 250 4T
HUSQVARNA
TE250 Husqvarna

Basée de près sur la nouvelle TC250 de motocross, la TE250 ajoute entre autres un démarreur électrique et l'injection électronique au tout nouveau moteur plus compact. L'ajout d'un démarreur est un gros plus pour ce moteur qui, côté puissance, se compare avantageusement à ses rivaux japonais de cette catégorie, mais demeure en retrait par rapport aux KTM. La nouvelle TE est plus légère et joueuse côté comportement que l'ancienne et offre l'avantage d'être homologuée pour rouler légalement sur la route. Husqvarna offre aussi une TE310, qui est en fait l'ancienne TE250, à moteur d'ancienne génération, dont on a augmenté l'alésage. Dotée de l'injection, la 310 est ce qu'elle annonce : une 250 un peu plus forte en couple à bas et moyen régimes.

Moteur-refroidissement	monocylindre 4-temps de 249,5 cc - liquide
Transmission-embrayage	6 rapports - manuel
Cadre-roues avant/arrière	acier - 21 pouces / 18 pouces
Poids-selle-réservoir	102,5 kg - 950 mm - 6,5 litres
Prix-garantie	8 739 $ - 6 mois

MODÈLE 2009
HR 250 4T
KTM
250XC-F / XCF-W KTM

Officiellement, les KTM 250XC-F (version cross-country) et 250XCF-W (version enduro à transmission plus étagée et suspension plus souple) ne sont pas au catalogue KTM en 2010. Mais elles demeurent offertes en tant que modèles 2009 reconduits. Basées de très près sur la 250SXF de motocross, avec en prime un démarreur électrique et une boîte à 6 rapports, elles sont beaucoup plus performantes que les dociles Honda et Yamaha de cette catégorie. Pour la plupart des amateurs de sentier, la version W est nettement préférable puisqu'elle combine comme nulle autre la nature agressive d'une 250F de motocross et la convivialité d'une machine de sentier. Vous désirez courir en enduro-cross sur une 250 4T ? La 250XC-W demeure dans une classe à part.

Moteur-refroidissement	monocylindre 4-temps de 249 cc - liquide
Transmission-embrayage	6 rapports - manuel
Cadre-roues avant/arrière	acier - 21 pouces / 18 pouces
Poids-selle-réservoir	101,6 (103) kg - 985 mm – 9,2 litres
Prix-garantie	8 748 $ (8 748 $) - 1 mois

HR 250 4T
YAMAHA
WR250F

Comme la Honda CRF250X, la WR250F est plus axée sur l'agrément en sentier que la compétition. Essentiellement inchangée pour 2010, elle demeure presque identique à la version 2007, année de sa dernière révision majeure qui l'a vu adopter un châssis en alu. Sa suspension souple est idéale pour attaquer un sentier serré et accidenté, tout en se montrant un peu plus ferme et efficace que celle de la CRF250X à plus haute vitesse. Le moteur à démarreur électrique n'a pas tout à fait le coffre de celui de la rouge en bas, mais il lui est légèrement supérieur à haut régime. L'arrivée du cadre en alu, qui allie par ailleurs une direction précise et une excellente stabilité, avait relégué aux oubliettes les problèmes d'ergonomie de la première WR250F.

Moteur-refroidissement	monocylindre 4-temps de 249 cc - liquide
Transmission-embrayage	5 rapports - manuel
Cadre-roues avant/arrière	aluminium - 21 pouces / 18 pouces
Poids-selle-réservoir	117 kg - 980 mm - 8 litres
Prix-garantie	8 699 $ - aucune

MODÈLE 2009
RÉCRÉATIVES
HONDA
CRF230F  HONDA

Il y a plus de 25 ans, Honda était seul à offrir une gamme hors-route récréative propulsée exclusivement par des moteurs 4-temps. Aujourd'hui, c'est la norme. Ses légendaires XR ont cédé le pas à une nouvelle génération de machines en 2003, baptisées CRF. La CRF230F est le modèle pleine grandeur de la gamme, conçu pour un pilote de taille adulte. Propulsée par un convivial moteur refroidi par air, elle bénéficie d'un démarreur électrique et d'une boîte de vitesses à 6 rapports. Il y a deux ans, elle a eu droit à une selle et un réservoir plus sveltes et bas qui ont amélioré le confort et l'ergonomie et réduit la sensation de lourdeur. Abordable et facile d'approche, la CRF230F n'en demeure pas moins une initiatrice relativement lourde.

Moteur-refroidissement	monocylindre 4-temps de 223 cc – air
Transmission-embrayage	6 rapports - manuel
Cadre-roues avant/arrière	acier - 21 pouces / 18 pouces
Poids-selle-réservoir	113 kg - 866 mm – 7,2 litres
Prix-garantie	4 399 $ - 6 mois

YAMAHA
TT-R230

RÉCRÉATIVES

HONDA
CRF150F

MODÈLE 2009

RÉCRÉATIVES

Depuis qu'elle a reçu un nouvel habillage rappelant celui des YZ de motocross en 2008, la TT-R230 poursuit son chemin sans proposer de changement notable. Elle demeure une excellente machine d'initiation pour un adulte désirant découvrir le merveilleux monde du hors-route sur une moto pleine grandeur, mais abordable et facile d'accès. Son classique moteur 4T refroidi par air est doté d'un pratique démarreur électrique et d'une boîte à 6 rapports. Tant côté prix que fiche technique, elle est très proche de la Honda CRF230F décrite précédemment. La Yamaha est un tantinet plus conviviale tandis que la Honda est très légèrement plus poussée côté suspension et puissance maxi. Mais la différence est mince. Aimez-vous mieux le bleu ou le rouge ?

Originalement fabriquée au Brésil comme la CRF230F et lancée en même temps que cette dernière, la CRF150F est plus petite qu'une moto pleine grandeur puisqu'elle est équipée, comme la CRF100, de roues de 19 et 16 pouces de type «mini à grandes roues». La 150 est plus évoluée et plus performante que la 100, affichant un moteur plus puissant, un frein avant à disque et un débattement de suspension supérieur. Elle est toutefois plus lourde et plus dispendieuse. Tout en demeurant peu intimidant, son moteur est fort en couple pour sa taille ce qui, avec la suspension relativement ferme, rend cette moto passablement polyvalente. Parfaite pour initier un adolescent ou un adulte de petite taille, la 150F est amusante même pour un pilote expérimenté.

Moteur-refroidissement	monocylindre 4-temps de 223 cc – air
Transmission-embrayage	6 rapports - manuel
Cadre-roues avant/arrière	acier - 21 pouces / 18 pouces
Poids-selle-réservoir	107 kg - 870 mm - 8 litres
Prix-garantie	4 699 $ - 90 jours

Moteur-refroidissement	monocylindre 4-temps de 149 cc – air
Transmission-embrayage	5 rapports - manuel
Cadre-roues avant/arrière	acier - 19 pouces / 16 pouces
Poids-selle-réservoir	101 kg - 825 mm – 8,3 litres
Prix-garantie	3 799 $ - 6 mois

KAWASAKI
KLX140 (L)

RÉCRÉATIVES

SUZUKI
DR-Z125

RÉCRÉATIVES

Créée pour combler un trou béant dans la gamme Kawasaki il y a deux ans et essentiellement inchangée depuis, la KLX140 est toujours offerte en deux versions : celle de base à petites roues de 17 et 14 pouces ; et la version L avec grandes roues de 19 et 16 pouces, qui arrive aussi équipée d'un amortisseur arrière plus évolué à réservoir externe. La KLX peut ainsi accommoder des débutants de tailles variées. Doté d'un démarreur électrique, son petit monocylindre 4-temps refroidi par air a une large plage de puissance, mais ne pousse pas vraiment plus qu'un 125. Il est doté d'une transmission à 5 rapports un peu longs, et semble donc plus vivant sur la version à petites roues. La KLX est équipée de freins à disque avant et arrière.

Comme les Yamaha TT-R125 et Kawa KLX140, la DR-Z125 est offerte en version de base à petites roues de 17 et 14 pouces et en version L à grandes roues de 19 et 16 pouces (qui ajoute aussi un frein à disque à l'avant), ce qui lui permet d'accueillir différents gabarits de pilotes. Son héritage remonte à plusieurs années, mais son habillage est moderne. Malgré une paresse relative à bas régime, son petit 4-temps est souple et agréable, son ergonomie est excellente et sa fiabilité est depuis longtemps éprouvée. L'amortissement limité de ses suspensions passe inaperçu pour un débutant, mais l'absence d'un démarreur électrique peut limiter son attrait pour certains. Cette absence confère par contre à la Suzuki un certain avantage côté poids et prix.

Moteur-refroidissement	monocylindre 4-temps de 144 cc – air
Transmission-embrayage	5 rapports - manuel
Cadre-roues avant/arrière	acier – 17 (19) pouces / 14 (16) pouces
Poids-selle-réservoir	89 (90) kg - 780 (800) mm - 5,7 litres
Prix-garantie	3 599 $ (3 599 $) - 6 mois

Moteur-refroidissement	monocylindre 4-temps de 124 cc – air
Transmission-embrayage	5 rapports - manuel
Cadre-roues avant/arrière	acier – 17 (19) pouces / 14 (16) pouces
Poids-selle-réservoir	79 (81) kg – 775 (805) mm - 6,2 litres
Prix-garantie	3 099 $ (3 499 $) - 6 mois

YAMAHA
TT-R 125

Lancée au début du millénaire, TT-R125 a connu un succès immédiat, relançant du coup la catégorie des petites motos récréatives. Disponible dès le début en deux hauteurs, la TT-R125 est toujours offerte en version de base à petites roues (17-14 po, freins à tambour) et en version L à grandes roues (19-16 po, disque avant). Au fil des ans, un démarreur électrique a été ajouté en option sur chacune de ces versions. En 2008, la TT-R a été modernisée par l'ajout d'une nouvelle fourche plus costaude, d'un nouveau réservoir plus ergonomique, d'un habillage rappelant les YZ de motocross et d'une selle redessinée à surface antidérapante. Avec les années, la petite bleue s'est imposée comme initiatrice amusante, conviviale et quasi indestructible.

Moteur-refroidissement	monocylindre 4-temps de 124 cc – air
Transmission-embrayage	5 rapports - manuel
Cadre-roues avant/arrière	acier - 17 (19) pouces / 14 (16) pouces
Poids-selle-réservoir	77 (84) kg - 775 (805) mm - 6,1 litres
Prix-garantie	3 399 $ (3 549 $) (3 799 $) (3 949 $) - 90 jours

KAWASAKI
KLX 110 (L)

Depuis son arrivée sur le marché, la KLX110 mène une sorte de double vie, séduisant tant les jeunes débutants que des adultes en mal de sensations. Pour 2010, Kawasaki reconnaît officiellement cette nature schizophrénique en lançant une double version évoluée de la KLX110, offerte en modèle de base pour enfants et en nouvelle version L pour adultes. Le moteur conserve ses 111 cc mais voit sa puissance et son couple bonifiés de 15 %. Il reçoit aussi une nouvelle boîte à 4 rapports (plutôt que 3) et un démarreur électrique. La suspension de base a été révisée pour accommoder le gain en performance, et un nouvel habillage complète le tout. La version L ajoute une suspension encore plus sophistiquée à long débattement et un embrayage manuel.

Moteur-refroidissement	monocylindre 4-temps de 111 cc – air
Transmission-embrayage	4 rapports – automatique (manuel)
Cadre-roues avant/arrière	acier - 14 pouces / 12 pouces
Poids-selle-réservoir	64 kg - 650 (730) mm - 3,8 litres
Prix-garantie	2 649 $ (2 799 $) - 6 mois

YAMAHA
TT-R 110

Lancée au début du millénaire en même temps que la TT-R125, la TT-R90 a elle aussi connu un succès immédiat en devenant la première mini à moteur 4-temps à s'attaquer à un marché jusque-là occupé exclusivement par Honda. Après sept années de loyaux services, Yamaha lui a fait subir une cure de rajeunissement en 2008, faisant passer son moteur de 89 à 110 cc, ajoutant un quatrième rapport à sa boîte semi-automatique et greffant un démarreur électrique. Les changements ont rendu une très bonne petite moto encore meilleure, la nouvelle mécanique compensant amplement pour le léger gain en poids, et le démarreur électrique facilitant la vie des pilotes débutants comme expérimentés. Amusante et fiable, la TT-R110E nous revient inchangée.

Moteur-refroidissement	monocylindre 4-temps de 110 cc – air
Transmission-embrayage	4 rapports – automatique
Cadre-roues avant/arrière	acier - 14 pouces / 12 pouces
Poids-selle-réservoir	69 kg - 670 mm - 3,8 litres
Prix-garantie	2 699 $ - 90 jours

HONDA
CRF 100F

Les racines de la CRF100F remontent à la lointaine époque où les motos étaient toutes dotées de deux amortisseurs arrière. Après une très longue carrière sous l'appellation XR100, Honda lui a refait une beauté il y a quelques années, lui a greffé une suspension plus moderne et l'a rebaptisée CRF. Si elle ressemble beaucoup à la CRF150F côté dimensions, la 100 demeure passablement moins évoluée sur le plan technique. Elle n'en bénéficie pas moins de deux avantages non négligeables : elle est plus légère de quelque 25 kg, et elle coûte environ 1 000 $ de moins. Son moteur est loin d'être une fusée, mais il a du caractère et, avec un minimum d'entretien, est quasi indestructible. Elle demeure une des initiatrices les plus polyvalentes sur le marché.

Moteur-refroidissement	monocylindre 4-temps de 99 cc – air
Transmission-embrayage	5 rapports - manuel
Cadre-roues avant/arrière	acier - 19 pouces / 16 pouces
Poids-selle-réservoir	75 kg - 825 mm - 5,7 litres
Prix-garantie	2 799 $ - 6 mois

HONDA
CRF80F

La CRF80F est la plus petite «vraie» moto de cette catégorie puisqu'elle est le seul modèle à «petites roues» à proposer un levier d'embrayage à la gauche de son guidon, permettant de contrôler sa boîte manuelle à 5 rapports. Dotée d'une suspension efficace, même pour un pilote plus lourd, la CRF80F est parfaite tant pour initier un adulte aux joies de l'embrayage que pour poursuivre l'apprentissage en sentier d'un enfant avancé. L'effort au levier pourrait être moindre, mais la progressivité de l'embrayage et le couple généreux du petit moteur 4T facilitent grandement la familiarisation. Sa robustesse et sa fiabilité sont exemplaires, mais un disque avant serait le bienvenu, et sa roue avant de 16 po offre un choix limité de pneus.

Moteur-refroidissement	monocylindre 4-temps de 80 cc – air
Transmission-embrayage	5 rapports – manuel
Cadre-roues avant/arrière	acier – 16 pouces / 14 pouces
Poids-selle-réservoir	70 kg - 734 mm - 5,7 litres
Prix-garantie	2 569 $ - 6 mois

HONDA
CRF70F

Parfaite comme seconde moto pour un jeune diplômé de la classe 50 ou pour initier un enfant un peu plus grand, la CRF70F est une copie quasi conforme, mais agrandie d'un cran, de la légendaire Mini Trail de Honda (aujourd'hui CRF50F). De sa suspension arrière à bras oscillant triangulé à ses caches de réservoir stylisés, en passant par son classique petit monocylindre 4T horizontal et sa transmission 3 vitesses à embrayage automatique, la CRF70F reprend fidèlement le design de la 50, en une version à roues un peu plus grosses et selle un peu plus haute. Sans être intimidante, la 70 est plus puissante et offre un comportement plus stable et sécurisant, grâce à son empattement plus long, sa suspension plus généreuse et ses plus grosses roues.

Moteur-refroidissement	monocylindre 4-temps de 72 cc – air
Transmission-embrayage	3 rapports – automatique
Cadre-roues avant/arrière	acier – 14 pouces / 12 pouces
Poids-selle-réservoir	58 kg - 663 mm - 5,7 litres
Prix-garantie	2 099 $ - 6 mois

Couleur 2009

SUZUKI
DR-Z70

Dans le cas de la DR-Z70, il ne faut pas se fier aux apparences, du moins, pas côté appellation. Même si son nom semble la confronter à la Honda CRF70F, la Suzuki s'attaque directement à la classique CRF50F, qu'elle rappelle par l'allure, l'architecture générale et surtout les dimensions. Comme cette dernière, elle est dotée d'un petit moteur monocylindre 4-temps à cylindre horizontal, d'une transmission à 3 rapports, d'un embrayage automatique, d'un bras oscillant arrière triangulé et de roues de 10 pouces de diamètre. La DR-Z ajoute toutefois un démarreur électrique. Son moteur plus gros et légèrement plus puissant compense pour le poids supérieur du démarreur et donne à la DR-Z un très léger avantage en tant que mini pour adultes.

Moteur-refroidissement	monocylindre 4-temps de 67 cc – air
Transmission-embrayage	3 rapports – automatique
Cadre-roues avant/arrière	acier – 10 pouces / 10 pouces
Poids-selle-réservoir	52,5 kg - 560 mm - 3 litres
Prix-garantie	2 099 $ - 6 mois

HONDA
CRF50F

Aucune autre moto dans tout ce Guide, pas même une Harley, n'est demeurée aussi fidèle à un ancêtre datant des années 1960 que la CRF50F. Descendante directe de la légendaire Mini Trail, la CRF50F est l'exemple classique de la pomme qui est tombée près de l'arbre. Après l'avoir renommée QA50 puis Z50R au fil des ans, Honda a modernisé sa légendaire petite initiatrice en 2000 en lui donnant une suspension arrière à monoamortisseur, une selle plus basse, une allure rajeunie et l'appellation XR50. Récemment rebaptisée CRF50R, la petite Honda est, sur les plans mécanique et philosophique, virtuellement identique à l'increvable Mini Trail. Étonnamment, malgré son âge, elle demeure la plus sportive des «petites» minis à moteur 4T.

Moteur-refroidissement	monocylindre 4-temps de 49 cc – air
Transmission-embrayage	3 rapports – automatique
Cadre-roues avant/arrière	acier – 10 pouces / 10 pouces
Poids-selle-réservoir	47 kg - 549 mm - 3 litres
Prix-garantie	1 729 $ - 6 mois

KTM
50 SX MINI

Même si elle est toute petite, la 50SX Mini est la moto la plus évoluée sur le plan technique de toute la catégorie des récréatives. Jusqu'en 2008, elle était très loin de la 50SX de motocross avec son moteur 2T refroidi par air et son châssis peu évolué. Mais l'an dernier, elle a adopté le tout nouveau moteur refroidi au liquide et à embrayage sur arbre intermédiaire de la 50SX de motocross. Les seules véritables différences sont l'utilisation d'un carburateur de 12 mm (19 mm sur la SX) favorisant la puissance à bas régime et l'ajout d'une pompe à injection d'huile. Côté châssis, la Mini se distingue par ses roues de 10 pouces (10-12 sur la SX) et sa suspension plus courte, qui abaisse la selle. Elle coûte cher, mais elle marche fort.

Moteur-refroidissement	monocylindre 2-temps de 49 cc – liquide
Transmission-embrayage	1 rapport – automatique
Cadre-roues avant/arrière	acier – 10 pouces / 10 pouces
Poids-selle-réservoir	37,8 kg - 558 mm – 2 litres
Prix-garantie	3 448 $ - 1 mois

YAMAHA
TT-R50E

Si ce n'était du logo à diapason apposé sur le cache du réservoir, on croirait avoir affaire à un des nombreux clones d'une Honda Mini Trail fabriqués en Chine et vendus ici, souvent à prix d'aubaine. La méprise est d'autant plus possible que la TT-R50E est effectivement fabriquée en Chine, dans une usine Yamaha. Pour le reste, elle ressemble effectivement à la Honda CRF50, à commencer par son monocylindre 4T de 49 cc à cylindre horizontal refroidi par air, jumelé à une boîte à 3 rapports avec embrayage automatique. Mais puisque même un moteur à embrayage automatique peut caler à l'occasion, la TT-R50E offre en prime un démarreur électrique, qui permet même à un tout-petit de relancer facilement, pour environ le même prix que la Honda.

Moteur-refroidissement	monocylindre 4-temps de 49,5 cc – air
Transmission-embrayage	3 rapports – automatique
Cadre-roues avant/arrière	acier – 10 pouces / 10 pouces
Poids-selle-réservoir	54 kg - 555 mm – 3,1 litres
Prix-garantie	1 899 $ - 90 jours

YAMAHA
PW50

La vénérable petite PW50 est un véritable phénomène. Elle est au catalogue Yamaha depuis une bonne trentaine d'années, et mis à part la couleur et les graphiques, elle a traversé l'histoire sans changement significatif. Avec son poids plume, sa selle super basse, ses contrôles à l'échelle de petites mains, son limiteur d'accélérateur, son entraînement par arbre et son prix abordable, la PW50 s'impose encore aujourd'hui comme la moto d'initiation par excellence pour un(e) jeune débutant(e) de quatre à six ans. Elle n'est pas indestructible, mais elle n'en est pas loin. En 2008, Yamaha avait réduit son prix à 999 $; cette année, elle se vend 1 299 $. Avant de crier au vol, sachez que c'est encore beaucoup moins que les 1 549 $ demandés en 2007.

Moteur-refroidissement	monocylindre 2-temps de 49 cc – air
Transmission-embrayage	1 rapport – automatique
Cadre-roues avant/arrière	acier – 10 pouces / 10 pouces
Poids-selle-réservoir	37 kg - 485 mm – 2 litres
Prix-garantie	1 299 $ - 90 jours

KTM
690 ENDURO R

La 690 est plus représentative de la classique grosse monocylindre double-usage, à penchant d'abord routier que les 450 et 530EXC de la marque orange. Mais elle n'affiche pas moins un fort penchant pour les grands espaces et le terrain meuble. Elle se distingue d'office des autres autrichiennes par son cadre porteur (sans berceau) en treillis et sa suspension arrière utilisant une tringlerie. Une coque porteuse en plastique renforcé combine le réservoir à essence, le cadre arrière, le garde-boue arrière et la boîte à air. Le moteur de 654 cc, lancé sur la 690 Supermoto en 2007, produit des chevaux à la tonne et se montre beaucoup plus doux, et agréable, que l'ancien LC4 de la 640 Adventure. Un peu lourde, mais tout de même efficace en sentier.

Moteur-refroidissement	monocylindre 4-temps de 249 cc - liquide
Transmission-embrayage	5 rapports - manuel
Cadre-roues avant/arrière	aluminium - 21 pouces / 19 pouces
Poids-selle-réservoir	104 kg - 965 mm – 7,5 litres
Prix-garantie	8 059 $ - aucune

 **BMW**
G650GS

DOUBLE-USAGE

C'est un peu mélangeant. En 2007, BMW a mis sa monocylindre F650GS au rancart pour la remplacer par un nouveau trio de grosses monos, les G650Xcountry, Xmoto et Xchallenge. En 2008, BMW a ramené la désignation F650GS au catalogue et l'a appliquée à une nouvelle moto d'initiation, propulsée par un bicylindre 800. En 2009, les Xmoto et Xchallenge sont disparues, ne laissant que la Xcountry, alors que la F650GS à moteur 800 continuait sa route. Pour 2010, la Xcountry disparaît à son tour, et pour demeurer actif dans le domaine du gros monocylindre, BMW ressort des boules à mites son ancienne F650GS... qu'elle rebaptise G650GS... puisque le nom F650GS est toujours associé au moteur 800. Ouf... Pas donnée, mais coûte 2 000 $ de moins qu'en 2006.

Moteur-refroidissement	monocylindre 4-temps de 652 cc – liquide
Transmission-embrayage	5 rapports - manuel
Cadre-roues avant/arrière	acier - 19 pouces / 17 pouces
Poids-selle-réservoir	175,4 kg - 780 mm – 17,3 litres
Prix-garantie	8 750 $ - 1 an/kilométrage illimité

 **HUSQVARNA**
SM630

NOUVEAUTÉ
DOUBLE-USAGE

Présentée au dernier Salon de Milan, la nouvelle SM630 s'inscrit dans la longue tradition de compétition supermoto de Husqvarna. La firme italienne affirme toutefois qu'il s'agit bel et bien d'une routière, bien adaptée à une utilisation variée et équipée pour transporter un passager. La nouvelle 630 se veut une évolution marquée de la SM610 qui était offerte en Europe. Son moteur est une version réalésée du monocylindre existant, coiffé d'une nouvelle culasse et alimenté par un système d'injection électronique adapté. La puissance serait augmentée de 20 % par rapport à la 610. L'allure est complètement rafraîchie. Comme la TE630, la SM630 devrait être disponible au Canada en juin, et sera possiblement vendue dès lors en tant que modèle 2011.

Moteur-refroidissement	monocylindre 4-temps de 600 cc - liquide
Transmission-embrayage	6 rapports - manuel
Cadre-roues avant/arrière	acier - 17 pouces / 17 pouces
Poids-selle-réservoir	158 kg - 910 mm – 12 litres
Prix-garantie	9 775 $ - 1 an / kilométrage illimité

 HONDA
XR650L

MODÈLE 2009
DOUBLE-USAGE

La grosse 650L est en quelque sorte une machine à voyager dans le temps, puisque sa plus récente version est virtuellement identique au modèle d'origine lancé il y a... 18 ans. Son moteur refroidi par air tire ses origines de la légendaire XR600R des années 80. S'il n'est pas le plus doux, le gros mono pousse fort en bas, se montre très fiable et est facile à lancer avec le démarreur électrique. La suspension étonnamment efficace permet de brasser la 650L assez sérieusement en sentier avant que son poids ne prenne le dessus sur l'amortissement. Le prix à payer est une hauteur de selle vertigineuse (qui limite l'attrait de la moto pour plusieurs), une ergonomie vieillotte et un coût d'achat, d'égal à égal, pas mal plus élevé que les DR et KLR 650.

Moteur-refroidissement	monocylindre 4-temps de 644 cc – air
Transmission-embrayage	5 rapports - manuel
Cadre-roues avant/arrière	acier - 21 pouces / 18 pouces
Poids-selle-réservoir	147 kg - 940 mm – 10,5 litres
Prix-garantie	7 699 $ - 1 an/kilométrage illimité

KAWASAKI
KLR650

DOUBLE-USAGE

Vous rêvez de faire un tour du monde à moto? La KLR650 en a plusieurs derrière la cravate. Véritable machine culte et retentissant succès commercial depuis plus de 20 ans, la KLR650 est réputée pour sa compétence générale et sa grande fiabilité, que ce soit pour se déplacer économiquement en ville ou pour partir en expédition vers des pays reculés. Après 21 années de loyaux services, Kawasaki a enfin décidé de moderniser sa fidèle KLR en 2008, en prenant soin de ne pas s'éloigner des qualités qui ont fait sa renommée. Le moteur révisé est plus doux et fort en couple. La nouvelle suspension à débattement réduit est plus ferme et améliore la tenue sur route. Côté hors-route, c'est comme avant : la KLR est conçue pour passer, pas performer.

Moteur-refroidissement	monocylindre 4-temps de 651 cc – liquide
Transmission-embrayage	5 rapports - manuel
Cadre-roues avant/arrière	acier - 21 pouces / 17 pouces
Poids-selle-réservoir	175 kg - 890 mm – 22 litres
Prix-garantie	7 149 $ - 1 an/kilométrage illimité

SUZUKI
DR650S

Propulsée par un gros mono refroidi par air et par huile, comme les Suzuki GSX-R de l'époque héroïque, la grosse double-usage de Suzuki est pratiquement inchangée depuis son lancement il y a une douzaine d'années. Relativement conservatrice, elle est conçue pour s'illustrer surtout du côté asphalté de l'arène double-usage. Agile en ville et amusante à piloter vivement sur une petite route sinueuse, elle est propulsée par un moteur fort en couple et relativement doux qui ne craint pas les autoroutes. Sa hauteur de selle raisonnable est un atout, mais ses capacités hors-route, quoique réelles, demeurent limitées. Si elle n'a rien perdu de ses qualités, la concurrence lui fait de plus en plus ombrage. Pour compenser un peu, Suzuki a baissé son prix en 2008.

Moteur-refroidissement	monocylindre 4-temps de 644 cc – air et huile
Transmission-embrayage	5 rapports - manuel
Cadre-roues avant/arrière	acier - 21 pouces / 18 pouces
Poids-selle-réservoir	147 kg - 885 mm - 13 litres
Prix-garantie	6 899 $ - 1 an/kilométrage illimité

KTM
530EXC (450EXC) **KTM**

Avec l'arrivée de la BMW G450X l'an dernier, et maintenant des nouvelles Husqvarna homologuées route, KTM n'est plus seul à offrir des motos hors-route de haut niveau pouvant circuler légalement sur la route. Pour 2010, les deux EXC ont droit à des modifications au cadre et à la suspension comme les hors-route pures de la marque, et c'est suffisant pour qu'elles conservent la pole dans leur catégorie. La 530 jouit d'un avantage de puissance sur la route et de couple en sentier qui en font généralement une machine plus polyvalente et amusante. Mais pour celui qui rêve d'une machine d'enduro capable de prendre la route jusqu'au départ d'un enduro-cross, puis de se battre pour la victoire «overall», la 450 est nettement l'arme de choix.

Moteur-refroidissement	monocylindre 4-temps de 510 (449) cc – liquide
Transmission-embrayage	6 rapports - manuel
Cadre-roues avant/arrière	acier - 21 pouces / 18 pouces
Poids-selle-réservoir	114 (113,5) kg - 985 mm - 9 litres
Prix-garantie	10 398 $ (10 098 $) - 6 mois ou 10 000 km

530EXC (450EXC) CHAMP. ED. *KTM* **KTM**

Les 530 et 450 Champions Edition se distinguent des autres motos de ce Guide en se proclamant ni des 2009, ni des 2010. KTM les présente en effet officiellement comme des modèles 2009,5. Lancées tard en saison l'an dernier, il s'agit en fait de la version 2009 des deux grosses EXC double-usage apprêtées avec un bouquet de condiments additionnels. Les ajouts comprennent des graphiques Red Bull, un bouclier amovible sous le moteur, un essieu avant avec manchon, une goupille de rétention de frein arrière, un bouchon usiné de réservoir à essence, divers couvercles à fini orange anodisé et un chèque-cadeau de 400 $. Les Champions Edition coûtent environ 100 $ de moins qu'une EXC normale, mais n'ont pas les changements apportés aux modèles 2010.

Moteur-refroidissement	monocylindre 4-temps de 510 (449) cc – liquide
Transmission-embrayage	6 rapports - manuel
Cadre-roues avant/arrière	acier - 21 pouces / 18 pouces
Poids-selle-réservoir	114 (113,5) kg - 985 mm - 9 litres
Prix-garantie	10 298 $ (9 998 $) - 6 mois ou 10 000 km

HUSQVARNA
SMR510 Husqvarna

La SMR510 se veut une réplique des machines utilisées par l'équipe d'usine Husqvarna en championnat du monde de supermoto. Pour 2010, elle a droit à un nouveau cadre plus léger conçu pour améliorer la maniabilité. Le nouvel habillage affiche des graphiques intégrés lors du moulage pour une grande durabilité. Dans ce même but, le moteur a reçu des améliorations à ses systèmes de refroidissement et de lubrification. La transmission est nouvelle. Pour ceux que le modèle intéresse mais que le prix refroidit, le nouvel importateur canadien affirme avoir mis la main sur quelques modèles 2009 de la 510, qui ont la particularité d'avoir été inclus dans les demandes d'homologation à Transport Canada, et peuvent aussi rouler légalement sur la route.

Moteur-refroidissement	monocylindre 4-temps de 501 cc - liquide
Transmission-embrayage	6 rapports - manuel
Cadre-roues avant/arrière	acier - 17 pouces / 17 pouces
Poids-selle-réservoir	120,5 kg - 920 mm – 7,2 litres
Prix-garantie	9 998 $ - 6 mois

Couleur 2009

BMW
G450X

En 2009, la firme allemande a choisi de viser très haut avec sa nouvelle 450 hors-route, embauchant de grands champions afin de l'imposer au top niveau de l'enduro mondial. La stratégie n'a vraiment pas fonctionné et a plutôt démontré qu'à ce niveau, la moto était en retrait face à ses rivales. Chez nous, Guy Giroux a tout de même connu du succès en compétition sur la G450X qui, analysée en tant que double-usage à fort penchant hors-route, demeure supérieure à la quasi-totalité des machines proposées dans cette catégorie. En plus d'afficher un nouveau traitement graphique, elle bénéficie pour 2010 de modifications mineures mais bien ciblées, issues des leçons apprises en course. Une selle accessoire plus basse de 20 mm est aussi offerte.

Moteur-refroidissement	monocylindre 4-temps de 449 cc - liquide
Transmission-embrayage	5 rapports - manuel
Cadre-roues avant/arrière	acier - 21 pouces / 18 pouces
Poids-selle-réservoir	111 kg - 955 mm - 8 litres
Prix-garantie	9 500 $ - 3 ans/kilométrage illimité

SUZUKI
DR-Z400S

De retour essentiellement inchangée pour 2010, comme c'est le cas depuis de nombreuses années, la 400 double-usage de Suzuki commence à prendre de l'âge lorsqu'on la compare à certaines de ses rivales plus récentes et plus poussées côté technologie. Malgré cela, elle demeure un excellent choix pour celui qui cherche une monture compétente à tous les niveaux, à l'aise tant sur l'asphalte qu'en sentier. Elle combine un moteur qui sait se tirer d'affaire sur la route à une partie cycle suffisamment légère et maniable pour être amusante et efficace (avec de meilleurs pneus) en sentier. Toujours dans le coup, la 400S coûte passablement moins cher que les KTM et BMW, est plus agile hors-route que les 650 et plus «l'fun» côté moteur que les 250.

Moteur-refroidissement	monocylindre 4-temps de 398 cc - liquide
Transmission-embrayage	5 rapports - manuel
Cadre-roues avant/arrière	acier - 21 pouces / 18 pouces
Poids-selle-réservoir	132 kg - 935 mm - 10 litres
Prix-garantie	7 999 $ - 1 an/kilométrage illimité

Couleur 2009

SUZUKI
DR-Z400SM

Déjà à sa sixième année sur le marché, la première interprétation japonaise du concept supermoto à être vendue en Amérique, la DR-Z400SM, est essentiellement une DR-Z400S double-usage légèrement transformée par l'ajout de roues de 17 pouces, de pneus sport, d'un frein avant plus puissant et de réglages de suspension plus fermes. La version SM s'est vite taillé une place limitée, mais fort appréciée, sur le marché. Comparée aux sportives classiques, sa minceur et sa légèreté la placent dans une classe à part côté maniabilité. Son moteur fort en couple est amusant dans la circulation ou pour s'extirper d'un virage serré, mais sa puissance demeure relativement modeste pour une routière. La SM offre toujours un excellent rapport plaisir-prix.

Moteur-refroidissement	monocylindre 4-temps de 398 cc - liquide
Transmission-embrayage	5 rapports - manuel
Cadre-roues avant/arrière	acier - 17 pouces / 17 pouces
Poids-selle-réservoir	134 kg - 890 mm - 10 litres
Prix-garantie	8 399 $ - 1 an/kilométrage illimité

KAWASAKI
KLX250S

Malgré son petit air de machine d'enduro reprenant l'allure des KX de motocross, la KLX250S est beaucoup plus une routière à vocation élargie qu'une enduro plaquée pour la route. Pour son lancement en 2008, Kawasaki avait d'ailleurs revu le cadre et la suspension de l'ancienne KLX250 en ce sens afin d'améliorer la stabilité sur la route et réduire la hauteur de la selle. Confortable et efficace sur l'asphalte, la suspension se débrouille correctement en sentier. Le moteur est plaisant, privilégiant le couple à bas et moyen régimes, mais s'essouffle assez vite. Essentiellement inchangée depuis son lancement, la KLX250S est plus lente que la Suzuki DR-Z400S et moins sophistiquée que la Yamaha WR250R, mais elle jouit d'un net avantage côté prix.

Moteur-refroidissement	monocylindre 4-temps de 249 cc – liquide
Transmission-embrayage	6 rapports - manuel
Cadre-roues avant/arrière	acier - 21 pouces / 18 pouces
Poids-selle-réservoir	119 kg - 884 mm – 7,2 litres
Prix-garantie	6 299 $ - 1 an/kilométrage illimité

KAWASAKI
KLX250SF

Après avoir révisé sa KLX250S double-usage pour la rendre un peu plus efficace et agréable sur l'asphalte en 2008, Kawasaki a poussé le développement routier encore plus loin en lançant, l'an dernier, une version supermoto de cette machine, baptisée KLX250SF. L'approche privilégiée est des plus classiques puisque la version SF se distingue essentiellement par ses roues de 17 pouces montées en pneus sport, sa suspension légèrement modifiée, son frein avant plus puissant et son tirage final légèrement allongé (trois dents de moins à la couronne arrière). Son moteur est un peu plus volontaire en bas que celui de la Yamaha WR250X, mais se situe un peu en retrait en haut. La Kawa est moins sophistiquée que la Yam, mais coûte beaucoup moins cher.

Moteur-refroidissement	monocylindre 4-temps de 249 cc – liquide
Transmission-embrayage	6 rapports - manuel
Cadre-roues avant/arrière	acier - 17 pouces / 17 pouces
Poids-selle-réservoir	137 kg - 860 mm – 7,2 litres
Prix-garantie	6 699 $ - 1 an/kilométrage illimité

KAWASAKI
SUPER SHERPA

Même si son nom exotique fait penser à une sorte de machine de trial conçue pour escalader l'Himalaya, la Super Sherpa est une petite double-usage tout à fait calme et conventionnelle, du genre banlieusarde. Moins chère, moins lourde et moins haute que la KLX250S, la Sherpa est une très bonne moto d'apprentissage pour un débutant sur la route, tout en étant parfaitement adaptée au rôle d'outil de transport de base. La selle demeure un peu haute, mais la suspension souple s'affaisse passablement sous le poids du pilote, ce qui compense un peu. Son docile moteur refroidi par air privilégie le couple à bas et moyen régimes, et est secondé par un embrayage progressif et un pratique démarreur électrique. L'équipement comprend deux freins à disque.

Moteur-refroidissement	monocylindre 4-temps de 249 cc – AIR
Transmission-embrayage	6 rapports - manuel
Cadre-roues avant/arrière	acier - 21 pouces / 18 pouces
Poids-selle-réservoir	113 kg - 830 mm – 9 litres
Prix-garantie	5 549 $ - 1 an/kilométrage illimité

YAMAHA
WR250R

Même si son nom et son allure ressemblent beaucoup à la WR250F hors-route, qui elle-même rappelle la YZ250F de cross, la WR250R est une moto complètement différente. Lancée en 2008 et dotée de technologie très moderne, elle est propulsée par un nouveau moteur logé dans son propre cadre en alu. L'alimentation est confiée à un système d'injection Mikuni et l'échappement est doté d'un catalyseur réduisant les émissions polluantes. Le moteur répond bien et se montre enthousiaste, surtout quand il est poussé à haut régime, mais sa petite cylindrée (pourquoi ne pas avoir opté pour un 300 ou plus?) limite malheureusement sa puissance. La suspension à orientation hors-route (comme pour l'habillage et l'ergonomie) est assez évoluée et fonctionne plutôt bien.

Moteur-refroidissement	monocylindre 4-temps de 249 cc – liquide
Transmission-embrayage	6 rapports - manuel
Cadre-roues avant/arrière	aluminium - 21 pouces / 18 pouces
Poids-selle-réservoir	125 kg - 930 mm – 7,6 litres
Prix-garantie	7 999 $ - 1 an/kilométrage illimité

YAMAHA
WR250X

Lancée en 2008 en même temps que la WR250R double-usage, la WR250X est la version supermoto de cette dernière et se distingue essentiellement par ses roues de 17 pouces chaussées de pneus radiaux sport, son frein avant plus puissant et ses réglages de suspension raffermis. Très légère et super maniable pour une moto de route, la WR250X peut être fort amusante dans la circulation, sur une petite route sinueuse et, pourquoi pas, une piste de karting. Mais encore plus que sur la version double-usage, la puissance somme toute modeste de son moteur de seulement 249 cc limite son attrait. La technologie avancée de la WR250X (cadre alu, suspension sophistiquée...) est attrayante, mais au jour le jour, la DR400SM est plus efficace comme routière.

Moteur-refroidissement	monocylindre 4-temps de 249 cc – liquide
Transmission-embrayage	6 rapports - manuel
Cadre-roues avant/arrière	aluminium - 21 pouces / 18 pouces
Poids-selle-réservoir	136 kg - 895 mm – 7,6 litres
Prix-garantie	8 599 $ - 1 an/kilométrage illimité

YAMAHA
XT250

DOUBLE-USAGE

HONDA
CRF230L

DOUBLE-USAGE

Il y a des motos qui semblent nées pour demeurer anonymes, et la XT250 est sans aucun doute du lot. Toute nouvelle depuis seulement deux ans, elle est venue remplacer une autre grande anonyme, la fade et vieillotte XT225. Même si elle s'appuie sur de la technologie tout à fait moderne, la XT250 demeure très traditionnelle avec son moteur monocylindre refroidi par air à SACT et deux soupapes. Cette configuration a permis de réduire les coûts tout en offrant une plage de puissance satisfaisante pour une utilisation tranquille. Mais on peut se demander pourquoi Yamaha n'a pas opté pour un moteur à cylindrée un peu plus forte, question d'amplifier le couple. La XT250 demeure agréable en promenade, en ville ou à la campagne, et son prix est dans le coup.

Il y a deux ans, Honda a effectué un retour aussi peu spectaculaire que remarqué dans le créneau des petites double-usage 4T (une catégorie qu'il a jadis dominée) en lançant sa CRF230L. Même si son nom, son allure générale et son moteur refroidi par air de 223 cc rappellent la CRF230F hors-route récréative, la CRF230L est d'une autre nature. En plus de l'équipement nécessaire pour circuler sur la route, elle affiche un cadre différent et une suspension à débattement plus court, qui abaissent la selle de 56 mm. La CRF230L se veut d'abord une machine d'entrée de gamme, conçue pour être abordable et peu intimidante sur route comme en sentier. Son moteur à démarreur électrique se montre souple et peu gourmand, mais sa puissance demeure modeste.

Moteur-refroidissement	monocylindre 4-temps de 249 cc – air
Transmission-embrayage	6 rapports - manuel
Cadre-roues avant/arrière	acier – 21 pouces / 18 pouces
Poids-selle-réservoir	123 kg - 810 mm – 9,8 litres
Prix-garantie	5 899 $ - 1 an/kilométrage illimité

Moteur-refroidissement	monocylindre 4-temps de 223 cc – air
Transmission-embrayage	6 rapports - manuel
Cadre-roues avant/arrière	acier – 21 pouces / 18 pouces
Poids-selle-réservoir	121 kg - 810 mm – 8,7 litres
Prix-garantie	5 499 $ - 1 an/kilométrage illimité

SUZUKI
DR200S

DOUBLE-USAGE

YAMAHA
TW200

DOUBLE-USAGE

Le plus gros atout de la DR200S est son prix. Malgré une augmentation de 300 $ cette année (même si elle revient inchangée), elle demeure la seule double-usage 2010 qui soit listée sous la barre des 5 000 $. C'est une machine peu évoluée, pas très performante et à l'allure plutôt vieillotte, mais grâce à son prix et sa nature conviviale, elle demeure attrayante comme petite machine d'initiation et de promenade tranquille, sur route comme en sentier. Son monocylindre 4T refroidi par air est plutôt timide, mais grâce à la présence d'un démarreur électrique, il est toujours prêt à poursuivre. Peu intimidante, maniable et relativement légère, la petite DR peut facilement initier un débutant à la route un jour, puis au hors-route le lendemain.

Nous l'avouons, la TW200 est une énigme pour nous. Elle tire ses origines d'une moto hors-route des années 80 nommée BW200, inspirée des VTT trois roues et équipée de deux gros pneus ballons à basse pression. La BW a connu une carrière brève et anonyme, mais envers et contre tous, la version double-usage de ce concept, la TW200 à gros pneus, a trouvé un marché sur la route, et demeure en vente 20 ans plus tard. Basse et facile à apprivoiser avec son démarreur électrique, la TW est une machine d'initiation rassurante. L'effet coussin de ses gros pneus, qui dégagent sans doute un petit air réconfortant, ajoute au confort. Mais côté efficacité, ils ont plus d'inconvénients que d'avantages. Il y a une raison pour laquelle la TW est seule à en être équipée.

Moteur-refroidissement	monocylindre 4-temps de 199 cc – air
Transmission-embrayage	5 rapports - manuel
Cadre-roues avant/arrière	acier - 21 pouces / 18 pouces
Poids-selle-réservoir	113 kg - 810 mm – 13 litres
Prix-garantie	4 999 $ - 1 an/kilométrage illimité

Moteur-refroidissement	monocylindre 4-temps de 196 cc – air
Transmission-embrayage	5 rapports - manuel
Cadre-roues avant/arrière	acier - 18 pouces / 14 pouces
Poids-selle-réservoir	118 kg - 780 mm – 7 litres
Prix-garantie	5 199 $ - 1 an/kilométrage illimité

BMW
K1300GT

Spécialité bavaroise...

Bien qu'elle soit beaucoup publicisée ces temps-ci, la direction plus dynamique et plus sportive dans laquelle s'engage de plus en plus le constructeur allemand BMW ne change en rien le fait que la marque est d'abord et avant tout réputée pour ses rapides et efficaces avaleuses de kilomètres, une description qui colle très bien à la K1300GT. Si le côté sportif du modèle est assuré par une plateforme partagée avec la K1300S, les capacités en mode tourisme de la K1300GT, elles, proviennent d'une impressionnante liste d'équipements. Une révision de sa mécanique l'an dernier lui a permis d'augmenter son niveau de performances. À 160 chevaux, il s'agit de la monture la plus puissante de sa classe.

La pression est forte lorsqu'on a la réputation d'être le pionnier du tourisme sportif et que la classe, dans laquelle il n'y avait jadis que très peu, voire aucune rivale digne de ce nom, commence non seulement à se peupler, mais aussi à produire des machines très impressionnantes. Qu'à cela ne tienne, la BMW K1300GT demeure l'une des manières les plus rapides et efficaces de rouler longtemps.

Partageant avec la sportive K1300S son cadre et une grande quantité de pièces de sa partie cycle, la GT se comporte comme un charme dans une enfilade de courbes où elle se montre très légère à incliner et admirablement solide lorsque penchée. Sans qu'elle affiche la pureté sportive d'une Kawasaki Concours, ses manières dans tous types de virages s'avèrent difficiles à prendre en faute. Il s'agit d'une moto de bonnes dimensions et dont la masse n'est pas faible, mais une fois en selle, ces statistiques n'affectent le comportement que si l'on exagère et que l'on commence à la pousser de manière extrême, moment où elle rappelle à son pilote qu'il ne conduit pas une GSX-R. Si la GT doit être critiquée au chapitre du comportement routier, ça ne pourrait être qu'en ce qui concerne un certain détachement par rapport aux détails fins que certains pilotes aiment ressentir. La GT renvoie parfois la sensation d'être une monture un peu trop douce et efficace, et pas assez caractérielle.

Bien que sa mécanique ne produise pas une autre sonorité que celle d'un 4-cylindres relativement commun, elle est un petit monstre en matière de couple et de puissance. En fait,

> **LE COUPLE À BAS ET MOYEN RÉGIMES A BEAUCOUP BÉNÉFICIÉ DU PASSAGE DE 1200 À 1300 CENTIMÈTRES CUBES.**

l'accélération produite par l'ouverture complète des gaz et par l'enfilade des rapports est si forte qu'il semble presque étrange de vivre une telle sensation de vitesse aux commandes d'une monture aussi clairement destinée au tourisme. Il en faut d'ailleurs de peu pour que l'avant se soulève sur le premier rapport tellement le couple est grand.

Le passage de 1200 à 1300 centimètres cubes effectué en 2009 a permis d'accroître les performances de manière notable, mais c'est surtout la quantité de couple livrée à bas et moyen régimes qui ressort la grande gagnante de ce gain de cylindrée. Non seulement la GT pousse fort en bas, mais elle tolère aussi très bien de rouler sur l'un des derniers rapports à des régimes très bas.

La liste des équipements et des technologies utilisées est impressionnante, bien que plusieurs soient des options relativement coûteuses. Le confort est d'un niveau très élevé grâce à une bonne selle, à une position équilibrée partiellement ajustable et à un très bon pare-brise à ajustement électrique. Les éléments chauffants et les suspensions réglables électroniquement sont deux exemples de caractéristiques qu'on ne retrouve pas ailleurs et auxquelles on s'attache très vite.

Parmi les points agaçants de la GT, parce qu'il y en a, on note une selle qui n'est pas exceptionnelle sur de très longues distances, un espace restreint entre la selle et les repose-pieds, un freinage très puissant, mais dont la sensation au levier est peu naturelle et un manque intermittent de précision de l'injection lors d'accélérations faibles.

Général

Catégorie	Sport-Tourisme
Prix	21 900 $
Immatriculation 2010	627 $
Catégorisation SAAQ 2010	« régulière »
Évolution récente	introduite en 2006
Garantie	3 ans/kilométrage illimité
Couleur(s)	rouge, bleu, bronze
Concurrence	BMW R1200RT, Honda ST1300, Kawasaki Concours 14, Yamaha FJR1300

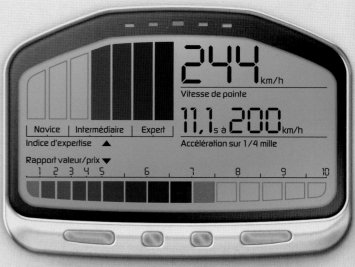

Voir légende en page 7

Moteur

Type	4-cylindres en ligne 4-temps, DACT, 4 soupapes par cylindre, refroidissement par liquide
Alimentation	injection à 4 corps de 46 mm
Rapport volumétrique	13:1
Cylindrée	1 293 cc
Alésage et course	80 mm x 64,3 mm
Puissance	160 ch @ 9 000 tr/min
Couple	99 lb-pi @ 8 000 tr/min
Boîte de vitesses	6 rapports
Transmission finale	par arbre
Révolution à 100 km/h	environ 3 800 tr/min
Consommation moyenne	6,4 l/100 km
Autonomie moyenne	375 km

Partie cycle

Type de cadre	périmétrique, en aluminium
Suspension avant	fourche Duolever avec monoamortisseur non ajustable (ajustable avec l'ESA optionnel)
Suspension arrière	monoamortisseur ajustable en précharge et détente (ajustable avec l'ESA optionnel)
Freinage avant	2 disques de 320 mm de ø avec étriers à 4 pistons et système ABS Semi Integral
Freinage arrière	1 disque de 294 mm de ø avec étriers à 2 pistons et système ABS Semi Integral
Pneus avant/arrière	120/70 ZR17 & 180/55 ZR17
Empattement	1 572 mm
Hauteur de selle	820/840 mm (800/820 mm avec selle basse optionnelle)
Poids tous pleins faits	288 kg (à vide : 255 kg)
Réservoir de carburant	24 litres

QUOI DE NEUF EN 2010 ?

Aucun changement

Coûte 300 $ de plus qu'en 2009

PAS MAL

Une partie cycle phénoménale dont le comportement est imperturbable aussi bien dans les virages serrés que dans les grandes courbes rapides, sur mauvais revêtement, en duo ou même à des vitesses hautement illégales

Un niveau de perfectionnement inégalé dans l'industrie; les équipements fonctionnent si bien qu'on ne veut plus s'en défaire

Une mécanique qui pousse très fort et qui pousse partout, même à partir des très bas régimes, sur des rapports élevés; en selle, l'impression de vitesse est suffisante pour aisément distraire les pilotes les plus exigeants en matière de performances

BOF

Un système de freinage ABS assisté efficace, mais difficilement modulable en raison d'une sensation floue au levier; malgré plusieurs tentatives, BMW ne parvient pas à rendre le freinage aussi transparent qu'avec un système conventionnel; cela dit, comme il y est arrivé sur la S1000RR, le constructeur détient donc maintenant la recette

Une faible hauteur de selle qui permet de poser les pieds au sol, mais qui pourrait un peu coincer les pilotes aux grandes jambes

Une série de petits détails qui irritent sur une moto de ce prix comme une selle qui n'est pas exceptionnelle et une injection qui démontre à l'occasion certains caprices, par exemple

Un prix élevé qui monte encore plus lorsqu'on ajoute certaines options

Conclusion

Parce qu'il n'y a pas vraiment de mauvaises motos dans cette classe, parce que les montants impliqués sont considérables et parce que les équipements offerts sont semblables sur la plupart des modèles, le choix d'une monture de sport-tourisme est l'un des plus difficiles à faire, surtout si l'on n'a pas de préférence ou d'attachement particulier envers un modèle ou une marque. Dans cet environnement, la K1300GT se situe décidément dans le peloton de tête, et ce, malgré son prix plus élevé que celui de la moyenne. Elle n'est pas exempte de petits défauts, mais on ne retient ces derniers que parce que les qualités du modèle, lorsqu'il se retrouve dans son élément, la route, sont tellement riches. Bref, on voudrait que rien du tout ne vienne altérer l'expérience, ce à quoi l'on serait d'ailleurs en droit de s'attendre sur une machine de ce prix.

 BMW
R 1200RT

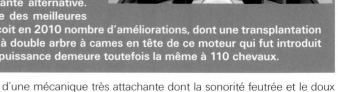

RÉVISION 2010

L'alternative...

En raison de la forte concurrence dans le créneau du tourisme sportif, on a tendance à oublier qu'en marge de cette classe dont les principaux membres sont tous animés par de gros 4-cylindres, se trouve une fort intéressante alternative. Plutôt propulsée par un Twin Boxer, la R1200RT est même l'une des meilleures machines de route sur Terre, toutes catégories confondues. Elle reçoit en 2010 nombre d'améliorations, dont une transplantation mécanique. En effet, la RT est, cette année, équipée de la version à double arbre à cames en tête de ce moteur qui fut introduit sur la puissante HP2 Sport. Le couple grimpe légèrement, mais la puissance demeure toutefois la même à 110 chevaux.

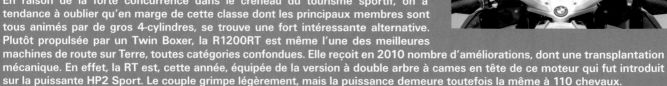

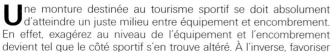

Une monture destinée au tourisme sportif se doit absolument d'atteindre un juste milieu entre équipement et encombrement. En effet, exagérez au niveau de l'équipement et l'encombrement devient tel que le côté sportif s'en trouve altéré. À l'inverse, favoriser l'aspect sportif au point de trop réduire l'équipement fera dans ce cas souffrir le confort de la délicate équation sport-tourisme.

Avec la R1200RT peut-être plus qu'avec n'importe quel autre de ses modèles, BMW a toujours cherché à atteindre un équilibre parfait à ce chapitre. Parce qu'il réduit, entre autres, le poids de l'ensemble, le Twin Boxer de la RT représente un élément inhérent à l'atteinte de ce but. Il permet, par exemple, l'installation de plus d'équipement que sur n'importe quelle autre machine rivale sans que la masse affecte le comportement. Le pilote est ainsi installé devant un véritable «cockpit» lui permettant de gérer le système audio, la hauteur et l'angle du pare-brise, les poignées et les selles chauffantes, le régulateur de vitesse, le système de navigation, les réglages des suspensions, et plus. Notons que certains de ces équipements représentent des options.

Les performances de la R1200RT ne sont pas aussi élevées que celles des montures rivales à 4-cylindres. Il s'agit toutefois ici de l'un des rares cas où des performances légèrement moindres correspondent à un plaisir de conduite supérieur, et ce, surtout pour les motocyclistes amateurs de caractère puisqu'ils ne pourront qu'adorer le tempérament du Twin Boxer. Il s'agit

> ## LA R1200RT EST MIEUX ÉQUIPÉE QUE N'IMPORTE QUELLE AUTRE MOTO DE CETTE CLASSE. SI ON COMPTE LES OPTIONS, BIEN SÛR.

d'une mécanique très attachante dont la sonorité feutrée et le doux tremblement agrémentent chaque instant de conduite. Également digne de mention est la souplesse exemplaire de ce moteur qui doit absolument figurer tout en haut de la liste des raisons pour lesquelles on devrait s'intéresser à une R1200RT. Pour 2010, BMW annonce une augmentation du couple provenant de l'utilisation de la version vitaminée propulsant la HP2 Sport. Même si la puissance de la RT reste la même et que sur papier le couple ne grimpe pas de manière particulièrement marquée, le constructeur annonce une nette amélioration des performances et surtout de la souplesse à bas régime. Par ailleurs, même s'il s'agit d'un moteur que nous adorons littéralement, il n'est pas pour autant parfait puisque la transmission se montre parfois bruyante et qu'un agaçant jeu est notable dans le rouage d'entraînement.

La R1200RT se distingue également du reste de la classe au niveau de sa facilité de prise en main et de son agilité. Elle se manie avec plus d'aisance et de précision qu'on le croirait possible pour une machine de ce gabarit. Son châssis offre d'excellentes caractéristiques permettant un comportement solide et stable en toutes circonstances. Si une R1200RT ne peut évidemment pas rivaliser avec l'agilité pure d'une sportive pointue, il reste qu'avec un pilote enclin à explorer les limites remarquables de la partie cycle à ses commandes, le rythme et les inclinaisons peuvent atteindre des niveaux très impressionnants.

Général

Catégorie	Sport-Tourisme
Prix	20 200 $
Immatriculation 2010	627 $
Catégorisation SAAQ 2010	« régulière »
Évolution récente	introduite en 1996, revue en 2001 et en 2005
Garantie	3 ans/kilométrage illimité
Couleur(s)	argent, noir, bleu
Concurrence	BMW K1300GT, Honda ST1300, Kawasaki Concours 14, Yamaha FJR1300

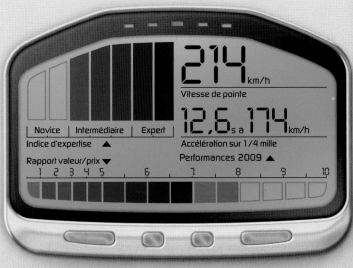

Voir légende en page 7

Moteur

Type	bicylindre 4-temps Boxer, DACT, 4 soupapes par cylindre, refroidissement par air et huile
Alimentation	injection à 2 corps de 47 mm
Rapport volumétrique	12:1
Cylindrée	1 170 cc
Alésage et course	101 mm x 73 mm
Puissance	110 ch @ 7 750 tr/min
Couple	88,5 lb-pi @ 6 000 tr/min
Boîte de vitesses	6 rapports
Transmission finale	par arbre
Révolution à 100 km/h	environ 3 200 tr/min (2009)
Consommation moyenne	5,9 l/100 km (2009)
Autonomie moyenne	457 km (2009)

Partie cycle

Type de cadre	treillis en acier, moteur porteur
Suspension avant	fourche Telelever de 41 mm non ajustable (ajustable avec l'ESA II optionnel)
Suspension arrière	monoamortisseur ajustable en précharge et détente (ajustable avec l'ESA II optionnel)
Freinage avant	2 disques de 320 mm de Ø avec étriers à 4 pistons et système ABS Semi Integral
Freinage arrière	1 disque de 265 mm de Ø avec étrier à 2 pistons et système ABS Semi Integral
Pneus avant/arrière	120/70 ZR17 & 180/55 ZR17
Empattement	1 485 mm
Hauteur de selle	820/840 mm
Poids tous pleins faits	259 kg (à vide : 229 kg)
Réservoir de carburant	25 litres

QUOI DE NEUF EN 2010 ?

Moteur emprunté à la HP2 Sport; partie avant du carénage redessinée, pare-brise inclus; ESA II offrant plus d'ajustements; cockpit et commandes revus; nouveau système audio avec capacité de lecture de fichiers MP3; valve d'échappement améliorant la sonorité

Coûte 1 200 $ de plus qu'en 2009

PAS MAL

Un niveau d'équipements très complet et fonctionnel qui est même plus complet que celui d'une K1300GT

Un moteur dont le caractère est aussi unique que charmant et dont le niveau de performances suffit à divertir un pilote exigeant

Une partie cycle admirablement efficace dans toutes les circonstances, surtout lorsqu'il s'agit de rouler vite et longtemps

Une option très intéressante d'abaissement approuvée par l'usine

BOF

Un poids considérable; la R1200RT est une moto assez lourde qui demande du respect dans les manœuvres lentes et serrées ou à l'arrêt; cela dit, les multicylindres de la classe sont encore plus lourdes

Une boîte de vitesses qui, sur le modèle 2009, fonctionnait bien lorsqu'il s'agissait de passer les rapports en accélération, mais qui devenait relativement bruyante lors d'autres opérations

Un jeu excessif du rouage d'entraînement, toujours sur le modèle 2009, qui n'a pas vraiment sa place sur une monture de ce prix et qui rendait la conduite saccadée dans certaines circonstances

Une facture qui grimpe assez haut lorsqu'on se met à ajouter des équipements presque indispensables comme le système audio, le régulateur, l'ESA II, etc.

Conclusion

S'il est une raison pour laquelle la R1200RT est régulièrement mise de côté lorsque vient le temps de faire l'achat d'une machine de sport-tourisme, c'est son moteur. Comme s'il était trop petit à près de 1,2 litre et comme si ses 2 cylindres constituaient un lourd handicap par rapport aux 4-cylindres rivaux. Mais d'où vient une telle logique? Certainement pas de ce livre, en tout cas. En fait, nous croyons plutôt que la R1200RT pourrait très bien être la meilleure monture de tourisme qu'on puisse acheter. Nous ne pourrons définitivement nous prononcer à ce sujet que lorsque nous aurons pu évaluer sur la route tous les changements apportés à l'occasion de cette révision. Mais si BMW n'a pas gaffé et qu'on a affaire, comme nous le croyons, à une ancienne RT avec plus de couple et des équipements encore plus efficaces, ce titre lui semble destiné.

K1300S

BMW
K1300 S & R

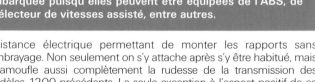

Sympathiques germaines...

Désormais construites à partir d'une base en tous points identique, la sportive K1300S et la standard K1300R font partie des modèles les plus puissants et les plus rapides de leur catégorie respective, un fait dû aux quelque 175 chevaux générés par leur mécanique. Il s'agit néanmoins, dans les deux cas, de routières accomplies dont le comportement est digne de l'excellente réputation du constructeur allemand en matière de machines de route. Elles sont aussi de dignes BMW en termes de technologie embarquée puisqu'elles peuvent être équipées de l'ABS, de l'antipatinage, de l'ajustement de suspensions électronique et d'un sélecteur de vitesses assisté, entre autres.

Tant la K1300S que sa soeur en petite tenue, la R, dégagent un certain «je ne sais quoi» assez difficile à cerner. Elles sont longues, grosses et plutôt massives pour des montures de nature sportive, surtout à l'arrêt, mais ne semblent aucunement gênées par ces proportions généreuses. Leur mécanique est, quant à elle, relativement banale en ce sens qu'il s'agit d'un «bon vieux» 4-cylindres en ligne qui n'a de vraiment distinct que l'angle très incliné de ses cylindres. Cela dit, les performances de ce moteur sont époustouflantes, parmi les plus élevées du marché pour chacune des catégories. Outre des accélérations absolument grisantes, c'est surtout le couple qui étonne tellement il est élevé et accessible à partir de régimes bas, juste comme on l'aime en pilotage quotidien.

De l'autre côté de cette nature quelque peu commune, les deux variantes affichent néanmoins un côté on ne peut plus moderne. En effet, BMW en a presque fait des vitrines technologiques tellement il les a gavées de particularités techniques. L'excellent ABS Semi Integral est à la fois presque complètement transparent et très performant, arrivant à immobiliser la S comme la R avec aplomb et puissance. Les systèmes de suspensions alternatifs que sont le Duolever à l'avant et le Paralever à l'arrière restent uniques à BMW et fonctionnent sans le moindre reproche. L'ajustement électronique des suspensions, dans ce cas le ESA II de seconde génération, représente probablement le genre de technologie qui sera un jour très répandu tellement il est logique et pratique. Même le passage des vitesses a son gadget, une

LES K1300 SONT LA VERSION MODERNE DES GROSSES ET PUISSANTES MOTOS QU'ON ROULAIT AUTREFOIS.

assistance électrique permettant de monter les rapports sans l'embrayage. Non seulement on s'y attache après s'y être habitué, mais il camoufle aussi complètement la rudesse de la transmission des modèles 1200 précédents. La seule exception à l'aspect positif de ce débordement de technologie est un système appelé Automatic Stability Control qui se sert des données recueillies par les capteurs de l'ABS pour détecter un patinage de l'arrière en calculant la différence de vitesse entre les roues avant et arrière, en accélération. Ça fonctionne, mais pas toujours bien. Par exemple, la coupure de puissance est beaucoup trop rude lorsqu'une glissade du pneu arrière, même légère, est détectée. Le système réagit également de façon, disons, perfectible lorsque l'avant quitte le sol en pleine accélération, ce qui arrive presque inévitablement sur le premier rapport, surtout sur la R dont l'avant est plus léger. En effet, la roue avant tournant à ce moment plus lentement que la roue arrière, l'ASC coupe la puissance de manière tout aussi rude, ce qui jette l'avant par terre. En pleine accélération... La puissance est instantanément rétablie dès que la roue avant touche le sol. Mais cette puissance la soulève à nouveau...

Outre ce côté irritant de l'ASC, on saisit éventuellement que la combinaison de toute cette technologie et du côté puissant, mais commun des K1300 est exactement ce qui fait leur charme. Il s'agit de la version moderne des motos qu'on roulait autrefois, des motos confortables et pratiques avec de gros moteurs et de généreuses dimensions. Un genre de motos qui, malheureusement, s'est éteint.

Général

Catégorie	Routière Sportive/Standard
Prix	K1300S: 16 990 $ K1300R: 16 850 $
Immatriculation 2010	K1300S: 1 410 $ K1300R: 627 $
Catégorisation SAAQ 2010	K1300S: «sport» K1300R: «régulière»
Évolution récente	introduites en 2005, revues en 2009
Garantie	3 ans/kilométrage illimité
Couleur(s)	K1300S: gris, orange, noir et gris K1300R: gris, orange, charbon
Concurrence	K1300S: Honda VFR1200F, Kawasaki Ninja ZX-14, Suzuki GSX1300R Hayabusa K1300R: Kawasaki Z1000, Suzuki B-King

Voir légende en page 7

Moteur

Type	4-cylindres en ligne 4-temps, DACT, 4 soupapes par cylindre, refroidissement par liquide
Alimentation	injection à 4 corps de 46 mm
Rapport volumétrique	13:1
Cylindrée	1 293 cc
Alésage et course	80 mm x 64,3 mm
Puissance	175 (R: 173) ch @ 9 250 tr/min
Couple	103 lb-pi @ 8 250 tr/min
Boîte de vitesses	6 rapports
Transmission finale	par arbre
Révolution à 100 km/h	environ 3 800 tr/min
Consommation moyenne	6,7 l/100 km
Autonomie moyenne	283 km

Partie cycle

Type de cadre	périmétrique, en aluminium
Suspension avant	fourche Duolever avec monoamortisseur non ajustable (ajustable avec l'ESA II optionnel)
Suspension arrière	monoamortisseur ajustable en précharge et détente (R: en précharge etcompression) (S et R: ajustable avec l'ESA II optionnel)
Freinage avant	2 disques de 320 mm de ø avec étriers à 4 pistons et système ABS Semi Integral
Freinage arrière	1 disque de 265 mm de ø avec étriers à 2 pistons et système ABS Semi Integral
Pneus avant/arrière	120/70 ZR17 & 190 (R:180)/55 ZR17
Empattement	1 585 mm
Hauteur de selle	820 mm (790 mm avec selle basse optionnelle)
Poids tous pleins faits	S: 254 kg (à vide: 228 kg) R: 243 kg (à vide: 217 kg)
Réservoir de carburant	19 litres

QUOI DE NEUF EN 2010 ?

Aucun changement

K1300S coûte 340 $ et K1300R 500 $ de plus qu'en 2009

PAS MAL

Un moteur extrêmement puissant, mais aussi très coupleux dans les bas régimes utilisés au jour le jour

Une tenue de route solide et précise qui permet de s'amuser dans une enfilade de virages et de prendre plaisir à avaler une longue courbe rapide, ainsi qu'un niveau d'agilité qui surprend compte tenu du gabarit assez imposant des deux variantes

Un sélecteur de vitesses assisté qui fonctionne très bien dans le cas de ces modèles et qui semble camoufler le problème du passage de vitesses rude des 1200 précédentes

Un niveau de confort qui n'est pas mauvais du tout

BOF

Un comportement qui se dégrade si l'on exagère et qu'on les traite comme des sportives pures; leur tenue de route est excellente, mais les lois de la physique continuent de s'appliquer quand même

Un système antipatinage ASC à revoir puisqu'il fonctionne parfois de manière très abrupte, surtout lors de fortes accélérations

Un carénage qui semble être très dangereux sur la S, du moins selon la logique de catégorisation de la SAAQ. En effet, si la S est classée «à risque», que la R est classée «non à risque» et que la seule distinction technique entre les deux modèles est la présence d'un carénage sur la S, donc, le carénage élève le risque...

Conclusion

Chacune à sa façon, et tant qu'on ne les envisage pas en vue d'une utilisation que ne reflète pas leur nature, les deux K1300 de BMW représentent des machines plutôt attachantes. La S est un monstre de puissance qui ne traîne pas trop loin derrière les Hayabusa et compagnie, ce qui n'est pas peu dire. Mais elle propose un côté routier qui la situe bien plus au niveau de la nouvelle VFR1200F, ce qui est un très beau compliment à l'égard de l'allemande. Quant à la R, on ne lui trouve presque pas d'équivalent sur notre marché puisqu'il s'agit d'une standard avec un très, très gros coeur et dont le niveau de confort élevé rend la conduite quotidienne très plaisante. Toutes deux offrent par ailleurs un aspect technologique «alternatif» qui permet, au moins en partie, de justifier le prix d'admission.

K1300R

BMW
HP2 SPORT

Hors contexte...

À un certain moment, dans un certain contexte, la raison d'être de la HP2 Sport était claire. La marque allemande, surtout réputée pour ses routières destinées à une clientèle «mature», souhaitait rajeunir son image. Certains modèles furent allégés, tandis qu'une division HP, pour High Performance, fut lancée. C'est de cette division que provint la HP2 Sport en 2008. La plus puissante BMW à moteur Boxer jamais produite, elle avait pour mission d'annoncer au monde l'arrivée de la firme de Munich dans le créneau sportif. Aujourd'hui que l'annonce a été entendue et que la fabuleuse S1000RR roule, la HP2 Sport n'a plus d'autre rôle que celui de monument rappelant une période transitoire.

Décider de construire une sportive pure basée sur une routière à bicylindre Boxer refroidi par air et huile frôle le masochisme. Pour diverses raisons, telle fut néanmoins la décision de BMW. Le fait que la marque a réussi à créer une sportive pure ayant légitimement sa place sur un circuit, ce qu'est la HP2 Sport, est en soi ni plus ni moins qu'un tour de force.

Clairement, la HP2 Sport occupe une position avant tout symbolique au sein de la gamme BMW. Elle incarne la détermination du constructeur à joindre les rangs exclusifs du genre sportif, et surtout à le faire en poussant un concept routier jusqu'aux limites du possible. La mission s'avère décidément accomplie puisque l'effort est aussi louable que le résultat et que la HP2 est effectivement la BMW à moteur Boxer la plus rapide, la plus puissante et la plus agile jamais produite. La plus chère aussi...

Pour l'acheteur connaisseur, celui qui comprend la prouesse mécanique que représente le modèle et qui apprécie le rôle qu'elle a joué, ne serait-ce que pendant un an ou deux, dans l'histoire du constructeur, pour cette personne et cette personne seulement, l'achat d'une HP2 Sport en 2010 a un certain sens. Mais pour les autres...

Lorsqu'on enlève à la HP2 Sport son aspect symbolique et qu'on examine de manière absolue la sportive se trouvant derrière cette très inhabituelle combinaison de formes effilées, de mécanique particulière et de pièces de partie cycle étranges, que reste-t-il exactement ? Il reste une routière à moteur Boxer suffisamment vitaminée pour arriver à boucler des tours de piste à un rythme fort

> **LES COUREURS QUI ONT PILOTÉ DES HP2 SPORT N'ONT PEUT-ÊTRE PAS REMPORTÉ DE TITRES NOTABLES, MAIS ILS ONT GAGNÉ LEUR PAYE.**

respectable. Pas plus et pas moins.

Le mot clé ici est routière. Les capacités d'une sportive pure se ressentent d'une façon très nette dès l'instant où l'on s'installe à ses commandes et se précisent lorsque l'on s'élance en piste. La nature de la HP2 Sport n'est pas celle d'une sportive, mais bien celle d'une routière. Les accélérations offertes par ses 133 chevaux sont certes impressionnantes lorsque l'on tient compte du type de mécanique dont il est question, mais dans l'univers sportif, elles ne sont que bonnes. Par ailleurs, si la sonorité très particulière du Twin Boxer à pleins gaz est décidément plaisante, les réactions brusques que le couple de ce dernier génère lors des changements de vitesses le sont beaucoup moins. La HP2 Sport est livrée avec un sélecteur de vitesses assisté qui fonctionne très bien sur les K1300 et sur la S1000RR, mais qui semble entrer en conflit avec la nature du Twin Boxer. Il n'apporte rien de positif à une conduite sur piste et devient, au contraire, une distraction.

Quant au reste des qualités démontrées par la HP2 dans un environnement purement sportif, très peu d'entre elles, pour ne pas dire aucune, n'impressionnent vraiment. En fait, à tous les niveaux du pilotage sur piste, le comportement de la HP2 se montre plutôt bon, mais certainement pas exceptionnel. Elle a le potentiel de rouler assez vite, mais on doit fortement adapter son pilotage. Les coureurs qui ont disputé un championnat entier à ses commandes n'ont peut-être pas remporté de titres notables, mais ils ont gagné leur paye.

Général

Catégorie	Sportive
Prix	27 590 $
Immatriculation 2010	1 410 $
Catégorisation SAAQ 2010	« sport »
Évolution récente	introduite en 2008
Garantie	3 ans/kilométrage illimité
Couleur(s)	blanc et bleu
Concurrence	KTM RC8 Ducati 1198

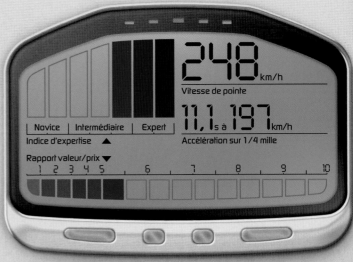

Voir légende en page 7

Moteur

Type	bicylindre 4-temps Boxer, DACT, 4 soupapes par cylindre, refroidissement par air et huile
Alimentation	injection à 2 corps de 52 mm
Rapport volumétrique	12,5:1
Cylindrée	1 170 cc
Alésage et course	101 mm x 73 mm
Puissance	133 ch @ 8 750 tr/min
Couple	85 lb-pi @ 6 000 tr/min
Boîte de vitesses	6 rapports
Transmission finale	par arbre
Révolution à 100 km/h	environ 3 500 tr/min
Consommation moyenne	6,2 l/100 km
Autonomie moyenne	258 km

Partie cycle

Type de cadre	treillis en acier, moteur porteur
Suspension avant	fourche Telelever de 41 mm ajustable en précharge, compression et détente
Suspension arrière	monoamortisseur ajustable en précharge, compression, détente et pour l'assiette
Freinage avant	2 disques de 320 mm de Ø avec étriers radiaux à 4 pistons
Freinage arrière	1 disque de 265 mm de Ø avec étrier à 2 pistons
Pneus avant/arrière	120/70 ZR17 & 190/55 ZR17
Empattement	1 487 mm
Hauteur de selle	830 mm
Poids tous pleins faits	199 kg (à vide : 178 kg)
Réservoir de carburant	16 litres

QUOI DE NEUF EN 2010 ?

Version Motorsport Edition aux couleurs de l'équipe de course

Coûte 950 $ de plus qu'en 2009

PAS MAL

Une exclusivité venant de la rareté du modèle, de son prix élevé et de son positionnement qui ne rejoint qu'une très petite portion des motocyclistes ; rarement a-t-on vu une sportive dont la vocation est aussi pointue et dont la clientèle potentielle est aussi réduite

Un comportement très sain en piste qui ressemble à celui auquel on s'attendrait d'une sportive de conception plus classique, sans toutefois que ce comportement soit aussi fin et pur

Un bon niveau de performances et surtout une grande facilité d'exploitation de la puissance disponible ; grâce au couple présent à tous les régimes, on ne cherche jamais la « bonne zone » de tours

BOF

Une nature qui semble forcée, puisque dérivée d'un concept routier ; malgré les capacités élevées de la HP2 Sport, on sent en piste qu'il ne s'agit pas d'un environnement parfaitement naturel pour elle, ce qui contraste avec les sensations renvoyées par les sportives pures classiques dont la raison d'être est clairement le circuit

Une puissance de 133 chevaux qui est très respectable compte tenu de la configuration mécanique, mais qui n'est pas de taille à bousculer l'ordre des choses dans un univers sportif où les V-Twin génèrent désormais plus de 170 chevaux et les 4-cylindres au-delà de 190

Un sélecteur de vitesses électrique auquel il faut s'habituer afin qu'il ne nuise pas au pilotage sur piste ; l'utiliser de manière avantageuse est possible, mais seulement après avoir revu la coordination du passage des vitesses par rapport au contrôle des gaz

Conclusion

La HP2 Sport se veut avant tout une éloquente démonstration de savoir-faire de la part de BMW. Son rôle consiste à incarner l'expression ultime d'une sportive à moteur Boxer, ce qu'elle accomplit brillamment. Reste néanmoins à savoir qui ça intéresse, surtout à ce prix... En effet, à moins d'être collectionneur ou absolument maniaque de Twin Boxer, l'acquisition d'une HP2 Sport n'a pas vraiment de sens puisqu'en termes de capacités sportives, on a affaire à une monture qui ne se distingue à aucun niveau par rapport à une concurrence beaucoup moins chère et infiniment plus compétente. Offerte à quelque 10 000 $ de moins, la fantastique S1000RR est le meilleur exemple de ce fait. En vérité, il est très difficile de comprendre pourquoi la HP2 Sport figure encore dans la gamme de BMW. Son départ très prochain est facilement prévisible.

BMW
S1000RR

NOUVEAUTÉ 2010

Impossible...

Quand BMW annonça qu'il comptait produire une 1000 qui rivaliserait avec les CBR-RR, GSX-R et autres ZX-R d'un litre, plusieurs sourirent, dont nous. Impossible... Et pourtant, la voilà, cette S1000RR, et c'est du très, très sérieux. Le poids le plus faible, la puissance la plus élevée et plus d'électronique qu'on n'en a jamais vu sur une sportive de production. Inclus dans l'étonnant prix de 17 300 $ sont un système ABS de course, un système de contrôle de la traction et un ordinateur de bord capable de gérer et modifier les paramètres de ces systèmes. Un sélecteur de vitesses assisté est aussi offert de série. Le monde des sportives vient de changer.

L e dernier des 15 virages de l'*Autódromo Internacional do Algarve* s'étend sur un demi-kilomètre. On s'y engage relativement lentement en deuxième, puis, sans jamais que le genou quitte le sol, on accélère. La troisième, puis la quatrième passent. La force centrifuge devient telle qu'elle me pousse lourdement sur la moto. Le virage se termine par une montée débouchant sur la longue ligne droite qui, elle, est plate. Alors que l'indicateur de la S1000RR affiche environ 210 km/h, l'avant, allégé par la dénivellation, s'envole. En quatrième. En m'avançant autant que possible sur le réservoir, j'arrive à mettre suffisamment de poids sur l'avant pour contrôler la hauteur du wheelie et ne pas avoir à couper les gaz. Du coin de l'oeil, j'aperçois, le long du mur des puits, les représentants de la compagnie qui m'a invité ici. Aucune idée de ce qu'ils pensent. Plusieurs centaines de mètres plus loin, l'avant finit par redescendre. L'indicateur affiche maintenant plus de 240 km/h, et je passe la cinquième. Les 280 km/h sont atteints juste avant de devoir freiner pour le premier virage. Durant chaque entrée de courbe, chaque choix de ligne, chaque correction de trajectoire, chaque freinage, et chaque accélération représentant un tour de cette piste, la S1000RR est sublime, majestueuse, exceptionnelle, incroyable. En fait, au fur et à mesure que j'enfile les tours aux commandes de la nouveauté, il devient vite clair que cette première *vraie* sportive de l'histoire moderne de BMW redéfinira probablement le standard chez les classiques sportives pures de 1 000 cc.

> ## LA PREMIÈRE *VRAIE* SPORTIVE DE L'HISTOIRE MODERNE DE BMW VA PROBABLEMENT REDÉFINIR LE STANDARD CHEZ LES 1000.

Je dois l'avouer, je ne m'attendais pas à cela. Je ne croyais pas à la possibilité que BMW, ou n'importe quelle autre marque d'ailleurs, arrive un jour à rejoindre le niveau que les constructeurs japonais ont atteint avec ce genre de sportives. Et certainement pas à ce que ce niveau soit surpassé. Mais la preuve est indiscutable : BMW y est arrivé.

À tous les niveaux, la S1000RR renvoie des sensations japonaises. On pourrait percevoir une telle remarque comme péjorative pour un produit de la marque allemande, mais c'est plutôt le plus beau compliment qu'on pourrait formuler à son égard. Qu'il s'agisse de la vitesse à laquelle la mécanique prend ses tours, des 14 000 tr/min de la zone rouge de cette dernière ou de l'accélération démente axée sur les hauts régimes, on jurerait avoir affaire à l'une des 1000 rivales. L'incroyable réalité de la S1000RR c'est qu'elle va encore plus loin. Son agilité et sa facilité de pilotage sont au moins équivalentes à celle de la CBR1000RR. Sa puissance est au moins aussi élevée que celle d'une GSX-R1000. Et sa technologie laisse loin, très loin derrière, toutes ces motos. En ce qui concerne l'électronique, la S1000RR est la sportive la plus avancée jamais produite. En plus d'un système ABS de course fonctionnant de manière très similaire à celui de Honda, la BMW est non seulement munie d'un système antipatinage absolument à point, mais offre également au pilote la possibilité de divers réglages qui changent complètement le comportement de la moto. Tout ça est livré de série pour un prix de 17 300 $, soit pas beaucoup plus que celui des rivales.

AU-DELÀ DE SES STUPÉFIANTES PERFORMANCES, LA S1000RR SE DISTINGUE EN INAUGURANT L'ÈRE DE LA GESTION DU *COMPORTEMENT* PAR L'ÉLECTRONIQUE. LES QUATRE DIFFÉRENTS MODES, QU'ON CHANGE À LA VOLÉE AVEC UN BOUTON, TRANSFORMENT COMPLÈTEMENT LA NATURE DE LA MOTO.

Un rêve. Voilà la seule manière de décrire l'Autódromo Internacional do Algarve, un circuit venant à peine d'être construit à Portimão, au sud du Portugal. Couvrant plus de 4,5 kilomètres et montant et descendant comme une montagne russe, il fut choisi par BMW pour introduire la toute nouvelle S1000RR. Le nom du photographe à qui revient le crédit photo ne fut pas communiqué par BMW.

L'information, à la source

Rien ne rivalise avec un lancement de presse mondial en termes d'information. Évidemment, l'accès au modèle présenté ainsi qu'à l'environnement approprié pour en faire l'évaluation représente le facteur le plus important d'un tel événement, mais il y a beaucoup plus. Par exemple, des photographes professionnels sont engagés afin de travailler sans répit pour fournir tous les besoins d'une presse venue de partout dans le monde. Un travail d'autant plus ardu que cette presse veut désormais à tout prix être la première à publier un «essai» sur Internet. Les textes mis en ligne après 15 minutes aux commandes d'une nouveauté ne sont certes pas une rareté... Par ailleurs, les privilèges inhérents à de tels événements prennent souvent d'autres dimensions, comme celle de côtoyer les gens responsables de ces magnifiques machines, des essayeurs jusqu'aux designers en passant par les ingénieurs, les gens du marketing, etc. Durant le lancement de la S1000RR, au Portugal, j'ai par exemple jasé avec Troy Corser, coureur officiel de l'équipe de Superbike Mondial de BMW, à côté de qui j'étais assis par hasard au souper. Très sympathique, mais peut-être un peu trop bavard puisqu'il avoua préférer rouler la S1000RR sans toutes les aides électroniques que le constructeur a mis tant d'énergie à développer... David Robb, fut aussi au nombre des personnes clés derrière la S1000RR puisque c'est lui et l'équipe qu'il dirige qui sont responsables de la ligne de la nouveauté, un travail qui fut apparemment très complexe, car la latitude de création généralement permise par BMW ne s'appliquait pas dans ce cas. La S1000RR devait avoir l'air d'une 1000 crédible au premier coup d'oeil. Créer un style ou des caractéristiques trop inhabituelles aurait été extrêmement risqué dans ce créneau. Mais il s'agit quand même d'une BMW... L'équilibre entre l'image et les proportions traditionnelles d'une sportive japonaise et la touche qui fait d'une BMW une monture particulière fut très difficile à atteindre, comme en témoignent d'ailleurs les quelques illustrations présentées ici.

BG.

TALL SHAPE

SNOW PLOW GESTURE

FUEL TANK

Body Fairing:
"slide on From Front" Look

Attach rear end

VISUAL FLOW

BREAK the MOLD!

o HOW DO YOU STAND OUT IN A FIELD OF "Variations-on-a-theme"?

an exception to the "group lock"? (emphasizes height)

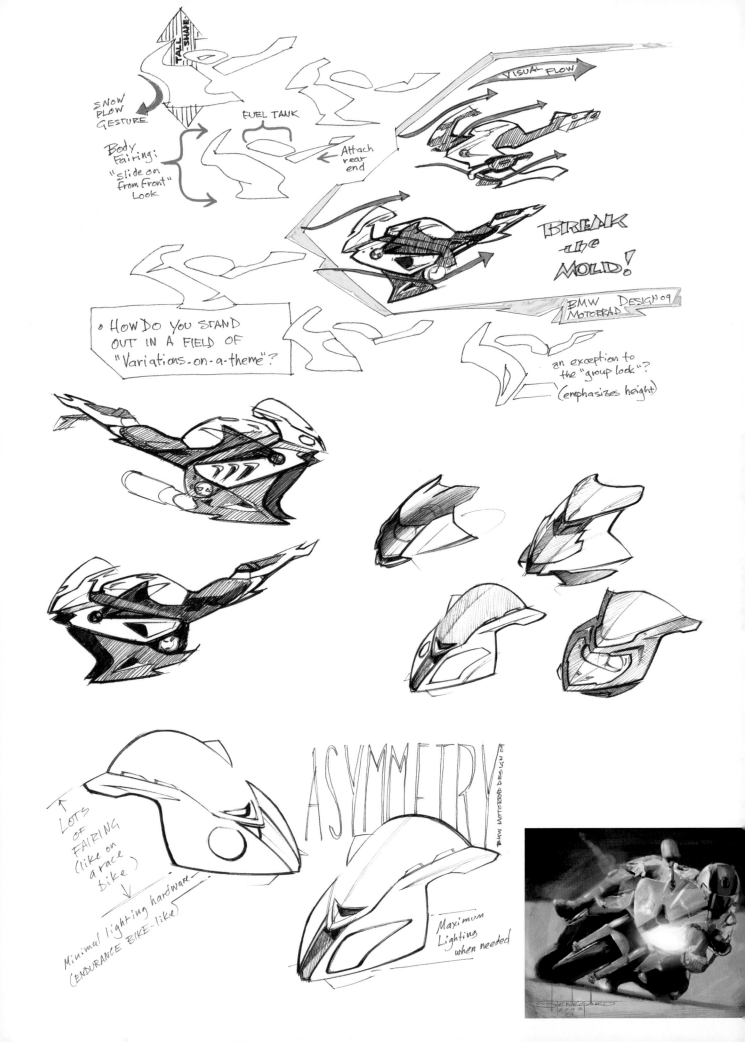

ASYMMETRY

LOTS OF FAIRING (like on a race bike)

Minimal lighting hardware (ENDURANCE BIKE-like)

Maximum Lighting when needed

STENEGARD 2009

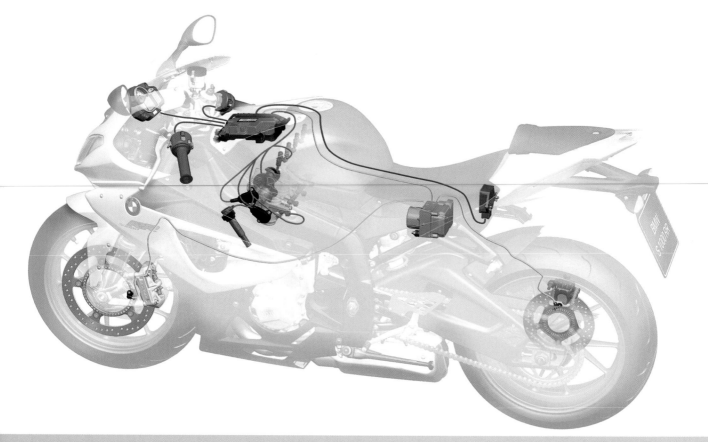

Electronica

Le moteur de la S1000RR a beau sembler relativement commun avec ses 4 cylindres en ligne et sa transmission à axes superposés, il reste que le système de gestion qui en contrôle tous les aspects, lui, est unique à la BMW. Certaines sportives, comme les GSX-R ou la YZF-R1, offrent déjà des choix de cartographies qui permettent de varier la livrée de puissance. Mais les avantages amenés par ces choix demeurent à ce jour très discutables. La S1000RR est la première et la seule sportive dont les différents « modes » gèrent non seulement la quantité de puissance produite, mais aussi le comportement tout entier de la moto. Le premier de ces modes, appelé Rain, réduit les performances de manière marquée en ramenant la puissance de 193 à 150 chevaux. Le mode Rain empêche aussi une forte accélération si la moto est inclinée à plus de 38 degrés. Le Dynamic Traction Control, ou DTC, l'antipatinage de BMW, intervient également beaucoup avec ce mode en empêchant tout dérapage de l'arrière. Passer au mode Sport ramène la pleine puissance et permet d'accélérer plus fort avec plus d'inclinaison. La grande « surveillance » du DTC en Rain et Sport agit par ailleurs comme un système anti-wheelie puisque la puissance est coupée dès que l'avant se soulève. Le mode Race est destiné à la conduite sportive et permet d'accélérer plus fort à partir d'angles encore plus prononcés, mais la caractéristique anti-wheelie du DTC continue de couper les gaz dès que l'avant se soulève, ce qui peut devenir agaçant, car lorsque celui-ci retombe au sol, la pleine puissance est rétablie et la moto se soulève à nouveau. Et le cycle se répète... Le mode Slick, qui requiert l'installation d'une « clé » sous la selle, libère toute la furie de S1000RR. Sous ce mode, l'ordinateur ne coupe les gaz que si l'avant a quitté le sol plus de 5 secondes. L'ABS de la roue arrière est également désengagé afin de permettre à ceux qui en ont le talent d'entrer dans une courbe avec l'arrière en glissade. Enfin, avec le mode Slick, le DTC est ramené à une intervention minimale et laissera la roue arrière suffisamment déraper en sortie de courbe pour marquer le sol d'une longue trace noir, mais tout en demeurant assez actif pour empêcher une perte de contrôle.

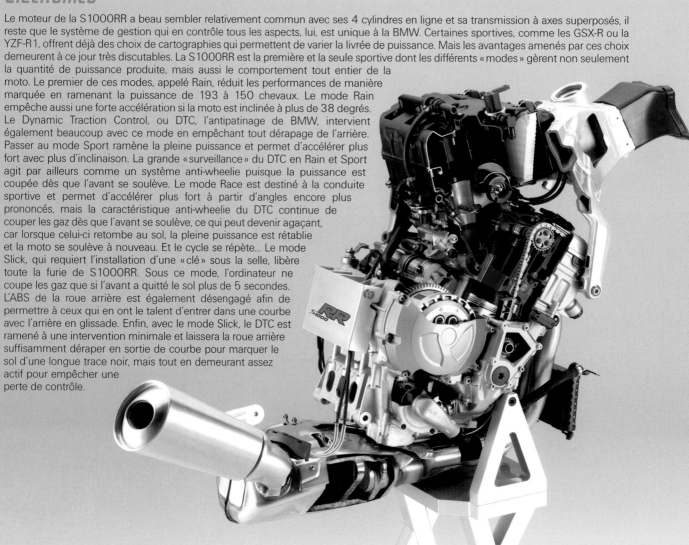

Général

Catégorie	Sportive
Prix	17 300 $ (bleu et blanc : 17 950 $)
Immatriculation 2010	NC - probabilité : 1 410 $
Catégorisation SAAQ 2010	NC - probabilité : « sport »
Évolution récente	introduite en 2010
Garantie	3 ans/kilométrage illimité
Couleur(s)	vert, argent, noir, bleu et blanc
Concurrence	Honda CBR1000RR Kawasaki Ninja ZX-10R Suzuki GSX-R1000 Yamaha YZF-R1

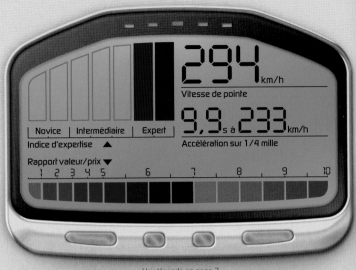

Voir légende en page 7

Moteur

Type	4-cylindres en ligne 4-temps, DACT, 4 soupapes par cylindre, refroidissement par liquide
Alimentation	injection à 4 corps de 48 mm
Rapport volumétrique	13:1
Cylindrée	999 cc
Alésage et course	80 mm x 49,7 mm
Puissance	193 ch @ 13 000 tr/min
Couple	83 lb-pi @ 9 750 tr/min
Boîte de vitesses	6 rapports
Transmission finale	par chaîne
Révolution à 100 km/h	environ 4 200 tr/min
Consommation moyenne	6,3 l/100 km
Autonomie moyenne	277 km

Partie cycle

Type de cadre	périmétrique, en aluminium
Suspension avant	fourche inversée de 46 mm ajustable en précharge, compression et détente
Suspension arrière	monoamortisseur ajustable en précharge, compression et détente
Freinage avant	2 disques de 320 mm de Ø avec étriers radiaux à 4 pistons et systèmes ABS et DTC
Freinage arrière	1 disque de 220 mm de Ø avec étrier à 1 piston et systèmes ABS et DTC
Pneus avant/arrière	120/70 ZR17 & 190/55 ZR17
Empattement	1 432 mm
Hauteur de selle	820 mm
Poids tous pleins faits	206,5 kg (à vide : 185,5 kg)
Réservoir de carburant	17,5 litres

QUOI DE NEUF EN 2010 ?

Nouveau modèle

PAS MAL

Une réalisation extrêmement impressionnante de la part de BMW dont la réputation vient de sérieusement s'élever; nous n'aurions jamais cru qu'un constructeur non japonais pourrait un jour créer une telle sportive

Un comportement dont les qualités en piste sont nombreuses et absolument exceptionnelles; même les pilotes les plus rapides n'auront que de bons mots pour elle dans l'environnement du circuit

Un moteur qui n'est peut-être pas un monstre de couple à bas régime, mais qui s'avère fabuleux entre les mi-régimes et la zone rouge où la S1000RR tire comme une bête déchaînée

Une garantie de 3 ans sans limite de kilométrage

Une accessibilité de pilotage remarquable en raison des superbes manières du châssis, mais aussi grâce à toutes les propriétés des systèmes ABS et de contrôle de traction

BOF

Une certaine nervosité de direction lorsque l'avant retombe au sol à haute vitesse, ce qui pointerait vers la nécessité d'un amortisseur de direction plus évolué

Un freinage phénoménal, mais qui perd un tout petit peu de son endurance à la fin d'une journée entière de piste

Une puissance disponible surtout à haut régime, comme cela semble être la tendance dans cette classe

Un niveau de performances tellement élevé qu'une utilisation routière « légale » n'apporte qu'un plaisir très limité par rapport au plein potentiel de la moto

Un niveau d'électronique presque étourdissant qui demande d'être très bien compris et utilisé afin que ses apports au pilotage s'avèrent positifs

Conclusion

La S1000RR représente une réalisation choquante à tous les niveaux. D'abord et avant tout, il s'agit d'une 1000 non seulement compétente, mais bel et bien dominante, ce qu'on n'aurait jamais cru voir un jour sortir d'une usine non japonaise. Son niveau de performances est ahurissant, mais ce sont surtout les qualités qui accompagnent chaque facette de ces performances qui bouleversent, et ce, en grande partie grâce à toute l'électronique embarquée qui la distingue de quoi que ce soit d'autre dans cette classe. En réfléchissant au passé des sportives, quelques modèles ressortent. La Ninja 900R de 1984, la GSX-R1100 de 1986, la CBR900RR de 1992, la YZF-R1 de 1998, chacune pour des raisons très précises. Lorsqu'on répétera le même exercice dans quelques années, la S1000RR fera partie de cette courte liste. L'on s'en souviendra alors comme de la première sportive qui bouscula la royauté japonaise, et surtout comme de la première sportive au comportement véritablement géré par ordinateur.

F800ST

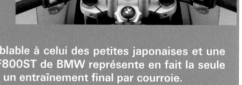

Seule de sa classe...

Plusieurs routières sportives de moyenne cylindrée, notamment les modèles japonais de 600 ou 650 cc comme les Ninja 650R, SV650S et autres FZ6R sont à la fois d'excellentes montures et de très bonnes affaires. Parfaites pour une clientèle relativement nouvelle à la moto, elles n'ont toutefois qu'un intérêt limité pour la plupart des motocyclistes plus expérimentés. Avec un niveau d'agilité semblable à celui des petites japonaises et une mécanique juste assez grosse pour divertir une clientèle relativement avancée, la F800ST de BMW représente en fait la seule option dans ce format. Il s'agit de la seule monture du constructeur ayant recours à un entraînement final par courroie.

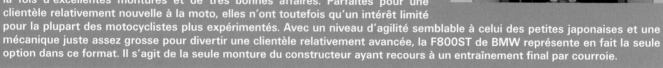

Si la ligne sympathique, mais sobre de la F800ST n'est certes pas du genre à faire tourner les têtes, elle cache en revanche l'une des propositions les moins courantes du marché. Propulsée par un bicylindre parallèle de 800 cc nettement plus intéressant que n'importe quelle mécanique de 600 ou 650 cc équipant des produits rivaux et affichant des dimensions beaucoup plus accessibles que celles de routières sportives de plus grosse cylindrée, la F800ST est l'incarnation même de la notion de compromis.

Jadis vendue aux côtés d'une version S un peu plus sportive qui n'est aujourd'hui plus offerte au Canada, la F800ST se veut une monture légère, compacte et étonnamment mince dont l'appétit pour les routes sinueuses n'a d'égale que son aisance à les négocier. En fait, même si la ST n'a décidément rien d'une machine de course, nous en avons quand même amené une en piste, pour découvrir que nous avions effectivement raison de lui soupçonner de très belles qualités dans cet environnement. Nous y avons découvert une moto dont l'agilité est très impressionnante et dont la principale qualité est une facilité de pilotage déconcertante qui en fait même un excellent outil d'apprentissage de pilotage sportif.

Cette nature se traduit, en utilisation quotidienne, par une grande légèreté de direction et par une aisance à s'engager en virage qui rend ce type d'exercice très plaisant. En pleine inclinaison, le solide châssis se montre précis et communicatif tandis que l'excellent système de freinage peut être couplé, en option, à l'ABS. Grâce

à tous ces facteurs, la F800ST devient une monture capable de faire sérieusement sourire son pilote sur une route sinueuse, et ce, sans égard au niveau d'expérience de ce dernier.

Une bonne partie du grand agrément de pilotage de la F800ST est attribuable au vigoureux Twin parallèle qui l'anime. Même si sa puissance de 85 chevaux n'a rien de très impressionnant selon les normes sportives actuelles, la réalité est qu'on se surprend à ne rien réclamer de plus tellement les chevaux et le couple disponibles sont bien exploités. À bas et moyen régimes, la poussée est si bonne qu'elle permet de se faire plaisir sans devoir grimper dans les tours, ce qui n'empêche pas l'accélération d'être agrémentée d'un amusant punch à l'approche de la zone rouge. Malgré la configuration mécanique, les vibrations ne gênent jamais, tandis que grâce à l'entraînement final par courroie, la F800ST est l'une des rares BMW qui ne sont pas affectées par un agaçant jeu dans le rouage d'entraînement, ce qui rend son pilotage d'autant plus plaisant.

La F800ST fait honneur à la réputation de BMW en matière de montures à l'aise sur long trajet puisque le confort qu'elle offre est très respectable. La position de conduite est compacte et relevée, les suspensions sont admirablement bien calibrées et la selle, sans qu'elle soit exceptionnelle, reste confortable même après plusieurs heures de route. D'autres éléments comme un pare-brise offrant une bonne protection au vent et comme des poignées chauffantes installées de série ne font que renforcer ce point.

> **SES 85 CHEVAUX SEMBLENT MODESTES COMME PUISSANCE, MAIS LA FAÇON AVEC LAQUELLE LA ST LES EXPLOITE EST BRILLANTE.**

Général

Catégorie	Routière Sportive
Prix	12 500 $
Immatriculation 2010	627 $
Catégorisation SAAQ 2010	« régulière »
Évolution récente	introduite en 2007
Garantie	3 ans/kilométrage illimité
Couleur(s)	bleu, champagne
Concurrence	Suzuki GSX650F, Yamaha FZ6R

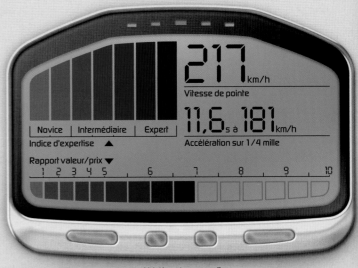

Voir légende en page 7

Moteur

Type	bicylindre parallèle 4-temps, DACT, 4 soupapes, refroidissement par liquide
Alimentation	injection à 2 corps de 46 mm
Rapport volumétrique	12:1
Cylindrée	798 cc
Alésage et course	82 mm x 75,6 mm
Puissance	85 ch @ 8 000 tr/min
Couple	63,4 lb-pi @ 5 800 tr/min
Boîte de vitesses	6 rapports
Transmission finale	par courroie
Révolution à 100 km/h	environ 3 500 tr/mn
Consommation moyenne	5,6l/100 km
Autonomie moyenne	285 km

Partie cycle

Type de cadre	périmétrique, en aluminium
Suspension avant	fourche conventionnelle de 41 mm non ajustable
Suspension arrière	monoamortisseur ajustable en précharge
Freinage avant	2 disques de 320 mm de Ø avec étriers à 4 pistons
Freinage arrière	1 disque de 265 mm de Ø avec étrier à 1 piston
Pneus avant/arrière	120/70 ZR17 & 180/55 ZR17
Empattement	1 466 mm
Hauteur de selle	820 mm
Poids tous pleins faits	209 kg (à vide : 187 kg)
Réservoir de carburant	16 litres

QUOI DE NEUF EN 2010 ?

Aucun changement

Coûte 150 $ de plus qu'en 2009

PAS MAL

Une tenue de route superbe; la F800ST est extrêmement agile, précise et facile à piloter dans un contexte sportif qui peut aller de la route sinueuse jusqu'à une séance d'essai libre en piste, où elle pourrait d'ailleurs laisser perplexe bien des proprios de sportives

Un format pratiquement unique sur le marché puisqu'on doit en général choisir entre des montures de plus petite cylindrée et d'autres de beaucoup plus gros gabarit

Un niveau de confort très correct qui permet de parcourir de bonnes distances sans trop de fatigue

Une option d'abaissement considérable de la selle offerte par BMW

BOF

Un prix relativement élevé qui place la F800ST non seulement nez à nez avec des routières de bien plus grosses cylindrées comme la Bandit 1250S, mais qui l'amène aussi dangereusement près de la facture de modèles supérieurs; elle devrait coûter moins cher

Un niveau de performances amusant, mais seulement pour les motocyclistes capables d'apprécier les avantages du format compact du modèle; pour les amateurs de machines de sport-tourisme de gros calibre, elle est probablement inappropriée

Une ligne qui n'a rien de laid ou de dérangeant, mais qui est anonyme et ne génère que très peu d'émotions chez les observateurs; de nombreux modèles de la gamme allemande révèlent clairement que BMW pourrait faire beaucoup mieux à ce chapitre

Conclusion

Une certaine ironie entoure la création de la F800ST puisqu'elle ne se voulait, au départ, qu'un modèle à saveur routière dérivé de la F800S plus sportive dévoilée en 2007. Pourtant, dès le premier instant, c'est elle qui a retenu notre attention. Aujourd'hui, bien que BMW continue d'offrir la S sur d'autres marchés, seule la ST demeure présente dans la gamme canadienne. Tout aussi sportive et agile que la S, mais nettement plus pratique et confortable, elle n'a de véritable défaut qu'une facture trop élevée qui devrait logiquement être plus basse. La F800R qui est techniquement presque sa jumelle est d'ailleurs bien moins chère. Tout cela n'enlève rien au fait qu'il s'agit d'une charmante petite moto qui mériterait d'être mieux connue.

Chris Pfeiffer Special Edition

BMW
F800R

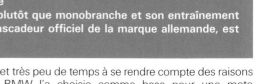

NOUVEAUTÉ 2010

Allez hop...

Après avoir lancé la plateforme F800 en 2007 avec les S et ST et après l'avoir adaptée au thème GS en 2008 avec les 650 et 800GS, BMW complète en quelque sorte la famille en présentant en 2010 une prévisible variante R. Reprenant le cadre et la mécanique des S/ST, la R se distingue surtout de ces dernières, d'un point de vue technique, par sa fourche plus costaude, son bras oscillant double branche plutôt que monobranche et son entraînement final par chaîne plutôt que par courroie. Une édition spéciale Chris Pfeiffer, le cascadeur officiel de la marque allemande, est également offerte moyennant un supplément de 1 350 $.

Plusieurs compagnies ont récemment choisi d'engager des cascadeurs professionnels, ou «stunters», dans le but de faire la promotion de certains de leurs produits. La logique est exactement la même que s'il s'agissait d'un coureur puisque le but reste de coller une certaine image à un modèle ou à une série de modèles dans l'espoir que cette image fera vendre. L'édition Chris Pfeiffer de la nouvelle F800R est aux standards ce qu'une édition Rossi, par exemple, est à la YZF-R1. Donc, si l'on comprend la logique derrière le thème de l'édition spéciale de la F800R, il reste quand même un peu inhabituel qu'un constructeur comme BMW réalise ce type d'édition en faisant référence au stunt, la «discipline» n'étant pas nécessairement la plus politiquement correcte qui soit. Outre cet aspect un peu particulier de l'édition spéciale de la F800R, qui est probablement la première machine de série à afficher un lien aussi clair avec le milieu du stunt, on trouve beaucoup à aimer de cette nouveauté.

Comme c'est le cas avec toutes les autres montures de la série F de BMW, la F800R se trouve dans une classe où elle n'a pas vraiment de concurrence directe. La Street Triple de Triumph semble même être sa seule véritable rivale potentielle.

Très mince sous le pilote, relativement basse de selle et assez compacte, surtout au niveau des jambes, la F800R rend instantanément à l'aise grâce à son gabarit réduit et à sa position de conduite à la fois relevée et dominante.

> ## ELLE EST DE CES MOTOS SUR LESQUELLES VOUS ÊTES CONVAINCUS DE TOUJOURS ARRIVER À VOUS TIRER D'AFFAIRE.

En fait, on met très peu de temps à se rendre compte des raisons pour lesquelles BMW l'a choisie comme base pour une moto destinée à réaliser des cascades d'une difficulté extrême. Elle est de ces montures qui vous donnent l'impression de pouvoir accomplir n'importe quoi, de ces motos sur lesquelles vous êtes convaincus d'arriver à toujours vous tirer d'affaire. Son niveau d'agilité est extrêmement élevé et la partie cycle encaisse les abus sans broncher, qu'il s'agisse d'une enfilade de courbes prises à fond de train, ou même d'une quelconque cascade. Solidité et précision en courbe tout comme puissance et facilité de modulation du freinage sont dans toutes les circonstances excellentes.

Au-delà de son thème «cascade», la F800R n'est pas du tout une mauvaise routière. L'exposition au vent sur l'autoroute est évidemment considérable, mais ça reste tolérable, surtout compte tenu du fait que le vent qui frappe le casque est complètement exempt de turbulences. C'est toutefois en ville que la plus petite des BMW de type R semble être dans son élément puisque c'est dans ce genre d'environnement que toutes ses qualités ressortent. La très grande agilité permise par le poids faible et la minceur de l'ensemble ainsi que le bon couple généreusement distribué sur la plage de régimes du Twin parallèle se combinent pour en faire une arme urbaine pratiquement idéale. Le confort s'avère meilleur dans ce genre de conduite réalisée sur des distances relativement courtes que sur de longues routes, où la selle n'est pas la meilleure qui soit.

Général

Catégorie	Standard
Prix	9 990 $ (SE : 11 340 $)
Immatriculation 2010	NC - probabilité : 627 $
Catégorisation SAAQ 2010	NC - probabilité : « régulière »
Évolution récente	introduite en 2010
Garantie	3 ans/kilométrage illimité
Couleur(s)	orange, blanc, argent (SE : bleu et blanc)
Concurrence	Ducati Monster 696, KTM 690 Duke, Triumph Street Triple

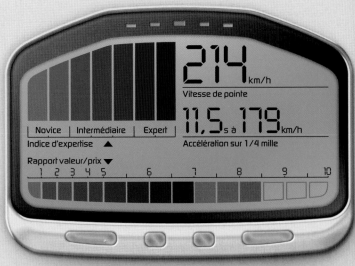

Voir légende en page 7

Moteur

Type	bicylindre parallèle 4-temps, DACT, 4 soupapes, refroidissement par liquide
Alimentation	injection à 2 corps de 46 mm
Rapport volumétrique	12:1
Cylindrée	798 cc
Alésage et course	82 mm x 75,6 mm
Puissance	87 ch @ 8 000 tr/min
Couple	63,4 lb-pi @ 6 000 tr/min
Boîte de vitesses	6 rapports
Transmission finale	par courroie
Révolution à 100 km/h	environ 4 000 tr/mn
Consommation moyenne	5,8l/100 km
Autonomie moyenne	276 km

Partie cycle

Type de cadre	périmétrique, en aluminium
Suspension avant	fourche conventionnelle de 43 mm non ajustable
Suspension arrière	monoamortisseur ajustable en précharge et détente
Freinage avant	2 disques de 320 mm de Ø avec étriers à 4 pistons
Freinage arrière	1 disque de 265 mm de Ø avec étrier à 1 piston
Pneus avant/arrière	120/70 ZR17 & 180/55 ZR17
Empattement	1 520 mm
Hauteur de selle	800 mm
Poids tous pleins faits	199 kg (à vide : 177 kg)
Réservoir de carburant	16 litres

QUOI DE NEUF EN 2010 ?

Nouveau modèle

PAS MAL

Un ensemble qui séduit immédiatement par son format léger, mince et compact dont l'agilité donne l'impression de pouvoir tout faire

Une mécanique qui ne mérite pratiquement que des compliments puisque sa puissance est intelligemment produite et que même sa sonorité n'est pas méchante du tout à écouter; on a par ailleurs affaire à un moteur nettement plus intéressant qu'un Twin de 650 cc

Une valeur élevée provenant d'un ensemble sur lequel rien n'est réalisé de manière économique et d'un niveau de performances très correct, le tout étant offert pour un prix très raisonnable

BOF

Un thème basé sur les cascades qui est réel, puisque Chris Pfeiffer effectue bel et bien toutes ces figures sur une F800R, mais qui n'apporte pas grand-chose de plus au pilote moyen

Une puissance suffisante pour pleinement satisfaire les pilotes amateurs de machines compactes et légères, mais qui pourrait être juste pour les plus gourmands

Une courte distance séparant la selle des repose-pieds qui coince les jambes des pilotes grands

Conclusion

Il y a beaucoup à aimer de cette F800R et très peu à critiquer. Malgré le lien de famille, il ne s'agit clairement pas d'une machine s'adressant à la même clientèle que la K1300R puisque celle-ci trouvera son niveau de performances anémique. Mais pour les motocyclistes qui arrivent à vivre sans 170 chevaux à la portée de la main, tout particulièrement ceux qui savent apprécier les qualités d'une monture mince et agile, le niveau de puissance du Twin parallèle ne devrait pas causer de problèmes. On est loin des prestations et du caractère bien plus timides d'une 650 comme une ER-6n, mais on reste étonnamment près des motos comme la Kawasaki en termes de coût. La F800R représente décidément une bonne affaire.

R1200GS

BMW
R1200GS

RÉVISION 2010

Loin devant...

Rien n'est plus impressionnant qu'un produit qui évolue même lorsqu'il constituait une référence sous sa forme précédente et même si aucun produit rival ne menaçait cette position de tête. Tel est le cas de la vénérable GS de BMW qui, même si elle était déjà dans une classe complètement à part, reçoit nombre d'importantes améliorations pour 2010. La 1200GS représente l'aboutissement d'un concept que BMW n'a jamais cessé de perfectionner depuis qu'il l'a inventé, il y a quelque 30 ans. Toujours offerte en version Adventure avec, entre autres, réservoir d'essence surdimensionné, la GS progresse cette année en puissance et en technologie.

Nous ne parlons probablement d'aucune moto comme nous parlons de la R1200GS, et il est très probable que nous ne le fassions jamais non plus. Elle est de cette rare race de produits qui sont simplement supérieurs, presque intouchables. «Simplement» n'est peut-être pas le bon terme puisque nombreuses sont les marques ayant tenté, comme c'est inévitable sur un marché libre, d'imiter la formule afin de récupérer ne serait-ce que quelques-unes des enviables ventes que la GS génère pour BMW. Mais ce qui semble si évident sur la GS, cette sérénité presque absolue dont elle fait preuve dans une variété tellement impressionnante de conditions, est tout sauf simple, comme le démontre d'ailleurs le fait qu'aucune moto n'a jamais même approché son niveau de polyvalence. En fait, la concurrence n'est pas mauvaise du tout et réussit même très bien dans certaines circonstances. La réalité nous rattrape néanmoins chaque fois que nous reprenons les commandes d'une GS puisque peu importe les motos roulées précédemment, nous sommes inévitablement et invariablement surpris par la qualité de l'expérience, par la cohérence du tout qu'est la GS, par la sensation d'unité, d'efficacité et d'harmonie qui se dégage de cet ensemble de pièces. Aucune autre moto n'a la capacité de passer de la terre à la route asphaltée, du voyage à la randonnée sportive ou même aux déplacements urbains de manière si naturelle et transparente.

S'il est un genre d'environnement où la GS n'échappe toutefois pas aux lois de la physique, c'est en pilotage hors-

> INÉVITABLEMENT, CHAQUE FOIS QUE NOUS ROULONS À NOUVEAU LA GS, NOUS SOMMES SURPRIS PAR L'HARMONIE QUI S'EN DÉGAGE.

route extrême, où son poids et sa hauteur demandent un degré d'expérience extraordinaire pour être maîtrisés. Tant qu'on s'en tient toutefois à des routes non pavées en terre ou en gravier, la sérénité de la grosse GS refait soudainement surface. Assis bien droit sur une excellente selle, profitant de l'étonnante protection au vent générée par l'un des rares pare-brise ne causant pas de turbulences, choyé par l'action stupéfiante des suspensions même à des vitesses qui vous vaudraient un séjour en prison et même sur des routes sans le moindre revêtement, aux commandes de la GS, on plane.

Les belles qualités de l'allemande dépassent l'environnement poussiéreux et se retrouvent toutes une fois de retour sur les chemins pavés, une transition que l'arrivée de l'ajustement électronique des suspensions Enduro ESA devrait encore faciliter davantage cette année. Il s'agit d'un système présent sur de plus en plus de BMW qui permet de varier l'ajustement des suspensions selon des valeurs déjà programmées, et ce, simplement en choisissant le mode voulu sur l'écran numérique. Le caractériel moteur Boxer progresse aussi cette année. Ajusté par BMW pour trembler doucement sans jamais que ce soit au point de gêner, il était déjà un exemple de souplesse et proposait une puissance qui, sans être immense, suffisait à amuser et correspondait parfaitement à la nature du modèle. Puissance et couple sont améliorés en 2010 grâce à l'adoption du moteur de la HP2 Sport, qui est néanmoins complètement recalibré afin de ne pas déséquilibrer l'harmonie du modèle.

Général

Catégorie	Routière Aventurière
Prix	17 650 $ (Adventure : 20 300 $)
Immatriculation 2010	627 $
Catégorisation SAAQ 2010	« régulière »
Évolution récente	introduite en 1994, revue en 2000 et en 2005 et en 2010; Adventure introduite en 2002, revue en 2006 et en 2010
Garantie	3 ans/kilométrage illimité
Couleur(s)	blanc, rouge, noir, gris (Adventure : jaune et noir, gris et noir)
Concurrence	Honda Varadero, KTM 990 Adventure, Suzuki V-Strom 1000

Voir légende en page 7

Moteur

Type	bicylindre 4-temps Boxer, DACT, 4 soupapes par cylindre, refroidissement par air et huile
Alimentation	injection à 2 corps de 47 mm
Rapport volumétrique	12:1
Cylindrée	1 170 cc
Alésage et course	101 mm x 73 mm
Puissance	110 ch @ 7 750 tr/min
Couple	88,5 lb-pi @ 6 000 tr/min
Boîte de vitesses	6 rapports
Transmission finale	par arbre
Révolution à 100 km/h	environ 3 500 tr/min (2009)
Consommation moyenne	5,9 l/100 km (2009)
Autonomie moyenne	338 km (A : 559 km) (2009)

Partie cycle

Type de cadre	treillis en acier, moteur porteur
Suspension avant	fourche Telelever de 41 mm avec monoamortisseur ajustable en précharge (ajustable avec l'Enduro ESA optionnel)
Suspension arrière	monoamortisseur ajustable en précharge et détente (ajustable avec l'Enduro ESA opt.)
Freinage avant	2 disques de 305 mm de Ø avec étriers à 4 pistons
Freinage arrière	1 disque de 265 mm de Ø avec étrier à 2 pistons
Pneus avant/arrière	110/80 R19 & 150/70 R17
Empattement	1 507 mm (A : 1 510 mm)
Hauteur de selle	850/870 mm (A : 890/910 mm)
Poids tous pleins faits	229 kg; A : 256 kg (à vide : 203 kg; A : 223 kg)
Réservoir de carburant	20 litres (A : 33 litres)

QUOI DE NEUF EN 2010 ?

Ligne légèrement revue, moteur de la HP2 Sport

R1200GS coûte 750 $ et Adventure coûte 1 100 $ de plus qu'en 2009

PAS MAL

Un niveau de polyvalence inégalé; la R1200GS passe de la route à la poussière avec une facilité et un naturel déconcertants

Un moteur qui produit un tremblement typique de bicylindre à plat, mais qui se montre juste assez doux pour permettre d'explorer les hauts régimes sans vibrations excessives; il serait étonnant que la version 2010 ne garde pas ces qualités

Un pare-brise qui est si bon qu'on a envie de se pencher pour l'embrasser; il fait rougir de honte les innombrables pare-brise qui vous obligent à subir la turbulence qu'ils génèrent

Un niveau d'équipement et de technologie qui fait un bond considérable cette année avec l'ASC et l'Enduro ESA

Une partie cycle dont les capacités étonnent franchement et un excellent niveau de confort

BOF

Une selle haute compte tenu de l'usage surtout routier qui attend le modèle; l'Adventure est encore plus haute, en plus d'être plus lourde

Une mécanique qui a perdu un tout petit peu de son caractère grondant dans l'adoucissement qu'elle a subi lors de son passage de 1150 à 1200; il serait très surprenant que les modifications apportées cette année changent ce fait

Une direction tellement légère qu'elle en est parfois hypersensible; par forts vents, ou en pilotage sportif, les mouvements du pilote peuvent induire de légères impulsions dans le guidon qui sont immédiatement retransmises à la direction; la version Adventure est en revanche plus stable, peut-être à cause de sa masse et de son poids supérieurs

Conclusion

Les motocyclistes intéressés par la classe à laquelle appartient la R1200GS se demandent souvent si le prix plus élevé de la BMW est justifié. La réponse est oui. Même si ses rivales arrivent en général à accomplir les mêmes choses, aucune ne le fait avec la sérénité et l'aisance naturelle de l'allemande. Qu'il s'agisse d'explorer de nouveaux espaces où les routes non pavées abondent, de traverser le continent par les autoroutes ou simplement de se balader confortablement sans trop s'éloigner, la grosse GS n'a pas d'égale. Nous l'avons souvent dit et le répétons encore cette année, il s'agit d'une des meilleures motos qui soient.

R1200GS Adventure

F650GS

BMW
F800GS & F650GS

Géniales petites GS...

On a presque cru que BMW exagérait lorsqu'il lança ses GS 650 et 800 en 2008. Après tout, on pouvait déjà choisir entre une excellente 1200 Boxer et une très accessible 650 monocylindre. Avait-on vraiment besoin de deux GS de plus ? Avait-on vraiment besoin d'autant de niveaux et de catégories de GS ? La réponse devint parfaitement claire dès l'instant où ces fameuses nouvelles GS poids moyen furent disponibles : absolument. Comme la 1200, les GS 650 et 800 doivent être non seulement roulées pour être comprises et appréciées, mais elles doivent aussi être amenées là où elles prétendent pouvoir aller. Ce qui veut dire partout et dans tous les genres de circonstances imaginables.

La F800GS et la F650GS sont à la fois très semblables et très différentes. Semblables parce qu'elles sont construites à partir d'une plateforme unique et différentes parce que la F800GS est positionnée comme une aventurière de calibre expert alors que la F650GS est plutôt vendue comme une monture d'entrée en matière.

La F800GS est différente de quoi que ce soit d'autre sur le marché. Haute, mince et légère, elle offre une maniabilité dont ne peut rêver une R1200GS, et ce, surtout en pilotage hors-route intense. Dans un tel environnement, la F800GS se débrouille presque aussi bien qu'une 650 monocylindre double-usage et représente donc un genre de pont entre l'agilité d'une 650 et la puissance plus élevée d'une 1200. La facilité de pilotage démontrée par la F800GS en sentier se transporte sur la route où le comportement est dominé par une stabilité sans reproches, par une grande légèreté de direction et par une très bonne solidité en courbe. Une suspension qui plonge un peu trop à l'avant et une selle qui pourrait décidément être plus confortable sur long trajet sont parmi les seuls défauts qu'on puisse formuler à l'égard de la partie cycle dans l'environnement de la route.

La F800GS, et ses 85 chevaux, offre des performances nettement moins intéressantes que celles d'une puissante et coupleuse 1200GS, mais elle se montre en revanche beaucoup plus plaisante qu'une mono de 650 cc. Il s'agit d'un compromis judicieux et plaisant.

> **LES CAPACITÉS DE LA F650GS SURPRENNENT TANT SUR LA ROUTE QU'EN SENTIER. IL S'AGIT CARRÉMENT D'UNE AUBAINE.**

Bien que, pour un pilote exigeant, ce Twin parallèle se montre encore moins excitant dans sa version de 71 chevaux propulsant la F650GS — qui est, rappelons-le encore, une 800 —, le motocycliste possédant une expérience réduite ou moyenne s'en déclarera, quant à lui, tout à fait satisfait. Il s'agit d'une mécanique assez douce et souple qui cadre très bien avec la vocation et le prix du modèle.

Par ailleurs, si la F800GS se veut la « mini 1200GS » du duo, la F650GS, elle, est décidément l'aubaine de la paire et représente une excellente valeur. Souvent catégorisée comme une moto de débutant elle est en réalité suffisamment intéressante pour également distraire un pilote plus avancé. Considérablement plus basse que la 800GS, mais tout aussi légère et mince, elle offre une agilité et une facilité de prise en main qui impressionnent. Comme sur la 800, la selle n'est pas extraordinaire sur long trajet, tandis que l'espace restreint entre cette dernière et les repose-pieds est un peu juste pour les pilotes de grande taille. Hormis ces points, ce sont les belles qualités de la tenue de route qui ne démontre pas de la tendance au « plongeon » de la 800 qu'on remarque. Même le freinage, qui devrait souffrir de l'absence d'un disque à l'avant par rapport à la 800, reste tout à fait à la hauteur des attentes. Par ailleurs, même si BMW a conçu la F650GS pour rouler surtout sur le bitume, les capacités de celles-ci surprennent en sentier puisqu'elle s'avère capable de passer pratiquement partout et que seuls les obstacles très sérieux la ralentissent.

BIEN QU'ELLE SOIT CENSÉE REPRÉSENTER L'OPTION ROUTIÈRE DES DEUX, LA F650GS POSSÈDE DÉCIDÉMENT DE BELLES QUALITÉS DE PASSE-PARTOUT. NOUS AVONS PROFITÉ D'UN ÉVÉNEMENT HORS-ROUTE, LE GS CHALLENGE 2009, POUR VÉRIFIER L'ÉTENDUE DE SES CAPACITÉS. AVEC RIEN DE PLUS QU'UN CHANGEMENT DE PNEUS, LA « PETITE MOTO DE DÉBUTANT » S'EST PLUTÔT RÉVÉLÉE ÊTRE UNE MONTURE DE SENTIER EXTRÊMEMENT CAPABLE. LE SEUL FACTEUR QUI L'A RALENTIE FUT LA RÉTICENCE DU ROUTARD D'AUTEUR À SE SALIR ET SE MOUILLER...

« Reste à droite, ça va être correct. Pis slack pas. Anyway, si tu coules, au moins t'auras une photo. » lança Costa Mouzouris, à qui le crédit photo revient. « Osti d'affaire, chu venu ici pour faire d'la trail, pas des longueurs... » marmonna le beaucoup plus routier que « hors-routier » auteur en s'apprêtant à naviguer une section particulièrement humide du GS Challenge 2009.

Le GS Challenge

Je ne savais pas trop si le GS Challenge auquel on m'avait invité à participer était pour moi. La vérité c'est que je ne savais même pas vraiment en quoi consistait l'événement, dont j'avais tout de même vaguement entendu parler. De plus, pour un tas de raisons, je n'étais pas certain de vouloir prendre part à une telle activité durant toute une fin de semaine. N'ayant que très peu de contact avec le côté poussiéreux de la moto, j'ai souvent tendance à confondre hors-route et compétition. Je ne le fais pas assez souvent, mais j'aime beaucoup rouler hors route. Par contre, je n'ai pas le moindre talent lorsqu'il s'agit de faire des acrobaties avec une machine de compétition. Une partie de ma réticence envers l'évènement provenait donc de la crainte qu'il s'agisse d'un genre de défi de « gars de cross » où je n'aurais été ni plus ni moins qu'égaré. Le Challenge n'est pas une compétition et il n'est pas destiné à des machines de compétition. Bon. D'un autre côté, je croyais plus ou moins comprendre qu'il était question d'un genre de rallye ou de poker run, donc d'un autre type d'activité que bien des gens apprécient, mais pour lequel je n'ai pas vraiment d'intérêt. Le Challenge n'est pas un poker run. Bon. Je n'ai aucun équipement hors-route. « On va te passer tout ce que t'as besoin. Fais juste t'amener. » Bon... Comme les excuses commençaient à manquer et comme j'avais, parmi mes projets d'essais, l'idée de faire passer un mauvais moment en sentier à une F650GS, juste pour voir comment la supposée routière des deux F-GS se comporterait dans cet environnement, j'ai fini par accepter.

Commandité par le concessionnaire Moto Internationale, le GS Challenge se veut en fait une fin de semaine de « trail » complètement amicale, quoique extrêmement bien structurée. Pouviez pas le dire ? Un vaste réseau de sentiers est minutieusement déterminé et balisé par les organisateurs de l'événement sur le magnifique territoire de la Pourvoirie du lac Beauregard, réseau qui devient essentiellement le terrain de jeu des participants durant un week-end entier. L'accès organisé et encadré à un territoire aussi grandiose représente, du moins en ce qui me concerne, l'attrait principal de l'événement. Surtout qu'il n'est pas du tout chose commune que la moto soit accueillie aussi chaleureusement en pleine nature, pour ne pas dire que le contraire est plutôt vrai. Évidemment, il y a des aspects plus sociaux au Challenge puisque les participants passent une fin de semaine entière ensemble. Une portion de l'événement est également consacrée à un parcours à obstacles de type trial dont le degré de difficulté est assez élevé. Il s'agit, dans ce cas, non pas d'une compétition, mais plutôt d'un concours que les participants peuvent prendre plus ou moins sérieusement et à l'issu duquel des gagnants sont déterminés et des prix sont remis. Ce serait par ailleurs jouer à l'autruche que d'ignorer l'aspect commercial du Challenge puisqu'il ne s'agit que d'un type de promotion à la fois pour le concessionnaire qui le commandite et pour BMW Canada. Il reste néanmoins que le Challenge n'est absolument pas exclusif à une marque et qu'à part quelques blagues tout à fait typiques de la taquinerie intermarque qui a toujours fait et fera toujours partie de l'univers de la moto, l'événement est ouvert à tous. La seule limite est imposée aux motos elles-mêmes ; elles doivent en principe être des double-usage de plus de 650 cc.

Ma participation au Challenge fut, sans l'ombre d'un doute, l'un de mes plus beaux moments moto de 2009. Et gardez en tête que le commentaire vient de quelqu'un qui a non seulement beaucoup voyagé durant cette année, mais qui l'a fait dans le but de rouler un tas de nouveautés dans un tas d'endroits plus magnifiques les uns que les autres, le tout, comme d'habitude, sur le bras de compagnies faisant tout en leur pouvoir pour en mettre plein la vue à la presse. Grâce à son impeccable organisation et, je ne le dirai jamais assez, à cette possibilité carrément magique qu'il a offert de traverser de long en large la nature absolument majestueuse de la Pourvoirie Beauregard, le GS Challenge se compare à bien des événements de calibre mondial auxquels j'ai participé. Ce qui n'a rien de banal.

Quant à mes compétences limitées en matière de pilotage hors-route, elles n'ont en rien diminué le plaisir de la randonnée, surtout que les organisateurs avaient judicieusement établi des parcours avec une échelle de difficulté permettant à des pilotes de tous calibres de trouver le type de sentier leur convenant. Aux gens qui ont organisé le Challenge ainsi qu'à ceux qui ont ouvert leur terre à la moto, je dis merci pour le bon moment. BG.

WWW.POURVOIRIE BEAUREGARD.com

Général

Catégorie	Routière Aventurière
Prix	F800GS : 12 530 $ F650GS : 9 775 $
Immatriculation 2010	627 $
Catégorisation SAAQ 2010	« régulière »
Évolution récente	introduites en 2008
Garantie	3 ans/kilométrage illimité
Couleur(s)	F800GS : blanc, orange F650GS : orange, argent, bleu
Concurrence	F800GS : aucune F650GS : Suzuki V-Strom 650

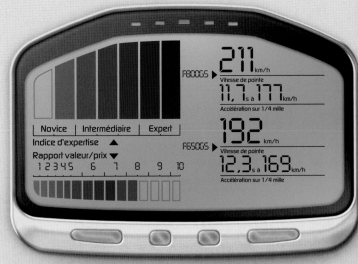

Voir légende en page 7

Moteur

Type	bicylindre parallèle 4-temps, DACT, 4 soupapes, refroidissement par liquide
Alimentation	injection à 2 corps de 46 mm
Rapport volumétrique	12:1
Cylindrée	798 cc
Alésage et course	82 mm x 75,6 mm
Puissance	F800GS : 85 ch @ 7 500 tr/min F650GS : 71 ch @ 7 000 tr/min
Couple	F800GS : 61,2 lb-pi @ 5 750 tr/min F650GS : 53,3 lb-pi @ 4 500 tr/min
Boîte de vitesses	6 rapports
Transmission finale	par chaîne
Révolution à 100 km/h	environ 3 500 tr/min
Consommation moyenne	5,7 l/100 km
Autonomie moyenne	280 km

Partie cycle

Type de cadre	périmétrique, treillis d'acier
Suspension avant	F800GS : fourche inversée de 45 mm non ajustable; F650GS : fourche conventionnelle de 43 mm non ajustable
Suspension arrière	monoamortisseur ajustable en précharge et détente
Freinage avant	2 (650 : 1) disques de 300 mm de Ø avec étriers à 2 pistons
Freinage arrière	1 disque de 265 mm de Ø avec étrier à 1 piston
Pneus avant/arrière	F800GS : 90/90-21 & 150/70 R17 F650GS : 110/80 R19 & 140/80 R17
Empattement	F800GS : 1 578 mm; F650GS : 1 575 mm
Hauteur de selle	F800GS : 880 mm (opt. : 850 mm) F650GS : 820 mm (opt. : 790 mm)
Poids à vide	F800GS : 207 kg (tous pleins faits 185 kg) F650GS : 199 kg (tous pleins faits 179 kg)
Réservoir de carburant	16 litres

QUOI DE NEUF EN 2010 ?

Aucun changement

F650GS coûte 285 $ et F800GS 280 $ de plus qu'en 2009

PAS MAL

Un positionnement très intéressant pour la F800GS qui est une proposition essentiellement unique située quelque part entre le luxe et le caractère d'une 1200GS et l'agilité d'une double-usage de 650 cc

Une grande capacité à affronter des terrains très abîmés qui fait de la F800GS une exploratrice beaucoup plus accessible et dont le potentiel est bien plus concret que celui de la R1200GS

Des options d'abaissement offertes par BMW qui réduisent la hauteur de selle à des valeurs presque jamais vues sur des motos de séries

Une valeur élevée et une très grande facilité de prise en main pour la F650GS qui sont sans l'ombre d'un doute l'une des meilleures motos sur lesquelles on peut débuter et continuer à rouler

BOF

Une certaine déception plus ou moins justifiée pour la F800GS qui n'est pas vraiment la « mini R1200GS » que sa ligne laisse imaginer; en fait, elle l'est sur papier, mais sur le terrain, le confort de roulement et l'agrément du moteur Twin Boxer de la 1200 ne sont pas présents

Des selles qui sont correctes, mais sans plus dans les deux cas, et qu'on aurait vraiment souhaité meilleures sur les longs trajets dont l'une ou l'autre est parfaitement capable

Une tendance à plonger de l'avant au freinage pour la F800GS

Une distance réduite entre la selle et les repose-pieds de la F650GS qui pourrait coincer les longues jambes

Conclusion

Propulsées par des mécaniques plaisantes à défaut d'être géniales, dotées d'une partie cycle solide, précise et compétente dans une multitude d'environnements et parfaitement capables de livrer la marchandise « aventure » que leur ligne annonce, la F800GS et la F650GS sont, chacune à leur façon, une réussite indiscutable. La 650 pour sa valeur et son accessibilité autant sur la route qu'en sentier, la 800 pour avoir rendu le concept de la routière aventurière envisageable par le motocycliste moyen, et ce, tant au niveau du prix qu'à celui de la facilité de pilotage en terrain difficile. L'une comme l'autre représente par ailleurs un coup brillant de la part de BMW, car encore une fois, le constructeur allemand a trouvé le moyen de créer une catégorie qui n'existait pas vraiment et dans laquelle ses produits risquent d'être très difficiles à concurrencer.

F800GS

Spyder RT-S

CAN-AM
SPYDER RT

NOUVEAUTÉ 2010

Naissance d'une famille...

L'introduction en 2010 du nouveau Spyder RT représente d'une certaine façon la véritable naissance du concept de la moto à 3 roues proposé par la firme de Valcourt BRP en 2008 avec le modèle RS. En effet, la réaction du marché face à ce type inédit de véhicule aurait très bien pu s'avérer si pauvre qu'elle aurait fait avorter l'inusité projet. Mais la chaleureuse réception qu'obtint le Spyder RS original confirma plutôt que BRP avait eu raison de croire au besoin d'une nouvelle catégorie de « moto ». L'arrivée du RT cette année signifie non seulement que le concept du « roadster » à trois roues est là pour rester, mais aussi qu'il est appelé à devenir une famille de modèles.

L e dévoilement d'une version RT (pour Roadster Tourisme) du Spyder en 2010 représente une évolution extrêmement intéressante de ce très particulier concept. On comprend instantanément la logique derrière cette direction en apprenant qu'une importante portion des utilisateurs du modèle RS (pour Roadster Sport) ont accessoirisé leur engin de manière à le rendre plus confortable et plus pratique sur de longues distances, en lui greffant, par exemple, des valises latérales et un plus grand pare-brise. Avec les 155 litres de rangement offert par son trio de valises intégrées et le géant coffre avant, mais aussi avec sa luxueuse selle, son généreux pare-brise ajustable électriquement, ses poignées chauffantes, son système audio avec intégration CB, XM et iPod et son impressionnant ordinateur de bord, entre autres, la nouvelle version RT risque de faire littéralement saliver beaucoup de propriétaires de RS.

Mais l'attrait de la version RT et la logique derrière un Spyder équipé pour le tourisme va beaucoup plus loin puisque BRP s'attaque avec ce produit à l'une des classes les plus prospères du monde de la moto, celle du tourisme de luxe, où des modèles comme la Honda Gold Wing représentent la norme. Or, l'âge plus élevé des amateurs de ce genre de motocyclisme combiné au fait que le poids de l'engin devient souvent un facteur très intimidant, surtout avec madame en selle et un plein de bagages, représente l'un des problèmes les plus importants dans ce

> ## COMME LE DISENT LES GENS DE BRP, DANS LE CRÉNEAU DES GROSSES MONTURES DE TOURISME, LE RT DEVRAIT À TOUT LE MOINS DÉRANGER.

créneau. Comme si le seul fait que la nature du Spyder RT élimine entièrement ce problème ne représentait pas un atout suffisant, BRP s'est aussi donné l'avantage d'un prix très intéressant, et ce, surtout si on compare le RT aux autres 3-roues du marché, comme les Gold Wing modifiées ou le Tri Glide de Harley-Davidson. Tous ces véhicules ne sont cependant pas équivalents et le RT se distingue indiscutablement, entre autres, en ce qui concerne sa stabilité et son comportement largement supérieurs. Comme le disent les gens de BRP, sourire en coin, il devrait « déranger » dans ce créneau.

Beaucoup de propriétaires de RS se demanderont, à n'en pas douter, quelle expérience de pilotage le nouveau RT leur offrirait s'ils l'adoptaient. Celle-ci en diffère considérablement puisque la nouveauté offre un niveau de confort largement supérieur et une ambiance générale beaucoup plus détendue. La direction assistée est très légère, les pulsations du V-Twin sont plus distantes, les performances sont moins élevées et la sensation générale est plus luxueuse et confortable que directe et mécanique. Les équipements, qui sont très nombreux, et ce, surtout sur la version RT-S, fonctionnent tous sans accrocs, ce qui vaut aussi pour la transmission semi-automatique qui fait son travail correctement. Une meilleure qualité sonore de la part du système audio et la présence de selles chauffantes seraient les seules critiques que nous puissions formuler à cet égard.

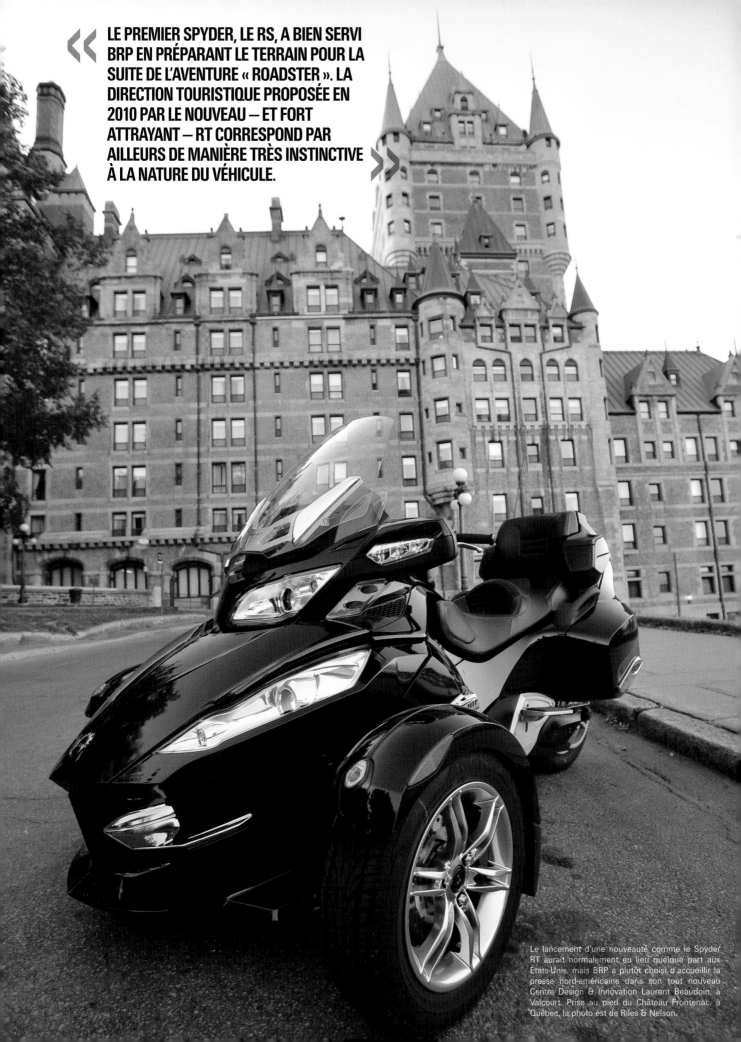

LE PREMIER SPYDER, LE RS, A BIEN SERVI BRP EN PRÉPARANT LE TERRAIN POUR LA SUITE DE L'AVENTURE « ROADSTER ». LA DIRECTION TOURISTIQUE PROPOSÉE EN 2010 PAR LE NOUVEAU — ET FORT ATTRAYANT — RT CORRESPOND PAR AILLEURS DE MANIÈRE TRÈS INSTINCTIVE À LA NATURE DU VÉHICULE.

Le lancement d'une nouveauté comme le Spyder RT aurait normalement eu lieu quelque part aux États-Unis, mais BRP a plutôt choisi d'accueillir la presse nord-américaine dans son tout nouveau Centre Design & Innovation Laurent Beaudoin, à Valcourt. Prise au pied du Château Frontenac, à Québec, la photo est de Riles & Nelson.

Made in Valcourt

Il est coutume, pour les événements comme la présentation à la presse nord-américaine de la nouvelle version RT du Can-Am Spyder, d'organiser le tout quelque part aux États-Unis. La Californie est d'ailleurs souvent choisie en raison de son décor sublime et de sa proximité pour les nombreuses publications qui y ont des bureaux. Mais dans ce cas, BRP a plutôt invité tout ce monde chez nous, un voyage qui, pour plusieurs, représentait d'ailleurs une première présence en sol canadien. Les motivations derrière cette décision étaient aussi nombreuses que justifiées. En effet, bien que BRP/Can-Am soit très connu dans presque tous les créneaux de véhicules récréatifs, il s'agit d'un nom qu'on n'entend presque jamais dans le milieu de la moto. L'introduction du Spyder RT devint ainsi l'occasion parfaite de présenter BRP à la presse spécialisée. La visite des installations du constructeur québécois, qui sont du calibre de celles de n'importe quelle autre compagnie d'envergure, comme Polaris ou Harley-Davidson, a servi à clairement établir que cette étrange création qu'est le Spyder ne sort pas des ateliers d'une quelconque firme obscure, mais bien des usines d'un «vrai» manufacturier. Le Centre Design & Innovation Laurent Beaudoin, une bâtisse tout récemment complétée à Valcourt, est sans doute la partie la plus impressionnante des installations de BRP puisqu'il se compare parfois même avantageusement avec les installations similaires d'autres constructeurs. C'est à cet endroit, en plein coeur de Valcourt, que les designers et les ingénieurs de la firme québécoise imaginent et développent leurs futurs produits.

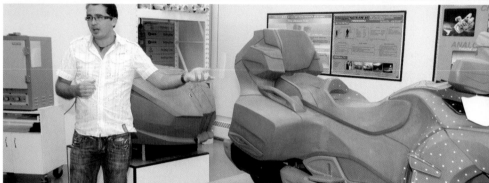

Général

Catégorie	3 roues
Prix	RT : 24 499 $ RT A&C : 26 499 $ RT-S : 28 499 $
Immatriculation 2010	627 $
Classification SAAQ 2010	« régulière »
Évolution récente	introduit en 2010
Garantie	2 ans/kilométrage illimité
Couleur(s)	argent (RT et RT A&C) bleu (RT A&C et RT-S) noir (RT-S)
Concurrence	Harley-Davidson Tri Glide Ultra Classic

Moteur

Type	bicylindre 4-temps en V à 60 degrés, DACT, 4 soupapes par cylindre, refroidissement par liquide
Alimentation	injection à 2 corps de 57 mm
Rapport volumétrique	12,2:1
Cylindrée	998 cc
Alésage et course	97 mm x 68 mm
Puissance	100 ch @ 7 500 tr/min
Couple	80 lb-pi @ 5 500 tr/min
Boîte de vitesses	RT : 5 rapports RT-S : 5 rapports, semi-automatique
Transmission finale	par courroie
Révolution à 100 km/h	environ 4 500 tr/mn
Consommation moyenne	7,4 l/100 km
Autonomie moyenne	338 km

169 km/h
Vitesse de pointe

14,2 s à 149 km/h
Accélération sur 1/4 mille

Novice | Intermédiaire | Expert
Indice d'expertise ▲
Rapport valeur/prix ▼
1 2 3 4 5 6 7 8 9 10

Voir légende en page 7

Partie cycle

Type de cadre	périmétrique, en aluminium, agit aussi à titre de réservoir d'essence
Suspension avant	bras triangulaires
Suspension arrière	monoamortisseur ajustable pneumatiquement en précharge
Freinage avant	2 disques de 250 mm de Ø avec étriers à 4 pistons avec ABS, combiné
Freinage arrière	1 disque de 250 mm de Ø avec étrier à 1 piston avec ABS, combiné
Pneus avant/arrière	165/65 R14 & 225/50 R15
Empattement	1 773 mm
Hauteur de selle	750 mm
Poids à vide	421 kg
Réservoir de carburant	25 litres

QUOI DE NEUF EN 2010 ?

Nouveau modèle

PAS MAL

Un concept absolument unique qui donne l'occasion aux amateurs de mototourisme de pratiquer l'activité sans avoir à se soucier du poids et des proportions d'une machine comme la Gold Wing

Une étonnante facilité d'utilisation pour un engin de cette taille

Une qualité d'exécution de première classe; le Spyder RT offre non seulement une finition sans fautes, mais aussi l'intégration remarquable d'une foule d'équipements; il s'agit d'un produit de classe mondiale et non pas d'une expérience inusitée réalisée par un constructeur obscur

Un côté pratique qui sort de l'ordinaire, ne serait-ce qu'en raison de la possibilité d'équiper le RT d'une remorque conçue par BRP pour cette utilisation et qui fait passer le volume de chargement de 155 à 777 litres

BOF

Une direction assistée dont la grande légèreté facilite beaucoup les manœuvres serrées, mais dont l'assistance est trop grande sur l'autoroute, où le RT se dandine à la suite de la moindre impulsion dans le guidon; cette assistance devrait être variable

Des proportions considérables qui ne gênent nullement la conduite, mais avec lesquelles on doit quand même vivre; par exemple, le RT prend presque la place d'une petite voiture dans un garage

Un agrément de conduite qui n'a rien à voir avec celui d'une vraie moto, même un mastodonte comme la Gold Wing

Conclusion

L'aisance avec laquelle la plateforme roadster de BRP accueille le format tourisme du nouveau RT donne l'impression qu'il s'agit d'une avenue très naturelle pour ce type de véhicule. D'abord parce que les « désavantages » de la formule 3-roues au niveau du plaisir de pilotage sont bien moins évidents lorsqu'on compare cette formule avec celle des mastodontes comme la Gold Wing, et ce, surtout si ces motos sont équipées au point de tirer une remorque. Le Spyder affiche par ailleurs un genre de sérénité lorsqu'il est utilisé de cette manière puisqu'il s'agit d'un environnement où plusieurs motocyclistes se déclarent parfaitement heureux de rouler paisiblement, de profiter d'un niveau de confort très élevé et de bénéficier d'une liste interminable d'équipements, ce que le RT accomplit haut la main. En fait, pour les amateurs de tourisme à moto que le poids et les proportions d'une machine comme la Gold Wing gênent, le Spyder RT pourrait même s'avérer très difficile à ignorer.

Spyder RT avec remorque Can-Am

Spyder RS-S

CAN-AM
SPYDER RS

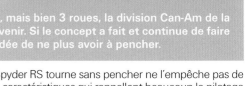

Pencher ou ne pas pencher ? Là est la question...

Harley-Davdison cherche désespérément la manière d'attirer une clientèle plus jeune. BMW s'est carrément réinventé en quelques années à peine afin d'arriver à s'adresser à un public plus large. Peu importe la forme qu'elle prend, cette quête de diversification et d'apport de sang nouveau est aujourd'hui au cœur des préoccupations de la majorité des constructeurs. En créant un véhicule à non pas 2, mais bien 3 roues, la division Can-Am de la firme québécoise BRP propose une solution à ce problème que personne n'avait vu venir. Si le concept a fait et continue de faire sourire bon nombre de pencheux, d'autres se sont justement avoués séduits par l'idée de ne plus avoir à pencher.

Le Spyder de Can-Am, qu'il s'agisse de la version RS ou RT, n'est évidemment pas une moto puisqu'il ne penche pas et qu'il a 50 pour cent plus de roues. Voilà qui devait être établi. Cela dit, et c'est là un fait particulièrement intrigant, la nature très clairement différente du Spyder n'empêche pas certains amateurs de motos de s'y intéresser. Selon BRP, la moitié des ventes seraient même faites à des motocyclistes, ce qui est à la fois très surprenant et relativement facile à expliquer. Très surprenant parce qu'en raison de son incapacité à pencher en virage, l'attrait du Spyder n'arrive tout simplement pas à se matérialiser dans l'esprit du fanatique de deux-roues, et ce, surtout si son expérience est grande et si son niveau d'habilité élevé. Il s'agit par ailleurs d'une statistique facilement explicable parce que tous les amateurs de motos ne sont pas nécessairement très habiles ou très expérimentés. En fait, et même si peu l'avouent, nombreux sont ceux qui aiment rouler à moto, mais qui ressentent aussi une profonde crainte face aux aspects extrêmement particuliers de la conduite d'une deux-roues. Des aspects que les pilotes experts ou habiles, eux, tiennent au contraire pour acquis. Des aspects comme l'incertitude de l'adhérence en virage, comme l'opération presque funambulesque que représente un freinage d'urgence, comme le malaise très fréquent de la selle haute et d'une masse trop élevée, comme la crainte constante d'une chute. Pour les motocyclistes aux prises avec une telle insécurité, et ils sont plus nombreux qu'on ne le croirait, le Spyder prend la forme d'une solution complètement inespérée.

LES MOTOCYCLISTES EMBÊTÉS PAR CERTAINS ASPECTS DE LA MOTO DÉCOUVRENT UNE SOLUTION INATTENDUE AVEC LE SPYDER.

Le fait que le Spyder RS tourne sans pencher ne l'empêche pas de proposer certaines caractéristiques qui rappellent beaucoup le pilotage d'une moto. Par exemple, la position de conduite est pratiquement la même que celle d'une routière sportive. Le vrombissement du puissant et coupleux V-Twin d'un litre, l'angle avec lequel on perçoit la route ainsi que la force du vent qui frappe le pilote sont autant d'autres facteurs responsables d'un certain parallèle entre l'expérience de la conduite d'une moto et de celle du Spyder. Le côté très intéressant du véhicule de BRP, pour les motocyclistes dont les craintes ont été décrites plus tôt, est que ce parallèle peut être vécu en éliminant presque complètement tous les malaises liés au pilotage d'une moto. En effet, aux commandes du Spyder, les virages sont pris avec pratiquement autant d'assurance que dans une voiture, tandis que les freinages sont simples et sûrs puisqu'on n'a qu'à appuyer sur une pédale unique et laisser l'ABS se charger du reste. Quant à la question de l'équilibre ou du poids élevé, elle n'existe plus. Pour ceux qui souhaiteraient pousser cette simplification encore plus loin, une version RS-S avec boîte semi-automatique à 5 rapports est offerte.

En ce qui concerne tous les aspects du confort, là encore, un clair parallèle peut être établi avec la moto puisque l'équation est essentiellement la même que celle d'une routière sportive, selle un peu plus large en prime. L'équipement est également le même que sur une moto, la seule différence notable étant le géant coffre de rangement situé dans le nez du véhicule.

Général

Catégorie	3 roues
Prix	19 299 $ (RS-S : 21 799 $)
Immatriculation 2010	627 $
Classification SAAQ 2010	« régulière »
Évolution récente	introduit en 2008
Garantie	2 ans/kilométrage illimité
Couleur(s)	argent, jaune, rouge, bleu RS-S : blanc
Concurrence	aucune

Moteur

Type	bicylindre 4-temps en V à 60 degrés, DACT, 4 soupapes par cylindre, refroidissement par liquide
Alimentation	injection à 2 corps de 57 mm
Rapport volumétrique	10,8:1
Cylindrée	998 cc
Alésage et course	97 mm x 68 mm
Puissance	106 ch @ 8 500 tr/min
Couple	77 lb-pi @ 6 250 tr/min
Boîte de vitesses	RS : 5 rapports RS-S : 5 rapports, semi-automatique
Transmission finale	par courroie
Révolution à 100 km/h	environ 4 500 tr/mn
Consommation moyenne	7,1 l/100 km
Autonomie moyenne	380 km

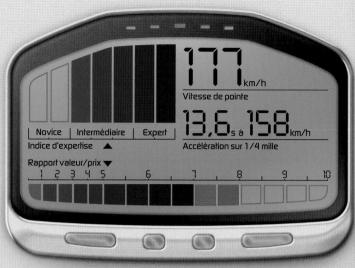

177 km/h
Vitesse de pointe

13,6 s à **158** km/h
Accélération sur 1/4 mille

Novice | Intermédiaire | Expert
Indice d'expertise ▲
Rapport valeur/prix ▼
1 2 3 4 5   6   7   8   9   10

Voir légende en page 7

Partie cycle

Type de cadre	périmétrique, en aluminium, agit aussi à titre de réservoir d'essence
Suspension avant	bras triangulaires
Suspension arrière	monoamortisseur ajustable en précharge
Freinage avant	2 disques de 260 mm de Ø avec étriers à 4 pistons avec ABS, combiné
Freinage arrière	1 disque de 260 mm de Ø avec étrier à 1 piston avec ABS, combiné
Pneus avant/arrière	165/65 R14 & 225/50 R15
Empattement	1 727 mm
Hauteur de selle	737 mm
Poids à vide	317 kg
Réservoir de carburant	27 litres

QUOI DE NEUF EN 2010 ?

Nouvelle appellation : RS et RS-S

RS coûte 300 $ de plus et RS-S 1 300 $ de plus qu'en 2009

PAS MAL

Une alternative à la moto pour ceux ou celles que le pilotage d'une deux-roues intimide tellement qu'ils n'osent pas tenter l'expérience

Des sensations — vent, point de vue, sonorité de la mécanique, passage des vitesses — qui se rapprochent beaucoup de celles vécues à moto, mais seulement lorsqu'on roule en ligne droite; dès qu'on tourne, ça devient autre chose

Un prix raisonnable compte tenu de la marchandise livrée; le Spyder semble bien conçu, est bien fini et utilise des composantes qui mettent en confiance, comme le moteur Rotax

BOF

Un plaisir de pilotage qui dépend énormément du vécu du pilote et qui, pour les amoureux des deux-roues, est très limité; en revanche, les adeptes d'autres types de véhicules récréatifs comme le VTT ou la motoneige découvrent avec le Spyder une occasion littéralement unique de s'aventurer sur la route; il semble d'ailleurs qu'une bonne partie des ventes seraient faites à cette même clientèle

Un côté physique au pilotage qu'on ne soupçonne pas puisqu'un simple virage sur un coin de rue demande de s'agripper et qu'une sortie d'autoroute prise à vive allure demande de faire un bon effort; à chacun de voir si ce type d'implication physique dans le pilotage est plaisant, ou pas

Un système de contrôle de la stabilité qui est supposé prévenir tout renversement, mais on arrive à soulever une roue en tournant sans trop de difficulté; la leçon à retenir est que le système ne constitue pas une garantie contre le renversement, il aide seulement à le prévenir

Conclusion

Le fait que le Spyder en soit aujourd'hui à sa troisième année sur le marché et que le débat entourant sa nature exacte se poursuit toujours de manière aussi animée démontre bien à quel point BRP est venu bousculer l'équilibre des choses dans l'univers des véhicules récréatifs. Dans sa version RS, qui est de toute évidence la plus sportive, le véhicule propose une expérience de pilotage beaucoup plus forte et sensorielle que ce n'est le cas sur la version RT. Une direction plus dure, donc plus engageante, une communication tant auditive que tactile bien plus directe avec le V-Twin ainsi qu'une position de conduite plus agressive sont autant de caractéristiques qui en font décidément la version des amateurs de sensations relativement fortes. Nous disons relativement parce qu'en matière de sensations grisantes, trois roues n'en valent certainement pas deux. Et c'est reparti...

Spyder RS-S accessoirisé

1198S

DUCATI
SUPERBIKE

Superbike en effet...

De la relativement abordable 848 jusqu'à la démente version R à 50 000 $, les modèles de la famille Superbike de Ducati font partie des montures les plus désirables du monde du motocyclisme. Les sportives de série de la célèbre marque italienne ont durant de trop longues années proposé des performances indignes du spectacle de leur superbe ligne, mais depuis 2008, année de l'introduction de la 1098, la situation s'est complètement renversée. Les Superbike sont aujourd'hui propulsées par les plus puissants V-Twin du monde et offrent des performances n'ayant absolument rien à envier aux modèles rivaux japonais à 4 cylindres.

Même si les sportives pures de toutes cylindrées n'ont jamais cessé de produire de plus en plus de puissance, un type de moteur en particulier a progressé plus que nous ne l'aurions cru possible, celui des Superbike de Ducati. Encore aujourd'hui, 3 ans après le dévoilement de la phénoménale 1098, il est toujours difficile de concevoir comment un V-Twin peut générer une poussée aussi violente. Et encore, cette poussée n'est pas celle des modèles actuels, puisque les dernières Superbike que nous avons testées sont les 848, 1098 et 1098R. La 1098 a depuis été gonflée à 1 198 cc, gagnant 10 chevaux au passage, tandis que la démente 1098R a, elle aussi, gagné 10 chevaux. Elle en produit désormais 180. Les performances de la 1098 et de son exotique — et dispendieuse — version R nous avaient tout simplement éblouis et nous ne nous attendons évidemment à rien de moins des 1198 et 1198R que nous évaluerons dès que les «raisons adminis-tratives» pour lesquelles nous avons du retard sur nos essais Ducati auront été réglées. Notons qu'outre cette augmentation de puissance, les modèles sont restés relativement intacts.

Le niveau de performances livré par la 1098R que nous avons testée était tel qu'il était presque impossible d'ouvrir l'accélérateur entièrement sur le premier rapport et qu'on devait s'attendre à voir l'avant régulièrement pointer en l'air en deuxième et en troisième.

Comme il s'agit purement et simplement d'une machine de course légale sur route, ce qu'il faut surtout retenir d'elle c'est qu'elle brille en piste où cette furie semble soudainement prendre tout son sens. Sans qu'elle se soit montrée aussi difficile à exploiter sur la route, la 1098 avait, elle aussi, démontré un remarquable changement de personnalité une fois en piste où toute sa puissance était instantanément devenue utilisable. Sans égard au niveau de performances additionnel amené par la 1198, niveau qui devrait se situer un peu au-dessus de celui de la 1098 testée, celle-ci continuera d'offrir l'une des expériences les plus enivrantes de la face sportive du motocyclisme, puisqu'on ne peut décrire d'aucune autre manière les sensations renvoyées par un V-Twin de cette puissance en pleine accélération.

Malgré de nombreuses similitudes de niveau technique avec les plus gros modèles, la 848 qui, elle, n'a pas changé, est une moto très différente. Ses performances beaucoup plus accessibles pourraient même en faire un choix plus logique pour bon nombre de motocyclistes qui, de toute façon, n'utiliseraient jamais le plein potentiel des autres. On en entend souvent parler comme s'il s'agissait d'une 600 à moteur V-Twin, mais ce n'est là qu'un mythe. Elle génère un niveau de couple plus que respectable à bas et moyen régimes, puis continue de pousser avec vigueur jusqu'à la zone rouge. Une fois la moto lancée, les accélérations sont probablement proches de celles d'une 600, mais en bas et au milieu, aucune comparaison ne peut être faite. Combinez l'accessibilité d'un tel niveau de puissance au superbe comportement de la partie cycle et vous obtenez un véritable régal sur piste. La 848 ne devrait décidément jamais être mise de côté en raison de sa «petite» cylindrée.

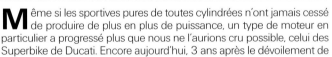

EN PLEINE ACCÉLÉRATION, LE V-TWIN ITALIEN LIVRE L'UNE DES PLUS ENIVRANTES EXPÉRIENCES DE L'UNIVERS SPORTIF.

Général

Catégorie	Sportive
Prix	848 : 15 995 $ (noir : 15 495 $); 1198 : 19 995 $; S : 26 995 $; 1198S Corse : 29 995 $; 1198R Corse : 49 995 $
Immatriculation 2010	1 410 $
Classification SAAQ 2010	« sport »
Évolution récente	introduite en 2007; versions R et 848 introduites en 2008; passage de la cylindrée à 1198 en 2009
Garantie	2 ans/kilométrage illimité
Couleur(s)	848 : rouge, blanc, noir 1198 : rouge, blanc 1198S : rouge, blanc, noir éditions Corse
Concurrence	KTM RC8 et RC8R

Moteur

Type	bicylindres 4-temps en V à 90 degrés, contrôle desmodromique des soupapes, 4 soupapes par cylindre, refroidissement par liquide
Alimentation	injection à 2 corps elliptiques
Rapport volumétrique	12,7:1 (12:1)
Cylindrée	1 198,4 (849,4) cc
Alésage et course	106 (94) mm x 67,9 (61,2) mm
Puissance	170 (134) ch @ 9 750 (10 000) tr/min
Couple	97 (70,8) lb-pi @ 8 000 (8 250) tr/min
Boîte de vitesses	6 rapports
Transmission finale	par chaîne
Révolution à 100 km/h	n/d (848 : environ 4 000 tr/min)
Consommation moyenne	6,5 l/100 km
Autonomie moyenne	238 km

Voir légende en page 7

Partie cycle

Type de cadre	treillis en acier tubulaire
Suspension avant	fourche inversée de 43 mm ajustable en précharge, compression et détente
Suspension arrière	monoamortisseur ajustable en précharge, compression et détente
Freinage avant	2 disques de 330 mm (320 mm) de Ø avec étriers radiaux à 4 pistons
Freinage arrière	1 disque de 245 mm de Ø avec étrier à 2 pistons
Pneus avant/arrière	120/70 ZR17 & 190/50 (180/55) ZR17
Empattement	1 430 mm
Hauteur de selle	820 (830) mm
Poids à vide	171 kg (R : 164 kg; S : 169 kg; 848 : 168 kg)
Réservoir de carburant	15,5 litres (Corse : 18 litres)

QUOI DE NEUF EN 2010 ?

Édition Corse de la 1198S livrée avec silencieux et UCE de course, support et réservoir d'essence de 18 litres en aluminium

Édition Corse de la 1198R; réservoir d'essence en aluminium plus léger de 1 kilo et contenant 18 litres; la 1098R devient la 1198R

Aucune augmentation de prix pour la 1198 et la 848; les 1198S et 1198R coûtent 1 000 $ de plus qu'en 2009

PAS MAL

Une ligne superbe qui mérite pleinement le qualificatif exotique

Des V-Twin fabuleux qui représentent chacun une très grande partie de l'intérêt des modèles; ces moteurs incarnent tout ce qu'est Ducati

Une tenue de route qui est dans la même ligue que celle d'une sportive japonaise de pointe courante, donc exceptionnelle

Un niveau technologique très impressionnant en ce qui concerne non seulement la puissance générée par les V-Twin, mais aussi la manière avec laquelle tous ces chevaux sont exploités, grâce au génial DTC

BOF

Une certaine brutalité dans la manière avec laquelle les performances sont livrées sur les modèles à gros moteur; la pire est ce chapitre, la R, est presque inutilisable sur la route; il s'agit du genre de comportement qui ne s'adresse qu'aux experts

Une certaine difficulté à rouler rapidement en piste immédiatement, contrairement aux sportives japonaises qui sont dans bien des cas plus faciles à exploiter en demandant moins d'ajustements

Un niveau de confort faible et typique d'une sportive pointue

Un embrayage à limiteur de contrecouple malheureusement toujours absent sur toutes les versions sauf la 1198R, ce qui est inexcusable compte tenu des prix demandés

Conclusion

Le fait que les dernières versions des « gros » modèles que nous avons testés produisaient une dizaine de chevaux en moins que les modèles actuels ne change rien à la conclusion appropriée pour ces Superbike. Il s'agit de machines exotiques en bonne et due forme, de bêtes de pistes de la plus pure espèce et de montures qui combleront les plus exigeants et les plus rapides des pilotes experts. Ceux qui opteront pour les versions avec contrôle de traction découvriront par ailleurs un tout autre niveau de pilotage puisqu'il s'agit d'une technologie permettant d'utiliser chacun des très nombreux chevaux-vapeur disponibles en sortie de courbe, ce qui représente une expérience magique en soi. Elles sont la carte de visite de Ducati et elles ne pourraient faire plus honneur à la marque italienne et à sa réputation de Ferrari des 2-roues.

848

 DUCATI
MULTISTRADA

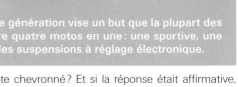

Nature multiple...

La Multistrada originale avait des ambitions élevées, certes, mais tout de même réalisables. Après tout, celles-ci tournaient surtout autour d'une capacité à affronter tout type de routes, d'où le nom du modèle qui signifie « multiples routes » en italien. La nouveauté reprend cette volonté de polyvalence et l'élève jusqu'à un niveau qu'aucune moto n'a aujourd'hui réussi à atteindre. En fait, cette toute nouvelle génération vise un but que la plupart des manufacturiers n'ont tout simplement jamais envisagé. Elle tente littéralement d'être quatre motos en une : une sportive, une routière, une aventurière et une machine urbaine. La version S ajoute, entre autres, des suspensions à réglage électronique.

TECHNIQUE

« Une moto possédant la capacité d'affronter n'importe quel type d'aventures et n'importe quel genre de routes. Une moto qui profiterait d'une technologie dérivée de celle des montures de Moto GP et de Superbike Mondial de la marque de Bologne. Une moto sans limites qui aurait la faculté de s'adapter aux demandes de son pilote plutôt que le contraire. Une moto qui serait 4 montures en une.» Tel était le cahier des charges des responsables de la refonte de la Multidstrada. Le résultat doit être considéré, du moins sur papier, comme l'une des nouveautés les plus importantes de 2010, et ce, pour de nombreuses raisons.

Tout d'abord parce que la nouvelle Multistrada et ses rivales directes, les Triumph Tiger et KTM 990 Supermoto T, constituent une toute nouvelle race de motos dont le but est de réaliser un rêve de longue date pour de très nombreux motocyclistes, celui de combiner plusieurs motos en une. Il s'agit d'une race de montures qu'on pourrait décrire comme la version 2.0 de la mythique moto à tout faire, une formule qui décrivait surtout, jusqu'à maintenant du moins, une routière confortable et pratique, soit la fameuse *Universal Japanese Motorcycle*. Mais celle-ci était-elle *vraiment* une machine à tout faire ? Avait-elle la capacité de passer de la route au gravier, de prendre le rôle de voyageuse au sérieux et, pourquoi pas, de se prêter au jeu occasionnel de la piste, ou à tout le moins de la conduite sportive en faisant preuve d'une crédibilité qui

convaincrait un pilote chevronné ? Et si la réponse était affirmative, arriverait-elle à livrer toutes ces facettes de l'univers du motocyclisme sans devenir fondamentalement compromise en essayant d'être tout à tous ? C'est en tentant de répondre concrètement à ces questions, en essayant d'imaginer quel modèle aurait réussi, ou se serait le plus approché de réussir un tel exploit que l'on se rend compte de l'ampleur de la tâche se dressant devant le constructeur dont l'ambition est de mener un tel projet à terme. En ce qui nous concerne, nous croyons qu'une telle moto n'a jamais existé et que celle qui s'en rapprocherait le plus serait la BMW R1200GS.

Ce n'est bien entendu que lorsque nous prendrons contact avec la toute nouvelle Multistrada 1200 que la réponse se clarifiera, mais tout semble indiquer que Ducati n'a pas lésiné sur les ressources pour arriver à ses fins. La Multistrada n'est pas dérivée d'un quelconque modèle existant puisque la formule aurait été faussée dès le départ. Elle est plutôt toute nouvelle et n'a comme unique but que de réussir ce dont beaucoup ont rêvé, mais que nul n'a accompli. Pour y arriver, Ducati s'est servi de tout son savoir-faire. Le cadre est un treillis d'acier, évidemment. Le moteur est un V-Twin emprunté à la 1198, rien de moins. Et les suspensions pourraient, elles aussi, provenir d'une machine de piste, mais elles sont beaucoup plus hautes. C'est néanmoins la quantité d'électronique utilisée par Ducati afin de combiner le tout de manière transparente qui intrigue.

> **LA NOUVELLE MULTISTRADA A COMME BUT DE RÉUSSIR CE DONT BEAUCOUP ONT RÊVÉ, MAIS QUE NUL N'A ACCOMPLI.**

« QUEL MOTOCYCLISTE N'A JAMAIS RÊVE DE POSSÉDER UNE SEULE ET UNIQUE MONTURE QUI AURAIT LA FACULTÉ PRESQUE MAGIQUE DE CHANGER DE NATURE À VOLONTÉ? DUCATI PRÉTEND QUE SA NOUVELLE MULTISTRADA 1200 A LA CAPACITÉ DE PASSER DE SPORTIVE PURE À MACHINE DE TOURISME AVEC PASSAGER ET BAGAGES, À JOURNALIÈRE PARFAITEMENT À L'AISE DANS L'ENVIRONNEMENT URBAIN, À MONTURE TOUT-TERRAIN CAPABLE D'AFFRONTER TOUTE ROUTE. EN FAIT, DUCATI PRÉTEND AVOIR CRÉÉ UNE PREMIÈRE PUISQU'IL S'AGIT D'UNE LISTE DE QUALITÉS DÉCRIVANT UNE MOTO QUI N'A JAMAIS EXISTÉ. »

La moto la plus avancée au monde ?

Un niveau de technologie ordinaire n'aurait pas permis à Ducati d'arriver à ses fins. Le constructeur italien a donc innové en sautant tête première dans l'univers de l'électronique, un environnement que la moto n'a pas encore vraiment exploré. Le point central de toute la technologie embarquée est un sélecteur de mode qui, selon le constructeur, change complètement la nature de la moto dont l'équipement de série comprend l'ABS et l'antipatinage DTC. La version S ajoute de meilleures suspensions, mais surtout le Ducati Electronic Suspension, une technologie très similaire à l'ESA de BMW puisqu'elle permet de modifier les réglages en pressant un bouton. Le mode *Sport* libère chacun des 150 chevaux, ajuste les suspensions en conséquence et fixe le DTC au niveau 3. Le mode *Touring* conserve la même puissance, mais favorise le couple à bas régime, fixe le DTC au niveau intermédiaire 5 et ajuste les suspensions de manière à maximiser le confort pour le pilote et son passager. Le mode *Urbain* ramène quant à lui la puissance à 100 chevaux et règle les suspensions de manière à leur permettre d'affronter les chaussées détériorées de la ville. Le DTC est dans ce cas fixé au niveau 7 et interviendra dès qu'il sentira une perte d'adhérence de l'arrière. Enfin, le mode *Enduro* relève les suspensions, limite la puissance à 100 chevaux, fixe le DTC à 1 où il n'intervient presque pas et permet au pilote de désactiver l'ABS.

Général

Catégorie	Routière Crossover
Prix	17 495 $ (S : 20 995)
Immatriculation 2010	627 $
Classification SAAQ 2010	« régulière »
Évolution récente	introduite en 2004, revue en 2010
Garantie	2 ans/kilométrage illimité
Couleur(s)	rouge, blanc (S : rouge, blanc, noir)
Concurrence	KTM 990 Supetmoto T Triumph Tiger

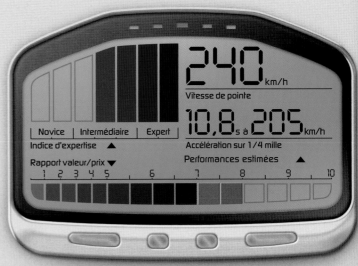

Voir légende en page 7

Moteur

Type	bicylindres 4-temps en V à 90 degrés, contrôle desmodromique des soupapes, 4 soupapes par cylindre, refroidissement par liquide
Alimentation	injection à 2 corps elliptiques
Rapport volumétrique	11,5:1
Cylindrée	1 198,4
Alésage et course	106 mm x 67,9 mm
Puissance	150 ch @ 9 250 tr/min
Couple	87,5 lb-pi @ 7 500 tr/min
Boîte de vitesses	6 rapports
Transmission finale	par chaîne
Révolution à 100 km/h	n/d
Consommation moyenne	n/d
Autonomie moyenne	n/d

Partie cycle

Type de cadre	treillis en acier tubulaire
Suspension avant	fourche inversée de 50 mm (S : 48 mm) ajustable en précharge, compression et détente
Suspension arrière	monoamortisseur ajustable en précharge, compression et détente
Freinage avant	2 disques de 320 mm de Ø avec étriers à 4 pistons (S : ABS)
Freinage arrière	1 disque de 245 mm de Ø avec étrier à 2 pistons (S : ABS)
Pneus avant/arrière	120/70 R17 & 190/55 R17
Empattement	1 530 mm
Hauteur de selle	850 mm
Poids tous pleins faits	217 kg (S : 220 kg)
Réservoir de carburant	20 litres

QUOI DE NEUF EN 2010 ?

Nouvelle génération de la Multistrada

Multistrada 1200S coûte 4 000 $ de plus que la version S 2009

PAS MAL

Un concept qui fait rêver et qui, d'un point de vue technologique, semble considérablement en avance sur la position de la moyenne des constructeurs en matière d'électronique

Une construction extrêmement sérieuse comme en témoigne la mécanique empruntée à la 1198 et la partie cycle haut de gamme

Une facture qui n'est certes pas basse, mais qui demeure raisonnable compte tenu de toute la technologie présente sur le modèle

BOF

Un risque que toutes ces technologies et tous ces systèmes ne cohabitent pas de manière harmonieuse; d'un autre côté, Ducati fut le premier constructeur à proposer le contrôle de traction, et son degré de confort avec l'intégration de l'électronique dans la moto semble très élevé

Une hauteur de selle considérable qui risque de gêner les pilotes courts sur pattes

Un système de modes qui bloque la puissance et les autres fonctions selon ce que Ducati juge préférable pour les conditions, mais il faut se demander ce qui arrive lorsque, par exemple, on souhaite bénéficier de plus de 100 chevaux en mode hors-route ou urbain

Conclusion

Certaines motos se prêtent à des prévisions éduquées, mais la Multistrada 1200 n'en fait certes pas partie puisqu'elle représente au contraire une entrée en territoire complètement inconnu. Toute cette technologie aura-t-elle l'effet voulu, ou la Multistrada finira-t-elle, comme c'est souvent le cas avec ces modes, par être laissée sur la sélection qui « dérange le moins »? Pourra-t-on vraiment, à la seule poussée d'un bouton, passer d'un authentique comportement sportif à un niveau de confort digne d'une véritable machine de voyage? Le travail de tous ces systèmes sera-t-il constamment noté par le pilote, ou accompliront-ils tous leur mission de manière transparente? Voilà seulement quelques-unes des questions auxquelles nous attendons impatiemment de répondre.

Hypermotard 1100 Evo SP accessoirisée

DUCATI
HYPERMOTARD

Hyper évolution...

Une monture de classe supermoto se voulait jadis une machine hors-route animée par un gros mono et chaussée de pneus sportifs, mais l'appellation s'applique aujourd'hui à un tout autre — et très inusité — genre de motos dont l'Hypermotard de Ducati est le parfait exemple. Dans ce cas, on a plutôt affaire à des parties cycles purement sportives dans lesquelles des V-Twin de grosse cylindrée ont été logés. Le « hyper » de Hypermotard n'a d'ailleurs pas été glissé dans le nom du modèle pour rien. En 2010, pour la première fois depuis son lancement, la célèbre firme italienne revoit le modèle en l'allégeant et en augmentant sa puissance. Une nouvelle version 796 d'entrée de gamme est aussi offerte.

L'Hypermotard se veut l'une des rares survivantes d'une mode qui ne fut finalement que passagère, celles des grosses cylindrées de type supermoto. La raison principale derrière cette survie est fort simple : la Ducati est un produit crédible, comme son équivalent chez KTM, d'ailleurs, alors que les autres modèles ne l'étaient pas, ayant plutôt été concoctés rapidement à partir de montures ne se prêtant pas à ce type d'utilisation. Bref, comme KTM, Ducati a pris le genre au sérieux et les motocyclistes lui ont rendu la pareille en faisant de l'Hypermotard un franc succès. Pour 2010, la marque de Bologne fait évoluer sa 1100 en l'allégeant de 5 kilos et en augmentant sa puissance de 5 chevaux. Les amateurs du style dont la garniture du portefeuille n'est pas illimitée seront à n'en pas douter heureux d'apprendre le dévoilement cette année d'une version d'entrée de gamme, l'Hypermotard 796. Animée par un V-Twin de 803 cc dérivé de celui de la Monster 696, elle est équipée de suspensions un peu moins avancées que celles des autres modèles. La version SP, qui remplace la S, est destinée aux pilotes qui comptent rouler en piste. Elle possède des suspensions plus sophistiquées, mais aussi plus hautes afin de permettre de plus fortes inclinaisons. Aucune des nouveautés n'a été évaluée.

Depuis son arrivée sur le marché, l'Hypermotard s'est distinguée par son unique style agressif et ses proportions très habilement choisies qui dégagent une crédibilité instantanée. L'italienne semble avoir été conçue spécifiquement pour l'usage auquel elle est destinée, une impression qui se concrétise une fois sur la route où l'on

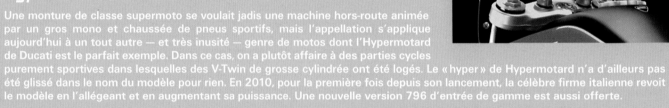

LA VERSION SP EST DESTINÉE AUX PILOTES QUI COMPTENT ROULER EN PISTE. ELLE PERMETTRAIT DE PLUS FORTES INCLINAISONS.

découvre une machine différente de toute autre routière. La position de conduite, qui semble calquée sur celle d'une monture hors-route en raison du positionnement très avancé du pilote ainsi que de la selle longue et étroite, est probablement l'aspect le plus singulier du modèle.

En effet, l'Hypermotard place le pilote si près du guidon qu'il a l'impression d'être assis sur le réservoir, avec le large guidon sous les bras plutôt que devant. Une fois en mouvement, on ne tarde pas à remarquer que le fait d'être perché sur une selle aussi étroite n'est pas vraiment confortable. Même si l'on peut facilement changer de position, il reste que l'Hypermotard n'a pas été conçue pour faire du tourisme. Son but ultime est plutôt de permettre à son pilote d'accomplir les acrobaties les plus extrêmes.

Sans être un monstre de puissance, le V-Twin précédent générait une accélération amusante et un plaisant vrombissement et soulevait même doucement l'avant sur les 2 premiers rapports à pleins gaz, une réaction qui variait par ailleurs avec la position plus ou moins avancée du pilote sur la selle.

Les suspensions des versions pré-2010 étaient très bien calibrées puisqu'elles se comportaient aussi bien sur une route sinueuse que sur une chaussée abîmée. La minceur de la moto est extrême et contribue à sa grande agilité. Le châssis de l'Hypermotard est assez solide pour lui permettre de briller sur un circuit routier, mais sa position à saveur hors-route demande une adaptation de la part du pilote. La SP 2010 offre d'ailleurs une position de conduite ajustée pour la piste.

Général

Catégorie	Supermoto
Prix	1100 : 14 995 $ (SP : 17 495 $) 796 : 11 495 $
Immatriculation 2010	627 $
Classification SAAQ 2010	« régulière »
Évolution récente	1100 introduite en 2007, revue en 2010; 796 introduite en 2010
Garantie	2 ans/kilométrage illimité
Couleur(s)	1100: rouge, noir (SP : rouge, blanc) 796 : rouge, blanc, noir
Concurrence	aucune

Moteur

Type	bicylindre 4-temps en V à 90 degrés, contrôle desmodromique des soupapes, 2 soupapes par cylindre, refroidissement par air
Alimentation	injection à 2 corps de 45 mm
Rapport volumétrique	11,3:1 (796 : 11:1)
Cylindrée	1 078 cc (803 cc)
Alésage et course	98 (88) mm x 71,5 (66) mm
Puissance	95 (81) ch @ 7 500 (8 000) tr/min
Couple	75,9 (55,7) lb-pi @ 5 750 (6 250) tr/min
Boîte de vitesses	6 rapports
Transmission finale	par chaîne
Révolution à 100 km/h	environ 3 500 tr/min (1100 2009)
Consommation moyenne	6,1 l/100 km (1100 2009)
Autonomie moyenne	205 km (1100 2009)

208 km/h
Vitesse de pointe

11,9 s à **178** km/h
Accélération sur 1/4 mille

Novice | Intermédiaire | Expert

Indice d'expertise ▲

Rapport valeur/prix ▼

Performances 1100 2009 ▲

1 2 3 4 5 6 7 8 9 10

Voir légende en page 7

Partie cycle

Type de cadre	treillis en acier tubulaire
Suspension avant	fourche inversée de 50 mm ajustable en précharge, compression et détente (796 : 43 mm non ajustable)
Suspension arrière	monoamortisseur ajustable en précharge, compression et détente (comp. et détente)
Freinage avant	2 disques de 305 mm de Ø avec étrier radiaux à 4 pistons
Freinage arrière	1 disque de 245 mm de Ø avec étrier à 2 pistons
Pneus avant/arrière	120/70 ZR17 & 180/55 ZR17
Empattement	1 455 mm (SP : 1 465 mm)
Hauteur de selle	796 : 825 mm; 1100 : 845 mm; SP : 875 mm
Poids à vide	796 : 167 kg; 1100 : 172 kg; SP : 171 kg
Réservoir de carburant	12,4 litres

QUOI DE NEUF EN 2010 ?

Introduction d'une version 796 d'entrée de gamme

Évolution de la 1100 : révision des carters moteurs et du cadre abaissant le poids de 5,2 kilos; puissance augmentée de 5 chevaux; contrôles repensés

Introduction d'une version SP de la 1100 avec suspension à grand débattement et guidon plus haut

Aucune augmentation pour la 1100; SP coûte 500 $ de moins que la version S 2009

PAS MAL

Une ligne inédite, à aucune autre comparable qui se veut un facteur déterminant pour les amateurs du genre; en Europe, justement en raison de ce style, l'Hypermotard est littéralement devenue un objet de mode, un accessoire sur lequel on a l'air cool...

Une très grande agilité amplifiée par le large guidon tubulaire, l'étroitesse de la machine et une position de conduite hors-route

Un facteur d'amusement qui demande un certain talent, mais qui peut prendre plusieurs formes allant du wheelie à la glissade en passant par la piste

BOF

Une selle très étroite qui est conçue pour faciliter les mouvements et non pour être confortable

Une aptitude étonnante aux acrobaties en tous genres — wheelies, stoppies, dérapages contrôlés et journées d'essais libres —, mais hors de portée des motocyclistes moyens

Une position de conduite relevée qui place le pilote très près du guidon et qui demeure étrange, même si elle ne taxe aucune partie du corps

Conclusion

L'Hypermotard et les sportives pures les plus pointues ont en commun un potentiel extrêmement élevé que très peu de propriétaires exploitent, bien que tous soient en revanche extrêmement fiers de posséder une monture capable de telles prouesses. Si dans le cas d'une sportive, ces prouesses sont liées à la vitesse pure, dans celui de l'Hypermotard, on parle plutôt de glissades des deux roues en attaquant une courbe. Telle est la nature des courses de supermoto, et l'Hypermotard en est bel et bien capable. Reste maintenant à trouver les pilotes... Nonobstant cet aspect théorique, il s'agit de montures brillamment dessinées et construites avec une rigueur digne des sportives de la marque. Qu'elles soient nouvelles ou revues en 2010, tant la 796 que les deux 1100 Evo poursuivent leur route exactement dans la même direction inusitée que le modèle original.

Streetfighter

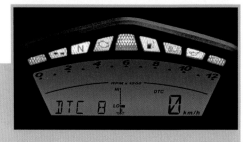

Standard extrême...

Il n'y a vraiment pas si longtemps que la Monster S4R et ses 130 chevaux font partie des plus «redoutables» standards sur le marché. Propulsée par une version à peine adoucie du V-Twin de la Superbike 1098 et plus légère que sa cousine de la famille Monster, la Streetfighter et ses 155 chevaux poussent le concept de la standard extrême une bonne coche plus loin. Construite autour d'une partie cycle dérivée de la plateforme Superbike, rien de moins, la Streetfighter est la standard la plus audacieuse du moment, puisque ses rivales les plus proches, les KTM 990 Super Duke et Buell 1125CR, sont soit absentes, soit discontinuées. Une version S équipée du système antipatinage DTC est aussi offerte.

TECHNIQUE

Des modèles comme la BMW K1300R de 173 chevaux et la Suzuki B-King de plus de 180 chevaux collent très bien l'appellation standard extrême. Toutefois, en dépit de tous leurs chevaux, celles-ci sont suffisamment lourdes et longues pour rendre leur niveau de performances relativement accessible. Il s'agit donc de montures extrêmes, mais jusqu'à un certain point seulement.

La Streetfighter lancée l'an dernier s'annonce comme un tout autre type de machines, car même si sa puissance maximale de 155 chevaux n'atteint pas le niveau des autres, dans ce cas, il est question non seulement d'une moto svelte, courte et légère, mais aussi d'une monture propulsée par un V-Twin très coupleux. Sans que nous ayons pu tester la Streetfighter pour le confirmer, tout semble néanmoins pointer vers quelque chose de plutôt particulier. On semble en effet avoir affaire à un genre de 1098 déshabillée. Or, quiconque connaît le comportement de la sportive de Ducati sait aussi qu'il s'agit d'une machine superbe sur circuit, mais dont le tempérament devient très vite extrême sur la route. Entre autres, elle se soulève violemment sur le premier rapport dès qu'on lui sert une dose généreuse d'accélérateur et ne se fait pas prier pour reprendre la figure en seconde. En prenant en compte la puissance presque équivalente de la Streetfighter et sa position de conduite relevée plaçant bien moins de poids sur l'avant, on comprend pourquoi il est tout à fait logique de

> **AVEC SES SUSPENSIONS ÖHLINS ET SON EXCLUSIF SYSTÈME DTC, LA STREETFIGHTER EST L'UNE DES STANDARDS LES PLUS AVANCÉES.**

prévoir des moments d'une sérieuse intensité aux commandes du modèle.

Malgré de nombreuses similitudes techniques en ce qui concerne pratiquement toutes les composantes des 1098/1198 et de la Streetfighter, cette dernière n'est pas exactement une Superbike en petite tenue. D'abord, la puissance et le couple produits par le moteur de la sportive ont été légèrement réduits. Dans ce cas, il ne s'agit pas d'une baisse de puissance visant à favoriser le couple à mi-régime, mais plutôt d'une baisse de puissance et de couple visant à minimiser les réactions extrêmes... Toujours dans le même but, la géométrie du châssis a été adoucie en relâchant l'angle de la direction, ce qui a généralement pour effet d'améliorer la stabilité en pleine accélération, tandis que l'empattement a été allongé, ce qui a pour effet de réduire la tendance au soulèvement lors de fortes accélérations. Les immenses freins de 330 mm à l'avant sont conservés, tout comme le splendide bras oscillant monobranche. Fait intéressant, la version S pour laquelle Ducati exige maintenant un supplément de 5 000 $ n'est pas seulement équipée des habituelles suspensions Öhlins et habillée de quelques pièces en fibres de carbone. Elle est aussi munie du système antipatinage Ducati Traction Control qui équipe les versions S et R des Superbike. Cette particularité fait de la Streetfighter l'une des, sinon la standard la plus avancée du marché d'un point de vue technologique.

Général

Catégorie	Standard
Prix	17 495 $ (S : 22 495 $)
Immatriculation 2010	627 $
Catégorisation SAAQ 2010	« régulière »
Évolution récente	introduite en 2009
Garantie	2 ans/kilométrage illimité
Couleur(s)	rouge, blanc (S : rouge, noir)
Concurrence	Kawasaki Z1000

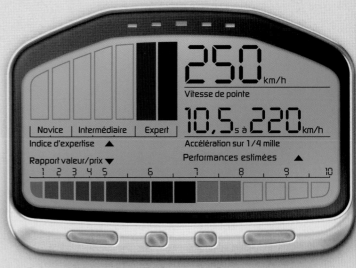

Voir légende en page 7

Moteur

Type	bicylindres 4-temps en V à 90 degrés, contrôle desmodromique des soupapes, 4 soupapes par cylindre, refroidissement par liquide
Alimentation	injection à 2 corps elliptiques
Rapport volumétrique	12,5:1
Cylindrée	1 098 cc
Alésage et course	104 mm x 64,7 mm
Puissance	155 ch @ 9 500 tr/min
Couple	85 lb-pi @ 9 500 tr/min
Boîte de vitesses	6 rapports
Transmission finale	par chaîne
Révolution à 100 km/h	n/d
Consommation moyenne	n/d
Autonomie moyenne	n/d

Partie cycle

Type de cadre	treillis en acier tubulaire
Suspension avant	fourche inversée de 43 mm ajustable en précharge, compression et détente
Suspension arrière	monoamortisseur ajustable en précharge, compression et détente
Freinage avant	2 disques de 330 mm de Ø avec étriers radiaux à 4 pistons
Freinage arrière	1 disque de 245 mm de Ø avec étrier à 2 pistons
Pneus avant/arrière	120/70 ZR17 & 190/55 ZR17
Empattement	1 475 mm
Hauteur de selle	840 mm
Poids à vide	169 kg (S : 167 kg)
Réservoir de carburant	16,5 litres

QUOI DE NEUF EN 2010 ?

Aucun changement

Streetfighter coûte 500 $ et Streetfighter S 1 000 $ de plus qu'en 2009

PAS MAL

Un concept qui a le mérite de ne faire aucun compromis en matière de performances et de ne rien céder au nom du « politiquement correct »; sur papier, la Streetfighter est aussi extrême que quoi que ce soit d'autre sur deux roues, sinon plus

Une construction d'un sérieux absolu; on n'a pas affaire à une Monster plus ou moins bien déguisée en machine de performance, mais plutôt à une authentique 1098 transformée en standard extrême

Un prix intéressant pour la version de base; la Streetfighter est généralement compétitive avec ses principales rivales en termes de prix, mais sa fiche technique est dans une tout autre ligue

BOF

Un ensemble de facteurs comme le poids très faible, une position relevée et un couple élevé à bas régime qui laissent croire à un comportement plutôt intense, et donc, si tel est le cas, à une moto qui ne s'adresse pas à une clientèle moins qu'experte

Un niveau de confort dont l'amélioration n'a pas semblé faire partie des priorités lors du développement; par exemple, la selle ressemble beaucoup à ce qu'on retrouve sur la 1098/1198, tandis que le passager ne semble pas bénéficier d'un accueil moins sévère

Un prix malheureusement élevé dans le cas de la version S qui, en raison des suspensions plus évoluées et de l'impressionnant système antipatinage dont elle est équipée, sera vraisemblablement le seul choix logique pour l'amateur de pilotage sur circuit

Des modèles d'essais qui tardent à se matérialiser

Conclusion

S'avancer, même hypothétiquement, sur le comportement d'un modèle qui n'a pu être évalué est un exercice très précaire que nous préférons d'ailleurs éviter. Cela dit, dans le cas de la nouvelle Streetfighter, nous serions très surpris de ne pas découvrir l'une des montures les plus intenses du motocyclisme. Non pas en ce qui a trait à un quelconque record de vitesse qu'elle pourrait battre, mais plutôt en raison des réactions assez radicales auxquelles on ne peut que s'attendre avec une telle recette. Ducati l'annonce comme la standard ultime et c'est fort bien ce qu'elle pourrait être. Il ne nous reste qu'à découvrir si une telle nature en fera une moto dont la face extrême a complètement effacé le côté pratique, ou si Ducati a réussi le tour de force de combiner les deux et de maîtriser toute cette puissance.

Streetfighter S

Monster 1100

 DUCATI
MONSTER

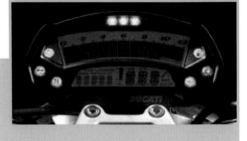

Standard originelle...

En se retournant vers le passé et en tentant de repérer le point dans le temps qui marqua le début de l'ère moderne des standards, on arrive difficilement à une autre date que 1993 et à un autre modèle que la Monster. Plus d'une quinzaine d'années plus tard, la sympathique Ducati affiche le même genre de traits et conserve la même formule, mais l'exécution, elle, est d'un autre niveau. La Monster actuelle est un exemple de simplicité et de pureté de design. Il s'agit d'une monture honnête qui ne prône pas les records, mais plutôt la conduite. Aussi offerte en version « économique » 696, elle est surtout intéressante en format 1100. Pour 2010, Ducati propose l'ABS en option.

Les designs les plus difficiles à faire évoluer sont les plus marquants, surtout s'ils ont obtenu un grand succès. Le problème vient du fait que la soif du neuf, dans ces cas, est indissociable d'un profond attachement aux concepts originaux. Ducati en sait quelque chose, sa 999 n'ayant jamais réussi à légitimement succéder à l'emblématique 916. Cette Monster de nouvelle génération s'appuie sur les leçons tirées de cette mésaventure, puisqu'en termes de ligne et d'esprit, les points communs avec le modèle original sont nets et nombreux. La réussite de Ducati est d'ailleurs indéniable, car la nouvelle Monster est exactement ce qu'elle devait être, une interprétation mise à jour très soigneusement — donc juste assez, mais pas trop — de la monture originale.

Ducati a traditionnellement offert toute une gamme de Monster allant d'un modèle d'entrée de gamme jusqu'à une Superbike en tenue légère. Ces choix sont aujourd'hui moins larges, puisque seules deux cylindrées sont offertes. À moins de 10 000 $, la 696 joue le rôle de la Monster abordable, tandis que tout en haut de la hiérarchie se trouve la 1100S, avec ses obligatoires suspensions Öhlins. Une 1100 fait aussi partie du catalogue.

Toujours selon la tradition chez Ducati, plus les modèles montent dans la hiérarchie, plus les composantes qui les équipent sont désirables et performantes. Pour cette raison, et bien qu'elle représente une considérable amélioration à tous les niveaux par rapport à l'ancienne 695, la 696 laisse encore une

> ## LA VERSION 1100 DE LA MONSTER SE DÉTACHE COMPLÈTEMENT DE LA 696 EN MATIÈRE D'AGRÉMENT MÉCANIQUE.

certaine impression de monture bas de gamme. L'ensemble fonctionne très bien et satisfera les motocyclistes moins expérimentés ou moins exigeants, mais les autres trouveront le travail des suspensions un peu rudimentaire et les prestations de la mécanique un peu trop justes. Si le V-Twin offre des accélérations honnêtes, il n'est en revanche pas un exemple de souplesse, demandant des hauts régimes et des changements de rapports fréquents pour livrer ses meilleures prestations. Encore une fois, pour la clientèle visée, il est probable que ce niveau de performances s'avère très suffisant. Cette même clientèle adorera par ailleurs la selle étonnamment basse ainsi que la grande légèreté et la maniabilité exceptionnelle de la 696. Notons que la nouveauté corrige l'un des défauts de l'ancienne version en proposant une position de conduite revue et beaucoup plus équilibrée. En fait, la relation entre guidon, repose-pieds et selle est désormais très similaire à celle qu'une standard moderne offrirait, c'est-à-dire compacte et naturelle.

Offrant un comportement routier similaire, mais quand même clairement plus relevé que celui de la 696, la version 1100 de la Monster se détache complètement de la petite cylindrée en matière de mécanique. Ses performances sont beaucoup plus intéressantes en raison de l'excellente souplesse du V-Twin, de ses accélérations nettement plus musclées et, surtout, de la manière absolument charmante qu'il a de vibrer profondément à l'accélération.

Général

Catégorie	Standard
Prix	1100 S : 15 695 $ 1100 : 13 495 $ 696 : 9 995 $
Immatriculation 2010	627 $
Catégorisation SAAQ 2010	« régulière »
Évolution récente	696 et 1100 introduites en 2009
Garantie	2 ans/kilométrage illimité
Couleur(s)	1100 S : rouge, blanc 1000 : rouge, noir, argent 696 : rouge, blanc, noir mat
Concurrence	BMW R1200R, Kawasaki Z1000 Suzuki Gladius

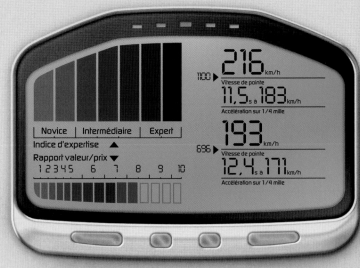

Voir légende en page 7

Moteur

Type	bicylindre 4-temps en V à 90 degrés, contrôle desmodromique des soupapes, 2 soupapes par cylindre, refroidissement par air
Alimentation	injection à 2 corps de 45 mm
Rapport volumétrique	10,7:1
Cylindrée	1 078 (696) cc
Alésage et course	98 (88) mm x 71,5 (57,2) mm
Puissance	95 (80) ch @ 7 500 (9 000) tr/min
Couple	76 (50,6) lb-pi @ 6 000 (7 750) tr/min
Boîte de vitesses	6 rapports
Transmission finale	par chaîne
Révolution à 100 km/h	environ 3 100 tr/min (1100)
Consommation moyenne	5,9 l/100 km (1100 : 6,1 l/100 km)
Autonomie moyenne	254 km (1100 : 245 km)

Partie cycle

Type de cadre	treillis en acier tubulaire
Suspension avant	fourche inversée de 43 mm ajustable en précharge et détente 696 : non ajustable
Suspension arrière	monoamortisseur ajustable en précharge, compression et détente
Freinage avant	2 disques de 320 mm de Ø avec étriers radiaux à 4 pistons
Freinage arrière	1 disque de 245 mm de Ø avec étrier à 2 pistons
Pneus avant/arrière	120/70 R17 & 180/55 (696 : 160/60) R17
Empattement	1 450 mm
Hauteur de selle	810 mm (696 : 770 mm)
Poids à vide	696 : 161 kg; 1100 : 169 kg; 1100 S : 168 kg
Réservoir de carburant	15 litres (ABS : 13,5 litres)

QUOI DE NEUF EN 2010 ?

ABS offert en option sur toutes les versions moyennant un supplément de 1 000 $

Aucune augmentation

PAS MAL

Une ligne qui évolue de manière très habile puisque la Monster reste immédiatement reconnaissable, mais qu'elle est aussi moderne

Une partie cycle extrêmement légère et agile qui permet au modèle d'offrir une grande maniabilité et une tenue de route étonnante

Une mécanique sublime sur la 1100 qui dégage un caractère tellement fort qu'elle rappelle les regrettées Buell Lightning

Un système ABS désormais optionnel sur toutes les versions

Une selle particulièrement basse sur la 696 qui semble être destinée à une clientèle moins expérimentée et aussi moins exigeante

BOF

Un comportement général de haut niveau, mais dont la qualité est réduite, sur la 696, par des suspensions dont le travail est plutôt rudimentaire; la 1100 est dans une classe à part

Un niveau de performances correct, mais certes pas impressionnant pour la 696 qui annonce pourtant une puissance qui devrait se traduire par des prestations plus intéressantes

Une certaine déception découlant du fait que la 696 ne semble pas vraiment destinée au motocycliste expérimenté; celui-ci devra payer plus et opter pour la 1100 afin d'être rassasié

Conclusion

Comme la première génération de la Monster s'est étirée sur une bonne quinzaine d'années, la remplaçante du modèle faisait face à de hautes attentes. Les 696 et 1100 actuelles sont à la hauteur. La plus petite est un typique modèle bas de gamme Ducati en ce sens que même si plusieurs composantes sont partagées avec la 1100, l'impression générale qu'elle renvoie reste celle d'une monture assez rudimentaire. C'est néanmoins tout le contraire avec la 1100 puisque dans ce cas, on a plutôt l'impression d'être aux commandes d'une des motos les plus caractérielles qui soient tellement son V-Twin est agréable et communicatif. Elle fait partie de ces machines qu'une fiche technique ne peut tout simplement pas décrire de manière juste et qui doivent absolument être pilotées pour être appréciées.

Monster 1100

DUCATI
GT 1000

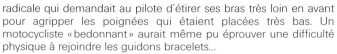

Ducati au sens classique...

La famille SportClassic de Ducati a toujours eu la mission de faire revivre une ère mythique de la marque et de rendre hommage à ses premières grosses cylindrées des années 70, des machines aussi performantes que désirables pour l'époque. Pour 2010, Ducati effectue un ménage en éliminant les modèles Sport 1000 et Sport 1000S, mais en conservant la pratique et très plaisante GT1000. Propulsée par le légendaire V-Twin à 90 degrés refroidi par air de la marque de Bologne, il s'agit d'une monture dont le design honnête et épuré illustre très bien le genre de comportement simple et serein qu'elle réserve.

Le V-Twin refroidi par air qui anime la GT1000 n'est pas la plus récente évolution du moteur, soit celle de 1 100 cc que l'on retrouve sur les Hypermotard ou Monster, mais celle de la génération précédente. Il s'agit d'un bicylindre d'un litre aux performances relativement modestes. Pas vraiment souple — il cogne en bas de 2 000 tr/min —, il est surtout à l'aise aux régimes moyens. Ses accélérations manquent de punch, spécialement pour les motocyclistes expérimentés ou exigeants au chapitre des performances, mais elles restent satisfaisantes en mode balade. Un niveau de couple tout de même agréable est disponible sur une large plage de régimes. La sonorité grave et mélodieuse, ainsi que le vrombissement que le moteur émet en décélération constituent les éléments clés de son sympathique caractère. Les vibrations sont toujours bien contrôlées. L'injection est exempte de reproches et le Twin italien se montre très agréable aux vitesses de croisière légales sur le dernier rapport. Là, il tourne tranquillement et on ressent clairement son martèlement profond. Il s'agit d'une mécanique simple, mais réussie et très bien adaptée à la vocation des SportClassic. Ce n'est que lorsqu'on recherche une conduite plus sportive que le moteur semble hors de son élément.

Très similaires techniquement, les trois modèles SportClassic ont toujours offert des sensations de pilotage assez distinctes. Alors que la Sport 1000S collait de très près au concept du Café Racer, elle était affligée d'une position de conduite vraiment

> **TOUT SEMBLE SI SIMPLE, SI FACILE ET SI PLAISANT AUX COMMANDES DE LA GT1000 QU'ON SE CONTENTE DE ROULER.**

radicale qui demandait au pilote d'étirer ses bras très loin en avant pour agripper les poignées qui étaient placées très bas. Un motocycliste «bedonnant» aurait même pu éprouver une difficulté physique à rejoindre les guidons bracelets...

La GT1000 ne retient rien de l'approche extrême des Sport 1000 et Sport 1000S et se veut plutôt l'incarnation même de la monture simple, pratique et honnête qui ne demande qu'à être pilotée dans une multitude de situations. Elle a toujours été la moins chère du trio, mais aussi la moins adroitement dessinée. En effet, par rapport au très habile coup de crayon responsable des deux autres SportClassic, la GT fait presque figure de vilain canard, et ce, surtout en raison de sa section arrière «flottante».

Nonobstant ses caractéristiques stylistiques, La GT1000 s'avère tellement facile à manier et agréable en utilisation quotidienne que nous l'avons immédiatement déclarée la meilleure moto de la famille, celle qui s'accorde le mieux avec le caractère décontracté du V-Twin d'ancienne génération. Extrêmement stable, plutôt légère de direction, solide en virage et dotée de suspensions calibrées de manière réaliste pour la route, elle offre en plus une selle confortable et étonnamment basse. La GT1000 fait partie de ces motos sur lesquelles tout semble simple, facile et plaisant, et sur lesquelles on se contente parfaitement de rouler.

Général

Catégorie	Standard
Prix	13 495 $
Immatriculation 2010	627 $
Classification SAAQ 2010	« régulière »
Évolution récente	famille introduite en 2006
Garantie	2 ans/kilométrage illimité
Couleur(s)	noir, rouge
Concurrence	BMW R1200R, Triumph Thruxton

Moteur

Type	bicylindre 4-temps en V à 90 degrés, contrôle desmodromique des soupapes, 2 soupapes par cylindre, refroidissement par air
Alimentation	injection à 2 corps de 45 mm
Rapport volumétrique	10:1
Cylindrée	992 cc
Alésage et course	94 mm x 71,5 mm
Puissance	92 ch @ 8 000 tr/min
Couple	67 lb-pi @ 6 000 tr/min
Boîte de vitesses	6 rapports
Transmission finale	par chaîne
Révolution à 100 km/h	environ 3 200 tr/min
Consommation moyenne	6,1 l/100 km
Autonomie moyenne	246 km

219 km/h
Vitesse de pointe

12,1 s à **174** km/h
Accélération sur 1/4 mille

Novice | Intermédiaire | Expert
Indice d'expertise ▲

Rapport valeur/prix ▼
1 2 3 4 5 6 7 8 9 10

Voir légende en page 7

Partie cycle

Type de cadre	treillis en acier tubulaire
Suspension avant	fourche inversée de 43 mm non ajustable
Suspension arrière	monoamortisseur ajustable en précharge
Freinage avant	2 disques de 320 mm de Ø avec étriers à 2 pistons
Freinage arrière	1 disque de 245 mm de Ø avec étrier à 1 piston
Pneus avant/arrière	120/70 R17 & 180/55 R17
Empattement	1 425 mm
Hauteur de selle	810 mm
Poids à vide	185 kg
Réservoir de carburant	15 litres

QUOI DE NEUF EN 2010 ?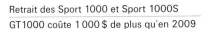

Retrait des Sport 1000 et Sport 1000S
GT1000 coûte 1 000 $ de plus qu'en 2009

PAS MAL

Une ligne élégante qui combine très bien modernité et caractère rétro

Un bicylindre traditionnel refroidi par air, à l'aise à mi-régime et bien adapté à la vocation routière de la GT1000 ; ce n'est pas un monstre de performances, mais plutôt un V-Twin sympathique

Une partie cycle au comportement rassurant, puisque stable et précis

BOF

Un moteur qui semble manquer de cœur au ventre en pleine accélération, surtout si l'on tient compte que Ducati annonce presque 100 chevaux

Une exposition totale au vent qui diminue le confort sur l'autoroute, surtout lorsque des vitesses élevées et constantes sont maintenues

Une partie arrière qui semble étrangement flotter dans les airs et qui ne s'harmonise pas avec les proportions pourtant réussies de la GT1000

Conclusion

La série SportClassic représente un hommage de très bon goût au riche passé de Ducati. Même si les Sport 1000 et Sport 1000S disparaissent cette année, celles-ci illustraient très bien à quel point on a affaire à des machines conçues avec élégance, talent et respect de la tradition. Leur ligne sobre et intemporelle séduit soit les « vieux routiers » accrochés aux années 70, soit certains motocyclistes plus jeunes, mais amateurs de style rétro. Par ailleurs, le fait que la seule survivante du trio est la GT1000 ne nous étonne pas le moins du monde puisque nous l'avions déjà décrite comme la plus pratique et la plus agréable à piloter des trois. Elle n'est peut-être pas la plus flamboyante des Ducati, mais elle reste une moto confortable, étonnamment accessible et dotée d'une mécanique fort plaisante.

Road Glide Custom

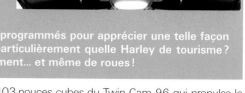

RÉVISION 2010

La route selon Harley-Davidson...

Harley-Davidson ne fait rien comme les autres. Il n'y a donc rien d'étonnant à ce que voir du pays en Harley soit une expérience particulière. Oubliez l'efficacité pure puisqu'il est ici beaucoup plus question de sensations pures. Avaler des kilomètres en Harley-Davidson ne représente décidément pas une proposition qui séduira tous les motocyclistes, mais pour ceux — et celles, bien sûr... — dont les neurones sont programmés pour apprécier une telle façon de rouler, la question n'est plus quelle moto, mais plutôt quelle Harley? Et plus particulièrement quelle Harley de tourisme? À ceux-ci, de nombreux choix s'offrent, avec plus ou moins de protection, d'équipement... et même de roues!

Harley-Davidson connaît les désirs de sa clientèle probablement mieux que cette clientèle ne les connaît elle-même. Chacune des variantes de la série Tourisme de la célèbre marque américaine a ainsi sa propre «cible». De la Road King, le modèle le moins équipé, mais aussi le plus agile de la famille, jusqu'à la très populaire Electra Glide, le modèle le plus approprié pour du tourisme en bonne et due forme, on trouve un peu de tout. Jadis des modèles à part entière, les Road Glide et Street Glide sont toutes deux revues en 2010 et doivent dorénavant être considérées comme des jumelles mécaniques, offertes avec une option de carénage avant classique, sur la Street, et monté sur le cadre, sur la Road. En termes d'aptitudes au tourisme, de confort et de comportement, elles se situent à mi-chemin entre la Road King et l'Electra Glide. Notons que la Road Glide reçoit aussi en 2010 une révision esthétique fort réussie lui valant d'être qualifiée de Custom. Le chef styliste chez Harley-Davidson, Willie G. Davidson, affirme être arrivé au résultat final en s'inspirant d'une tendance observée «dans la rue». En effet, après avoir remarqué nombre de montures de tourisme épurées et abaissées, des «slamed baggers» dans le jargon custom, il décida de tenter l'expérience sur la Road Glide. Les mauvaises langues expliquent ce choix murmurant que le modèle original était si laid qu'il n'y avait rien à perdre...

Une nouvelle variante de l'Electra Glide Ultra Classic est par ailleurs présentée en 2010, soit l'Electra Glide Ultra Limited. Bénéficiant d'un couple amélioré de 10 pour cent grâce à une

> ## LES MAUVAISES LANGUES DISENT QUE LA ROAD GLIDE FUT RÉVISÉE PARCE QU'ELLE ÉTAIT SI LAIDE QU'IL N'Y AVAIT RIEN À PERDRE...

version gonflée à 103 pouces cubes du Twin Cam 96 qui propulse le reste de la gamme, la Limited propose des performances, disons, plus intéressantes. Une série d'équipements livrés de série comme l'ABS et les poignées chauffantes, entre autres, la distinguent de l'Ultra Classic.

Enfin, un second modèle à trois roues fait son entrée dans la gamme américaine en 2010, la Street Glide Trike, qui, comme son nom l'indique, est dérivée de la Street Glide.

Toutes les montures de la série Tourisme de Harley-Davidson sont construites autour de la même plateforme et proposent donc à peu près le même comportement solide, précis et étonnamment agile et équilibré, du moins une fois en mouvement. Toutes offrent une position de conduite dégagée et détendue, mais pas au point de devenir extrême, ainsi qu'une très bonne selle. La protection au vent est généralement bonne, mais dans tous les cas, des turbulences à la hauteur du casque sont ressenties à vitesse d'autoroute.

Leur caractéristique la plus attachante est sans l'ombre d'un doute le coupleux V-Twin qui les anime. Bien qu'il n'ait jamais été le plus puissant du marché, ses performances demeurent satisfaisantes et son fonctionnement n'attire pas de critique de la part des amateurs de Harley-Davidson qui adorent ses aspects particuliers comme le typique coup de métal qui accompagne chaque changement de rapport et, surtout, la façon presque magique avec laquelle cette mécanique tremble et communique avec le pilote.

PROPULSÉE PAR UN V-TWIN DE 103 POUCES CUBES PROVENANT DES TABLETTES DE LA DIVISION CVO, LA NOUVELLE ÉDITION LIMITED DE L'ELECTRA GLIDE BÉNÉFICIE D'UNE DOSE ADDITIONNELLE DE MUSCLE FORT APPRÉCIÉE. RIEN NE GARANTIT QUE ÇA ARRIVERA, MAIS PERSONNE NE DEVRAIT VRAIMENT S'ÉTONNER SI CETTE MÉCANIQUE DEVENAIT CELLE QUI ANIME LA GAMME ENTIÈRE DANS UN AVENIR MOINS QUE LOINTAIN.

L'équipe de Riles et Nelson avait été retenue par Harley-Davidson afin s'occuper de l'aspect photographie du lancement de la gamme 2010 du constructeur, tenu cette année à Denver, au Colorado. Le crédit de cette photo lui revient.

Electra Glide Ultra Limited

Street Glide

Choix de chapeau

Plusieurs modifications sont apportées à la populaire Street Glide pour 2010 dont une partie arrière légèrement redessinée et une roue avant qui passe de 17 à 18 pouces de diamètre. Mais la modification qui risque de faire «jaser» le plus est le passage d'un système d'échappement à silencieux double à un système à silencieux simple. Plusieurs trouveront probablement la nouvelle ligne plaisante. Toutefois, il faut savoir que pour beaucoup d'amateurs de Harley, le silencieux double latéral représente une certaine noblesse puisque ce ne sont généralement que les modèles haut de gamme, comme les Road King et les Electra Glide, qui en possèdent. Notons que la nouvelle Road Glide Custom partage désormais sa partie cycle entière avec la Street Glide. Les deux modèles ne diffèrent donc que par leur type de carénage avant.

Tri Glide Ultra Classic

Des Harley pour pépé et mémé...

Toutes nos excuses pour le titre, mais c'était trop facile... Et puis, le fait est que la vérité n'est pas nécessairement très différente. En effet, cette paire de Trike n'est clairement pas destinée à attirer une clientèle jeune chez Harley-Davidson. Sa mission se veut plutôt d'offrir un moyen à une clientèle plus âgée de rester aux commandes d'une Harley. Cela dit, l'attrait des Trike va plus loin puisque leur présence dans la gamme du constructeur de Milwaukee semble également avoir éveillé l'attention d'un type d'acheteurs quelque peu inattendu. Comme c'est le cas chez BRP avec le Spyder, d'ailleurs. Il s'agit de motocyclistes qui parfois roulent depuis des années, mais qui n'ont jamais été totalement à l'aise avec la nature même de la moto. Une masse trop élevée, une selle trop haute ou un malaise en courbe sont autant de facteurs qui, parfois secrètement, ont toujours tracassé ces gens. Or, en raison de sa nature même, un Trike élimine tous ces problèmes. Ça n'est pas dire qu'il n'en crée pas d'autres, mais en fin de compte, pour une certaine catégorie de motocyclistes de n'importe quel âge ressentant une profonde insécurité aux commandes d'une moto, un Trike peut s'avérer être une solution.

Dérivé de la Street Glide, le Street Glide Trike (33 109 $) est une nouveauté en 2010. Il vient rejoindre le Tri Glide Ultra Classic (36 689 $) basé sur l'Ultra Classic Electra Glide.

Street Glide Trike

Général

Catégorie	Tourisme de luxe/léger
Prix	20 189 $ à 29 339 $
Immatriculation 2010	627 $
Catégorisation SAAQ 2010	« régulière »
Évolution récente	Street Glide Trike introduit en 2010; Tri Glide introduit en 2009; plateforme revue en 2009; TC96B introduit en 2007; Street Glide introduite en 2006
Garantie	2 ans/kilométrage illimité
Couleur(s)	choix multiples
Concurrence	Kawasaki Vulcan 1700 Nomad et Voyager; Victory Vision Tour, Cross Roads et Cross Country; Yamaha Venture et Tour Deluxe

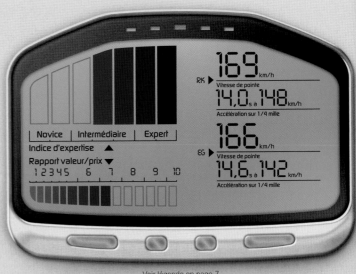

Voir légende en page 7

Moteur

Type	bicylindre 4-temps en V à 45 degrés (Twin Cam 96 (Ltd : TC 103), culbuté, 2 soupapes par cylindre, refroidissement par air
Alimentation	injection séquentielle
Rapport volumétrique	9,2:1 (Ltd : 9,7:1)
Cylindrée	1 584 cc (Ltd : 1 690 cc)
Alésage et course	95,25 (Ltd : 98,43) mm x 111,25 mm
Puissance estimée	70 (Ltd :75) ch @ 5 000 tr/min
Couple	92,6 (Ltd :102) lb-pi @ 3 500 tr/min
Boîte de vitesses	6 rapports
Transmission finale	par courroie
Révolution à 100 km/h	environ 2 400 tr/min
Consommation moyenne	6,1 l/100 km
Autonomie moyenne	372 km

Partie cycle

Type de cadre	double berceau, en acier
Suspension avant	fourche conventionnelle de 41,3 mm non ajustable
Suspension arrière	2 amortisseurs ajustables pour la pression d'air
Freinage avant	2 disques de 300 mm de Ø avec étriers à 4 pistons (Ltd : ABS)
Freinage arrière	1 disque de 300 mm de Ø avec étrier à 4 pistons (Ltd : ABS)
Pneus avant/arrière	EG, RK : 130/80 B17; RKC :130/90 B16; SG/RGC :130/90 B18 & 180/65 B16
Empattement	1 613 mm
Hauteur de selle	693 mm à 780 mm
Poids tous pleins faits	365 kg à 409 kg
Réservoir de carburant	22,7 litres

QUOI DE NEUF EN 2010 ?

Electra Glide Standard et Road Glide retirées de la gamme 2010

Introduction d'une édition Ultra Limited de l'Electra Glide avec moteur de 103 pouces cubes et équipements supplémentaires

Introduction du Street Glide Trike et de la Road Glide Custom

Street Glide devient une jumelle mécanique de la Road Glide Custom

Coûtent de 400 $ à 480 $ de moins qu'en 2009

PAS MAL

Des lignes classiques et intemporelles dont la popularité est bien reflétée par le nombre de fois où on les retrouve sur des customs de manufacturiers rivaux

Un V-Twin qui, sans être le plus communicatif du catalogue américain, chante de manière fort agréable et génère un niveau de performances que la majorité des acheteurs trouvera tout à fait suffisant

Une facilité de pilotage qui surprend et rend ces motos, qui sont techniquement des poids lourds, accessibles aux moins qu'experts

BOF

Une suspension arrière dont le comportement sur des routes pas trop abîmées peut être qualifié de correct, mais qui devient sèche dès que l'état de la chaussée se détériore au-delà de ce point

Des pare-brise qui génèrent tous une turbulence plus ou moins importante au niveau du casque, sur l'autoroute

Une certaine nervosité de la direction sur l'autoroute où le moindre mouvement du pilote se transforme en réaction du châssis

Conclusion

Beaucoup s'étonnent de l'apprendre, mais l'Electra Glide est l'une des motos les plus vendues en Amérique du Nord. La romance avec laquelle elle aborde l'idée du voyage à moto constitue de manière indéniable l'une des deux principales raisons de son grand succès. L'autre étant simplement la fidélité de la clientèle envers la marque mythique puisqu'une Electra Glide représente la seule solution pour l'amateur de Harley qui souhaite soit voyager sérieusement, soit bénéficier d'un haut niveau de confort. Les diverses variantes du concept que sont les Road King, Road Glide Custom et Street Glide proposent chacune une expérience très semblable, mais sans mettre un accent aussi marqué sur le voyage avec un grand V. Ce sont plutôt les Harley des longues balades.

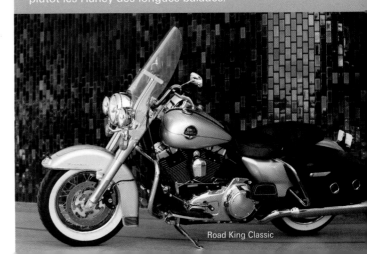

Road King Classic

Fat Boy Lo

HARLEY-DAVIDSON
MOTOR CYCLES

HARLEY-DAVIDSON
FAT BOY (LO), SOFTAIL DELUXE
HERITAGE SOFTAIL CLASSIC
NOUVELLE VARIANTE 2010

Le Dark Custom à son meilleur...

La plateforme Softail est celle qui rejoint le plus grand éventail d'amateurs chez Harley-Davidson. Même si la base s'avère très similaire sur la plupart des modèles, on y retrouve des styles suffisamment divers pour intéresser une clientèle aux goûts larges. Le trio formé par la célèbre Fat Boy, par l'élégante Softail Deluxe et par l'intemporelle Heritage Softail Classic se distingue du reste de la populaire famille par ses formes rondes aussi classiques que sympathiques. Pour 2010, Harley-Davidson étend son traitement Dark Custom à la Fat Boy et crée du coup une variante Lo du modèle qui se distingue en plus par ses suspensions abaissées. Il s'agit de la plus basse de tout le catalogue américain.

La manière avec laquelle Harley-Davidson conçoit ses familles de modèles est brillante. Il y a longtemps que la firme de Milwaukee a compris que le style vend une custom avant quoi que ce soit d'autre. Ce qui ne revient pas à dire que les acheteurs se fichent des autres facteurs, mais plutôt que tant que la ligne les séduit, on les satisfait sans avoir recours à des excès au chapitre de la mécanique et du comportement routier. Comme une tenue de route saine et un V-Twin coupleux résument plus ou moins les exigences de la moyenne des acheteurs en matière de comportement, on comprend la logique derrière l'idée d'une base commune qui ne change qu'au niveau du style.

La nouvelle Fat Boy Lo représente un exemple parfait de cette façon de concevoir des «nouveautés» puisqu'il s'agit d'une Fat Boy ayant subi un traitement visuel que Harley-Davidson appelle Dark Custom, ce qu'on pourrait traduire de manière crue par custom sombre. Le traitement vise à créer une image mise en valeur par des pièces noires plutôt que chromées. Le but de l'exercice consiste à attirer une clientèle différente, plus jeune, en fait, en s'éloignant du traditionnel thème du chrome mur à mur que les jeunes motocyclistes associent beaucoup aux vieux. Des modèles comme les Sportster 1200 Nightster et 883 Iron, ou comme la Night Rod Special sont de parfaits exemples d'un tel traitement. Dans le cas de la Fat Boy Lo, non seulement l'effet est fort réussi puisqu'il change complètement l'image du modèle, mais dans ce cas, le comportement est aussi considérablement différent de celui

LE BUT DU TRAITEMENT DARK CUSTOM EST DE S'ÉLOIGNER DE L'UTILISATION «CLICHÉ» DU CHROME MUR-À-MUR.

de la monture originale qui continue, soit dit en passant, d'être offerte. En effet, afin d'amplifier davantage l'image agressive de la Lo, ses suspensions ont été abaissées de plus d'un pouce aux deux extrémités. La Fat Boy Lo est la Harley-Davidson offrant la plus faible hauteur de selle de la gamme américaine. Il s'agit d'une caractéristique qu'on remarque immédiatement non pas parce qu'on a les jambes presque pliées à 90 degrés avec les pieds au sol, mais plutôt parce qu'avec un centre de gravité aussi bas, la maniabilité apparaît démultipliée. En fait, la facilité avec laquelle la Lo se pilote n'est ni plus ni moins qu'extraordinaire. Aucune custom poids lourd n'est à sa hauteur à ce chapitre.

Offrant un comportement quand même très comparable, les Fat Boy, Softail Deluxe et Heritage Softail Custom proposent toutes des manières très saines en virage et une très grande légèreté de direction. Bien entendu, l'Heritage se distingue des autres grâce à ses accessoires, mais la réalité est que son pare-prise, bien qu'efficace, génère de la turbulence sur l'autoroute et que ses sacoches sont relativement petites. Le thème du «tourisme léger» doit donc être pris avec une certaine retenue.

Le V-Twin qui anime chacune de ces variantes est l'excellent Twin Cam 96. Il s'agit d'une mécanique plutôt coupleuse, assez agréable à l'oreille et qui demeure douce sauf en pleine accélération, lorsqu'elle se met à trembler de manière plaisante. Elle correspond très bien à la personnalité des modèles.

« LA FAT BOY OFFRAIT DÉJÀ UN
COMPORTEMENT PARTICULIÈREMENT
ACCESSIBLE POUR UNE MACHINE DE CETTE
CYLINDRÉE, MAIS LA NOUVELLE VERSION LO
ÉLÈVE CETTE QUALITÉ À UN NIVEAU INÉGALÉ.
VOUS NE TROUVEREZ TOUT SIMPLEMENT
PAS UNE CUSTOM POIDS LOURD PLUS
FACILE À PILOTER. »

Softail Deluxe

Un peu plus rétro, un peu plus touriste

La Softail Deluxe est à peu de choses près une Fat Boy affichant un thème visuel et un choix de finition différents. Elle est aussi un exemple de docilité sur la route. Le poids des deux variantes semble presque disparaître une fois qu'elles sont en mouvement, tandis que leur large guidon bas élimine pratiquement tout effort lors des changements de direction. Si le comportement général de l'Heritage peut être décrit d'une façon assez similaire, l'expérience de conduite qu'elle réserve diffère toutefois légèrement. La position assise et décontractée est semblable, mais le guidon moins large et plus haut demande une implication un peu plus grande en virage. Son équipement n'est pas suffisant pour en faire une légitime machine de tourisme, mais améliore quand même l'aspect pratique du modèle au quotidien.

Heritage Softail Classic

Général

Catégorie	Custom / Tourisme léger
Prix	FB : 18 999 $; FBL : 19 369 $; HSC : 20 349 $; SD : 20 199 $
Immatriculation 2010	627 $
Catégorisation SAAQ 2010	« régulière »
Évolution récente	plateforme revue en 2000; Deluxe introduit en 2005; TC96B introduit en 2007; Fat Boy Lo introduite en 2010
Garantie	2 ans/kilométrage illimité
Couleur(s)	choix multiples
Concurrence	Kawasaki Vulcan 1700 Classic, Victory Kingpin, Yamaha Road Star, Kawasaki Vulcan 1700 Classic LT, Yamaha Road Star Silverado

Voir légende en page 7

Moteur

Type	bicylindre 4-temps en V à 45 degrés (Twin Cam 96B), culbuté, 2 soupapes par cylindre, refroidissement par air
Alimentation	injection séquentielle
Rapport volumétrique	9,2:1
Cylindrée	1 584 cc
Alésage et course	95,25 mm x 111,25 mm
Puissance estimée	70 ch @ 5 000 tr/min
Couple	93,7 lb-pi @ 3 000 tr/min
Boîte de vitesses	6 rapports
Transmission finale	par courroie
Révolution à 100 km/h	environ 2 400 tr/min
Consommation moyenne	5,7 l/100 km
Autonomie moyenne	331 km

Partie cycle

Type de cadre	double berceau, en acier
Suspension avant	fourche conventionnelle de 41,3 mm non ajustable
Suspension arrière	2 amortisseurs ajustables en précharge
Freinage avant	1 disque de 292 mm de Ø avec étrier à 4 pistons
Freinage arrière	1 disque de 292 mm de Ø avec étrier à 2 pistons
Pneus avant/arrière	MT90 B16 & 150/80 B16 (FB : 140/75-17 & 200/55-17)
Empattement	1 638 mm
Hauteur de selle	FB : 699 mm; FBL : 669 mm; HSC : 697 mm; SD : 660 mm
Poids tous pleins faits	FB : 328 kg; FBL : 331 kg; HSC : 345 kg; SD : 329 kg
Réservoir de carburant	18,9 litres

QUOI DE NEUF EN 2010 ?

Introduction d'une version Lo de la Fat Boy

5e rapport amélioré

Amélioration de la précision de l'indicateur du niveau d'essence

Fat Boy coûte 380 $, Softail Deluxe 1 180 $ et Heritage Softail Classic 1 640 $ de moins qu'en 2009

PAS MAL

Des lignes classiques et intemporelles dont la popularité est bien reflétée par le nombre de fois où on les retrouve sur des customs de manufacturiers rivaux; un thème Dark Custom rafraîchissant sur la Lo

Un V-Twin qui, sans être le plus communicatif du catalogue américain, chante de manière fort agréable et génère un niveau de performances que la majorité des acheteurs trouvera tout à fait suffisant

Une facilité de pilotage qui surprend et rend ces motos, qui sont techniquement des poids lourds, accessibles aux moins qu'experts; la Fat Boy Lo est même dans une classe à part à ce chapitre

BOF

Une suspension arrière dont le comportement sur des routes pas trop abîmées peut être qualifié de correct, mais qui devient sèche dès que l'état de la chaussée se détériore au-delà de ce point

Un thème « tourisme léger » qui doit justement être pris à la légère sur l'Heritage puisqu'on n'a décidément pas affaire à une Street Glide

Une certaine nervosité de la direction sur l'autoroute où le moindre mouvement du pilote se transforme en réaction du châssis

Conclusion

Il est indéniable que le style joue un très grand rôle parmi les facteurs qui poussent un acheteur vers l'un de ces choix. Quiconque dirait autrement joue non seulement à l'autruche, mais le fait aussi pour rien puisqu'il n'y a absolument rien de mal à faire un choix de cette façon, du moins dans le cas de ce groupe. Toutes ces variantes de « la sympathique Softail ronde » offrent un comportement général très satisfaisant, alors que la nouvelle Fat Boy Lo pousse l'accessibilité d'une custom poids lourd à un niveau jamais vu auparavant. Il ne s'agit pas des plus caractérielles des Harley, mais plutôt de montures destinées à plaire au plus grand nombre. Elles sont différentes incarnations de la grosse Harley conçue pour la masse.

Fat Boy

Cross Bones

HARLEY-DAVIDSON
CROSS BONES, SOFTAIL CUSTOM

Seulement chez Harley...

Les Cross Bones et Softail Custom illustrent, de jolie manière, la facilité qu'ont les stylistes de Harley-Davidson à complètement transformer une base commune. De sympathique et amical qu'il était sur la Fat boy et ses diverses variantes, le visage de la plateforme Softail devient ici carrément sinistre. La Cross Bones — un nom qui fait référence aux os croisés du drapeau pirate — n'y va pas avec le dos de la cuillère en matière de style : selle solo à ressorts, la seule fourche Springer du catalogue Harley-Davidson, guidon Ape Hanger et, pour finir, une ligne qui semble avoir été dessinée à la demande d'un tueur en série. Notons que la Night Train disparaît de la gamme cette année.

On entend très souvent dire que les Harley-Davidson sont différentes, mais très rarement obtient-on une explication concrète de la nature de cette différence. L'une des facettes du phénomène tient de l'inspiration artistique des stylistes de la marque, un fait on ne peut plus évident avec la Cross Bones et la Softail Custom.

Malgré le côté extrême, voire agressif, que dégage le style de chacune, on découvre des montures étonnamment civilisées une fois en selle. La Cross Bones surprend le plus, car même sa position, qui semble pourtant extrême en raison du guidon haut et de la selle à ressorts, s'avère tout à fait tolérable. Quant à la mécanique, il s'agit exactement du même V-Twin qui anime les autres Softail. Il tire agréablement bien en bas et au milieu grâce à son couple généreux, se montre très doux au ralenti comme sur l'autoroute, et ne tremble en fait vraiment qu'en pleine accélération. La sonorité qui s'échappe de ses silencieux est, quant à elle, profonde et mélodieuse.

Au chapitre du comportement routier, la Cross Bones diffère légèrement de la Softail Custom. Celle-ci a recours à une longue fourche dont l'angle est ouvert et qui étrenne une grande et mince roue avant, ce qui lui confère une grande stabilité au prix de manières un tout petit peu maladroites durant les manœuvres serrées. La Cross Bones fait plutôt appel à une rare fourche de type Springer et à un pneu avant plus large de moins grand diamètre. L'ensemble se comporte étonnamment bien dans

> ## ELLES SONT L'EXEMPLE PARFAIT DE L'AUDACE STYLISTIQUE ET DE L'AUTHENTICITÉ CRÉATIVE DE HARLEY-DAVIDSON.

la majorité des situations puisque la stabilité est toujours bonne et que le comportement en courbe, à rythme de balade évidemment, est tout ce qu'il y a de sain. Seul le guidon haut demande une certaine habitude lors de virages très serrés comme un virage en U. Mais on s'y fait. Comme sur tous les autres modèles ayant recours à ce genre de fourche, le freinage est toutefois médiocre. Malgré la très faible puissance de l'étrier avant à piston unique, la fourche s'affaisse complètement dès qu'on ralentit avec un peu de force en utilisant le frein avant.

La position de conduite des deux modèles doit être qualifiée de très typée, bien que pas au point de tomber dans l'extrême. Celle de la Cross Bones est étrangement la plus normale, surtout en raison de la hauteur de sa selle, tandis que la Softail Custom vous force à étirer les jambes loin devant, place vos mains assez haut et vous penche même un peu vers l'arrière si vous étirez les bras. Il s'agit d'un genre de posture qu'on critiquerait sûrement beaucoup s'il ne s'agissait pas d'une Harley-Davidson, mais, pour une raison étrange, tout ça semble normal sur une custom provenant de Milwaukee.

En fait, la vérité est qu'on accepte volontiers la ligne très particulière des Cross Bones et Softail Custom, ainsi que leurs quelques caprices, justement parce que leur constructeur a osé les imaginer et les produire. Il s'agit d'une audace stylistique et d'une authenticité créative dont seul Harley-Davidson fait preuve dans l'univers custom.

Général

Catégorie	Custom
Prix	Cross Bones : 20 189 $ Softail Custom : 20 279 $
Immatriculation 2010	627 $
Catégorisation SAAQ 2010	« régulière »
Évolution récente	Custom introduite en 2007, Cross Bones en 2008; TC96B introduit en 2007
Garantie	2 ans/kilométrage illimité
Couleur(s)	choix multiples
Concurrence	Victory Vegas Jackpot, Yamaha Raider

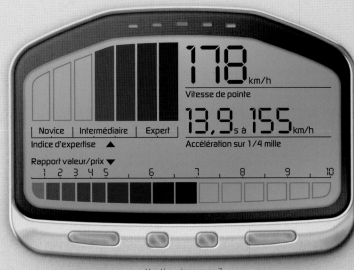

178 km/h	Vitesse de pointe
13,9 s à 155 km/h	Accélération sur 1/4 mille

Novice | Intermédiaire | Expert
Indice d'expertise ▲
Rapport valeur/prix ▼
1 2 3 4 5 6 7 8 9 10

Voir légende en page 7

Moteur

Type	bicylindre 4-temps en V à 45 degrés (Twin Cam 96B), culbuté, 2 soupapes par cylindre, refroidissement par air
Alimentation	injection séquentielle
Rapport volumétrique	9,2:1
Cylindrée	1 584 cc
Alésage et course	95,25 mm x 111,25 mm
Puissance estimée	70 ch @ 5 000 tr/min
Couple	93,7 lb-pi @ 3 000 tr/min
Boîte de vitesses	6 rapports
Transmission finale	par courroie
Révolution à 100 km/h	environ 2 400 tr/min
Consommation moyenne	5,7 l/100 km
Autonomie moyenne	331 km

Partie cycle

Type de cadre	double berceau, en acier
Suspension avant	fourche conventionnelle de 41,3 mm non ajustable (Cross Bones : fourche Springer)
Suspension arrière	2 amortisseurs ajustables en précharge
Freinage avant	1 disque de 292 mm de Ø avec étrier à 4 (CB : 1) pistons
Freinage arrière	1 disque de 292 mm de Ø avec étrier à 2 pistons
Pneus avant/arrière	MH90-21 (CB : MT90B-16) & 200/55 R17
Empattement	1 638 mm
Hauteur de selle	SC : 719 mm; CB : 765 mm
Poids à vide	SC : 319 kg; CB : 332 kg
Réservoir de carburant	18,9 litres

QUOI DE NEUF EN 2010 ?

Night Train retirée de la gamme

5ᵉ rapport amélioré

Amélioration de la précision de l'indicateur du niveau d'essence

Cross Bones coûte 400 $ et Softail Custom coûte 390 $ de moins qu'en 2009

PAS MAL

Des styles tellement marquants qu'ils deviennent carrément des thèmes; la plateforme Softail semble être devenue la toile sur laquelle les stylistes de la marque se laissent le plus aller

Un V-Twin qui n'accomplit rien d'exceptionnel, mais qui fait quand même tout bien en se montrant juste assez coupleux et en grondant juste de la bonne façon

Une partie cycle au comportement généralement sain, du moins tant que l'atmosphère reste à la balade

BOF

Une fourche Springer sur la Cross Bones qui s'affaisse et talonne dès que le frein avant pourtant faible est appliqué avec force

Une suspension arrière correcte tant que l'état du revêtement reste décent, mais qui devient rude sur pavé abîmé

Des positions de conduite typées qui limitent le confort sur long trajet, mais sans lesquelles le thème émanant du style n'aurait pas toute son authenticité

Conclusion

Les Softail Custom et Cross Bones sont, d'une certaine manière, les variantes rebelles de la famille Softail. Contrairement aux diverses variantes Softail qui sont dérivées de la Fat Boy et qui ne sont finalement que des customs tout ce qu'il y a de classique, ces deux-là représentent des choix beaucoup plus audacieux. Non, mais regardez un peu la Cross Bones... Seul Harley-Davidson peut se permettre d'offrir des styles aussi osés. Ces lignes sont d'ailleurs la raison première pour laquelle quiconque s'intéresse à elles. Comme elles sont construites sur la base équilibrée et éprouvée qu'est la plateforme Softail, c'est sans la moindre contre-indication que nous encourageons les intéressés à choisir celle qui les représente le mieux.

Softail Custom

Remember
Who You Are.

HARLEY-DAVIDSON
ROCKER C

Réponse à la frénésie du Chopper...

La Rocker constitue l'offre de la célèbre marque de Milwaukee aux maniaques de choppers artisanaux munis d'un gros pneu arrière et d'une fourche à grand angle. À la différence de ces derniers, elle est construite de manière à être parfaitement utilisable au jour le jour. En effet, sous ses traits un peu étranges inspirés des créations d'ateliers privés, se trouve une plateforme Softail modifiée afin de recevoir un pneu arrière de 240 mm et dont l'angle de la fourche est ouvert à 37 degrés. Afin d'offrir à la fois un look solo et la possibilité de transporter un passager, la selle arrière est repliée à l'intérieur même de la selle du pilote. La version au fini mat du modèle est retirée de la gamme en 2010.

Contrairement à la large majorité des choppers provenant d'ateliers privés, la Rocker offre plus qu'une ligne et propose plutôt à son pilote une expérience bien plus complète en matière de comportement. Il s'agit d'une vraie moto de production construite par une vraie compagnie et qui peut donc être roulée sur une base quotidienne sans autre inconvénient que celui d'un niveau de confort limité par une position typée et une suspension arrière honnête, mais sans plus.

La selle extrêmement basse, le guidon large qui ne recule que peu vers le pilote et les repose-pieds avancés se combinent pour créer une position cool qui ne tombe toutefois pas dans l'extrême. Le confort offert par la selle — son style solo cache un ingénieux système de déploiement d'une petite partie arrière permettant d'accueillir un passager — est correct tandis que le travail des suspensions ne devient rude que sur des routes dégradées. À ce sujet, Harley-Davidson a réussi un bon coup en créant une partie arrière ressemblant à s'y méprendre à un cadre rigide (sans suspension arrière), mais qui est bel et bien munie d'une suspension dotée d'un débattement vivable. Le constructeur a d'ailleurs dû faire face à plusieurs autres problèmes de nature technique amenés par les lignes particulières d'un chopper. Mais le style devait absolument primer dans ce projet, comme c'est d'ailleurs la coutume chez Harley, et chacun de ces obstacles fut surmonté.

Le meilleur exemple du genre de problème amené par une ligne extrême sur une monture de grande production

concerne la tenue de route qui, sur un chopper artisanal typique, est absolument atroce. Harley-Davidson affirme avoir testé plus d'une vingtaine de combinaisons de pneus spécialement préparés par Dunlop avant d'arrêter son choix.

Le comportement étonnamment sain de la Rocker, qui résiste à peine en entrée de courbe et se manie bien dans toutes les autres situations, est le résultat du travail considérable des ingénieurs qui sont finalement arrivés à marier de façon harmonieuse un tel angle de fourche à des pneus de 90 mm à l'avant et 240 mm à l'arrière. En fait, la Rocker est probablement la moto munie d'un large pneu arrière offrant le comportement le plus normal sur le marché.

Puisque la Rocker est une Softail, elle est propulsée par le même V-Twin de 96 pouces cubes que le reste de la famille. Il s'agit d'un moteur destiné à plaire à la masse plutôt qu'aux exigeants «fins connaisseurs» et qui se montre donc relativement doux, bien qu'on le sente tout de même vrombir agréablement en accélération. Sa livrée de puissance est surtout caractérisée par la bonne disponibilité de couple à bas et moyen régimes, tandis que ses performances, bien que pas spectaculaires, sont à la hauteur des attentes de la plupart des amateurs de customs poids lourd. Sa sonorité profonde et veloutée est facilement audible grâce à des silencieux juste assez bavards. Sa transmission et son embrayage fonctionnent sans accroc, mais chaque passage de vitesse est clairement audible, tradition oblige.

> ELLE EST PROBABLEMENT LA CUSTOM À PNEU ARRIÈRE LARGE LA MIEUX MANIÉRÉE DU MARCHÉ.

Général

Catégorie	Custom
Prix	23 399 $
Immatriculation 2010	627 $
Catégorisation SAAQ 2010	« régulière »
Évolution récente	introduite en 2008
Garantie	2 ans/kilométrage illimité
Couleur(s)	noir, charbon, bleu, rouge vin
Concurrence	Honda Fury, Yamaha Raider

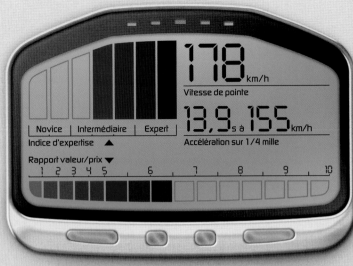

Voir légende en page 7

Moteur

Type	bicylindre 4-temps en V à 45 degrés (Twin Cam 96B), culbuté, 2 soupapes par cylindre, refroidissement par air
Alimentation	injection séquentielle
Rapport volumétrique	9,2:1
Cylindrée	1 584 cc
Alésage et course	95,25 mm x 111,25 mm
Puissance estimée	70 ch @ 5 000 tr/min
Couple	92,2 lb-pi @ 3 000 tr/min
Boîte de vitesses	6 rapports
Transmission finale	par courroie
Révolution à 100 km/h	environ 2 400 tr/min
Consommation moyenne	5,7 l/100 km
Autonomie moyenne	331 km

Partie cycle

Type de cadre	double berceau, en acier
Suspension avant	fourche conventionnelle de 49 mm non ajustable
Suspension arrière	2 amortisseurs ajustables en précharge
Freinage avant	1 disque de 292 mm de Ø avec étrier à 4 pistons
Freinage arrière	1 disque de 292 mm de Ø avec étrier à 2 pistons
Pneus avant/arrière	90/90-19 & 240/40 R18
Empattement	1 758mm
Hauteur de selle	696 mm
Poids tous pleins faits	325 kg
Réservoir de carburant	18,5 litres

QUOI DE NEUF EN 2010 ?

Retrait de la version Rocker à finition mate

5e rapport amélioré

Coûte 470 $ de moins qu'en 2009

PAS MAL

Un comportement très étonnant pour une moto aussi radicalement conçue puisqu'il est très près de celui d'une custom normale

Une ligne très particulière puisqu'elle s'inspire de celle des choppers artisanaux; à part la Yamaha Raider et la Honda Fury qui proposent une direction stylistique semblable, ce thème demeure très rare sur une moto de production

Un moteur plaisant qu'on connaît bien puisque c'est celui qui anime le reste de la famille Softail

BOF

Une légère tendance de la direction à vouloir tomber à l'intérieur des virages pris à très basse vitesse, en sortant d'un stationnement, par exemple

Une ligne osée et unique, mais qui ne semble pas aussi habilement proportionnée que celles des autres Harley-Davidson pour une raison qu'il est difficile de déterminer

Une suspension arrière qui travaille correctement la plupart du temps, mais qui peut se montrer rude sur une route au revêtement abîmé

Une facture salée sans beaucoup de raisons valables; la large roue arrière est techniquement la seule différence fondamentale avec les autres Softail

Conclusion

De mémoire d'homme, on ne se souvient pas de la dernière fois où Harley-Davidson s'est retrouvé dans le rôle de l'imitateur plutôt que dans celui de l'imité. C'est pourtant le cas ici. La Rocker n'est pas, comme toutes les autres Harley, née de l'inspiration généralement géniale des stylistes de Milwaukee, mais est plutôt l'enfant d'une mode, celle des choppers artisanaux. Comme la qualité de son comportement est infiniment supérieure à celle de ces derniers et que sa mécanique, le très honnête TC96B, fait bien ce qu'elle a à faire, nous ne pouvons émettre aucune contre-indication à son égard d'un point de vue technique. Mais il ne s'agit certes pas d'un classique de la marque et nous ne pouvons nous empêcher de lui trouver un petit quelque chose de pas très authentique. D'habitude, ce sont les autres qui font comme Harley, pas le contraire.

Super Glide Custom

HARLEY-DAVIDSON

STREET BOB, SUPER GLIDE
SUPER GLIDE CUSTOM

Grandes sensations, petit prix...

La Super Glide et la Street Bob représentent les manières les plus abordables d'accéder aux Harley-Davidson de grosse cylindrée. Contrairement aux modèles de la famille Sportster qui sont des Harley d'entrée de gamme, celles-ci n'ont rien à envier aux modèles plus chers de la famille Softail au chapitre de la mécanique ou du châssis. En fait, pour les amateurs de sensations fortes, les montures de la famille Dyna peuvent même être considérées comme certaines des Harley-Davidson les plus désirables en raison de leur cadre à supports de moteur souples qui donne littéralement vie au gros V-Twin de Milwaukee. La variante Custom de la Super Glide est mieux finie et plus équipée.

C e trio de Dyna se veut une sorte d'exception à la règle puisqu'il s'agit d'authentiques Harley-Davidson poids lourds offertes non pas pour une somme prohibitive pour la moyenne des acheteurs de customs, mais plutôt pour un prix inférieur à celui de la plupart des modèles japonais directement concurrents, soit plus ou moins 15 000 $. On pourrait penser que des sacrifices potentiellement inacceptables sont à la source de ces prix, mais ce n'est en fait qu'au niveau de la finition réduite et d'une attention aux détails moins poussée que l'économie réalisée par Harley-Davidson se trouve. Le constructeur de Milwaukee fait néanmoins certains efforts afin d'améliorer ce point, comme en témoignent les progrès de l'apparence des mécaniques des Super Glide Custom et Street Bob en 2010.

S'il reste quand même qu'une Super Glide de base n'a pas le panache d'une Softail Deluxe, le fait est qu'en matière de châssis et de mécanique, ces Dyna demeurent en tout point équivalentes aux modèles plus chers du catalogue américain. La réalité est même que le cadre Dyna, avec son unique montage souple du V-Twin de 96 pouces cubes propulsant toutes les grosses Harley, représente une direction beaucoup plus désirable pour l'amateur de mécanique custom forte en caractère. Car au chapitre des sensations surtout tactiles ressenties par le pilote, les Dyna, peu importe laquelle, figurent aisément parmi les modèles les plus communicatifs qu'on puisse acheter, toutes marques et toutes cylindrées confondues.

> **LE COMPORTEMENT S'AVÈRE ÉTONNAMMENT ACCESSIBLE, ET CE, MALGRÉ LA MASSE CONSIDÉRABLE ET LES 1 600 CC DU V-TWIN.**

Du ralenti jusqu'à environ 2 500 tr/min, une Dyna propose un degré de communication extraordinairement élevé entre les mouvements des pistons et les pulsations mécaniques ressenties par le pilote. Ce profond tremblement s'adoucit ensuite comme par magie, si bien que le gros V-Twin ne fait plus que doucement gronder à 100 km/h. Grâce à l'arrivée du plus gros Twin Cam 96 en 2007, les performances sont d'un niveau bien plus satisfaisant que dans le passé, et ce, surtout à bas et moyen régimes, là où la mécanique se trouve la majorité du temps.

Ce groupe de Dyna affiche un comportement étonnamment accessible compte tenu de son poids approchant les 300 kilos et de sa cylindrée de presque 1 600 cc. Des selles basses, un centre de gravité bas et des guidons larges et plutôt bas qui tombent naturellement sous les mains résument les caractéristiques responsables de cette facilité de prise en main. La seule exception à ce sujet concerne la Street Bob dont la position de conduite dictée par son haut guidon Ape Hanger n'a non seulement rien de très naturel, mais demande même une bonne attention lors de manœuvres serrées. En raison de la distance réduite entre les selles basses et les commandes aux pieds situées en position centrale, les pilotes aux jambes le moindrement longues pourraient se sentir coincés, ou à tout le moins, étrangement installés. Des selles honnêtes et des suspensions souples confèrent à chacun des modèles un niveau de confort satisfaisant.

Général

Catégorie	Custom
Prix	SG : 14 449 $; SGC : 15 599 $; SB : 15 449 $
Immatriculation 2010	627 $
Catégorisation SAAQ 2010	« régulière »
Évolution récente	Street Bob introduite en 2007; TC96 introduit en 2007
Garantie	2 ans/kilométrage illimité
Couleur(s)	choix multiples
Concurrence	Kawasaki Vulcan 1700 Classic, Suzuki Boulevard C90, Yamaha Road Star 1700

Moteur

Type	bicylindre 4-temps en V à 45 degrés (Twin Cam 96), culbuté, 2 soupapes par cylindre, refroidissement par air
Alimentation	injection séquentielle
Rapport volumétrique	9,2:1
Cylindrée	1 584 cc
Alésage et course	95,25 mm x 111,25 mm
Puissance estimée	70 ch @ 5 000 tr/min
Couple	92 lb-pi @ 3 000 tr/min
Boîte de vitesses	6 rapports
Transmission finale	par courroie
Révolution à 100 km/h	environ 2 400 tr/min
Consommation moyenne	5,6 l/100 km
Autonomie moyenne	SB et SG : 317 km; SGC : 337 km

178 km/h
Vitesse de pointe

13,7 s à 156 km/h
Accélération sur 1/4 mille

Novice | Intermédiaire | Expert
Indice d'expertise ▲

Rapport valeur/prix ▼
1 2 3 4 5 6 7 8 9 10

Voir légende en page 7

Partie cycle

Type de cadre	double berceau, en acier
Suspension avant	fourche conventionnelle de 49 mm non ajustable
Suspension arrière	2 amortisseurs ajustables en précharge
Freinage avant	1 disque de 300 mm de Ø avec étrier à 4 pistons
Freinage arrière	1 disque de 292 mm de Ø avec étrier à 2 pistons
Pneus avant/arrière	100/90-19 & 160/70 B17
Empattement	1 630 mm
Hauteur de selle	SB : 678 mm; SG : 673 mm; SGC : 673 mm
Poids tous pleins faits	SB : 302 kg; SG : 301 kg; SGC : 307 kg
Réservoir de carburant	Street Bob et Super Glide : 17,8 litres; Super Glide Custom : 18,9 litres

QUOI DE NEUF EN 2010 ?

Finition du moteur complètement noire sur la Street Bob et noire avec couvercles chromés sur la Super Glide Custom

5e rapport amélioré, dessin des rainures des pneus revu

Street Bob coûte 280 $, Super Glide 290 $ et Super Glide Custom 300 $ de moins qu'en 2009

PAS MAL

D'excellentes occasions pour quiconque rêve d'une Harley-Davidson « pleine grandeur » à prix raisonnable

Une mécanique au caractère carrément ensorcelant qui tremble et qui gronde comme aucun autre V-Twin en existence, ainsi qu'un niveau de performances tout à fait satisfaisant

Une accessibilité de pilotage étonnante pour des customs d'une telle cylindrée et de tels poids; les Dyna sont agréablement amicales à piloter

BOF

Un bas prix intéressant pour la Super Glide, mais qui se traduit par un niveau de finition rudimentaire, une selle solo et une ligne ordinaire; au moins, les bons morceaux (TC96, injection, 6 vitesses) sont tous là

Une position de conduite plus ou moins naturelle sur tous les modèles à cause de la position centrale des repose-pieds; la posture très particulière qu'impose la Street Bob ne plaira décidément pas à tous

Une mécanique dont le caractère est tellement fort que certains motocyclistes n'arrivent pas à s'y faire; il s'agit des clients parfaits pour les Softail dont les sensations mécaniques sont bien plus communes

Conclusion

Se diriger vers le prix le moins élevé revient souvent à choisir un produit inférieur, mais dans le cas de ces trois membres de la famille Dyna, on a exceptionnellement affaire à des montures équivalentes en tout point aux modèles haut de gamme, du moins d'un point de vue technique. C'est principalement en proposant une finition moins poussée et une selle de passager optionnelle sur toutes sauf la Super Glide Custom que Harley-Davidson est arrivé à réduire la facture de manière considérable. La bonne, et même très bonne nouvelle est que les grosses Harley les moins chères sont aussi celles qui possèdent la version la plus communicative du TC96. Peu importe le modèle choisi, il s'agit d'une mécanique au caractère presque magique qui renvoie des sensations d'un genre qu'on ne retrouve nulle part ailleurs que dans le catalogue de la firme de Milwaukee.

Street Bob

Wide Glide

FAT BOB & WIDE GLIDE

NOUVEAUTÉ 2010

Art mécanique...

Tant qu'il s'agit de customs, on trouve vraiment de tout dans le catalogue Harley-Davidson. Des montures économiques comme les Sportster jusqu'aux modèles classiques comme la Fat Boy en passant par tout ce qu'on peut imaginer entre les deux. Les Dyna Fat Bob et Wide Glide — de retour en 2010 après une absence d'un an — sont les équivalents stylistiques des Cross Bones et Softail Custom chez les Softail : il s'agit de modèles pour lesquels on a carrément donné carte blanche aux stylistes. La Fat Bob affiche une ligne trapue et musclée alors que la Wide Glide se veut l'exemple parfait de la custom de la vieille école, avec sa peinture enflammée, sans grande roue avant et sa «sissy bar» miniature.

Les amateurs de Harley font souvent face aux questions et aux critiques des «autres» en répondant que s'ils demandent, c'est qu'ils ne pourraient comprendre. C'est peut-être baveux et même probablement prétentieux, mais ce n'est pas faux. C'est aussi, néanmoins, une manière de ne pas répondre à une question très complexe : qu'ont donc de si spécial ces Harley-Davidson ? En poussant le raisonnement au-delà des réponses classiques comme la sonorité d'un V-Twin américain et l'attrait de l'image rebelle associée à la marque, on s'approche d'une zone très rarement explorée de l'univers Harley-Davidson. On entre alors dans un espace où l'attrait purement mécanique devient secondaire et où l'appréciation du travail des artistes que sont les stylistes de la marque, Willie G. Davidson en tête, elle, devient majeure. Dans cet espace, les «nouveautés» sont en fait des pièces d'art, des sculptures roulantes, des toiles motorisées qu'apprécient plus ou moins les amateurs de Harley lorsqu'elles sont dévoilées chaque année. Cela reviendrait-il à dire que les durs «gars de Harley» seraient d'une certaine manière des critiques d'art ? Si cet art est celui de Willie G. et cie, oui.

La «nouvelle» Wide Glide illustre parfaitement ce point puisqu'elle n'amène strictement rien de nouveau d'un point de vue technique. Elle est construite autour de la plateforme Dyna, est animée par le TC96 monté sur supports souples et fait appel à un cadre dont l'angle de la direction est plus prononcé que celui de la moyenne de la famille. Ça, c'est la toile. Ce qui vient après, c'est l'art.

> **CHEZ HARLEY-DAVIDSON, LES «NOUVEAUTÉS» SONT SOUVENT INTIMEMENT LIÉES AU TALENT ARTISTIQUE RESPONSABLE DU STYLE.**

Le nombre de combinaisons possibles entre les différents styles de roues, de garde-boue, de réservoirs, de guidons et de positions, pour ne nommer que ces caractéristiques, est infini. Inspirés dans ce cas par les customs «de la vieille école», les stylistes de Milwaukee sont arrivés à la pièce qu'est la Wide Glide 2010.

En ce qui concerne son comportement, il est le même que celui des autres Dyna au niveau des bonnes performances et du fort caractère du V-Twin, mais diffère un peu pour le reste. La position en C très typée, la selle extrêmement basse et le grand diamètre de la roue avant donnent l'impression de piloter une monture basse, fine, longue et très stable. Les manières en virage sont très correctes, mais la Wide Glide n'est pas clairement conçue pour jouer les sportives et préfère qu'on s'en tienne à la balade.

Bien qu'elle partage ses principaux éléments mécaniques avec la Wide Glide, la Fat Bob propose une expérience considérablement différente. La poussée, le tremblement et le grondement du V-Twin sont identiques et même la position de conduite est semblable, mais l'expérience est différente. Les roues larges de faible diamètre de la Fat Bob lui confèrent une aisance en courbe dont très peu de Harley-Davidson font preuve. Dans ce cas, on a plutôt l'impression de piloter une monture courte, précise et agile. La Fat Bob propose une combinaison de caractéristiques unique dans le catalogue de la firme de Milwaukee puisqu'elle s'avère joueuse et invitante en virage plutôt que paresseuse et lourde. Il s'agit d'une des rares Harley qu'on prend vraiment plaisir à *piloter*.

L'UNE DES RAISONS POUR LESQUELLES ON PERÇOIT HARLEY-DAVIDSON SI DIFFÉREMMENT DES AUTRES CONSTRUCTEURS EST QU'IL APPROCHE LE MOTOCYCLISME D'UN ANGLE TRÈS DIFFÉRENT. SES PRODUITS, COMME LA NOUVELLE WIDE GLIDE, SONT UNE COMBINAISON TRÈS PARTICULIÈRE DE MÉCANIQUE ET D'ART.

La lentille de Tom Riles, de Riles & Nelson, est responsable de ce cliché de la Wide Glide. Prise au Colorado, quelque part sur une montagne dans la région de Denver, la photo montre la dernière venue de la famille Dyna « en courbe ». Le châssis et les pneus ne demandaient qu'à pencher plus, mais le silencieux, déjà à quelques centimètres du sol avec un angle aussi faible, frottait durement le pavé aussitôt que le rythme augmentait. À proscrire aux coureurs.

L'âme de Harley-Davidson

William G. Davidson est une figure emblématique pour Harley-Davidson. Le sentiment que génère l'homme chez les très nombreux amateurs de la marque de Milwaukee, qui le connaissent d'ailleurs tous, peu importe où ils se trouvent sur la planète, frôle souvent l'adulation. Mais Willie G., comme on l'appelle amicalement, est beaucoup plus qu'un symbole pour Harley-Davidson. Il est même beaucoup plus qu'un des rares liens de sang directs avec les fondateurs de la célèbre compagnie. En fait, Willie G. Davidson n'est ni plus ni moins que l'âme de Harley-Davidson en termes de stylisme, et ce, même si la modestie l'empêche de l'admettre.

Un amoureux des arts depuis toujours — ses études furent en art —, il prétend avant tout être un artiste dont le talent est de « peindre » des Harley-Davidson. En lui parlant, on découvre que l'affirmation n'a rien d'une formule dictée par l'équipe de marketing de la marque, mais qu'elle reflète bel et bien la réalité. Willie G. Davidson n'est pas un ingénieur, il n'est pas un fiscaliste et il n'est pas un relationniste. Il crée des Harley-Davidson. Il les imagine jusque dans leurs détails les plus anodins et supervise une équipe qui transforme son rêve en réalité. Il insiste toutefois pour qu'un crédit adéquat soit accordé à ses collègues. « Cela fait si longtemps que je travaille ici que les gens croient souvent que je fais tout. Mais ça serait évidemment impossible. On a une équipe avec des designers, des sculpteurs, des ingénieurs, des gens de marketing, etc. Il faut beaucoup de monde pour faire une Harley-Davidson ! Ces gens travaillent très fort et un immense crédit leur revient. » Voilà qui est maintenant fait. Je tente toutefois de savoir jusqu'à quel point cette touche magique, ce style et ces détails bien particuliers, cet intangible quelque chose qui fait d'une Harley une Harley proviennent de cet homme, puisque c'est exactement ce que je soupçonne. Or, cette très modeste réponse n'est pas celle que je recherche. Comprenant qu'il n'avouera pas de lui-même l'importance qu'il a dans le design d'une Harley-Davidson, je lui lance donc ma propre théorie sur la chose et je lui demande de me dire où je m'écarte de la réalité. « Monsieur Davidson, la modestie dont vous faites preuve est tout à votre honneur, mais je soupçonne que votre implication au niveau du stylisme est beaucoup plus profonde que vous ne le laissez paraître. D'un côté, le style d'une Harley-Davidson est très particulier, et de l'autre, il est clair que votre vision, votre art et votre passion font partie intégrante de ce style. Je comprends qu'une équipe travaille avec vous, mais n'est-ce pas de vous que provient la créativité

Photo : Alex Carroni

responsable des lignes, tout comme la direction stylistique que prendra un nouveau modèle, d'ailleurs ? » M. Davidson, après une courte pause, répond. « Je saisis bien votre pensée. Vous savez, l'identité d'une Harley-Davidson est quelque chose de très fort et un aspect de nos produits qui doit absolument être protégé. Il arrive donc, en effet, que je doive expliquer ou rappeler aux talentueux gens qui travaillent avec moi ce qui constitue une Harley-Davidson. Il y a des formes, des proportions, des mouvements qui définissent une Harley-Davidson et je dois effectivement de temps à autre réorienter certains aspects d'un projet. » Nous progressons. « Donc, je ne me trompe pas en disant que bien que vous ayez beaucoup de gens qui travaillent avec vous, il reste qu'on se tourne vers vous pour confirmer et apprendre ce dont devrait ou ne devrait pas avoir l'air une Harley-Davidson. Ce qui reviendrait à dire que ce fameux art qui est le vôtre est en fait exactement ce qui est particulier chez Harley-Davidson, que cet art est en fait l'essence du style des produits de votre compagnie. » M. Davidson pousse un court soupir. « Vous savez, ce que vous dites reflète la réalité, mais je suis très mal à l'aise lorsqu'il semble que tout le crédit me revient. Ce que nous faisons reste un travail d'équipe. »

Je profite de cette rare occasion pour le questionner sur l'avenir des customs. Même si je ne suis pas certain de sa réaction si je parle des compagnies rivales, j'aborde quand même le sujet. « La plupart des constructeurs de customs semblent aujourd'hui faire face à un mur stylistique. On dirait qu'après toutes ces années à s'inspirer des designs de votre compagnie, ils ne savent pas vraiment comment progresser. Comment comptez-vous faire progresser la ligne de vos customs ? » « J'aimerais beaucoup vous parler de nos produits futurs, mais vous savez très bien que je ne peux pas le faire. Cela dit, je peux vous affirmer que nos designs sont intemporels : nous n'avons donc pas vraiment ce problème. En revanche, il peut sembler simple de créer une ligne intemporelle, mais c'est en réalité très complexe. Vous savez, si nous le voulions, nous pourrions créer des designs complètement fous. Ça, c'est même facile ! Ce qui est difficile, c'est d'évoluer mécaniquement, mais, en même temps, de garder ce look que nos clients aiment tant et que les gens du marketing nous demandent de conserver. »

Une bonne demi-heure d'échanges a déjà filé et Willie G. doit clore la discussion. On l'attend. Le type est fascinant. BG.

Fat Bob

Général

Catégorie	Custom
Prix	Fat Bob : 17 819 $ Wide Glide : 17 219 $
Immatriculation 2010	627 $
Catégorisation SAAQ 2010	« régulière »
Évolution récente	Fat Bob introduite en 2008; TC96 introduit en 2007
Garantie	2 ans/kilométrage illimité
Couleur(s)	choix multiples
Concurrence	Fat Bob : Victory Hammer Wide Glide : Victory Jackpot, Yamaha Raider

Voir légende en page 7

Moteur

Type	bicylindre 4-temps en V à 45 degrés (Twin Cam 96), culbuté, 2 soupapes par cylindre, refroidissement par air
Alimentation	injection séquentielle
Rapport volumétrique	9,2:1
Cylindrée	1 584 cc
Alésage et course	95,25 mm x 111,25 mm
Puissance estimée	70 ch @ 5 000 tr/min
Couple	92 lb-pi @ 3 000 tr/min
Boîte de vitesses	6 rapports
Transmission finale	par courroie
Révolution à 100 km/h	environ 2 400 tr/min
Consommation moyenne	5,6 l/100 km
Autonomie moyenne	FB : 337 km ; WG : 318 km

Partie cycle

Type de cadre	double berceau, en acier
Suspension avant	fourche conventionnelle de 49 mm non ajustable
Suspension arrière	2 amortisseurs ajustables en précharge
Freinage avant	1(FB : 2) disque de 300 mm de Ø avec étrier à 4 pistons
Freinage arrière	1 disque de 292 mm de Ø avec étrier à 2 pistons
Pneus avant/arrière	FB : 130/90 B16 & 180/70 B16 WG : 80/90-21 & 180/60 B17
Empattement	FB : 1 620 mm ; WG : 1 735 mm
Hauteur de selle	FB : 686 mm WG : 678 mm
Poids tous pleins faits	FB : 319 kg ; WG : 301 kg
Réservoir de carburant	FB : 18,9 litres ; WG : 17,8 litres

QUOI DE NEUF EN 2010 ?

Retour de la Wide Glide après un an d'absence

5ᵉ rapport amélioré, dessin des rainures des pneus revu

Fat Bob coûte 330 $ de moins qu'en 2009 et Wide Glide coûte 2 260 $ de moins qu'en 2008

Retrait de la Low Rider

PAS MAL

Des lignes qui sont tout sauf anonymes et qui mettent parfaitement en évidence le talent créatif de l'équipe artistique de Harley-Davidson

Une mécanique qui dégage des sensations magiques en secouant tout sans gêne à bas régime, puis en s'adoucissant complètement en haut

Une facilité de pilotage étonnante pour des motos de tels poids qui rend ces modèles accessibles même à des motocyclistes de petite stature

BOF

Une suspension arrière qui peut se montrer assez sèche sur mauvais revêtement

Une garde au sol plus limitée que la moyenne dans le cas de la Wide Glide dont les silencieux frottent le sol facilement

Des styles tellement forts qu'ils deviennent polarisants; on aime ou on n'aime pas; en revanche, comme Harley produit d'autres customs au style plus neutre, les Fat Bob et Wide Glide ont donc justement la mission de pousser l'audace artistique de la marque

Conclusion

Il est absolument fascinant de constater à quel point l'expérience de pilotage offerte par deux modèles construits à partir d'une base presque identique peut s'avérer aussi différente. Que cette expérience soit meilleure ou moins bonne dépend beaucoup des attentes du pilote. Si la Wide Glide ne s'adresse clairement pas à ceux qui aiment pencher, elle ravira en revanche les amateurs de Harley qui comprennent l'histoire derrière son style, surtout si ces derniers affectionnent autant que nous le rythme ensorcelant du V-Twin américain installé dans un châssis Dyna. D'un point de vue artistique, la Fat Bob emprunte une direction presque opposée à celle de la Wide Glide, une divergence qui se note aussi de façon très nette au niveau du comportement puisque celui-ci est, dans ce cas, carrément invitant.

Wide Glide

Night Rod Special

V-ROD MUSCLE, V-ROD NIGHT ROD SPECIAL

Lourde responsabilité...

La seule et unique raison derrière l'existence de la plateforme VRSC réside dans le besoin vital qu'a Harley-Davidson d'attirer du sang neuf — et surtout jeune — vers sa célèbre marque. Il s'agit d'ailleurs de la même raison qui poussa le constructeur américain à acquérir Buell il y a quelques années. Mais attirer ce fameux sang neuf est un exercice beaucoup plus complexe qu'il ne le semble, même lorsqu'on s'appelle Harley-Davidson. Dans le cas de Buell, les résultats ne se sont tout simplement pas manifestés et la production fut définitivement arrêtée à la fin de 2009. Cette tâche revient donc désormais aux modèles classiques offrant un traitement Dark Custom, ainsi qu'à ces trois V-Rod.

La saga des V-Rod est absolument fascinante. D'un côté de celle-ci se trouve un constructeur passé maître incontesté dans l'art de vendre non seulement des customs, mais aussi une image et même un état d'esprit à une catégorie bien particulière de motocyclistes. De l'autre se trouve la volonté de ce même constructeur d'arriver à séduire d'autres catégories d'amateurs de motos. Et au milieu, se trouve la V-Rod, le modèle sur lequel la firme de Milwaukee compte pour faire le trait d'union entre tradition et avenir.

La capacité qu'a Harley-Davidson de donner une nouvelle saveur à une base existante est légendaire. C'est grâce à ce talent que la marque de Milwaukee peut aujourd'hui offrir une famille de modèles dérivés de la V-Rod originale lancée en 2002. Outre cette dernière, la famille compte aussi la sublimement sombre Night Rod Special et la très réussie V-Rod Muscle lancée l'an dernier.

La réalité est que les V-Rod ne génèrent pas chez la jeune clientèle visée le succès que Harley-Davidson espérait obtenir. Elles font néanmoins tourner les têtes et il est très clair que les clients qu'elles amènent à la marque n'auraient pas acheté une Harley-Davidson s'ils avaient été restreints à la gamme classique. Le cas V-Rod en reste donc un en pleine évolution et il serait extrêmement dommage que le constructeur lance la serviette avec cette famille comme il l'a tout récemment fait avec Buell. Cette possibilité ne semble toutefois pas être envisagée pour le moment.

En termes de comportement, de performances et même

> **LES V-ROD ATTIRENT UNE CLIENTÈLE QUI, SOUVENT, N'AURAIT JAMAIS ACHETÉ UNE HARLEY-DAVIDSON CLASSIQUE.**

de position de conduite, la V-Rod Muscle est presque la jumelle parfaite de la Night Rod Special. Toutes deux offrent donc non seulement une posture en C de type «pieds et mains loin devant», mais aussi toute la fougue du brillant V-Twin de 1 250 cc de la V-Rod originale. Il s'agit d'une mécanique douce et vraiment très particulière qui marie de façon unique une nature custom à un niveau de performances réellement impressionnant. Si les tout premiers régimes ne regorgent pas nécessairement de couple, la situation change rapidement dès que l'aiguille du tachymètre s'éloigne du ralenti. À partir d'un arrêt ou même d'une vitesse lente, une ouverture des gaz soudaine jumelée à un relâchement abrupt de l'embrayage se traduira par un enfumage instantané du gros pneu arrière de 240 mm, ainsi que par une étonnante poussée. Contrairement aux Harley traditionnelles sur lesquelles le travail de la transmission est volontairement lourd, sur les V-Rod, tout est léger et précis. La clientèle visée n'est pas la même et les sensations ressenties ne sont pas les mêmes non plus.

Bien qu'ils soient à la mode ces temps-ci, les gros pneus arrière peuvent ruiner le comportement d'une custom. Pas sur les V-Rod où, grâce à un bon travail d'ingénierie, une petite lourdeur de direction à basse vitesse est le seul prix à payer. À ce chapitre, Harley-Davidson doit être félicitée puisqu'il s'agit probablement de la compagnie s'étant le plus attardée à résoudre les problèmes amenés par ces pneus.

Général

Catégorie	Custom
Prix	V-Rod : 17 819 $ V-Rod Muscle : 20 439 $ Night Rod Special : 10 959 $
Immatriculation 2010	627 $
Catégorisation SAAQ 2010	« régulière »
Évolution récente	V-Rod introduite en 2002, Night Rod Special en 2007 et V-Rod Muscle en 2009
Garantie	2 ans/kilométrage illimité
Couleur(s)	choix multiples
Concurrence	Suzuki Boulevard M109R, Yamaha Road Star Warrior et Raider, Victory Hammer

Moteur

Type	bicylindre 4-temps en V à 60 degrés (Revolution), DACT, 4 soupapes par cylindre, refroidissement par liquide
Alimentation	par injection
Rapport volumétrique	11,5:1
Cylindrée	1 250 cc
Alésage et course	105 mm x 72 mm
Puissance	V-Rod : 121 ch @ 8 000 tr/min Muscle : 122 ch @ 8 250 tr/min Special : 125 ch @ 8 250 tr/min
Couple	V-Rod : 84 lb-pi @ 7 000 tr/min Muscle : 86 lb-pi @ 6 500 tr/min Special : 85 lb-pi @ 7 000 tr/min
Boîte de vitesses	5 rapports
Transmission finale	par courroie
Révolution à 100 km/h	environ 4 100 tr/min
Consommation moyenne	6,6 l/100 km
Autonomie moyenne	286 km

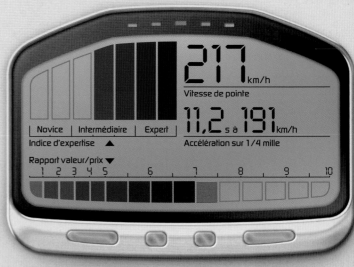

Voir légende en page 7

Partie cycle

Type de cadre	périmétrique à double berceau, en acier
Suspension avant	fourche conventionnelle de 49 mm (Muscle : 43 mm inversée) non ajustable
Suspension arrière	2 amortisseurs ajustables en précharge
Freinage avant	2 disques de 300 mm de Ø avec étriers à 4 pistons
Freinage arrière	1 disque de 300 mm de Ø avec étrier à 4 pistons
Pneus avant/arrière	120/70 ZR19 & 240/40 R18
Empattement	1 706 mm (Muscle : 1 701 mm)
Hauteur de selle	VR : 688 mm ; VRM : 678 mm ; VRS : 668 mm
Poids tous pleins faits	V-Rod : 304 kg ; Special : 307 kg ; Muscle : 305 kg
Réservoir de carburant	18,9 litres

QUOI DE NEUF EN 2010 ?

Aucun changement

V-Rod Muscle et Night Rod Special coûtent 390 $ et V-Rod 330 $ de moins qu'en 2009

PAS MAL

Un V-Twin fabuleux provenant de la Screamin'Eagle V-Rod ; il est doux, souple et pousse de façon très impressionnante

Un style cru et puissant surtout pour la Special et la Muscle qui est non seulement exécuté de main de maître, mais qui semble indiquer la direction que prendra la famille VRSC dans l'avenir ; dans cette direction, la V-Rod originale pourrait même disparaître

Un comportement qui n'est pas trop affecté par la présence d'un pneu arrière ultralarge, ce qu'on ne peut certes pas dire de toutes les customs équipées de la sorte

BOF

Une position de conduite non seulement typée, mais bel et bien extrême qui place littéralement les pieds aussi loin que les mains et plie le pilote en deux ; à la défense de cette position, elle arrive à imprégner le pilote du thème très particulier des variantes Special et Muscle

Une suspension arrière qui n'est pas une merveille de souplesse et dont le rendement moyen est considérablement amplifié par la position qui place le bas du dos de manière vulnérable sur les Special et Muscle

Une certaine lourdeur de direction, un besoin d'exercer une pression constante sur le guidon et un comportement pas très naturel dans les manœuvres serrées qui découlent de la présence du gros pneu arrière

Conclusion

Les V-Rod sont les Harley des autres, des motocyclistes s'avouant attirés par le prestige de la marque, mais que la nostalgie des modèles traditionnels laisse complètement indifférents. Elles promettent une combinaison de mythe et de sensations uniques et c'est exactement la marchandise qu'elles livrent. Il a fallu un peu de temps à la marque de Milwaukee pour comprendre comment manier et présenter ces montures, mais la Night Rod Special et la Muscle sont des preuves que la vraie nature de la famille VRSC commence enfin à faire surface. Il s'agit de Harley très différentes de celles de « mon oncle et ma tante » puisqu'elles n'ont besoin ni de roues à rayons ni de chrome. Leur âme est noire de puissance et leur visage est durci de brutalité. Elles sont les Harley de ceux et celles qui n'aiment pas les Harley.

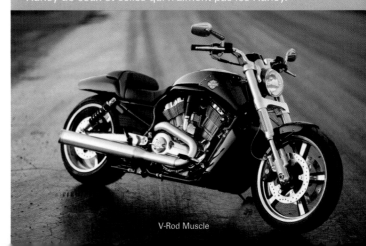

V-Rod Muscle

HARLEY-DAVIDSON
XR1200

La Harley qui penche...

La recherche d'une clientèle plus jeune et plus diversifiée fait partie des plus grandes préoccupations chez Harley-Davidson. Construite pour aider la marque à augmenter sa part du gâteau sur le marché européen, la XR1200 reprend l'esprit des XR750 de terre battue, des montures mythiques de l'autre côté de l'Atlantique. Elle ne retient que le cadre de la Sportster 1200 de laquelle elle est dérivée. Le moteur gagne près d'une vingtaine de chevaux par rapport à celui de la custom, tandis que les suspensions, les roues et les freins sont de nouvelles pièces. Le résultat est non seulement un modèle à part entière, mais aussi une monture offrant sa propre — et très attachante — personnalité.

Dès le premier contact, la XR1200 établit clairement qu'il s'agit d'une monture ayant très peu de liens avec quoi que ce soit d'autre présentement sur le marché. La position de conduite est un étrange mélange. Les repose-pieds sont hauts, mais pas tout à fait aussi reculés que sur une vraie sportive. Le guidon très large est, quant à lui, légèrement plus haut et plus reculé que sur une standard comme une Bandit 1250S. Le confort offert par la selle est honnête sans être exceptionnel, mais l'espace limité entre cette dernière et les repose-pieds peut finir par devenir inconfortable, surtout pour les pilotes ayant de longues jambes. Le passager a droit à une selle minimaliste dictée par le style de la partie arrière et à des repose-pieds plutôt élevés.

Le V-Twin qui anime la XR1200 est exceptionnel. Il ne semblera aucunement étrange aux motocyclistes ayant déjà eu affaire aux Harley avec mécanique montée sur supports souples et réserve une belle surprise aux autres. Pulsant de manière à la fois franche et douce au ralenti, il entraîne non seulement toute la moto avec lui, mais le fait aussi au point de troubler la vision du pilote. Une fois en route, ce tremblement accompagne chaque instant de pilotage. Finement calibré par le constructeur, son amplitude ne devient jamais gênante. Des régimes approchant la zone rouge de 7 000 tr/min transforment ces pulsations en vibrations, mais la nature temporaire de ces régimes empêche ce fait de devenir un problème. Par ailleurs, chaque accélération est accompagnée d'une musique dont l'origine est immanquablement américaine, ce qui ajoute encore plus à la

particularité et au charme du modèle.

La XR1200 offre des accélérations franches et linéaires, sans toutefois qu'elles soient étincelantes. Le très honnête couple livré à bas et moyen régimes permet de s'élancer sans effort à partir d'un arrêt ou de sortir de courbe autoritairement sans besoin de rétrograder.

L'une des facettes les plus intéressantes de la XR1200 concerne son comportement routier. Malgré un cadre presque identique à celui de Sportster 1200, la tenue de route affiche d'étonnantes qualités. Selon Harley-Davidson, une quantité énorme de pneus fut testée jusqu'à ce qu'un choix soit arrêté. Une solide fourche inversée, des freins puissants, mais pas trop sensibles et un bras oscillant costaud en aluminium coulé complètent un ensemble qui, s'il n'affiche pas la précision ou la légèreté d'une sportive pure, reste extrêmement bien manié. La XR1200 demande du pilote qu'il s'implique en conduite sportive, qu'il pose des gestes déterminés et francs. En retour, elle lui fait vivre une impression d'accomplissement qu'une vraie sportive ne rendra qu'à des vitesses très élevées sur circuit. Cette façon qu'a la XR1200 d'impliquer son pilote en conduite sportive, surtout combinée aux sensations fortes renvoyées par sa mécanique, est à la base de l'une des plus belles caractéristiques du modèle. Aux commandes de la XR, on arrive à se faire plaisir en pilotant de façon sportive sans que des vitesses extrêmes soient obligatoires, et sans qu'on doive posséder un curriculum vitæ de coureur professionnel.

Général

Catégorie	Standard
Prix	12 829 $
Immatriculation 2010	627 $
Catégorisation SAAQ 2010	« régulière »
Évolution récente	introduite en 2008
Garantie	2 ans/kilométrage illimité
Couleur(s)	noir, gris, orange
Concurrence	BMW R1200R, Ducati Monster 1100

Voir légende en page 7

Moteur

Type	bicylindre 4-temps en V à 45 degrés (Evolution), culbuté, 2 soupapes par cylindre, refroidissement par air
Alimentation	par injection
Rapport volumétrique	10:1
Cylindrée	1 203 cc
Alésage et course	88,9 mm x 96,8 mm
Puissance estimée	90 ch @ 7 000 tr/min
Couple	74 lb-pi @ 4 000 tr/min
Boîte de vitesses	5 rapports
Transmission finale	par courroie
Révolution à 100 km/h	n/d
Consommation moyenne	6,2 l/100 km
Autonomie moyenne	214 km

Partie cycle

Type de cadre	double berceau, en acier
Suspension avant	fourche inversée de 43 mm non ajustable
Suspension arrière	2 amortisseurs ajustables en précharge
Freinage avant	2 disques de 292 mm de Ø avec étriers à 4 pistons
Freinage arrière	1 disque de 260 mm de Ø avec étrier à 1 piston
Pneus avant/arrière	120/70 ZR18 & 180/55 ZR17
Empattement	1 519 mm
Hauteur de selle	775 mm
Poids tous pleins faits	263 kg (à vide : 255 kg)
Réservoir de carburant	13,25 litres

QUOI DE NEUF EN 2010 ?

Aucun changement

Coûte 250 $ de moins qu'en 2009

PAS MAL

Un concept réalisé de main de maître; pour la première fois, tout le savoir-faire de Harley-Davidson en termes de nostalgie est dirigé vers un modèle non-custom, et c'est franchement réussi

Une tenue de route qui n'inquiétera pas les sportives pures, mais qui reste assez précise et solide pour permettre de sérieusement s'amuser sur une route sinueuse

Un côté pratique, accessible, invitant et simple qui est extrêmement rafraîchissant; au-delà de son thème de machine de terre battue, la XR1200 est une excellente moto qui se montre aussi à l'aise dans la besogne quotidienne qu'en balade ou en mode sport

Un V-Twin très charismatique qui gronde et tremble comme seule une mécanique Harley-Davidson sait le faire

BOF

Un niveau de performances très correct, mais qui n'est pas du calibre à exciter un motocycliste gourmand en chevaux

Des suspensions qui fonctionnent beaucoup mieux que celles des Sportster traditionnelles, mais dont le comportement reste assez simpliste et dont les possibilités d'ajustements sont minimales

Une position de conduite un peu inhabituelle, à laquelle on finit néanmoins par s'habituer; les jambes sont par contre pliées de manière assez agressive

Une selle qui n'est pas mauvaise du tout, mais qui finit par devenir inconfortable lors de longues randonnées; l'accueil réservé au passager n'est par ailleurs pas le plus généreux

Conclusion

À force de sauter de moto en moto, il arrive, à l'occasion, que nous tombions sur une perle rare. La XR1200 en est une. Dessinée très habilement, réalisée avec un impressionnant souci du détail et imprégnée d'une authenticité qui ne pourrait être légitime que chez Harley-Davidson, elle étonne en offrant plus qu'un thème, plus qu'un style. La XR1200 est avant tout une bonne moto dont la polyvalence surprend franchement. Qui aurait cru que le maître de l'univers custom sache aussi construire des montures « normales » sur lesquelles on se tient droit et aux commandes desquelles une route sinueuse n'est plus terrifiante, mais bien invitante ? Mais malgré toutes ses qualités, la XR1200 demeure une machine errant entre le monde des inconditionnels de la marque et celui des motocyclistes communs. Beaucoup la regardent, la plupart la trouvent superbe, mais peu l'achètent. Ce qui nous pousse à la qualifier de monture de connaisseurs et à dire que les autres ne savent pas ce qu'ils manquent.

Sportster 1200 Nightster

HARLEY-DAVIDSON
SPORTSTER 1200

Milwaukee vous accueille...

Les Sportster 1200 représentent la véritable entrée de la gamme Harley-Davidson. Avec leur cylindrée moins intéressante, les 883 sont plutôt des Harley bas de gamme, ce qui est considérablement différent. Trois variantes de la Sportster 1200 sont offertes en 2010. La Low a été spécifiquement construite pour une clientèle de petite taille, mais plus particulièrement pour les femmes. Sa selle est moins rembourrée, ses suspensions sont abaissées et elle possède même une béquille conçue pour laisser la moto un peu plus à la verticale afin de faciliter son soulèvement. La Custom propose la finition la plus chic alors que la Nightster est une autre de ces Harley ayant subi le traitement Dark Custom.

Nous avons parfois été assez durs à l'égard des Sportster, particulièrement avant que Harley-Davidson se décide finalement à les sortir de la préhistoire mécanique en 2004. Mais elles le méritaient. Depuis l'arrivée de la nouvelle génération, toutefois, on a heureusement affaire à des motos non seulement enfin vivables, mais même plutôt intéressantes, comme dans le cas de la Custom.

Grâce au montage souple du V-Twin, la Sportster d'aujourd'hui n'est plus affligée du problème de vibrations excessives des versions pré-2004. En fait, elle est carrément devenue la custom de cette catégorie disposant de la mécanique la plus plaisante. Observer une Sportster 1200 tourner au ralenti est un petit spectacle. Avec chaque mouvement des pistons, le moteur et le système d'échappement tout entier basculent et tremblent, au point que la roue avant semble même sautiller sur le sol, exactement comme sur les modèles de la famille de tourisme et sur les Dyna. L'arrivée de l'injection en 2007 a régularisé l'alimentation. Le système est au point et n'amène pas de critique.

Une fois installé sur une des selles plutôt dures, mais basses des diverses versions, on découvre une position qui demande d'étendre les jambes jusqu'à des repose-pieds naturellement avancés pour le modèle Custom, ou de poser les pieds sur des commandes hautes et reculées pour les versions Low et Nightster. L'embrayage est léger et les vitesses se passent au son d'un «clonk» typique des V-Twin de Milwaukee.

> L'EXPÉRIENCE SENSORIELLE QUE RÉSERVE LE V-TWIN DE 1200 CC EST TRÈS SIMILAIRE À CELLE QUE PROPOSENT LES DYNA.

Si on fait exception de la nouvelle XR1200 qui est encore plus rapide, la Sportster 1200 est aisément la custom de cette cylindrée qui offre les meilleures performances. En fait, les Sportster 1200 sont même facilement plus rapides que les modèles équipés du TC96 du reste de la gamme américaine. Au-delà de ses impressionnantes accélérations, c'est surtout par le genre d'expérience sensorielle qu'il fait vivre à son pilote que ce V-Twin se distingue. Les lourdes pulsations qu'il transmet au ralenti se transforment en un grondant et plaisant roulement de tambour à chaque montée de régime, tandis que le tout est accompagné d'une sonorité aussi profonde qu'étonnamment présente pour une mécanique de série. L'expérience rappelle d'ailleurs beaucoup les modèles de la famille Dyna, ce qui est un formidable compliment à l'égard des Sportster.

Même si elles ont pris quelques kilos après la refonte de 2004, les Sportster 1200 restent relativement légères, minces et plutôt agiles pour des customs; des avantages importants surtout pour les motocyclistes de plus faible stature. Les moins grands devraient par ailleurs apprécier les versions Low et Nightster, plus basses.

L'un des pires défauts des Sportster 1200 a toujours été leurs suspensions rudimentaires, et bien qu'il y ait eu une certaine amélioration à ce chapitre avec les années, le confort n'est toujours pas leur plus grand atout. Les modèles Low et Nightster sont les pires à cet égard en raison des débattements très faibles de leurs suspensions abaissées. On doit les piloter en conséquence.

Général

Catégorie	Custom
Prix	Custom : 11 879 $ Nightster : 11 879 $ Low : 11 789 $
Immatriculation 2010	627 $
Catégorisation SAAQ 2010	« régulière »
Évolution récente	entièrement revue en 2004
Garantie	2 ans/kilométrage illimité
Couleur(s)	choix multiples
Concurrence	Honda Sabre et Stateline, Yamaha V-Star 1100 et 1300

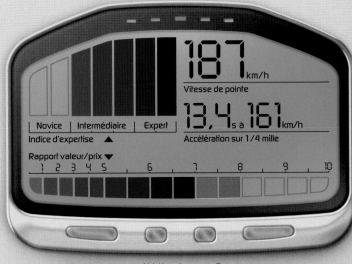

Voir légende en page 7

Moteur

Type	bicylindre 4-temps en V à 45 degrés (Evolution), culbuté, 2 soupapes par cylindre, refroidissement par air
Alimentation	par injection
Rapport volumétrique	9,7:1
Cylindrée	1 203 cc
Alésage et course	88,8 mm x 96,8 mm
Puissance estimée	65 ch @ 6 000 tr/min
Couple	79,1 lb-pi @ 4 000 tr/min
Boîte de vitesses	5 rapports
Transmission finale	par courroie
Révolution à 100 km/h	environ 2 800 tr/min
Consommation moyenne	6,0 l/100 km
Autonomie moyenne	C et L : 283 km; N : 208 km

Partie cycle

Type de cadre	double berceau, en acier
Suspension avant	fourche conventionnelle de 39 mm non ajustable
Suspension arrière	2 amortisseurs ajustables en précharge
Freinage avant	1 disque de 292 mm de Ø avec étrier à 2 pistons
Freinage arrière	1 disque de 292 mm de Ø avec étrier à 1 piston
Pneus avant/arrière	100/90-19 (C : MH90-21) /150/80 B16
Empattement	C : 1 534 mm; L : 1 516 mm; N : 1 524 mm
Hauteur de selle	C : 711 mm; L : 711 mm; N : 668 mm
Poids tous pleins faits	C : 267 kg; L : 263 kg; N : 255 kg
Réservoir de carburant	C et L : 17 litres; N : 12,5 litres

QUOI DE NEUF EN 2010 ?

Aucun changement

Sportster 1200 Low coûte 120 $, 1200 Custom 220 $ et
Nightster 110 $ de moins qu'en 2009

PAS MAL

Un V-Twin qui a longtemps été plutôt désagréable en raison d'un niveau de vibrations trop élevé, mais qui est aujourd'hui devenu le moteur de custom le plus plaisant du marché dans cette classe de cylindrée

Une ligne soignée qui n'est pas nécessairement au goût du jour pour certains amateurs de customs, mais qui respecte avec élégance l'héritage des modèles

Un comportement simple, stable et exempt de vices importants qui s'avère aussi facile d'accès pour les motocyclistes ne disposant pas d'une grande expérience

BOF

Des suspensions dont le travail reste rudimentaire pour les Custom et Low, et carrément rude dans le cas de la Nightster surbaissée

Une position de conduite un peu étrange sur les modèles munis de repose-pieds en position centrale; on ne retrouve ce genre de posture que sur certains modèles Harley-Davidson et nulle part ailleurs

Un modèle Low qui arrive à une hauteur de selle exceptionnellement basse en coupant de manière importante dans les débattements de suspensions et dans le rembourrage de la selle

Conclusion

Des montures crues et décidément peu recommandables qu'elles étaient avant 2004, les Sportster 1200 sont devenues des customs caractérielles et désirables qui proposent un véritable échantillonnage de ce qu'offrent les « vraies » Harley de plus grosse cylindrée. Leurs prix compétitifs en font d'excellentes valeurs et, en raison de la différence de prix relativement peu importante qui sépare les modèles 883 des 1200, ces dernières représentent aisément le meilleur achat. Il s'agit de Harley-Davidson d'entrée de gamme qui satisferont les nouveaux arrivants dans la firme de Milwaukee, mais dont le côté simpliste pourrait ne pas plaire aux motocyclistes plus exigeants et plus expérimentés. Ces derniers devraient plutôt sérieusement envisager une Harley à moteur TC96.

Sportster 1200 Custom

Sportster 883 Iron

HARLEY-DAVIDSON
SPORTSTER 883

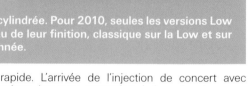

Mini Harley...

Une Harley-Davidson pour à peine plus de 8 000 $. Telle est la proposition de la Sportster 883. Trop beau pour être vrai? C'est-à-dire... Il s'agit bel et bien d'une authentique Harley fabriquée de la même manière que les modèles plus coûteux, mais il s'agit aussi d'un produit économique et bas de gamme. Bref, ça fonctionne, mais on ne doit pas rêver à un rendement équivalent à celui des modèles de grosse cylindrée. Pour 2010, seules les versions Low et Iron sont offertes. Il s'agit en fait de montures presque identiques, sauf au niveau de leur finition, classique sur la Low et sur thème noir dans le cas de l'Iron. La variante Custom disparaît de la gamme cette année.

La Harley-Davidson Sportster 883 était, avant l'arrivée de la nouvelle génération en 2004, non seulement une atrocité mécanique, mais aussi une monture complètement indigne du plus célèbre et respecté constructeur de customs au monde. Heureusement, cette refonte l'a élevée à un niveau beaucoup plus acceptable, même si elle demeure une monture bas de gamme. Les versions Low et Iron sont les seules offertes cette année.

La seule raison d'être de la 883 Low est de faciliter autant que possible l'accès au pilotage pour les motocyclistes de petite stature, notamment les femmes d'environ 5 pieds, selon le constructeur. Elle est équipée de suspensions abaissées et d'un siège moins rembourré afin de réduire la hauteur de la selle au minimum. Cette dernière est par ailleurs formée de manière à pousser le pilote légèrement vers l'avant, tandis que le guidon est reculé. La béquille latérale est conçue de manière à minimiser l'effort requis pour relever la moto.

La 883 Iron est, quant à elle, une jumelle presque parfaite de la Low d'un point de vue mécanique. En fait, à l'exception d'un guidon plat plus avancé et de roues à bâtons, on a affaire à la même moto. Ses suspensions offrent exactement les mêmes débattements réduits, sa selle monoplace est identique et aucune mesure n'est prévue pour accueillir un passager.

Malgré une cylindrée tout de même assez imposante pour cette classe de presque 900 cc, la 883 n'est pas

> À L'EXCEPTION D'UN GUIDON PLAT AVANCÉ ET DE ROUES À BÂTONS SUR LA VERSION IRON, ON A AFFAIRE À LA MÊME MOTO.

particulièrement rapide. L'arrivée de l'injection de concert avec quelques modifications internes apportées à la mécanique, en 2007, a légèrement amélioré le niveau de performances de la petite Sportster qui satisfera surtout les motocyclistes peu expérimentés ou peu exigeants en matière de chevaux. Si la force des accélérations reste modeste, le couple livré à bas et moyen régimes a au moins le mérite d'être suffisamment intéressant pour qu'on arrive à circuler sans aucun problème, surtout si l'esprit est à la promenade. La plus grande qualité du V-Twin de 883 cc reste néanmoins les sensations aussi franches que plaisantes qu'il communique au pilote sous la forme d'agréables pulsations et d'une sonorité américaine authentique. À ce sujet, presque toutes les concurrentes directes de la 883 traînent sérieusement derrière puisqu'elles ont le défaut commun de manquer de caractère.

L'une des indications les plus évidentes de la nature économique des Sportster 883 est le rendement à peine satisfaisant des suspensions, ce qui est d'autant plus évident sur ces deux variantes à faibles débattements. Elles peuvent être particulièrement rudes sur chaussée abîmée.

Grâce au poids relativement faible et au centre de gravité bas, les 883 se manient avec suffisamment de facilité pour être recommandables à une clientèle novice, ce qu'on ne peut pas souvent dire des plus gros modèles du constructeur américain en raison de leur poids plus élevé et de leur gabarit plus imposant.

Général

Catégorie	Custom
Prix	Low : 8 299 $, Iron : 9 459 $
Immatriculation 2010	627 $
Catégorisation SAAQ 2010	« régulière »
Évolution récente	entièrement revue en 2004
Garantie	2 ans/kilométrage illimité
Couleur(s)	choix multiples
Concurrence	Honda Shadow 750, Kawasaki Vulcan 900, Suzuki Boulevard C50, Yamaha V-Star 950

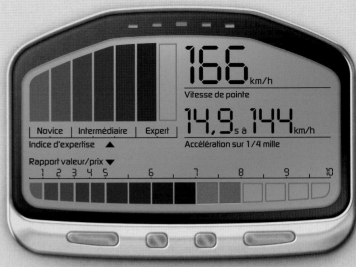

Voir légende en page 7

Moteur

Type	bicylindre 4-temps en V à 45 degrés (Evolution), culbuté, 2 soupapes par cylindre, refroidissement par air
Alimentation	par injection
Rapport volumétrique	8,9:1
Cylindrée	883 cc
Alésage et course	76,2 mm x 96,8 mm
Puissance estimée	53 ch @ 6 000 tr/min
Couple	55 lb-pi @ 3 500 tr/min
Boîte de vitesses	5 rapports
Transmission finale	par courroie
Révolution à 100 km/h	environ 3 100 tr/min
Consommation moyenne	5,8 l/100 km
Autonomie moyenne	215 km

Partie cycle

Type de cadre	double berceau, en acier
Suspension avant	fourche conventionnelle de 39 mm non ajustable
Suspension arrière	2 amortisseurs ajustables en précharge
Freinage avant	1 disque de 292 mm de Ø avec étrier à 2 pistons
Freinage arrière	1 disque de 292 mm de Ø avec étrier à 1 piston
Pneus avant/arrière	100/90-19 & 150/80 HB16
Empattement	1 524 mm
Hauteur de selle	668 mm
Poids à vide	Low : 264 kg; Iron : 256 kg
Réservoir de carburant	12,5 litres

QUOI DE NEUF EN 2010 ?

Retrait de la version 883 Custom

Introduction de la version Iron à traitement Dark Custom au courant de 2009

Sportster 883 Low coûte 170 $ et Sportster 883 Iron 110 $ de moins qu'en 2009

PAS MAL

Une facilité de prise en main intéressante pour les motocyclistes pas très expérimentés à qui elles donnent vite confiance en leurs moyens

Un « petit » V-Twin, même s'il fait près de 900 cc, dont le caractère est indéniablement authentique; le couple des gros modèles n'y est pas, mais le rythme et la sonorité sont un échantillonnage parfaitement légitime de ce qu'offrent les grosses Harley

Un côté simple et épuré jusqu'au strict essentiel qui s'avère étonnamment attachant sur la version Iron

Un traitement visuel vraiment réussi sur la version Iron

Une valeur incontestable; pour une somme qui n'achète généralement que des customs japonaises d'entrée de gamme, on se paie une Harley

BOF

Un niveau de performances qui n'a rien d'étincelant, et ce, malgré une certaine amélioration due à l'arrivée de l'injection en 2007; les novices et les pilotes peu exigeants s'en accommoderont, tandis que les autres devraient sérieusement envisager la 1200

Des suspensions qui ont toujours été et qui sont toujours très rudimentaires; le fait que les deux versions offertes, les Low et Iron, soient surbaissées ne les aide certainement pas à ce chapitre

Une position de conduite un peu étrange qui place les pieds haut et directement sous le pilote

Conclusion

Sans qu'il s'agisse d'une référence en matière de technologie de pointe, cela va de soi, la 883 se montre malgré tout techniquement compétitive avec son alimentation par injection et l'une des plus grosses cylindrées de la classe. Son plus grand attrait réside au niveau du V-Twin qui l'anime puisqu'il est aisément le plus caractériel chez les petites customs. Il ne s'agit toujours pas des montures les plus fonctionnelles qui soient puisqu'elles affichent encore un côté simpliste et parfois même carrément rudimentaire, mais il s'agit d'un contraste avec l'absence de caractère de plusieurs produits japonais de même catégorie qu'un certain type d'acheteurs favorisera.

Sportster 883 Low

Screamin'Eagle Ultra Classic Electra Glide

HARLEY-DAVIDSON
SÉRIE CVO

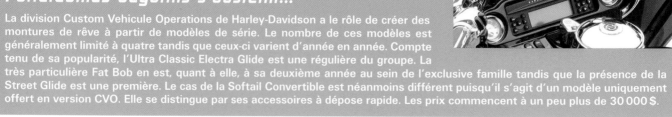

NOUVEAUTÉ 2010

Portefeuilles dégarnis s'abstenir...

La division Custom Vehicule Operations de Harley-Davidson a le rôle de créer des montures de rêve à partir de modèles de série. Le nombre de ces modèles est généralement limité à quatre tandis que ceux-ci varient d'année en année. Compte tenu de sa popularité, l'Ultra Classic Electra Glide est une régulière du groupe. La très particulière Fat Bob en est, quant à elle, à sa deuxième année au sein de l'exclusive famille tandis que la présence de la Street Glide est une première. Le cas de la Softail Convertible est néanmoins différent puisqu'il s'agit d'un modèle uniquement offert en version CVO. Elle se distingue par ses accessoires à dépose rapide. Les prix commencent à un peu plus de 30 000 $.

Une Harley-Davidson ne s'adresse pas à tous les motocyclistes et une monture de la série CVO ne s'adresse pas à tous les amateurs de Harley. Il s'agit de machines hautement trafiquées, propulsées par une puissante mécanique de 110 pouces cubes qui leur est exclusive et accompagnées d'une facture si élevée qu'elle semblerait plus appropriée si elle était collée à la fenêtre d'un VUS. Cela dit, encore une fois, la série CVO ne s'adresse pas du tout à l'amateur de motos moyen, mais plutôt au motocycliste désireux de pousser l'expérience Harley-Davidson jusqu'à un niveau bien supérieur à celui proposé par un modèle de série.

Le fait que le type de clientèle pouvant se permettre d'envisager l'une de ces quatre montures doit évidemment posséder un portefeuille relativement bien garni ne signifie toutefois pas qu'il s'agit d'achats illogiques. Les modèles CVO sont clairement des véhicules de luxe, mais ils offrent également une étonnante valeur. En effet, quiconque tenterait de les dupliquer à partir d'une moto de série ne pourrait tout simplement pas y arriver pour un coût moindre. La réalité est même que la facture finale des amateurs de Harley-Davidson qui s'aventurent dans un projet avancé de personnalisation surpasse souvent de façon très considérable le montant requis pour acquérir un modèle CVO. L'achat de l'une de ces motos représente ainsi une sorte d'aubaine pour ceux qui, s'ils n'avaient pas cette option, finiraient par dépenser beaucoup plus, sans nécessairement obtenir d'aussi bons résultats.

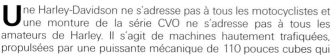
LES MODÈLES DE LA SÉRIE CVO OFFRENT L'AVANTAGE D'ÊTRE PROFONDÉMENT MODIFIÉS ET D'ÊTRE AUSSI GARANTIS.

L'assurance de ces résultats constitue probablement le plus grand attrait des modèles CVO puisqu'il s'agit non seulement de motos profondément modifiées, mais aussi de montures dont le côté pratique est irréprochable et qui sont couvertes par une garantie, une situation bien différente de celle d'une moto modifiée de manière artisanale.

Pour 2010, l'Ultra Classic Electra Glide est à nouveau offerte dans cette livrée. Il s'agit véritablement d'un petit bijou dont le surplus de puissance par rapport au modèle de série est l'un des plus plaisants aspects. Étant l'une des Harley-Davidson de série les plus populaires, la Street Glide était presque une candidate naturelle pour la série CVO. Elle est magnifique et possède peut-être les plus belles roues de l'univers custom. Le seul autre modèle qui pourrait lui ravir ce titre est la toute nouvelle Softail Convertible, qui possède aussi des roues au design extraordinaire. Il s'agit d'une monture très proche d'une Softail Deluxe, mais à laquelle Harley-Davidson a donné la particularité de pouvoir se transformer rapidement grâce à la dépose facile du pare-brise, des sacoches latérales, du dossier et de la selle du passager. Le concept est tellement réussi et à point qu'il ne serait pas du tout étonnant de voir apparaître une Softail Convertible dans la gamme normale du constructeur. Enfin, la dernière, mais non la moindre du quatuor, est la Fat Bob, une moto que le traitement CVO a transformée en machine étonnamment rapide et hautement désirable. Elle en est à sa seconde année dans ce groupe.

« LES PRODUITS DONT ACCOUCHE LA DIVISION DES CUSTOM VEHICLE OPERATIONS DE HARLEY-DAVIDSON SONT DÉCIDÉMENT DE BELLES PIÈCES. L'ATTENTION PORTÉE AUX MOINDRES DÉTAILS EST PRESQUE FANATIQUE. ÉVIDEMMENT, TOUT ÇA A UN PRIX. »

Screamin'Eagle Street Glide

Brillantes comme des bijoux...

Le processus qui génère les montures de la série CVO est exclusif à Harley-Davidson, comme cela semble d'ailleurs être le cas de la plupart des décisions et des stratégies du constructeur. Une équipe se consacre à chacun des modèles et détient une liberté pratiquement totale en ce qui a trait aux moyens requis pour arriver aux résultats recherchés. La direction artistique quelle choisira d'emprunter est aussi laissée à sa discrétion, la seule exigence étant que le produit final soit suffisamment aguichant pour convaincre les clients de débourser au moins 50 pour cent de plus que s'ils optaient pour un modèle de la gamme «ordinaire». L'exercice peut paraître simple lorsqu'on observe le produit final, mais quiconque s'est déjà engagé dans un sérieux projet de personnalisation confirmera que le processus est beaucoup plus complexe que le vulgaire ajout d'une série de pièces chromées ou d'accessoires. En effet, l'équilibre visuel proposé par les modèles CVO est souvent absent des montures modifiées dans des ateliers, alors que le côté pratique de ces dernières se trouve souvent considérablement réduit. Les CVO, elles, se comportent exactement comme des montures de série, voire mieux. Elles ne sont pas données, mais leurs factures sont tout à fait justifiées.

Screamin'Eagle Softail Convertible

Général

Catégorie	Custom/Tourisme de luxe et léger
Prix	SE Ultra Classic: 42 769 $ SE Street Glide: 36 829 $ SE Softail Convertible: 33 259 $ SE Fat Bob: 30 059 $
Immatriculation 2010	627 $
Catégorisation SAAQ 2010	« régulière »
Évolution récente	série introduite en 1999; TC 110 introduit en 2007
Garantie	2 ans/kilométrage illimité
Couleur(s)	choix multiples
Concurrence	Victory Arlen Ness Vision et Cory Ness Jackpot

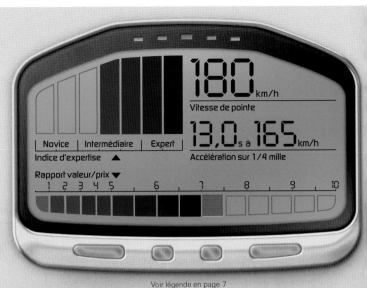

Voir légende en page 7

Moteur

Type	bicylindre 4-temps en V à 45 degrés (Twin Cam 110/B), culbuté, 2 soupapes par cylindre, refroidissement par air
Alimentation	injection séquentielle
Rapport volumétrique	9,15:1
Cylindrée	1 803 cc
Alésage et course	101,6 mm x 111,25 mm
Puissance estimée	90 ch @ 5 000 tr/min
Couple	EG: 115 lb-pi @ 3 750 tr/min SG: 115 lb-pi @ 4 000 tr/min SC: 110 lb-pi @ 3 000 tr/min FB: 113 lb-pi @ 3 500 tr/min
Boîte de vitesses	6 rapports
Transmission finale	par courroie
Révolution à 100 km/h	environ 2 300 tr/min
Consommation moyenne	EG, SG: 6,3 l/100 km (SC, FB: 5,9 l)
Autonomie moyenne	EG, SG: 360 km; SC, FB: 320 km

Partie cycle

Type de cadre	double berceau, en acier
Suspension avant	fourche conventionnelle de 41,3 mm non ajustable (FB: 49 mm)
Suspension arrière	2 amortisseurs ajustables en précharge
Freinage avant	2 (SC: 1) disques de 300 (SC: 292) mm de Ø avec étriers à 4 pistons
Freinage arrière	1 disque de 300 (FB, SC: 292) mm de Ø avec étrier à 4 (FB, SC: 2) pistons
Pneus avant/arrière	EG: 130/80 B17 & 180/65 B16 SG: 130/70 B18 & 180/55 B18 SC: 130/70 R18 & 200/55 R18 FB: 130/90 B16 & 180/70 B16
Empattement	EG: 1 613 mm; SG: 1 613 mm; SC: 1 630 mm; FB: 1 615 mm
Hauteur de selle	EG: 757 mm; SG: 709 mm; SC: 650 mm; FB: 709 mm
Poids tous pleins faits	EG: 419 kg; SG: 385 kg; SC: 343 kg; FB: 326 kg
Réservoir de carburant	EG, SG: 22,7 litres; SC, FB: 18,9 litres

QUOI DE NEUF EN 2010?

Retrait des Screamin'Eagle Softail Springer et Road Glide

Introduction des Screamin'Eagle Softail Convertible et Street Glide

Ultra Classic coûte 230 $ et Fat Bob 590 $ de moins qu'en 2009

PAS MAL

Des valeurs intéressantes pour une clientèle qui débourserait aisément plus dans le but de créer une Harley personnalisée

Un produit final qui possède un comportement routier aussi bon que celui des modèles d'origine et dont la mécanique fonctionne aussi bien, ce qui n'est pas toujours le cas des « ambitieux projets personnels »

Un V-Twin gonflé à 110 pouces cubes qui génère nettement plus de puissance et de couple que le 96 pouces cubes d'origine

BOF

L'absence du côté unique d'une monture entièrement personnalisée par le propriétaire; les modèles de la division CVO sont produits en nombres limités, mais on parle quand même de plusieurs milliers d'unités

Un V-Twin qui, bien qu'il pousse fort, n'aime pas vraiment tourner très haut où on le sent surmené; la transmission devient aussi capricieuse lors de changements de rapports à haut régime, en pleine accélération, et ce, surtout dans le cas de la Softail

Une mécanique qui se montre tellement mieux adaptée au poids élevé de l'Ultra Classic Electra Glide qu'elle devrait être celle que Harley-Davidson retient pour propulser le modèle de série et non seulement la version de la série CVO

Conclusion

En ces temps de récession et d'économie incertaine, le fait que Harley-Davidson continue d'offrir de tels produits de luxe représente une démonstration choquante des différences qui existent entre la firme de Milwaukee et les autres constructeurs puisque ceux-ci éprouvent toujours de la difficulté à vendre des customs dès que la facture s'approche à peine des 20 000 $. Quoi qu'il en soit, le fait que ces modèles CVO restent disponibles représente une excellente nouvelle pour le nombre relativement bas d'amateurs qui attendent frénétiquement leur dévoilement chaque année. La mouture 2010 est aussi variée qu'elle est exécutée de main de maître.

Screamin'Eagle Fat Bob

Modèle européen - couleur non offerte au Canada

HONDA
GOLD WING

Précieuse...

On entend régulièrement le récit de ces aventuriers qui, apparemment libres comme l'air, zigzaguent la planète aux commandes d'une quelconque vieille routière acquise pour quelques centaines de dollars à peine. S'ils sont la preuve que le voyage à moto ne requiert pas obligatoirement une machine de la trempe de la Gold Wing, il reste que pour une certaine autre catégorie de motocyclistes, voir du pays à moto sans le confort inégalé et l'équipement quasi infini de la célèbre Honda est tout simplement inconcevable. Introduite sous sa forme actuelle en 2001, la Gold Wing n'a depuis évolué que par l'allongement de sa liste d'équipements. Le modèle AD possède un coussin gonflable.

Depuis l'arrivée de la dernière génération du modèle en 2001, la Gold Wing est demeurée relativement intacte d'un point de vue mécanique. Cela dit, comme il n'a d'ailleurs jamais cessé de le faire depuis l'introduction du modèle il y plus de 30 ans, Honda a régulièrement fait taire certaines critiques en améliorant ici et là sa vénérable voyageuse. Quelques retouches esthétiques furent dernièrement faites à la partie arrière, tandis que le constructeur profitait de l'occasion pour également remanier de façon assez sérieuse le niveau d'équipement offert ainsi que la manière dont celui-ci est présenté. Le résultat est un tableau de bord d'inspiration automobile offrant une quantité de fonctions presque étourdissante. Le point focal est un système de navigation dont le large écran couleur sert en plus à afficher les informations reliées aux systèmes audio et de communication. Si un petit cours est nécessaire pour tirer le meilleur parti de toute cette technologie, on y arrive sans trop de difficultés et on s'attache même vite non seulement à l'excellent GPS, mais aussi à la chaîne audio qui est à la fois la plus puissante jamais installée sur une moto et celle dont la qualité sonore est la meilleure dans des situations difficiles comme la conduite sur l'autoroute où les bruits ambiants sont élevés.

C'est à la BMW K1200LT, qui a innové en proposant la première des équipements chauffants, qu'on doit les selles et les poignées chauffantes de la Gold Wing. En combinant ces dernières à l'excellente protection au vent offerte par le grand pare-brise

> **LA QUANTITÉ DE FONCTIONS DU TABLEAU DE BORD, QUI S'ÉTEND JUSQU'AU CARÉNAGE, EST PRESQUE ÉTOURDISSANTE.**

qui n'est toujours pas ajustable électriquement, une faute majeure sur une monture de ce calibre, la grosse Honda arrive à rendre très tolérables les balades par temps froid et donc à carrément étirer la saison de moto. Quant à ce fameux coussin gonflable optionnel, le premier et toujours le seul de l'industrie, le surplus de près de 1 500 $ qu'il commande pourrait faire toute la différence si le pire arrivait.

Le comportement routier de la Gold Wing conserve toute la grâce et l'aisance auxquelles la génération du modèle présenté en 2001 nous a habitués. Si elle est très lourde à l'arrêt, on ne peut qu'admirer à quel point la grosse Honda devient agile dès qu'on se met en mouvement. La légèreté de la direction en amorce de virage, la stabilité à très haute vitesse en ligne droite ou en courbe, l'efficacité du système de freinage combiné avec ABS et la superbe souplesse du vénérable 6-cylindres à plat sont toutes des caractéristiques responsables du statut dont jouit de plein droit la Gold Wing. Sans oublier, évidemment, le confort royal offert par ses selles moelleuses et ses suspensions souples, ainsi que la puissance tant majestueuse que soyeuse de son génial 6-cylindres Boxer, une configuration qui est d'ailleurs devenue la signature mécanique de la Gold Wing. Celle-ci n'est pas pour autant parfaite comme en témoigne son poids tout simplement trop élevé, son pare-brise qui ne s'ajuste que peu et de façon manuelle et dont l'écoulement de l'air est accompagné de légères turbulences, ainsi que sa transmission au caractère rugueux et presque vieillot.

Général

Catégorie	Tourisme de luxe
Prix	29 999 $ (AD : 31 499 $)
Immatriculation 2010	627 $
Catégorisation SAAQ 2010	« régulière »
Évolution récente	introduite en 1975, revue en 1980, en 1984, en 1988 et en 2001
Garantie	3 ans/kilométrage illimité
Couleur(s)	noir, rouge (AD : noir, blanc)
Concurrence	Victory Vision Tour

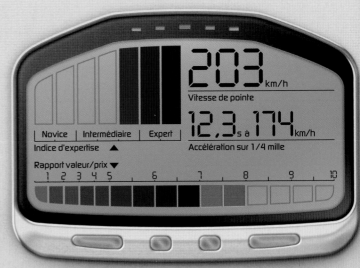

Voir légende en page 7

Moteur

Type	6-cylindres 4-temps boxer, SACT, 2 soupapes par cylindre, refroidissement par liquide
Alimentation	injection à 2 corps de 40 mm
Rapport volumétrique	9,8:1
Cylindrée	1 832 cc
Alésage et course	74 mm x 71 mm
Puissance	118 ch @ 5 500 tr/min
Couple	125 lb-pi @ 4 000 tr/min
Boîte de vitesses	5 rapports avec marche arrière électrique
Transmission finale	par arbre
Révolution à 100 km/h	environ 2 800 tr/min
Consommation moyenne	7,6 l/100 km
Autonomie moyenne	329 km

Partie cycle

Type de cadre	périmétrique, en aluminium
Suspension avant	fourche conventionnelle de 45 mm non ajustable
Suspension arrière	monoamortisseur ajustable en précharge
Freinage avant	2 disques de 296 mm de Ø avec étriers à 3 pistons et systèmes ABS et CBS
Freinage arrière	1 disque de 316 mm de Ø avec étrier à 3 pistons et systèmes ABS et CBS
Pneus avant/arrière	130/70 R18 & 180/80 R16
Empattement	1 689 mm
Hauteur de selle	739 mm
Poids tous pleins faits	412 kg (AD : 421 kg)
Réservoir de carburant	25 litres

QUOI DE NEUF EN 2010 ?

Aucun changement

Gold Wing coûte 600 $ et Gold Wing AD 650 $ de plus qu'en 2009

PAS MAL

Une configuration mécanique unique dans le monde de la moto et qui contribue fortement à l'agrément de pilotage; tant la sonorité du 6-cylindres Boxer que sa souplesse et sa puissance constituent certaines des plus grandes forces du modèle

Un niveau de confort pratiquement inégalé sur une moto; la selle est presque un fauteuil, la protection au vent est totale, les vibrations sont quasi inexistantes et la liste d'équipements est interminable

Un comportement étonnamment solide et précis; si elle est balourde à l'arrêt, la Gold Wing devient agile une fois en mouvement

BOF

Un poids immense qui se fait surtout sentir à l'arrêt et dans les manœuvres à basse vitesse; une bonne expérience de pilotage est requise non seulement pour maîtriser le mastodonte, mais aussi pour éviter des chutes banales dans le garage ou dans un stationnement

Une efficacité aérodynamique qui n'est pas parfaite; l'écoulement du vent n'est pas exempt de turbulences à la hauteur du casque tandis que l'ajustement manuel du pare-brise n'a pas sa place sur une monture de ce prix et de ce calibre

Une transmission qui fait son travail sans accroc, mais qui se montre un peu rugueuse et pas très précise lors des passages de vitesses

Un concept toujours très efficace, mais qui commence à avoir un certain âge et qu'il serait probablement temps de faire évoluer

Conclusion

La Gold Wing n'est ni plus ni moins que la monture de tourisme la plus confortable et la plus avancée jamais produite. En 2010, avec le retrait de la K1200LT du catalogue BMW, elle est aussi la seule machine du genre offerte. D'autres modèles, comme la Harley-Davidson Electra Glide, la Kawasaki Voyager ou surtout la Victory Vision Tour partagent la mission de la Honda, mais la Gold Wing reste malgré cela absolument unique. Propulsée par le seul 6-cylindres Boxer du monde du motocyclisme et équipée de plus de gadgets qu'un petit avion, elle définit la notion de tourisme à moto, et ce, même s'il est indéniable que le concept vieillit, celui-ci n'ayant gagné que quelques équipements depuis son lancement au début du millénaire.

Modèle européen

HONDA
ST 1300

HONDA

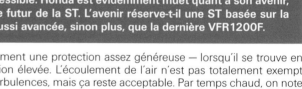

Le temps passe...

Équipée de manière minimale, mais suffisante et animée par un unique et charmant V4 longitudinal, la ST1300 est le plus vieux modèle de la très concurrentielle catégorie des « vraies » sport-tourisme. Bien que jamais retouchée depuis son introduction de 2003, elle demeure une option tout à fait valable pour les motocyclistes qui privilégient sa nature quelque peu réservée et accessible. Honda est évidemment muet quant à son avenir, mais l'arrivée de la VFR1200F pourrait indiquer du mouvement dans le futur de la ST. L'avenir réserve-t-il une ST basée sur la VFR, « à la Concours », ou plutôt une ST1400 en bonne et due forme aussi avancée, sinon plus, que la dernière VFR1200F.

C'est par l'audace de ses modèles souvent révolutionnaires que la marque Honda a fini par être reconnue comme l'une des plus grandes au monde. Bien que son introduction remonte à plusieurs années, la ST1300 témoigne à plusieurs niveaux de ce haut degré d'ingénierie, à commencer par sa mécanique. Il s'agit d'un V4 disposé de façon longitudinale et qui joue un important rôle dans le plaisir de pilotage procuré par la ST. Il produit une mélodie unique et feutrée qui accompagne et agrémente chaque instant de la conduite. Bourré de couple dans les premiers tours, il est assez puissant pour soulever la roue avant sur le premier rapport si les gaz sont ouverts de façon brusque. L'accélération est ensuite linéaire jusqu'à la zone rouge, si bien qu'on a toujours la sensation de disposer d'assez de puissance, et qu'on ne pense pratiquement jamais à rétrograder pour rendre les choses plus intéressantes. La boîte de vitesses à 5 rapports est douce, précise et bien étagée. La ST n'est pas ultrarapide, mais elle possède cette caractéristique mécanique qui satisfait pleinement.

Compte tenu de la nature de la classe à laquelle appartient la ST1300, le niveau de confort qu'elle offre est d'une grande importance pour les acheteurs. À ce chapitre, la Honda excelle. La position de conduite est agréablement équilibrée, la selle n'appelle presque pas de critiques et les suspensions sont à la fois souples et juste assez fermes. L'un des rares commentaires négatifs au niveau du confort concerne l'agaçant retour d'air que provoque le pare-brise à ajustement électrique — qui offre

> ## LE V4 GÉNÈRE UNE MÉLODIE UNIQUE ET FEUTRÉE QUI ACCOMPAGNE CHAQUE INSTANT DE LA CONDUITE.

autrement une protection assez généreuse — lorsqu'il se trouve en position élevée. L'écoulement de l'air n'est pas totalement exempt de turbulences, mais ça reste acceptable. Par temps chaud, on note un dégagement important de chaleur, dans des situations lentes comme la conduite urbaine.

Au-delà de leur niveau de confort et des prestations de leur mécanique, les montures comme la ST1300 sont, bien entendu, jugées par la qualité de leur comportement routier. Après tout, sport-tourisme implique aussi sport. Encore là, la Honda se sort d'affaire avec d'excellentes notes.

Étonnamment agile et maniable pour une monture de son gabarit, la ST1300 ne demande qu'un effort minime pour s'engager en virage ou se basculer d'un angle à l'autre. Le châssis renvoie une forte impression de solidité et de précision dans les courbes de tous genres. Il fait également preuve d'une grande agilité dans les enfilades de courbes, qui sont un exercice à la fois plaisant et étonnamment accessible.

Si le comportement de la ST1300 est irréprochable jusqu'à plus ou moins 140 km/h, on arrive à le prendre en défaut en poussant les choses plus loin dans l'illégalité. On parle ici de vitesses de 180 km/h et plus lors desquelles on note une réduction de la stabilité, et ce, surtout lorsque l'on transporte un passager et que le pare-brise est en position haute. Il ne s'agit donc pas d'une situation fréquente, mais il reste que les modèles rivaux s'avèrent pratiquement sans faute dans les mêmes conditions.

Général

Catégorie	Sport-Tourisme
Prix	19 999 $
Immatriculation 2010	627 $
Catégorisation SAAQ 2010	« régulière »
Évolution récente	introduite en 1990, revue en 2003
Garantie	3 ans/kilométrage illimité
Couleur(s)	noir
Concurrence	BMW K1300GT, Kawasaki Concours 14, Yamaha FJR1300

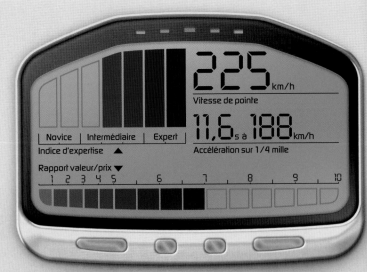

Voir légende en page 7

Moteur

Type	4-cylindres longitudinal 4-temps en V à 90 degrés, DACT, 4 soupapes par cylindre, refroidissement par liquide
Alimentation	injection à 4 corps de 36 mm
Rapport volumétrique	10,8:1
Cylindrée	1 261 cc
Alésage et course	78 mm x 66 mm
Puissance	125 ch @ 8 000 tr/min
Couple	85 lb-pi @ 6 000 tr/min
Boîte de vitesses	5 rapports
Transmission finale	par arbre
Révolution à 100 km/h	environ 3 400 tr/min
Consommation moyenne	6,5 l/100 km
Autonomie moyenne	446 km

Partie cycle

Type de cadre	périmétrique, en aluminium
Suspension avant	fourche conventionnelle de 45 mm non ajustable
Suspension arrière	monoamortisseur ajustable en précharge
Freinage avant	2 disques de 310 mm de Ø avec étriers à 3 pistons et systèmes ABS et CBS
Freinage arrière	1 disque de 316 mm de Ø avec étrier à 3 pistons et systèmes ABS et CBS
Pneus avant/arrière	120/70 ZR18 & 170/60 ZR17
Empattement	1 491 mm
Hauteur de selle	775/790/805 mm
Poids tous pleins faits	331 kg (à vide : 289 kg)
Réservoir de carburant	29 litres

QUOI DE NEUF EN 2010 ?

Aucun changement

Coûte 300 $ de plus qu'en 2009

PAS MAL

Un niveau de confort très difficile à prendre en faute; la protection au vent est généreuse, la position de conduite est bien équilibrée, les suspensions sont bien calibrées et la selle est bonne tant pour le pilote que pour son passager

Un caractère facile à vivre dans l'environnement quotidien qui vient s'ajouter aux excellentes qualités du modèle dans les situations comme les longues distances parsemées de routes en lacets

Un plaisir de conduite élevé amené par un niveau de performances plus que satisfaisant et surtout par le caractère bien particulier du superbe V4 qui anime le modèle

BOF

Un pare-brise électrique qui crée de la turbulence à la hauteur du casque et génère un retour d'air dans le dos du pilote, lorsqu'il se trouve en position haute à vitesse élevée

Une grande quantité de chaleur dégagée par le moteur lors de journées chaudes, et ce, surtout dans des conditions sans déplacement d'air comme la circulation dense

Un léger louvoiement à très haute vitesse, surtout lorsque le pare-brise est en position haute; les utilisateurs respectueux des limites de vitesse ne s'en rendront toutefois jamais compte

Un niveau d'équipement qui pourrait être plus généreux, surtout compte tenu du prix qui n'est pas particulièrement bas ; de plus, la ligne du modèle qui commence à vieillir

Conclusion

Nous insistons régulièrement sur le fait que les machines de sport-tourisme devraient être choisies non seulement selon les besoins des acheteurs, mais aussi selon leur caractère. Outre l'unicité de son excellent V4, la ST1300 est probablement la plus sobre et la plus discrète de sa classe. Elle ne s'adresse donc pas à l'amateur de sensations fortes ni au coureur à la retraite, mais plutôt au motocycliste moyen et commun, celui qui ne demande qu'à rouler longtemps et confortablement avec un minimum de tracas. Un peu moins fine en pilotage sportif que la Yamaha FJR1300, moins puissante et pointue que la Kawasaki Concours 14 et moins chère que la BMW K1300GT, elle incarne le choix éprouvé qui plaît à la moyenne.

CBF1000

HONDA
CBF1000

NOUVEAUTÉ 2010

CBF1000 2.0

La CBF1000 fait partie d'une catégorie de motos très et trop peu exploitée qui pourrait susciter énormément d'intérêt de la part, par exemple, des amateurs de sportives désirant une monture plus polyvalente. En effet, tout motocycliste désirant piloter une monture à caractère sportif modéré ne dispose que de très peu de choix. Si la CBF1000 comptait parmi les rares options possibles, elle était souvent mise de côté en raison de sa ligne anonyme. La révision sérieuse qu'elle subit en 2010 devrait grandement l'aider à ce niveau puisque Honda l'a redessinée de manière juste assez agressive pour que la clientèle décrite plus haut puisse s'imaginer à ses commandes. Le concept, lui, reste.

TECHNIQUE

La beauté intérieure constitue une très belle qualité, mais elle ne représente pas un attrait majeur pour les amateurs de sportives pures qui se laissent plutôt facilement séduire par une ligne agressive et des performances éblouissantes. Tôt ou tard, l'aspect superficiel de ces caractéristiques finit néanmoins par devenir agaçant, particulièrement lorsque lesdits amateurs commencent à vieillir. La solution parfaite pour eux, à ce moment précis de leur cheminement de motocycliste, serait d'arriver à combiner des qualités superficielles comme une belle ligne et des qualités dynamiques comme un niveau de confort élevé. À ce jour, et ce, de manière difficilement compréhensible, très peu de constructeurs se sont attardés à ce besoin. La CBF1000 a, depuis son introduction en 2006, toujours possédé la beauté interne qui pourrait beaucoup plaire au motocycliste désirant combiner sport et praticité, mais pour beaucoup, son aspect extérieur terne représentait un obstacle trop important à surmonter.

La version 2010 de la CBF1000 a pour mission d'allumer une étincelle d'intérêt chez cette clientèle qui devient de plus en plus nombreuse au fur et à mesure que les années passent. Évidemment, quiconque d'autre à la recherche d'une monture de nature sportive modérée plutôt qu'extrême représente aussi la clientèle cible de la CBF1000.

D'un point de vue purement technique, la CBF1000

> **LE FAIT QUE LA VERSION 2010 REPRÉSENTE UNE ÉVOLUTION PLUTÔT QU'UNE REFONTE EST UNE EXCELLENTE NOUVELLE.**

2010 demeure très proche de la version 2006-2009. Le modèle 2010 représente une évolution plutôt qu'une refonte et son comportement devrait être très près de celui de la version précédente, ce qui consiste en une excellente nouvelle puisque la CBF1000 s'était jusqu'à maintenant distinguée par un fantastique niveau de polyvalence. Entre autres, des qualités comme un très bon confort, une souplesse mécanique exemplaire et un comportement merveilleusement invitant nous avaient poussés à la décrire comme l'une des meilleures machines à tout faire qui soient.

Pour 2010, Honda n'a heureusement pas touché cet aspect du modèle et s'est plutôt affairé à le mettre non seulement à jour techniquement, mais aussi visuellement. Si la banalité de la ligne originale a probablement coûté bien des ventes de CBF1000 à Honda, ce problème devrait être en grande partie réglé sur celle-ci, car le style représente un bel amalgame d'esprit sportif et routier. La mécanique retenue est toujours le 4-cylindres de la première génération de la CBR1000RR et la manière avec laquelle elle est calibrée pour cette utilisation reste la même. Le silencieux double démodé est remplacé un élégant 4-en-1, l'injection est revue pour favoriser la consommation d'essence et la puissance grimpe de quelques chevaux. Un cadre très similaire à l'ancien, mais désormais en aluminium ainsi que des suspensions offrant plus d'ajustements complètent les modifications principales.

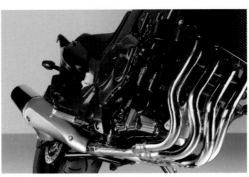

Modèle européen

CBF600S

Pour 2010, Honda Canada offrira en la CBF600S un autre de ces modèles européens qu'il choisit d'importer chez nous sans la «permission» des États-Unis, qui dictent généralement le contenu de la gamme canadienne en même temps qu'ils décident celui de la gamme américaine. Il s'agit d'une sympathique petite moto dont la mission et la construction sont étroitement liées à celles de la CBF1000. Dans la pratique, la CBF600S, sur laquelle nous avons pu rouler quelques kilomètres avant d'aller sous presse avec *Le Guide de la Moto 2010*, s'avère une moto assez différente de la CBF1000. S'il est indéniable que d'une façon générale la mission de polyvalence des deux est la même, on découvre en la CBF600S une monture surtout orientée vers une clientèle débutante, peu expérimentée ou peu exigeante en termes de performances. Propulsée par un 4-cylindres en ligne de 599 cc emprunté à une génération précédente de la CBR600RR et calibré de manière à offrir un rendement plus approprié sur la route, la CBF600S propose un niveau de performances relativement modeste. Produisant 77,5 chevaux à 10 500 tr/min et générant un couple de 43,5 lb-pi à 8 250 tr/min, la petite soeur de la CBF1000 est capable d'accélérations que seul le type de clientèle décrite plus haut trouvera amusantes. Cela dit, elle est l'une des rares montures sur le marché qui soit à la fois parfaitement recommandable pour un pilote débutant et envisageable à long terme, puisque si le niveau de puissance n'est pas extraordinaire, en revanche, il satisfera pleinement une certaine catégorie de motocyclistes privilégiant l'accessibilité. En effet, on peut exploiter tous les chevaux de la CBF600S sans craindre de réactions brusques ou inattendues. La grande accessibilité du modèle se retrouve aussi au chapitre du comportement routier puisque celui-ci est caractérisé par une impressionnante légèreté lors des changements de direction et par une stabilité très difficile à prendre en faute. La partie cycle n'est peut-être pas du dernier cri, mais sa solidité et sa précision en pilotage sportif sont parfaitement satisfaisantes, surtout compte tenu de la clientèle visée. Le niveau de confort est excellent grâce à une bonne selle, à une position de conduite relevée soulageant complètement les poignets, à une bonne protection au vent et à des suspensions calibrées de manière souple. L'aspect sécuritaire du modèle est par ailleurs digne de mention puisqu'un système C-ABS liant les freins avant et arrière est livré de série sur les versions canadiennes. Le prix de détail suggéré est 9 899 $ et la seule couleur offerte est le noir.

Général

Catégorie	Routière Sportive
Prix	12 999 $
Immatriculation 2010	627 $
Catégorisation SAAQ 2010	« régulière »
Évolution récente	introduite en 2006, revue en 2010
Garantie	1 an/kilométrage illimité
Couleur(s)	doré
Concurrence	Suzuki Bandit 1250S, Yamaha FZ1

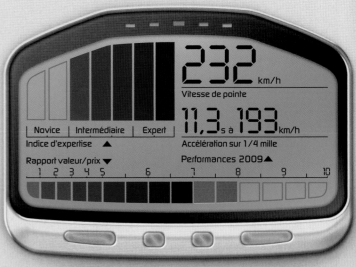

232 km/h
Vitesse de pointe

11,3 s à 193 km/h
Accélération sur 1/4 mille

Novice | Intermédiaire | Expert
Indice d'expertise ▲

Rapport valeur/prix ▼

Performances 2009 ▲

1 2 3 4 5 6 7 8 9 10

Voir légende en page 7

Moteur

Type	4-cylindres en ligne 4-temps, DACT, 4 soupapes par cylindre, refroidissement par liquide
Alimentation	injection à 4 corps de 36 mm
Rapport volumétrique	11,2:1
Cylindrée	998 cc
Alésage et course	75 mm x 56,5 mm
Puissance sans Ram Air	107,4 ch @ 9 000 tr/min
Couple	70,8 lb-pi @ 6 500 tr/min
Boîte de vitesses	6 rapports
Transmission finale	par chaîne
Révolution à 100 km/h	environ 4 100 tr/min (2009)
Consommation moyenne	7,5 l/100 km (2009)
Autonomie moyenne	253 km (2009)

Partie cycle

Type de cadre	épine dorsale, en aluminium
Suspension avant	fourche conventionnelle de 41 mm ajustable en précharge
Suspension arrière	monoamortisseur ajustable en précharge et détente
Freinage avant	2 disques de 296 mm de Ø avec étriers à 3 pistons et système C-ABS
Freinage arrière	1 disque de 240 mm de Ø avec étrier à 1 piston et système C-ABS
Pneus avant/arrière	120/70 ZR17 & 160/60 ZR17
Empattement	1 495 mm
Hauteur de selle	780/795/810 mm
Poids tous pleins faits	245 kg
Réservoir de carburant	20 litres

QUOI DE NEUF EN 2010 ?

Évolution de la CBF1000

Carénage, selles, échappement et instrumentation revus

Cartographie d'injection revue pour une meilleure consommation

Ajustement additionnel aux suspensions

Cadre en aluminium plutôt qu'en acier

Coûte 1 000 $ de plus qu'en 2009

PAS MAL

Un niveau de polyvalence rarement retrouvé ailleurs et qui devrait être intégralement retenu par cette nouvelle version

Une mécanique dont l'excellente souplesse était l'une des principales qualités sur la version originale; rien n'indique que cette caractéristique serait altérée sur la CBF1000 2010

Un comportement routier qui affichait déjà un équilibre exemplaire et qui, grâce au nouveau châssis et aux suspensions revues, devrait être au moins équivalent sur la nouvelle version

BOF

Une livrée de puissance qui s'avérait très pratique sur la version originale, mais pas nécessairement excitante pour les motocyclistes un peu plus gourmands en chevaux; la puissance grimpe un peu sur la version 2010, mais probablement pas de manière suffisante pour transformer cette caractéristique

Un prix qui était très raisonnable l'an dernier, mais qui grimpe de manière marquée cette année

Conclusion

La version précédente de la CBF1000 nous avait éblouis par sa simplicité et son efficacité, par sa capacité à plaire et amuser sans avoir recours à de la haute technologie ou à un niveau de puissance démesuré. Elle représentait, sur un marché peuplé de machines toutes plus spécialisées les unes que les autres, un genre de motos presque oublié, celui de la bonne vieille moto à tout faire. La qualité de pouvoir tout faire n'est malheureusement pas facile à vendre, raison pour laquelle relativement peu de motocyclistes choisissent de telles motos, du moins sur notre marché. Nous espérons sincèrement que la version 2010, que nous anticipons très proche de la précédente à tous les points de vue, réussira, grâce à sa jolie ligne, à attirer une plus large clientèle afin que celle-ci comprenne enfin ce qu'elle manque.

CBF600S

Mi-VFR, mi-XX...

Il aura fallu attendre 8 longues années avant de voir enfin arriver une VFR de nouvelle génération, ce qu'est cette toute nouvelle VFR1200F. Mais il aura fallu encore plus longtemps pour voir Honda accoucher d'une digne remplaçante de la vénérable et très regrettée CBR1100XX, ce qu'est aussi cette nouvelle VFR, et ce, même si ce n'est pas de cette façon que Honda a choisi de la présenter. Propulsée par un tout nouveau V4 de 1 237 cc débordant de technologie et annoncé à plus de 170 chevaux, il s'agit d'une Honda comme on n'en a pas vu depuis un bon moment. Le côté novateur du modèle n'est d'ailleurs pas banal du tout puisqu'une version entièrement automatique est aussi offerte.

Qu'est-il arrivé à Honda durant la première décennie du millénaire ? Nous ne le savons pas. Ce que nous savons, c'est qu'il s'est égaré et qu'il a laissé d'autres innover beaucoup, beaucoup plus que lui, ce qui n'était certes pas son habitude antérieurement. L'arrivée de cette nouvelle VFR1200F nous ramène carrément au bon vieux temps, à l'époque à laquelle on retenait son souffle à chaque début d'année, en attendant de découvrir ce que les génies du Géant Rouge avaient cette fois concocté. La nouvelle VFR est de ce calibre.

S'il existe un bémol quant au dévoilement de la nouveauté, du moins pour le constructeur, c'est que dans un tel contexte, les attentes deviennent extrêmement élevées. Malgré cela, la VFR a fait bonne impression à la suite du très — et trop — court contact que nous avons eu avec elle, tard à l'automne.

Son style, qui n'a d'ailleurs pas fini de générer des discussions animées, est très trompeur puisqu'il donne aux proportions une impression de forte corpulence qu'on ne ressent pas du tout une fois en selle. En fait, la VFR1200F est presque un clone parfait de la VFR800 en matière d'ergonomie. Physiquement, on ne la sent pas vraiment plus grosse, plus longue ou même plus lourde. Malgré l'air très massif de la partie avant, la protection offerte par le carénage est presque identique à celle de la 800. La position de conduite conserve une saveur sportive marquée tant au niveau de l'angle des jambes qu'à celui du poids modéré, mais tout de même notable que doivent supporter les mains. Il ne s'agit clairement pas d'une

cousine de la ST1300, mais plutôt d'une très proche parente de la VFR800 et, jusqu'à un certain point, de la regrettée CBR1100XX.

Les ressemblances avec la génération précédente s'estompent très vite dès l'instant où l'on enroule les gaz. La vérité c'est que le moteur de la 800 fait figure de miniature par rapport à celui de la 1200, et ce, tant en ce qui concerne la sonorité beaucoup plus grave et profonde de la nouveauté que le niveau des performances, qui sont simplement d'une autre ligue. Compte tenu de sa forte cylindrée, de sa mission routière et de la réputation de moteurs coupleux qu'ont les V4, on s'étonne un peu que la VFR1200F n'étire pas davantage les bras à très bas régime. Probablement encore ces contrôles électroniques. Mais passez les 5 000 tr/min et la bête s'éveille d'un coup, s'envolant jusqu'à sa zone rouge avec un genre de rugissement qui ne pourrait provenir d'un autre type de configuration. On sent bien la mécanique, mais sans que les vibrations dérangent, bien au contraire. Toutefois, encore là, on aimerait sentir plus, entendre plus. On aimerait que cet unique et impressionnant V4 soit libéré de sa trop grande politesse.

L'un des aspects les plus étonnants de la VFR1200F est que malgré son imposante cylindrée, son comportement reste admirablement neutre et léger. Chaque manoeuvre se réalise avec facilité, avec précision et de manière très naturelle et sans jamais que la VFR donne l'impression de résister aux intentions du pilote.

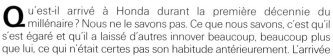

PASSEZ 5 000 TR/MIN ET LA BÊTE S'ÉVEILLE EN S'ENVOLANT JUSQU'À SA ZONE ROUGE DANS UN DÉLICIEUX RUGISSEMENT DE V4.

« LA NOUVELLE VFR1200F SEMBLE MASSIVE, LARGE ET IMPOSANTE, MAIS IL S'AGIT D'UNE ILLUSION DONT EST RESPONSABLE SA — CONTROVERSÉE — LIGNE. LA RÉALITÉ EST QU'IL S'AGIT D'UNE RÉPLIQUE PRESQUE PARFAITE DE LA 800 QU'ELLE REMPLACE AU CHAPITRE DE L'ERGONOMIE. LA PUISSANCE DU GROS V4, ELLE, N'A STRICTEMENT RIEN À VOIR AVEC LE RENDEMENT DE L'ANCIENNE MÉCANIQUE. LA VFR EST DÉCIDÉMENT PASSÉE AUX LIGUES MAJEURES. »

À peine une poignée de degrés au-dessus du point de congélation, quelque part entre Montréal et Toronto, l'auteur prend beaucoup trop brièvement contact avec la toute nouvelle VRF1200F. Le crédit photo revient à Bill Petro.

Du rêve à la réalité

Honda avait bien expliqué, lorsqu'il dévoila sa V4 Concept l'an dernier, que le prototype avait pour lui une signification bien particulière. En effet, son existence avait pour principal but d'annoncer au monde que le constructeur effectuerait dans un avenir rapproché un genre de retour aux sources en mettant beaucoup plus d'emphase sur le moteur V4. On doit se rappeler qu'aucune autre marque n'a produit autant de modèles propulsés par des 4-cylindres en V que Honda, si bien que cette configuration est d'une certaine façon devenue sa signature mécanique, comme c'est par exemple le cas avec BMW et le moteur Boxer, ou Harley-Davidson avec les V-Twin. Comme bien des marques l'ont fait ces dernières années, Honda, pour diverses raisons, s'est un peu égaré. Le V4 Concept annonçait la réalisation de cet égarement, et l'engagement à corriger la situation. Le premier résultat de cette nouvelle direction n'a pas tardé à se manifester puisqu'il s'agit de la VFR1200F 2010. Bien entendu, si cette dernière est propulsée par un V4, comme promis, on note que les similitudes entre elle et le prototype vont bien plus loin. Outre l'absence des éléments de fantaisie comme les pneus recouverts et les roues sans moyeu, on remarque de nombreux traits communs au niveau du «visage», du réservoir, des panneaux latéraux et de la selle. Mais en examinant les deux de plus près, on note aussi que le «carénage en couches superposées», un concept que Honda aurait apparemment breveté, est également utilisé sur la VFR.

À droite : Honda offrira nombre d'accessoires pour la VFR1200F permettant de la transformer en routière mieux adaptée aux longs trajets. Des valises, un top case et des poignées chauffantes font partie de la liste.

Général

Catégorie	Routière Sportive
Prix	18 299 $ (VFR1200F DCT : ND)
Immatriculation 2010	NC - probabilité : 627 $
Catégorisation SAAQ 2010	NC - probabilité : « régulière »
Évolution récente	introduite en 1986, revue en 1990, en 1994, en 1998 et en 2002; VFR1200F introduite en 2010
Garantie	1 an/kilométrage illimité
Couleur(s)	rouge (VFR1200F DCT : gris)
Concurrence	BMW K1300S, Kawasaki Ninja ZX-14 Suzuki GSX1300R Hayabusa

275 km/h
Vitesse de pointe

10,4 s à **220** km/h
Accélération sur 1/4 mille

Novice | Intermédiaire | Expert
Indice d'expertise ▲

Rapport valeur/prix ▼
1 2 3 4 5 6 7 8 9 10

Performances estimées ▲

Voir légende en page 7

Moteur

Type	4-cylindres 4-temps en V à 76 degrés, DACT, 4 soupapes par cylindre, refroidissement par liquide
Alimentation	injection à 4 corps de 44 mm
Rapport volumétrique	12:1
Cylindrée	1237 cc
Alésage et course	81 mm x 60 mm
Puissance	172,7 ch @ 10 000 tr/min
Couple	95 lb-pi @ 8 750 tr/min
Boîte de vitesses	6 rapports (DCT : automatique)
Transmission finale	par arbre
Révolution à 100 km/h	environ 3 500 tr/min
Consommation moyenne	6,5 l/100 km
Autonomie moyenne	284 km

Partie cycle

Type de cadre	périmétrique, en aluminium
Suspension avant	fourche inversée de 43 mm ajustable en précharge
Suspension arrière	monoamortisseur ajustable en précharge et détente
Freinage avant	2 disques de 320 mm de Ø avec étriers à 6 pistons et système C-ABS
Freinage arrière	1 disque de 276 mm de Ø avec étrier à 2 pistons et systèmes C-ABS
Pneus avant/arrière	120/70 ZR17 & 190/55 ZR17
Empattement	1 545 mm
Hauteur de selle	815 mm
Poids tous pleins faits	267 kg (DCT : 278 kg)
Réservoir de carburant	18,5 litres

QUOI DE NEUF EN 2010 ? ⊕

Nouvelle génération de la VFR

Coûte 3 600 $ de plus que la VFR800 2009

PAS MAL 🔼

Une proposition mécanique sans pareil puisque personne n'offre une machine de ce calibre propulsée par un V4, ce qui fait de la VFR1200F une monture absolument unique

Un niveau de performances très impressionnant qui fait de la VFR1200F une rivale en bonne et due forme des monstres que sont les ZX-14 et Hayabusa, confort en prime

Un comportement dont l'équilibre est presque magique puisque malgré sa masse considérable et l'inertie élevée de sa grosse cylindrée, la VFR1200F se manie avec aisance et légèreté

BOF 🔽

Une mécanique qu'on aimerait encore plus présente d'un point de vue auditif et dont la puissance à bas régime aurait pu être plus élevée

Un excellent niveau de confort, mais une position de conduite qui conserve la nature sportive de celle de l'ancienne 800, ce qui peut devenir inconfortable au niveau des poignées un peu basses

Un prix costaud; la VFR est aussi passée aux ligues majeures en matière de budget

Une version automatique très intrigante que nous n'avons pas pu tester

Une ligne qui n'a plus aucun lien avec celle de l'ancien modèle, ce qui n'est pas un défaut en soi, mais dont la direction semble difficile à saisir; on voit beaucoup de formes, peut-être trop, et on peine à saisir l'objectif des designers; beaucoup n'aiment tout simplement pas; cela dit, l'effet général est tellement frappant qu'on ne peut confondre le modèle avec quoi que ce soit d'autre

Conclusion

Les montures aussi symboliques et significatives que la VFR1200F ne sont certes pas présentées tous les ans. Non seulement elle incarne le retour en force de Honda dans le monde des constructeurs d'élite, mais elle se veut aussi une démonstration fort éloquente du fait que les fantastiques capacités qui ont fait la réputation de cette marque font encore bel et bien partie de son ADN. La VFR1200F n'est pas parfaite pour autant puisque sa puissance à bas régime n'est pas exceptionnelle, que sa sonorité reste un peu trop polie et que sa ligne est controversée. L'on n'a néanmoins qu'à se reculer de quelques pas pour réaliser qu'elle est aussi une proposition absolument unique sur le marché actuel. Il s'agit d'une des motos les plus désirables qui soient.

VFR1200F accessoirisée

Modèle européen — diffère légèrement du canadien

HONDA
CBR1000RR

Guerre technologique...

L'évolution de la classe des sportives de classe ouverte est fort intéressante à observer puisque les constructeurs arrivent aujourd'hui à un niveau de performances que les pneus et l'humain commencent à avoir de la difficulté à gérer. L'introduction de la BMW S1000RR et de toutes ses aides électroniques au pilotage cette année indique d'ailleurs la direction que prendra inévitablement un modèle après l'autre dans cette catégorie. Au sein de cette véritable guerre technologique, la CBR1000RR fait belle figure en offrant un système ABS dont les performances sont incroyables. Elle propose aussi l'un des comportements sur circuit les plus accessibles chez ces monstres.

Les différences exactes séparant deux générations de sportives sont parfois tellement subtiles qu'elles deviennent difficiles à sentir, mais ça n'est décidément pas le cas de la CBR1000RR actuelle qui propose une expérience très différente de celle qu'offrait la génération précédente. En termes de concept et de comportement, la 1000 de Honda constitue une machine en tous points concurrentielle face à ses rivales.

Plus compacte et plus légère que l'ancienne génération que nous avons toujours trouvée un peu grassette, la CBR1000RR est nettement plus vivante. Le tempérament relativement docile et coupleux de l'ancien moteur fait, dans ce cas, place à une nature axée sur la puissance maximale et les hauts régimes.

Sans offrir une souplesse extraordinaire sous les 5 000 ou 6 000 tr/min, le moteur de la CBR1000RR s'emballe et se transforme en véritable monstre à partir de ces régimes. L'accélération devient alors phénoménale jusqu'à la zone rouge fixée à 13 000 tr/min, soulevant la roue avant en seconde vitesse sans que le pilote ait le moindre besoin d'insister. Comme sur toutes les autres 1000, exploiter la première vitesse demande beaucoup de doigté. La mécanique, qui est étonnamment douce, laisse s'échapper un sifflement presque électrique en montant en régime. Seule l'ouverture très audible de la valve d'échappement ajoute une plaisante note rauque à l'expérience.

La fougue du 4-cylindres est parfaitement contrôlée par la superbe partie cycle. Alors qu'on a longtemps dû un peu

> **COMPTE TENU DE LA COMPLEXITÉ DE L'ABS, LA SENSATION NATURELLE RESSENTIE AU LEVIER EST UN TOUR DE FORCE.**

«se battre» avec la CBR1000RR sur un tour de piste, la génération actuelle est plutôt d'une facilité déconcertante à piloter. Dans l'environnement du circuit où ces motos sont définies, toutes les manœuvres requises pour effectuer un tour de manière précise et coulée sont accomplies dans une ambiance remarquablement sereine, ce qui est loin d'être la norme. Précise et demandant peu d'efforts, l'entrée en courbe est assistée par le bon travail du limiteur de contre-couple. La grande précision et la rassurante solidité du châssis en virages sont celles auxquelles on s'attend aujourd'hui de n'importe quelle sportive de haut calibre, tandis que la progressivité de la livrée de puissance permet d'ouvrir l'accélérateur tôt en sortie de courbe, sans trop de crainte de dérapages inattendus.

L'une des caractéristiques les plus particulières de la CBR1000RR est retrouvée au niveau de son système de freinage ABS couplé, contrôlé par ordinateur et assisté par une pompe hydraulique. Il s'agit d'un système qui élimine carrément le traditionnel lien entre le pilote et le freinage. Dans ce cas, la force avec laquelle le levier ou la pédale est enfoncé est analysée par l'ordinateur de bord, puis traduite en pression dirigée à l'avant et à l'arrière. Compte tenu de ce détachement, la sensibilité du système et la sensation naturelle ressentie au levier, et ce, même en pilotage sur piste, représentent un tour de force puisqu'on croirait vraiment avoir affaire à un système normal. Les performances de cet ABS sont par ailleurs absolument phénoménales.

« ATTEINDRE 280 KM/H SUR LA LIGNE DROITE D'UNE PISTE AUX COMMANDES D'UNE MACHINE COMME LA CBR1000RR EST UN JEU D'ENFANT. FREINER POUR LA COURBE QUI DOIT ÊTRE PRISE À ENVIRON 120 KM/H NE L'EST PAS DU TOUT. ET EXPLOITER LE PLEIN POTENTIEL DU SYSTÈME DE FREINAGE À PARTIR DE CES VITESSES L'EST ENCORE MOINS, POUR NE PAS DIRE QU'IL S'AGIT D'UN ART MAÎTRISÉ PAR TRÈS PEU. À MOINS QUE VOUS N'AYEZ REMPORTÉ UN CHAMPIONNAT D'ENVERGURE, ET ENCORE, LE SYSTÈME ABS DES CBR-RR FREINERA PLUS FORT QUE VOUS, ET IL LE FERA À CHAQUE TOUR. EN PISTE, IL REPOUSSE TELLEMENT VOS POINTS DE FREINAGE QUE C'EST PRESQUE DE LA TRICHERIE. »

La piste de Roebling Road, en Georgie, où Honda nous a laissés évaluer le système de freinage extrêmement évolué de ses CBR1000RR et CBR600RR, possède une ligne droite permettant d'atteindre environ 280 km/h lorsqu'on sort bien du virage qui y mène, ce que l'auteur s'efforce de faire. L'action d'enfoncer complètement le levier du frein avant à une telle vitesse va à l'encontre de tout ce que l'instinct de motocycliste comporte comme règle. Une fois le blocage mental passé, on réalise qu'on n'a jamais freiné aussi fort et que le système n'est rien de moins qu'une révolution en matière de freinage. Crédit photo : Rob O'Brien.

La révolution du freinage

Devant vous s'étend presque un kilomètre d'asphalte bien propre. L'exercice consiste à maintenir environ 100 km/h, puis à amener la moto jusqu'à un arrêt complet sur la plus courte distance possible. Sans vous étendre, bien sûr. Peu importe la moto, peu importe votre expérience, si vous effectuez l'exercice avec une monture non munie de l'ABS, vous faites face à un défi de taille puisque le moindre mauvais jugement vous garantit un mal de tête et une facture salée. Souvenez-vous qu'il s'agit de freinage maximum. Évidemment, le même test effectué aux commandes d'une moto munie de l'ABS représente un jeu d'enfant. Vous vous accrochez, enfoncez les freins et vous attendez patiemment l'arrêt pendant que vous sentez le système faire ce qu'il a à faire par le levier et la pédale. On note par ailleurs que dans ces tests, il n'est pas du tout inhabituel qu'un pilote habile finisse éventuellement par rattraper la performance du système ABS, et même à la surpasser. Bravo ! Rendons maintenant les choses plus intéressantes en arrosant une partie de la surface où s'effectuera le freinage, et recommençons. Peu importe votre niveau d'habileté, quelle moto vous roulez ou combien de course vous avez gagné, dans ces circonstances, si vous ne bénéficiez pas de l'ABS, vous ne pouvez qu'avoir un doute à l'idée d'un freinage maximum qui passera d'une surface sèche à humide. En fait, vous êtes probablement masochiste si vous tentez l'expérience puisque la probabilité qu'elle tourne mal est très élevée. L'ABS combiné, contrôlé par ordinateur et assisté par pompe hydraulique qui équipe les CBR-RR permet non seulement de réaliser une telle manoeuvre sans le moindre problème, mais il permet aussi de le faire avec une intensité de freinage qui fait paraître un système habituel carrément préhistorique en comparaison. Alors que ce dernier «pomperait» le levier frénétiquement même sur le sec et étirerait la distance de freinage une fois arrivé sur la surface humide, l'ABS de la CBR600RR évaluée sur la photo ci-bas y est arrivé en ne renvoyant pas la moindre sensation étrange dans le levier ou la pédale. Il y est aussi arrivé en ne ralentissant pratiquement pas l'intensité du freinage une fois au-dessus de la surface humide, ce qui est presque incroyable, mais qui peut être clairement constaté en voyant que la roue arrière n'est plus au sol. Il s'agit d'un exercice qui serait assurément impensable à réaliser pour le pilote moyen, et presque impossible pour le très talentueux. La gestion du système ABS des CBR est également programmée de manière à éviter que l'immense force de freinage qu'il génère fasse basculer la moto vers l'avant et provoque une chute. Il arrive, en modulant de manière complètement transparente la force hydraulique appliquée sur les freins avant et arrière, à produire des freinages essentiellement parfaits, c'est à dire assez puissants pour faire quitter l'arrière du sol, mais pas au point de le soulever de façon contreproductive ou dangereuse. Il s'agit d'une révolution en matière de freinage et d'une des contributions majeures de l'arrivée de l'électronique de haut niveau sur les motos. BG.

Ne pas essayer à la maison, à moins de posséder une CBR600RR ou CBR1000RR munie de l'ABS de course. Sur la piste de Roebling Road, l'auteur effectue des tests de freinage dont les résultats auraient été impensables sans un système ABS aussi avancé. Crédit photo : Rob O'Brien.

Général

Catégorie	Sportive
Prix	16 399 $
Immatriculation 2010	1 410 $
Catégorisation SAAQ 2010	« sport »
Évolution récente	introduite en 1992, revue en 1996, en 1998, en 2000, en 2002, en 2004, en 2006 et en 2008
Garantie	1 an/kilométrage illimité
Couleur(s)	orange et gris
Concurrence	BMW S1000RR Kawasaki Ninja ZX-10R, Suzuki GSX-R1000, Yamaha YZF-R1

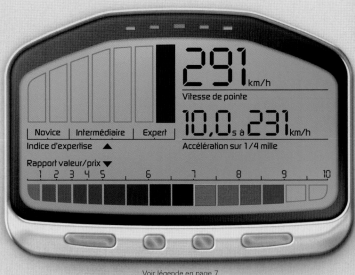

Voir légende en page 7

Moteur

Type	4-cylindres en ligne 4-temps, DACT, 4 soupapes par cylindre, refroidissement par liquide
Alimentation	injection à 4 corps de 46 mm
Rapport volumétrique	12,3:1
Cylindrée	999,8 cc
Alésage et course	76 mm x 55,1 mm
Puissance sans Ram Air	178,1 ch @ 12 000 tr/min
Couple	82,6 lb-pi @ 8 500 tr/min
Boîte de vitesses	6 rapports
Transmission finale	par chaîne
Révolution à 100 km/h	4 200 tr/min
Consommation moyenne	6,9 l/100 km
Autonomie moyenne	256 km

Partie cycle

Type de cadre	périmétrique, en aluminium
Suspension avant	fourche inversée de 43 mm ajustable en précharge, compression et détente
Suspension arrière	monoamortisseur ajustable en précharge, compression et détente
Freinage avant	2 disques de 320 mm de Ø avec étriers radiaux à 4 pistons et système C-ABS
Freinage arrière	1 disque de 220 mm de Ø avec étrier à 1 piston et système C-ABS
Pneus avant/arrière	120/70 ZR17 & 190/50 ZR17
Empattement	1 407 mm
Hauteur de selle	831 mm
Poids tous pleins faits	210 kg
Réservoir de carburant	17,7 litres

QUOI DE NEUF EN 2010 ?

Masse et inertie du vilebrequin augmentée de 6,87 % afin d'améliorer le contrôle de la traction durant les accélérations

Allègement du couvercle de tête, du silencieux et du moteur du ventilateur de refroidissement afin de garder le poids total identique

Coûte 200 $ de moins qu'en 2009

PAS MAL

Une qualité de comportement et surtout une facilité de pilotage extraordinaires sur circuit, ce qui est encore plus étonnant compte tenu du poids ajouté par l'ABS puisqu'on ne le sent pas du tout

Des performances d'un calibre exceptionnel et équivalant à celui aujourd'hui commun à la classe, mais qui sont livrées de manière étonnamment civilisées, ce qui facilite grandement le pilotage

Un système de freinage ABS offert de série qui redéfinit tout simplement les capacités de freinages d'une moto de cette classe

BOF

Un niveau de performances tellement élevé et qui n'est accessible que dans des conditions tellement particulières, comme une journée de piste, que la conduite quotidienne semble presque banale

Une mécanique qui est techniquement phénoménale, mais dont le caractère est presque inexistant

Une facture qui se gonfle inévitablement au fur et à mesure que de la nouvelle technologie est ajoutée

Un niveau de confort très faible qui correspond à la norme sur ces motos

Conclusion

Toutes les machines de cette classe représentent des armes de piste absolument phénoménales et aucune ne constitue un mauvais achat. Au sein de cette catégorie, la CBR1000RR se distingue par l'une des livrées de puissance les plus civilisées, même si on imagine mal comment un tel terme peut être marié à des performances d'un calibre aussi élevé. À cette qualité s'ajoute un comportement exceptionnellement léger, en plus d'être d'une précision absolue. La combinaison de toutes ces caractéristiques est l'une des 1000 les plus faciles à exploiter sur piste, un compliment qui n'a rien de banal lorsqu'on constate à quel point toutes ces motos commencent à avoir de la difficulté à passer leur puissance au sol, du moins celles qui n'ont pas — encore — de système de contrôle de traction.

CBR600RR avec accessoires

HONDA
CBR600RR

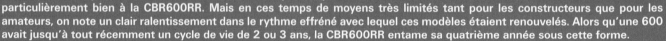

Et de quatre...

Le cas des sportives extrêmes de 600 et de 1000 cc est fascinant. Les constructeurs japonais se sont tellement acharnés à les affûter qu'elles sont devenues de fabuleuses machines de circuit que même un pilote extrêmement doué peine à pousser à la limite. Une description qui colle d'ailleurs particulièrement bien à la CBR600RR. Mais en ces temps de moyens très limités tant pour les constructeurs que pour les amateurs, on note un clair ralentissement dans le rythme effréné avec lequel ces modèles étaient renouvelés. Alors qu'une 600 avait jusqu'à tout récemment un cycle de vie de 2 ou 3 ans, la CBR600RR entame sa quatrième année sous cette forme.

L'arrivée de l'ABS sur la CBR600RR l'an dernier doit être considérée comme une étape historique du cheminement des sportives pures puisqu'il s'agit d'une technologie dont l'efficacité est tout simplement stupéfiante. En effet, les sceptiques étaient nombreux à croire que l'ABS n'a pas sa place sur une monture de ce calibre, et encore moins sur circuit. Ces sceptiques n'ont toutefois besoin que d'une bonne séance en piste avec la CBR pour être complètement confondus. Le système ABS qui équipe la 600 et la 1000 de Honda représente une révolution dans le genre puisqu'à aucun moment on ne le sent entrer en action en freinage d'urgence et qu'à moins d'être un coureur professionnel, sa présence est indétectable en piste. Le système améliore non seulement la sécurité sur route jusqu'à un niveau jamais connu auparavant sur ce type de monture, mais il est aussi tellement avancé et performant qu'il permet à un pilote même expérimenté de boucler des tours plus rapides en repoussant considérablement les limites du freinage. En fait, ce système ABS permet de freiner tellement tard en approche de courbe qu'on a presque l'impression de tricher...

Mince, très légère et ultra compacte, mais sans qu'elle coince son pilote, la CBR600RR propose une mécanique à la fois très puissante et relativement souple. Les accélérations sont propres et franches du ralenti jusqu'à la barre des 8 000 tr/min, puis deviennent considérablement plus intenses au fur et à mesure que les graduations du tachymètre défilent. Il n'arrive

> ## LE SYSTÈME ABS PERMET DE FREINER TELLEMENT TARD QU'IL DONNE AU PILOTE L'IMPRESSION DE TRICHER...

presque jamais qu'on parle de linéarité en décrivant les accélérations d'une 600, mais c'est en quelque sorte le cas ici, bien que ce soit évidemment au-delà des 10 000 tr/min que le plein potentiel de la mécanique réside. L'excellent 4-cylindres de la CBR impressionne également par sa facilité à prendre des tours et par son aisance absolue lorsqu'il tourne à des régimes très élevés. Des facteurs comme la très bonne transmission, l'embrayage léger et progressif, et l'injection à point ne font qu'ajouter à la sensation de qualité et de sophistication qui se dégage du modèle.

Si, grâce à sa selle décente, à sa position tolérable et à ses suspensions fermes, mais pas rudes, la CBR ne constitue pas une mauvaise routière, elle reste avant tout une machine conçue pour la piste, un environnement où elle se montre carrément magique. À la fois sereine, posée, précise et agile, elle donne non seulement l'impression d'être capable de n'importe quoi, mais facilite aussi le pilotage sur circuit plus qu'on ne le croirait possible. Grâce à ses freins fantastiques, à son châssis imperturbable, à ses suspensions parfaitement calibrées et à une légèreté remarquable, la CBR600RR est carrément l'une des sportives pures les plus faciles à piloter très rapidement sur piste. La qualité de sa tenue de route est même tellement ahurissante qu'on n'arrive pas à pointer quoi que ce soit à améliorer. Seule l'absence d'un limiteur de contre-couple, un équipement qui lui permettrait de se montrer encore plus à l'aise dans l'environnement du circuit, peut lui être reprochée.

Général

Catégorie	Sportive
Prix	CBR600RR ABS : 13 799 $
Immatriculation 2010	1 410 $
Catégorisation SAAQ 2010	« sport »
Évolution récente	introduite en 2003, revue en 2005 et en 2007
Garantie	1 an/kilométrage illimité
Couleur(s)	rouge et noir
Concurrence	Kawasaki Ninja ZX-6R, Suzuki GSX-R600, Triumph Daytona 675, Yamaha YZF-R6

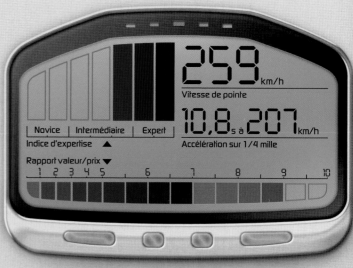

Voir légende en page 7

Moteur

Type	4-cylindres en ligne 4-temps, DACT, 4 soupapes par cylindre, refroidissement par liquide
Alimentation	injection à 4 corps de 40 mm
Rapport volumétrique	12,2:1
Cylindrée	599 cc
Alésage et course	67 mm x 42,5 mm
Puissance sans Ram Air	119,6 ch @ 13 500 tr/min
Couple sans Ram air	48,8 lb-pi @ 11 250 tr/min
Boîte de vitesses	6 rapports
Transmission finale	par chaîne
Révolution à 100 km/h	5 500 tr/min
Consommation moyenne	6,6 l/100 km
Autonomie moyenne	274 km

Partie cycle

Type de cadre	périmétrique, en aluminium
Suspension avant	fourche inversée de 41 mm ajustable en précharge, compression et détente
Suspension arrière	monoamortisseur ajustable en précharge, compression et détente
Freinage avant	2 disques de 310 mm de Ø avec étriers radiaux à 4 pistons et système C-ABS
Freinage arrière	1 disque de 220 mm de Ø avec étrier à 1 piston et système C-ABS
Pneus avant/arrière	120/70 ZR17 & 180/55 ZR17
Empattement	1 369 mm
Hauteur de selle	820 mm
Poids tous pleins faits	196 kg
Réservoir de carburant	18,1 litres

QUOI DE NEUF EN 2010 ?

Retrait de la version sans ABS

Coûte 300 $ de plus qu'en 2009

PAS MAL

Une mécanique superbe puisque douce, relativement souple, très puissante et incroyablement à l'aise à haut régime

Une partie cycle tellement réussie qu'elle transforme les motocyclistes ordinaires en pilotes compétents sur une piste, où la CBR600RR est par ailleurs une véritable merveille de précision et d'agilité

Un système de freinage antiblocage dont l'efficacité est choquante; il s'agit d'un niveau complètement nouveau d'ABS

Une nature qui semble vouloir revenir aux origines du modèle en proposant à la fois un niveau de performances très élevé et, en utilisation quotidienne, une polyvalence supérieure à celle de la moyenne de la classe

BOF

Des accélérations puissantes, mais aussi un tempérament très civilisé, presque linéaire qui affecte un tout petit peu le facteur excitation

Un embrayage sans limiteur de contre-couple; il s'agit d'un équipement dont la présence aurait été fort souhaitable en piste; toutes les rivales de la CBR en sont d'ailleurs équipées

Un niveau de confort inexistant pour le passager, quoique tolérable pour le pilote

Un prix qui commence à devenir élevé pour une 600; jusqu'à combien les amateurs accepteront de payer pour ces magnifiques machines ?

Conclusion

La CBR600 fut longtemps le modèle polyvalent de la classe en se voulant une monture à la fois redoutable en piste et tolérable sur la route, voire même confortable. Ce positionnement lui avait très bien réussi jusqu'à ce que la classe tout entière se dirige vers le côté extrême de l'équation sportive, direction que la Honda a aussi suivie durant quelques années, sans toutefois que cela lui serve particulièrement bien. Avec cette génération, la CBR poids moyen revient d'une certaine façon à ses origines. Il s'agit d'une 600 absolument brillante dont la liste des qualités est extrêmement impressionnante et dont celle des défauts s'avère non seulement courte, mais aussi très difficile à dresser. Surtout maintenant qu'elle est équipée du système de freinage le plus avancé sur Terre. Nul ne saurait dire jusqu'à quand les amateurs de sportives accepteront de payer de plus en plus cher pour ces bêtes, mais ceux qui le font aujourd'hui acquièrent des engins extraordinaires.

Routière passe-partout...

Par définition, les mots aventure et moto sont intimement liés. Soudez-les ensemble et vous obtenez une classe de montures au potentiel presque infini, les routières aventurières. Alors qu'il y a déjà plusieurs décennies que BMW exploite un tel concept avec ses GS, ce n'est que récemment que les autres constructeurs se sont intéressés à l'idée. Chez Honda, le résultat de cet intérêt est la Varadero, offerte depuis 1999 sur le marché européen, mais seulement depuis 2 ans chez nous. Elle est propulsée par le V-Twin qui anima jadis la regrettée VTR1000F et affiche une partie cycle dont les composantes ont une apparence et une fonction décidément biaisées du côté routier de l'équation.

Dessinées et construites comme des machines à traverser le désert, les aventurières ont toutes la faculté de faire rêver leur propriétaire à ce fameux jour où ils partiront à la conquête de l'inconnu, à ce fameux moment où ils quitteront routes pavées et contrées civilisées en direction de nouveaux horizons. Mais en ont-elles vraiment la capacité ?

En ce qui concerne la Varadero, Honda répond évidemment que oui. Mais il y a un mais, puisque la définition qu'a le constructeur du terme «aventure» ne se limite pas qu'au genre de périple extrême décrit plus tôt. En effet, le manufacturier suggère qu'un simple voyage, même court, peut être une aventure, et ce, sans que la randonnée comporte obligatoirement des routes non pavées. Bref, Honda tente de vendre l'idée que l'aventure ne dépend pas de l'état de la route sur laquelle on roule, mais tient aussi à l'état d'esprit dans lequel on se trouve.

Jamais le constructeur n'affirme clairement que sa définition plus large du terme aventure serait liée à une quelconque lacune de la Varadero en pilotage hors route intense, mais en ce qui nous concerne, la Varadero s'avère être une routière avant tout. Si le débattement généreux de ses suspensions et le dessin relativement agressif de ses pneus lui permettent d'affronter des routes non pavées à volonté, pousser l'expérience plus loin la sort de son élément. Ainsi, bien que traverser un terrain très abîmé reste tout à fait dans le domaine du possible, c'est sur la route qu'on la sent chez elle.

> ## SI ELLE RESTE TRÈS CAPABLE D'AFFRONTER TOUS TYPES DE TERRAINS, C'EST SUR ROUTE QU'ON SENT LA VARADERO CHEZ ELLE.

Assis droit, bien protégé des éléments, bénéficiant d'une excellente selle et profitant de très bonnes suspensions, le pilote de la Varadero est choyé par le genre d'environnement qui fait de l'enfilade de nombreux kilomètres un plaisir. Les routes sinueuses sont négociées avec facilité, précision et aplomb, tandis que les chemins en mauvais état sont affrontés sans tracas. En fait, les distances sont traversées avec une telle aisance que certains équipements semblent manquer à l'appel. Une instrumentation plus complète avec jauge à essence et affichage de la température ambiante, ainsi que des poignées chauffantes de série sont le genre de demandes qu'on ne tarde pas à faire. En revanche, l'ABS et le système de combinaison des freins avant et arrière, tous deux de série, représentent des atouts franchement appréciés. Notons que Honda propose en option un trio de valises rigides qui transforment la Varadero en monture de tourisme en bonne et due forme.

Bien caché derrière le carénage se trouve un adorable V-Twin d'un litre dont l'origine est sportive puisqu'il s'agit d'un proche parent du moteur qui a propulsé la regrettée VTR1000F. Sans être un monstre de puissance, il suffit à pousser autoritairement la masse tout de même importante de l'ensemble. Étonnamment doux, il a été calibré pour livrer un maximum de couple à bas et moyens régimes au détriment de la puissance à haut régime, ce qui représente une proposition tout à fait logique sur ce type de moto.

Général

Catégorie	Routière Aventurière
Prix	13 199 $
Immatriculation 2010	627 $
Catégorisation SAAQ 2010	« régulière »
Évolution récente	introduite en 1999, revue en 2003 et en 2007
Garantie	1 an/kilométrage illimité
Couleur(s)	noir
Concurrence	BMW R1200GS, Suzuki V-Strom 1000

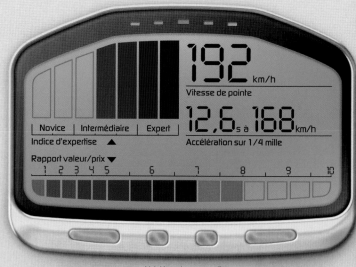

Voir légende en page 7

Moteur

Type	bicylindre 4-temps en V à 90 degrés, DACT, 4 soupapes par cylindre, refroidissement par liquide
Alimentation	injection à 2 corps de 42 mm
Rapport volumétrique	9,8:1
Cylindrée	996 cc
Alésage et course	98 mm x 66 mm
Puissance	93,7 ch @ 7 500 tr/min
Couple	72,4 lb-pi @ 6 000 tr/min
Boîte de vitesses	6 rapports
Transmission finale	par chaîne
Révolution à 100 km/h	environ 3 700 tr/min
Consommation moyenne	6,6 l/100 km
Autonomie moyenne	378 km

Partie cycle

Type de cadre	type diamant, en acier
Suspension avant	fourche conventionnelle de 43 mm non ajustable
Suspension arrière	monoamortisseur ajustable en précharge et détente
Freinage avant	2 disques de 296 mm de Ø avec étriers à 3 pistons et systèmes ABS et CBS
Freinage arrière	1 disque de 256 mm de Ø avec étrier à 3 pistons et systèmes ABS et CBS
Pneus avant/arrière	110/80 R19 & 150/70 R17
Empattement	1 560 mm
Hauteur de selle	838 mm
Poids tous pleins faits	276,7 kg (à vide : 241 kg)
Réservoir de carburant	25 litres

QUOI DE NEUF EN 2010 ?

Aucun changement

Coûte 800 $ de moins qu'en 2009

PAS MAL

Un V-Twin linéaire qui fait preuve d'une grande souplesse en distillant un couple important et une puissance très intéressante

Un niveau de confort royal — carénage protecteur ne générant pas de turbulence, selle confortable pour le pilote et le passager et une douceur de roulement incroyable — qui donne l'impression de voyager sur un tapis volant

Un niveau d'équipements, options incluses, qui nous donne accès aux grands espaces et nous permet de découvrir de nouveaux horizons

BOF

Une hauteur de selle importante qui gênera les pilotes courts, surtout en raison de la concentration haute de la masse

Un poids non seulement élevé, mais aussi positionné haut qui force le pilote à porter une attention toute particulière aux manœuvres lentes, ou à l'arrêt; ce centre de gravité haut est le plus grand défaut de la Varadero en pilotage hors route puisqu'il la rend floue et imprécise lorsque le terrain devient meuble, comme du sable ou du gravier

Une mécanique qui demande un bon petit filet de gaz pour ne pas caler au démarrage, surtout lorsque la moto est chargée

Une instrumentation qui mériterait d'être plus complète afin de mieux servir les capacités de voyageuse du modèle

Conclusion

Honda prétend qu'il n'est pas essentiel de complètement sortir des sentiers battus pour qu'une randonnée devienne une aventure. Une destination quelconque et l'assurance que la monture choisie pourra confortablement affronter tous les types de routes rencontrés sont les seuls critères obligatoires, selon le géant nippon. Présentée de cette façon, la Varadero ne peut être qualifiée autrement que de réussite. Car sous sa robe de machine de rallye se trouve l'une des motos les plus polyvalentes sur le marché. Tant qu'on se contente de longer les champs plutôt que de piquer à travers, on peut décidément parler d'une belle façon de se perdre.

Fury

HONDA
VT 1300

Table rase...

Rarement a-t-on vu un manufacturier faire table rase de manière aussi délibérée que c'est aujourd'hui le cas avec Honda et ses customs. Cette compagnie, qui a pourtant si longtemps semblé tout à fait satisfaite avec ses VTX1300 et 1800, recommence maintenant à zéro en faisant complètement disparaître ces dernières et en introduisant une série de modèles construits autour non seulement d'une toute nouvelle plateforme, mais aussi autour d'un audacieux nouveau design. La Fury, la Sabre et la Stateline — ainsi que sa version de tourisme léger l'Interstate — représentent ce qu'il y a de plus frais et original en 2010 en matière de style custom.

Peu importe le contexte, on ne choisit de faire table rase que lorsque ça ne va plus. On pourrait donc conclure que la motivation derrière cet important changement de direction de la part de Honda serait probablement dû à des résultats décevants, ou à tout le moins en voie de le devenir. Un coup d'oeil très rapide à la présence de Honda dans le monde des customs poids lourd suffit pour réaliser que tel semblait être le cas. Malgré de belles qualités, les VTX1800 n'ont jamais réussi à atteindre les volumes recherchés, en partie à cause de leur prix et en partie à cause de leur style. Quant aux VTX1300, bien qu'elles aient longtemps proposé un positionnement unique en terme cylindrée, le fait est que leurs points d'intérêt sont dernièrement devenus de plus en plus flous.

L'introduction des Fury, Sabre et Stateline marque une étape importante de l'histoire de la custom puisqu'elle représente l'une des premières fois qu'un constructeur ne présente pas un modèle dont le design est inspiré, dérivé ou carrément calqué d'un quelconque produit Harley-Davidson.

L'un des aspects les plus impressionnants de la Fury, la seule du groupe que nous avons testée avant d'aller sous presse avec l'édition 2010 du Guide de la Moto, est qu'elle se manie sans le moindre problème. Malgré ce qui ressemble à une architecture garantissant un comportement routier aussi atroce que celui des choppers artisanaux arborant une ligne semblable, la Fury fait preuve de manières tout ce qu'il y a de polies et correctes. En fait, aussi

> ## HONDA A TROUVÉ LE MOYEN D'EXORCISER LES VICES TRÈS MARQUÉS HABITUELLEMENT ASSOCIÉS À CE TYPE DE GÉOMÉTRIE DE CADRE.

extrême que puisse avoir l'air sa ligne, une fois en selle, on se croirait aux commandes d'une custom tout à fait commune. La position est davantage typée que classique, mais sans tomber dans un genre extrême de posture. La selle est basse et plutôt confortable, les repose-pieds ne sont pas trop éloignés, le guidon tombe naturellement sous les mains et même la suspension arrière fonctionne plutôt bien. On ne note aucune résistance en entrée de courbe, les manières en inclinaisons sont correctes, le freinage est satisfaisant et la stabilité est sans reproche. Bref, il est on ne peut plus clair que Honda a trouvé le moyen d'exorciser les vices très marqués habituellement inhérents à ce genre de cadre et de géométrie de direction. Sans que nous ayons pu les évaluer pour le confirmer, nous serions très surpris que la Sabre et la Stateline n'offrent pas un comportement en tout point aussi sain.

Le V-Twin qui anime toutes ces motos provient de la VTX1300. Il s'agit en fait exactement du même moteur, mais dont l'alimentation se fait par injection plutôt que par carburateur. La meilleure manière de décrire son rendement est probablement de le qualifier de satisfaisant. Les performances ne sont pas extraordinaires, mais en mode balade elles suffisent, surtout en raison du bon couple livré tôt en régimes. La sonorité et les vibrations ne constituent pas l'ensemble sensoriel le plus flatteur du marché, mais encore là, on devrait s'en déclarer satisfait à moins d'être un fin et exigeant connaisseur en matière de rythmique custom.

TOUTES CES AUDACIEUSES MACHINES ONT COMME MISSION DE CONTOURNER CETTE ESPÈCE D'IMPASSE STYLISTIQUE DANS LAQUELLE L'UNIVERS CUSTOM SE RETROUVE AUJOURD'HUI, IMPASSE ESSENTIELLEMENT DUE AU MANQUE DE CRÉATIVITÉ DONT FONT HABITUELLEMENT PREUVE LES CONSTRUCTEURS QUI OFFRENT CE GENRE DE MOTOS. CETTE IMPASSE ET LA NÉCESSITÉ DE LA SURMONTER RISQUENT, COMME C'EST LE CAS CETTE ANNÉE AVEC HONDA, D'AMENER LES PREMIERS NOUVEAUX CONCEPTS ET LES PREMIÈRES NOUVELLES TENDANCES DE L'HISTOIRE DE L'INDUSTRIE DE LA CUSTOM « NON HARLEY-DAVIDSON ». »

Sabre

Shadow Phantom

HONDA
SHADOW

NOUVEAUTÉ 2010

Nouvelle entrée...

Le genre custom a surtout évolué par le haut depuis que sa popularité a explosé au milieu des années 90. Tout est devenu plus gros, plus long et plus imposant, si bien qu'on se questionne désormais de plus en plus sur les paramètres qui définissent les classes. Ayant déjà éliminé sa VLX de 600 cc et choisissant cette année de ne pas profiter des changements apportés à ses Shadow pour suivre la tendance et en gonfler la cylindrée au-delà de 750 cc, Honda répond d'une certaine façon à cette interrogation. Il semblerait que les customs animées par des V-Twin d'environ 750 cc doivent dorénavant être considérées comme la porte d'entrée de l'univers bien particulier qu'est celui des motos de ce genre.

Depuis ses premiers tours de roues en 1997, la Shadow 750 de Honda n'a que très peu évolué sur le plan technique. En fait, si évolution il y eut durant la vie du modèle, ce fut surtout en matière de style. Pour 2010, le modèle progresse plus qu'il ne l'a jamais fait, et ce, tant en ce qui concerne le style avec l'introduction de deux nouvelles variantes, qu'au chapitre technique avec l'arrivée de l'injection d'essence et de l'ABS.

On doit dorénavant considérer les Shadow 750 comme une véritable famille puisqu'on compte en 2010 pas moins de quatre variantes distinctes du modèle. Si l'Aero et la Spirit sont des données connues, la RS et la Phantom représentent, en revanche, des nouveautés plutôt surprenantes. En effet, tant l'une que l'autre se veulent en quelque sorte l'équivalent d'un produit offert par la célèbre firme Harley-Davidson. Avec sa silhouette ramassée, ses repose-pieds en position centrale et son réservoir d'essence en forme de « peanut », la RS n'est rien d'autre qu'une... disons un hommage à la Sportster 883 de la firme de Milwaukee. Il s'agit d'un choix qui surprend un peu lorsqu'on tient compte du fait qu'au sein du très bien garni catalogue Harley-Davidson, la petite Sportster est loin d'être le modèle le plus désirable. Nous serons les premiers à avouer ne jamais avoir imaginé voir un jour la petite Sportster être clonée...

Si le modèle Harley-Davidson auquel la RS « rend hommage » demeure ainsi relativement modeste, tel n'est pas le cas de celui duquel est inspirée la nouvelle Phantom puisqu'il s'agit

UN IMPORTANT FACTEUR DISTINGUE L'AERO ET LA SPIRIT DE TOUTES LEURS RIVALES PUISQU'ELLES SONT ÉQUIPÉES D'UN SYSTÈME ABS.

de nulle autre que la Fat Boy. C'est plus particulièrement à la Fat Boy Lo aussi introduite cette année que la Phantom ressemble, car elle arbore le même type de traitement noir que la série de modèles Dark Custom de Harley-Davidson. En termes techniques, la Phantom est tout simplement une Spirit à laquelle le train avant de l'Aero a été greffé.

La mécanique qui anime tous ces modèles est exactement la même. Il s'agit d'un petit V-Twin de 750 cc refroidi par liquide et dont le rendement reste plaisant et satisfaisant tant qu'on n'attend pas de miracle de lui. Il tire bien dès les premiers tours et ronronne de manière fort agréable compte tenu de sa cylindrée. Ces qualités ne devraient en rien changer avec l'arrivée de l'injection.

Un autre aspect des Shadow 750 que cette évolution laisse intact est la partie cycle. Le comportement relativement solide, très léger et extrêmement accessible qui fait partie intégrante de la réputation des modèles reste donc une caractéristique clé de toutes les variantes 2010. En revanche, le même commentaire peut être fait à l'égard de la suspension arrière qui a toujours mal digéré les routes abîmées.

Bien que les Shadow 2010 demeurent très proches des modèles précédents, une importante avancée technologique les distingue de quoi que ce soit d'autre dans cette classe. En effet, l'ABS est maintenant présent sur la Spirit et l'Aero. Il s'agit en plus d'un ABS combiné, ce qui signifie que le freinage des roues avant et arrière est actionné même si seulement l'un des freins est sollicité.

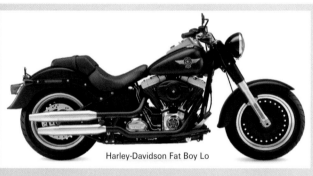

Harley-Davidson Fat Boy Lo

« C'EST EN TENTANT DE TROUVER QUEL TYPE DE CUSTOM PLAÎT À UNE CLIENTÈLE PLUS JEUNE QUE HARLEY-DAVIDSON A COMMENCÉ À PRÉSENTER DES MODÈLES FINIS SUR THÈME NOIR PLUTÔT QUE CHROMÉ. DE TOUTE ÉVIDENCE, L'IDÉE SEMBLE AVOIR PLU À HONDA QUI PRÉSENTE À SON TOUR EN 2010 UNE CUSTOM ARBORANT CE GENRE DE FINITION. TECHNIQUEMENT, IL S'AGIT D'UNE SPIRIT AVEC UNE FOURCHE D'AERO. »

Shadow Spirit ABS

Déjà vu, prise 2...

La dernière fois que nous avons traité «d'inspiration» de manière aussi directe, c'était dans la section Protos du Guide de la Moto 2008 alors que nous notions la ressemblance évidente entre une certaine Kymco Quannon 125 et la Honda CBR125R. Une comparaison qui nous a d'ailleurs valu la furie d'un représentant de la marque taiwanaise qui ne supportait aucune allusion à la seule possibilité que la Kymco soit inspirée de la Honda. Selon le très mécontent représentant, c'était plutôt la Honda qui était non seulement calquée sur la Kymco, mais carrément fabriquée par la marque taiwanaise. Hum... Bien entendu, nous confrontâmes Honda sur l'origine de la CBR125R, mais la théorie du représentant fut immédiatement rejetée, preuves à l'appui. Qui dit vrai? Nous nous retrouvons aujourd'hui dans une situation semblable puisque des ressemblances marquantes existent entre la nouvelle Honda Shadow RS et la Harley-Davidson Iron 883, et aussi entre la nouvelle Honda Shadow Phantom et la Harley-Davidson Fat Boy Lo. Une réaction instinctive serait de conclure que les Honda sont inspirées des américaines, mais l'épisode de la CBR125R nous fait douter. La Harley-Davidson pourrait-elle être calquée sur la Honda? Si la Honda était en fait calquée sur un modèle, disons, taiwanais, et que ce modèle était à son tour calqué sur une Harley, la Honda serait-elle une copie de la Harley? Et si la Harley était fabriquée par Honda? Un représentant connaîtrait certainement la réponse.

Harley-Davidson Iron 883

Shadow RS

Général

Catégorie	Custom
Prix	Phantom : 9 099 $ Aero ABS : 8 799 $ Spirit : 8 899 $ (ABS : 9 699 $) RS : 9 099 $
Immatriculation 2010	627 $
Catégorisation SAAQ 2010	« régulière »
Évolution récente	Aero (Ace) introduite en 1997, revue en 2004; Spirit introduite en 2001, revue en 2007; Phantom et RS introduites en 2010
Garantie	1 an/kilométrage illimité
Couleur(s)	Phantom : noir; RS : charbon Aero ABS : orange et charbon Spirit : orange (ABS : noir)
Concurrence	Harley-Davidson Sportster 883 Kawasaki Vulcan 900, Suzuki Boulevard C50/M50, Yamaha V-Star 950

Moteur

Type	bicylindre 4-temps en V à 52 degrés, SACT, 3 soupapes par cylindre, refroidissement par liquide
Alimentation	injection à corps de 34 mm
Rapport volumétrique	9,6:1
Cylindrée	745 cc
Alésage et course	79 mm x 76 mm
Puissance	45,5 (RS : 43,8) ch @ 5 500 tr/min
Couple	48 lb-pi @ 3 500 tr/min (RS : 45,7 lb-pi @ 3 250 tr/min)
Boîte de vitesses	5 rapports
Transmission finale	par arbre
Révolution à 100 km/h	n/d
Consommation moyenne	6,5 l/100 km (2009)
Autonomie moyenne	215 km (2009)

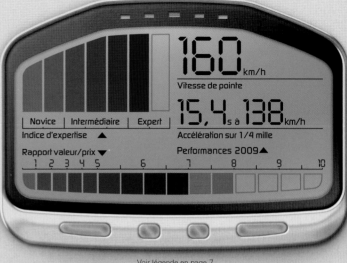

160 km/h
Vitesse de pointe

15,4 s à **138** km/h
Accélération sur 1/4 mille

Novice	Intermédiaire	Expert

Indice d'expertise ▲
Rapport valeur/prix ▼
Performances 2009 ▲

1 2 3 4 5 6 7 8 9 10

Voir légende en page 7

Partie cycle

Type de cadre	double berceau, en acier
Suspension avant	fourche conventionnelle de 41 mm non ajustable
Suspension arrière	2 amortisseurs ajustables en précharge
Freinage avant	1 disque de 296 mm de Ø, étrier 2 pistons
Freinage arrière	tambour mécanique de 180 mm de Ø (ABS : 1 disque de 276 mm, étrier 1 piston)
Pneus avant/arrière	A, P : 120/90-17 (S : 90/90-21) & 160/80-15 RS : 100/90-19 & 150/80-16
Empattement	A, P : 1 640 mm; S : 1 653 mm; RS : 1 560 mm
Hauteur de selle	A : 658 mm; S, P : 652 mm; RS : 750 mm
Poids tous pleins faits	A : 262 kg, P : 251 kg, RS : 232 kg; S : 243 kg; S-ABS : 252 kg
Réservoir de carburant	14,6 (RS : 10,7) litres

QUOI DE NEUF EN 2010 ?

Retrait de la Aero 750 Tourer, introduction des variantes Phantom et RS

Aero et Spirit reçoivent l'ABS et l'alimentation par injection

Spirit coûte 100 $ de plus qu'en 2009

PAS MAL

Un petit V-Twin qui s'essouffle un peu vite, mais qui se montre agréablement coupleux et qui produit une agréable sonorité saccadée

Un pilotage accessible même pour les motocyclistes peu expérimentés

Un système ABS, ce qui est unique dans cette catégorie

Une intéressante variété de styles et de finitions à prix raisonnable

BOF

Un niveau de performances correct, mais pas très excitant; l'arrivée de l'injection pourrait améliorer très légèrement ce point, mais les motocyclistes le moindrement exigeants en termes de performances devraient envisager une plus grosse cylindrée

Une suspension arrière qui devient rude sur mauvaise route, et ce, pour toutes les versions

Des orientations stylistiques qui ne sont pas désagréables du tout dans le cas des nouvelles RS et Phantom, mais qui démontrent aussi comment on se contente souvent de suivre la tendance Milwaukee; dommage, puisque la Fury et les autres nouvelles 1300 démontrent, elles, que Honda a clairement la capacité d'innover en matière de design custom

Une selle dont la forme est flatteuse sur la Spirit, mais qui se montre vite inconfortable; elle est identique à la selle de la Phantom

Conclusion

La Shadow 750 a longtemps été la moto la plus vendue au pays, une donnée qui démontre bien la popularité d'une custom d'entrée en matière simple, bien présentée et produite par un fabricant réputé. L'introduction cette année des variantes stylistiques que sont les Phantom et RS, ainsi que la présence, dans certains cas, de l'ABS, indique que Honda a choisi de conserver et peaufiner cette recette plutôt que de suivre la tendance aux cylindrées toujours plus grosses. Ce qui n'a rien de fou puisque le marché aura toujours besoin d'une cylindrée plus faible mieux adaptée à une clientèle arrivant à la moto. Or, si toutes les petites customs se mettent à grossir, il n'y aura plus de petites customs. Dans ce créneau, et tant que les attentes ne sont pas plus hautes, les Shadow 750 ont toujours fait un travail très respectable.

Shadow Aero ABS

Attrait économique...

Longtemps le terrain de jeu exclusif des constructeurs japonais, la classe sportive voit aujourd'hui de plus en plus de marques y arriver. Alors que la plupart vendent surtout la performance pure, chez Hyosung, on propose plutôt une alternative relativement économique aux choix habituels. On doit néanmoins s'attendre à un rendement moindre que celui des produits rivaux nippons.

Il est impossible d'analyser la Hyosung GT650R ou sa version standard, la GT650, sans d'abord traiter de l'économie qu'elle permet de réaliser par rapport aux produits rivaux établis, car si la possibilité de réaliser une certaine économie en optant pour la coréenne n'existait pas, l'intérêt pour celle-ci serait très difficile à cerner, pour ne pas dire qu'il serait absent. Voici donc la fameuse question qui tue : la qualité et la valeur des modèles concurrents que sont les Suzuki SV650S/Gladius et Kawasaki Ninja 650R/ER-6n étant tellement élevées, l'économie offerte par la GT650R en vaut-elle la peine ? La réponse est que quiconque possède les moyens de payer le supplément devrait probablement le faire puisque celui-ci permet l'achat d'une technologie et d'un comportement nettement plus avancés. Les autres doivent savoir que l'impression générale qu'on ressent aux commandes de la GT650R est celle de piloter une sportive japonaise d'une autre époque, disons de la fin des années 80, ce qui correspond d'ailleurs au niveau de technologie utilisée. La partie cycle de la GT650R se montre solide et relativement précise, mais sans afficher la pureté de comportement d'une sportive japonaise actuelle, surtout en piste. La stabilité est sans reproche dans toutes les circonstances, bien qu'elle vienne au détriment d'une direction qui ne s'avère pas particulièrement rapide dans les enfilades de virages. Les suspensions travaillent correctement et la protection au vent est bonne. Enfin, le petit V-Twin, dont les performances sont assez bonnes, représente l'un des principaux attraits du modèle.

Général

Catégorie	Sportive/Standard
Prix	7 895 $ (2 tons : 7 995 $); GT650 : 7 295 $
Garantie	2 ans/kilométrage illimité
Couleur(s)	rouge, noir, blanc et noir, gris et noir, rouge et noir (GT650 : bleu, rouge, blanc)
Concurrence	Kawasaki Ninja 650R et ER-6n, Suzuki SV650S et Gladius
Immatriculation 2010	627 $
Catégorisation SAAQ 2010	« régulière »
Évolution récente	GT650 introduite en 2004, GT650R introduite en 2006

Moteur

Type	bicylindre 4-temps en V à 90 degrés, DACT, 4 soupapes par cylindre, refroidissement par liquide
Alimentation	injection
Rapport volumétrique	11,6:1
Cylindrée	647 cc
Alésage et course	81,5 mm x 62 mm
Puissance	72,7 ch @ 9 250 tr/min
Couple	44,8 lb-pi @ 7 500 tr/min
Boîte de vitesses	6 rapports
Transmission finale	par chaîne
Révolution à 100 km/h	environ 4 200 tr/min (2008)
Consommation moyenne	6,9 l/100 km (2008)
Autonomie moyenne	246 km (2008)

Partie cycle

Type de cadre	périmétrique, en aluminium tubulaire
Suspension avant	fourche inversée de 41 mm ajustable en compression et détente
Suspension arrière	monoamortisseur ajustable en précharge
Freinage avant	2 disques de 300 mm de Ø avec étriers à 4 pistons
Freinage arrière	1 disque de 230 mm de Ø avec étrier à 2 pistons
Pneus avant/arrière	120/60 ZR17 & 160/60 ZR17
Empattement	1 435 mm
Hauteur de selle	830 mm
Poids tous pleins faits	215 kg (GT650 : 208 kg)
Réservoir de carburant	17 litres

HYOSUNG
GT250R

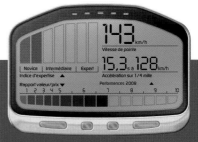

Général

Catégorie	Routière Sportive/Standard
Prix	GT250R : 4 995 $ (2 tons : 5 195 $) GT250 : 4 695 $
Garantie	2 ans/kilométrage illimité
Couleur(s)	rouge, noir, rouge et noir, blanc et noir, gris et noir (GT250 : bleu, rouge, blanc)
Concurrence	Kawasaki Ninja 250R
Immatriculation 2010	373 $
Catégorisation SAAQ 2010	« régulière »
Évolution récente	GT250 introduite en 2003, GT250R introduite en 2006

Moteur

Type	bicylindre 4-temps en V à 75 degrés, DACT, 4 soupapes par cylindre, refroidissement par air et huile
Alimentation	injection
Rapport volumétrique	10,3 : 1
Cylindrée	249 cc
Alésage et course	57 mm x 48,8 mm
Puissance	26,6 ch @ 10 000 tr/min
Couple	15,5 lb-pi @ 6 750 tr/min
Boîte de vitesses	5 rapports
Transmission finale	par chaîne
Révolution à 100 km/h	environ 7 000 tr/min (2008)
Consommation moyenne	4,8 l/100 km (2008)
Autonomie moyenne	354 km (2008)

Partie cycle

Type de cadre	périmétrique, en acier
Suspension avant	fourche inversée non ajustable
Suspension arrière	monoamortisseur non ajustable
Freinage avant	2 (GT250 : 1) disques de 300 mm de Ø avec étriers à 2 pistons
Freinage arrière	1 disque de 230 mm de Ø avec étrier à 2 pistons
Pneus avant/arrière	110/70-17 & 150/70-17
Empattement	1 435 mm
Hauteur de selle	830 mm
Poids tous pleins faits	188 kg (GT250 : 170 kg)
Réservoir de carburant	17 litres

Pour novices...

Si notre marché offre aux amateurs de sportives de calibre expert l'embarras du choix, il est en revanche très avare d'options en matière de sportives d'initiation. Basée sur la Hyosung GT250 standard, la GT250R est l'une de ces rares motos. Elle partage ce créneau avec très peu d'autres modèles, la Kawasaki Ninja 250R étant en fait pratiquement sa seule rivale. C'est d'ailleurs directement à celle-ci que la GT doit être comparée.

À l'exception de certains détails comme le guidon plus haut et le frein avant à disque simple de la GT250, les deux versions du modèle sont techniquement identiques. Elles proposent le même niveau de performances et presque le même comportement routier. Les sensations de conduite diffèrent légèrement en raison de la position de conduite plus agressive de la GT250R. En revanche, sa protection au vent facilite les déplacements sur l'autoroute. L'une des caractéristiques les plus intéressantes des GT250 est l'engouement démontré par leur minuscule V-Twin. Timide, mais quand même parfaitement utilisable sous les 6 000 ou 7 000 tr/min, il s'éveille ensuite jusqu'à sa zone rouge. Étonnamment doux à tous les régimes sauf les plus hauts, il ne demande qu'à tourner. On arrive à 100 km/h en milieu de troisième, et maintenir une telle vitesse sur l'autoroute ne cause pas le moindre problème. Comme la transmission travaille bien et que l'embrayage est léger et facile à doser, exploiter tout le potentiel du petit moulin n'a rien d'une corvée. On s'attend à ce qu'une standard de 250 cc soit légère et agile, et c'est le cas des petites coréennes. Construites autour d'un cadre qui semble être une proche copie de celui de la Suzuki GS500, elles sont généralement stables, surtout la GT250 avec sa position relevée. La GT250R, pourtant bâtie autour des mêmes composantes, perd toutefois ses bonnes manières en courbe si on la pousse, même modérément. Le niveau de confort de la GT250 est bon en raison de sa position assise, mais la GT250R et la posture sévère qu'elle impose au pilote n'est pas particulièrement invitante.

237

À la V-Rod...

Historiquement, et surtout dans le cas de compagnies jeunes, les produits asiatiques sont souvent nés de l'inspiration générée par des produits déjà existants. L'Aquila V-80 (c'est le nouveau nom de l'Aquila 650) est un bon exemple de cette culture puisqu'il s'agit d'un design profondément inspiré de la Harley-Davidson V-Rod. Elle est néanmoins unique en ce sens qu'il s'agit de la seule custom de performances de cette cylindrée sur le marché.

L e fait d'être propulsée par le V-Twin de la GT donne des ailes à l'Aquila V-80 tandis que le comportement routier bénéficie grandement de l'utilisation de pièces conçues pour une partie cycle sportive. Sur la route, l'Aquila V-80 possède un caractère double. D'un côté, son sympathique petit V-Twin démontre suffisamment de souplesse pour traîner sans jamais rouspéter sur la première moitié de sa plage de régimes dont la zone rouge s'élève au-delà des 10 000 tr/min, un régime normal pour une sportive, mais extrêmement élevé pour une custom. De l'autre, en retardant les changements de vitesse et en laissant le moteur grimper librement en régime, on a droit à des performances qui sont simplement dans une autre ligue pour une monture de cette catégorie, puisqu'elles sont de l'ordre de celles de la GT650R. Le niveau de confort est intéressant, car la position est à la fois relaxe, très dégagée et bien équilibrée. Les repose-pieds ajustables en deux positions permettent aux pilotes de grande taille d'étirer les jambes et aux plus courts de ne pas se sentir mal à l'aise. Comme les suspensions travaillent très correctement et comme la selle est plutôt bonne et basse, l'Aquila se montre même étonnamment invitante sur des trajets de moyenne longueur. L'une des plus belles qualités du modèle est une très bonne tenue de route. Stable en ligne droite comme en courbe à haute vitesse, précise et bien plantée en virage, la V-80 bénéficie nettement de ses roues larges montées de pneus sportifs, de sa solide fourche inversée et de son système de freinage à 3 disques.

HYOSUNG
AQUILA V-80

Général

Catégorie	Custom
Prix	8 895 $
Garantie	2 ans/kilométrage illimité
Couleur(s)	noir, gris, rouge, brun
Concurrence	Honda Shadow 750, Yamaha V-Star 650
Immatriculation 2010	627 $
Catégorisation SAAQ 2010	« régulière »
Évolution récente	introduite en 2005

Moteur

Type	bicylindre 4-temps en V à 90 degrés, DACT, 4 soupapes par cylindre, refroidissement par liquide
Alimentation	injection
Rapport volumétrique	11,6:1
Cylindrée	647 cc
Alésage et course	81,5 mm x 62 mm
Puissance	74,4 ch @ 9 000 tr/min
Couple	44,3 lb-pi @ 7 500 tr/mi
Boîte de vitesses	5 rapports
Transmission finale	par courroie
Révolution à 100 km/h	environ 4 100 tr/min (2008)
Consommation moyenne	6,8 l/100 km (2008)
Autonomie moyenne	250 km (2008)

Partie cycle

Type de cadre	double berceau, en acier
Suspension avant	fourche inversée de 41 mm ajustable en compression et détente
Suspension arrière	2 amortisseurs ajustable en précharge
Freinage avant	2 disques de 300 mm de Ø avec étriers à 2 pistons
Freinage arrière	1 disque de 230 mm de Ø avec étrier à 2 pistons
Pneus avant/arrière	120/70 ZR18 & 180/55 ZR17
Empattement	1 700 mm
Hauteur de selle	705 mm
Poids tous pleins faits	238 kg
Réservoir de carburant	16 litres

AQUILA 250

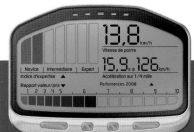

13.8 km/h
Vitesse de pointe

Novice	Intermédiaire	Expert

Indice d'expertise ▲

15.9 à 126 km/h
Accélération sur 1/4 mille

Rapport valeur/prix ▼
1 2 3 4 5 6 7 8 9 10

Performances 2008 ▲

Une 250 custom moderne...

La Hyosung Aquila 250 se joint à l'éternelle Honda Rebel 250, à la Suzuki Marauder 250 et à la V-Star 250 pour former une classe de customs exclusivement destinées à initier les pilotes débutants. La Hyosung se distingue en étant propulsée par l'un des rares V-Twin de cette cylindrée et possède même la seule alimentation par injection de la classe.

Général

Catégorie	Custom
Prix	4 895 $
Garantie	2 ans/kilométrage illimité
Couleur(s)	noir, noir et gris, rouge et noir, orange et noir
Concurrence	Suzuki Marauder 250, Yamaha V-Star 250
Immatriculation 2009	373 $
Catégorisation SAAQ 2009	« régulière »
Évolution récente	introduite en 2001, revue en 2009

Moteur

Type	bicylindre 4-temps en V à 75 degrés, DACT, 4 soupapes par cylindre, refroidissement par air et huile
Alimentation	injection
Rapport volumétrique	10,3:1
Cylindrée	249 cc
Alésage et course	57 mm x 48,8 mm
Puissance	24,9 ch @ 9 000 tr/min
Couple	14,7 lb-pi @ 7 000 tr/min
Boîte de vitesses	5 rapports
Transmission finale	par chaîne
Révolution à 100 km/h	environ 7 000 tr/min (2008)
Consommation moyenne	4,8 l/100 km (2008)
Autonomie moyenne	291 km (2008)

Partie cycle

Type de cadre	double berceau, en acier
Suspension avant	fourche conventionnelle non ajustable
Suspension arrière	2 amortisseurs non ajustables
Freinage avant	1 disque de 275 mm de Ø avec étrier à 2 pistons
Freinage arrière	tambour mécanique de 130 mm
Pneus avant/arrière	110/90-16 & 150/80-15
Empattement	1 515 mm
Hauteur de selle	710 mm
Poids tous pleins faits	176 kg
Réservoir de carburant	14 litres

Propulsée par un tout petit bicylindre en V de 250 cc qui profite d'une alimentation par injection, la petite custom coréenne s'adresse aux motocyclistes novices à qui elle propose non seulement une grande facilité de maniement, mais aussi des performances d'un niveau respectable, ce qui n'est pas toujours la norme chez ces petites motos. Très basse, même si c'est grâce à une selle un peu étrangement formée, elle est aussi très légère, bien que ce ne soit pas au point de paraître frêle. La maniabilité du modèle est certainement l'une de ses plus grandes qualités puisque les manœuvres les plus serrées s'accomplissent avec beaucoup d'aisance, une caractéristique qu'on doit en partie au poids faible et à la direction légère, mais aussi à la facilité de modulation de l'embrayage et aux bonnes prestations de la petite mécanique dans les tout premiers tours de sa plage de régimes. S'il est un autre aspect de l'Aquila qui doit être considéré par un éventuel acheteur, il s'agit de celui de la mécanique puisqu'une si petite cylindrée peut parfois s'avérer carrément léthargique. Ce n'est heureusement pas le cas ici, le petit V-Twin permettant même de circuler en ville sans devoir constamment tourner très haut. Les 100 km/h sont atteints avec aisance sur le troisième rapport et sont maintenus sans problème puisque le moteur ne tourne qu'à 7 000 tr/min à cette vitesse, bien en dessous de sa zone rouge de 12 000 tr/min. La sonorité de la petite mécanique est par ailleurs sympathique et les vibrations ne sont jamais un problème, même lorsqu'on fait abondamment monter les régimes.

KAWASAKI
VOYAGER 1700

Chasser l'horizon, façon Milwaukee...

Les formes que peuvent prendre le tourisme à moto sont aussi variées que les goûts — ou l'endurance... — des motards qui s'y adonnent. Mais comme vous le confirmerait une certaine marque de Milwaukee dont l'Electra Glide est le modèle le plus vendu, la formule de la custom accessoirisée semble rejoindre un nombre très considérable de motocyclistes avides de tourisme. C'est cette clientèle bien précise que Kawasaki courtise avec sa Voyager, un modèle introduit l'an dernier et partageant sa plateforme avec toutes les autres customs de 1 700 cc de la marque. Une version équipée d'un impressionnant système de freinage assisté, combiné et antibloquant est aussi offerte.

L'arrière-train dorloté par une selle de tourisme large et moelleuse, détournant de temps à autre le regard vers une instrumentation qui pourrait être celle d'une Buick vieille d'un demi-siècle, protégé des éléments par un généreux carénage fixé au châssis, installé de manière presque aussi détendue que vous le seriez aux commandes d'une custom classique, vous vous dites: «Allons quelque part.»

Plateforme de custom ou pas, la Voyager est une machine de tourisme. Pas à la façon d'une Gold Wing, puisque l'ambiance est infiniment plus proche de celle que crée une Harley-Davidson Electra Glide.

La Voyager est grosse, ça n'est même pas discutable, et même lourde, mais comme c'est le cas de son équivalent de marque américaine, toute cette masse finit assez rapidement par ne plus déranger. L'étroitesse de l'ensemble favorise l'accessibilité, tout comme le centre de gravité bas. Malgré une position de conduite à saveur custom, des plateformes légèrement reculées et un guidon un peu plus étroit empêchent la posture de devenir trop relaxe. Un peu à tous les niveaux, la Voyager parvient à offrir un équilibre aussi agréable qu'approprié à la nature qu'est la sienne, équilibre que les propriétaires de customs désireux de progresser vers une monture plus apte à voir du pays trouveront assurément fort attirant.

Les motocyclistes plus exigeants en matière de tourisme «de luxe» pourraient toutefois rester quelque peu sur leur faim, car la vérité est que Kawasaki aurait pu pousser l'exercice plus

> **BIEN INSTALLÉ, À L'ABRI DES ÉLÉMENTS, UN GROS TWIN GRONDANT SOUS LE RÉSERVOIR, VOUS VOUS DITES : «ALLONS QUELQUE PART.»**

loin en matière de confort et d'équipement. Il aurait, par exemple, été agréable de profiter d'un pare-brise bénéficiant d'un quelconque ajustement et qui ne créerait aucune turbulence au niveau du casque, à vitesse d'autoroute. Quant aux poignées ou aux selles chauffantes, elles sont malheureusement introuvables. Le système audio est bel et bien présent, prêt même à accepter un iPod, mais la qualité sonore n'est qu'ordinaire, au mieux.

De manière prévisible, Kawasaki explique ces limites par des contraintes de coûts. La Voyager n'est pas, il est vrai, accompagnée de la même facture qu'une Gold Wing.

S'il est une facette de la Voyager qui fait pardonner son équipement relativement limité, il s'agit sans le moindre doute de l'agrément livré par son gros bicylindre de 1,7 litre. À l'exception du moteur de la gargantuesque Vulcan 2000, les V-Twin de Kawasaki n'ont jamais vraiment mérité de louanges, mais c'est sans hésiter que nous félicitons aujourd'hui la marque d'Akashi pour cette mécanique de 1 700 cc. Elle est tout ce qu'elle doit être. Assez puissant pour pousser toute cette masse avec autorité, assez coupleux pour ravir le pilote qui préfère garder les tours bas, ce V-Twin de nouvelle génération gronde en plus de manière presque thérapeutique, surtout une fois lancé sur l'autoroute.

Quant au comportement routier, il est celui d'une grosse custom, avec en prime de très bonnes suspensions. Gardez le rythme à la balade et tout ira bien. Mais poussez plus, et la solidité de l'ensemble s'effritera peu à peu.

Général

Catégorie	Tourisme de luxe
Prix	21 049 $ (ABS : 22 549 $)
Immatriculation 2010	627 $
Catégorisation SAAQ 2010	« régulière »
Évolution récente	introduite en 2009
Garantie	3 ans/kilométrage illimité
Couleur(s)	argent, rouge
Concurrence	Harley-Davidson Electra Glide, Victory Vision Tour, Yamaha Royal Star Venture

Voir légende en page 7

Moteur

Type	bicylindre 4-temps en V à 52 degrés, SACT, 4 soupapes par cylindre, refroidissement par liquide
Alimentation	injection à 2 corps de 42 mm
Rapport volumétrique	9,5:1
Cylindrée	1 699 cc
Alésage et course	102 mm x 104 mm
Puissance	82 ch @ 5 000 tr/min
Couple	107,8 lb-pi @ 2 750 tr/min
Boîte de vitesses	6 rapports
Transmission finale	par courroie
Révolution à 100 km/h	environ 2 200 tr/min
Consommation moyenne	6,7 l/100 km
Autonomie moyenne	298 km

Partie cycle

Type de cadre	double berceau, en acier
Suspension avant	fourche conventionnelle de 45 mm non ajustable
Suspension arrière	2 amortisseurs ajustables en précharge et détente
Freinage avant	2 disques de 300 mm de Ø avec étriers à 4 pistons (et système ABS K-ACT)
Freinage arrière	1 disque de 300 mm de Ø avec étrier à 2 pistons (et système ABS K-ACT)
Pneus avant/arrière	130/90 B16 & 170/70 B16
Empattement	1 665 mm
Hauteur de selle	730 mm
Poids tous pleins faits	402 kg (ABS : 404 kg)
Réservoir de carburant	20 litres

QUOI DE NEUF EN 2010 ?

Dissipation de la chaleur améliorée

Vérification du niveau d'huile facilité

Coûte 850 $ de plus qu'en 2009

PAS MAL

Une monture véritablement capable de tourisme grâce à un niveau de confort très élevé, à un volume de chargement considérable et à une aisance particulièrement agréable sur long trajet

Un châssis très sain, du moins à rythme approprié, puisque solide, précis et offrant une maniabilité étonnante compte tenu du poids élevé

Une mécanique exquise qui séduit autant par le niveau de performances très correct qu'elle offre que par le doux grondement qu'elle émet

Une version ABS dont le système de freinage est extraordinairement avancé et efficace pour une monture de nature custom

BOF

Une facilité de pilotage relative puisque si les pilotes expérimentés arrivent assez vite à se faire au poids élevé et à la selle un peu haute, les moins « ferrés » éprouvent plus de difficultés à ce sujet

Des 5e et 6e rapports surmultipliés qui ont l'avantage de beaucoup abaisser les tours sur l'autoroute, mais qui ne sont pas appropriés pour des reprises franches

Un pare-brise impossible à ajuster qui génère des turbulences au niveau du casque à des vitesses légèrement supérieures aux limites d'autoroute

Un système audio « à jour » puisque prêt pour le iPod, mais dont la qualité sonore est au mieux ordinaire

Conclusion

La Voyager 1700 est une monture vraiment très intéressante. Il s'agit de la seule véritable custom de tourisme non américaine sur le marché. Les mauvaises langues diront que ce n'est ni plus ni moins qu'une copie japonaise de l'Electra Glide de Harley-Davidson, et la vérité est qu'elles n'auraient pas tort puisque l'expérience de conduite que la Kawasaki propose n'est pas sans rappeler celle qu'offre le populaire modèle Made in Milwaukee. Et après ? Tout le monde ne veut pas obligatoirement une Harley. Ou une Victory, désolé d'avoir oublié... Faire du sérieux kilométrage en tout confort, au rythme d'un langoureux V-Twin était jusqu'à maintenant une affaire exclusivement américaine. Non seulement ça ne l'est plus, mais le fait est qu'à part un très célèbre nom, l'alternative n'a décidément pas grand-chose à envier à l'originale.

Concours 14 ABS

KAWASAKI
CONCOURS 14

ÉVOLUTION 2010

Rapide, même dans ses évolutions...

Elle n'a été présentée qu'il y a 2 ans et déjà, la Concours reçoit une série d'améliorations équivalant à une sérieuse évolution. Si la rapidité avec laquelle sont arrivées ces modifications au concept original étonne franchement, la nature de ces changements, elle, ne surprend pas vraiment. En fait, ces derniers font tous écho aux divers commentaires obtenus par Kawasaki des propriétaires de la «première» génération et reflètent aussi de manière très intime nos propres critiques du modèle. Et il y a plus puisque la Concours 14 2010 est aussi livrable en version ABS équipée d'une toute nouvelle fonction de contrôle de la traction ainsi que d'un système de freinage complètement repensé.

S i la Concours 14 2010 ne peut être considérée comme une nouvelle moto puisque moteur et châssis restent identiques à ceux du modèle lancé en 2008, l'évolution n'en demeure pas moins profonde et sera assurément ressentie, à divers niveaux.

Quiconque connaît la version 2008-2009 du modèle reconnaîtra immédiatement la superbe qualité du comportement routier de la Concours. La mouture 2010 offre néanmoins quelque chose de plus à ce chapitre, gracieuseté de nouveaux pneus et de suspensions recalibrées. En fait, dénichez une route sinueuse et il devient vite évident que l'aisance de la sport-tourisme de Kawasaki dans ce type d'environnement est absolument sans égal. Aucune autre machine du genre n'exhibe une tenue de route aussi précise et authentiquement sportive, un point c'est tout. Plus que jamais, la Concours 14 demeure donc la GT des amoureux de pilotage sportif, exactement ceux à qui Kawasaki l'avait destinée, d'ailleurs.

La version 2010 comble toutefois une lacune évidente du modèle précédent en ce sens qu'elle s'adresse désormais aussi aux amateurs de sport-tourisme exigeant de leur monture un minimum de confort et un certain niveau d'équipement. À titre d'exemple, la Concours 14 révisée profite désormais de poignées chauffantes, d'un pare-brise plus haut et d'un carénage profondément repensé afin de mieux gérer la chaleur dégagée par le gros moteur. Et chacune de ces modifications fonctionne tel qu'il est annoncé.

La plus grande nouvelle pour 2010 reste néanmoins la

> **DÉNICHEZ UNE ROUTE SINUEUSE ET L'AISANCE SANS ÉGAL DE LA CONCOURS DANS CE TYPE D'ENVIRONNEMENT DEVIENT VITE ÉVIDENTE.**

version ABS de la Concours puisque celle-ci se voit gavée d'électronique au niveau du freinage et de la gestion de la traction. Dérivé du système K-ACT de la Voyager 1700, le système de freinage est désormais combiné selon un choix de 2 modes en plus d'avoir recours à une assistance hydraulique dosée par l'ordinateur de bord. Ça sonne complexe et ça l'est, mais ça fonctionne très bien. Le seul handicap est un certain détachement au niveau de la précision du freinage. Les puristes de la conduite sportive pourraient donc, à la limite, préférer la version standard de la Concours, mais la sécurité accrue du modèle ABS en fait presque un choix incontournable.

Quant à l'autre nouveau «gadget» de la Concours 14 ABS, l'antipatinage K-TRC, il est le meilleur de l'industrie pour le moment grâce à son travail doux et transparent. Son utilité est en revanche clairement moins évidente que celle de l'avancé système ABS.

Outre le fait que la Concours soit maintenant bourrée d'électronique, surtout dans sa version ABS, l'attrait principal du modèle, lui, reste inchangé. Sa mécanique, agréablement puissante, coupleuse et douce est en grande partie responsable du plaisir de pilotage du modèle, tout comme l'est sa superbe tenue de route. Un excellent niveau de confort permis par des suspensions judicieusement calibrées, par une très bonne selle et par une position de conduite idéale en fait ni plus ni moins que l'une des meilleures machines du genre jamais produites.

« DÈS SON ARRIVÉE, LA CONCOURS 14 S'EST IMPOSÉE COMME UNE BASE SUPERBE. LES MODIFICATIONS APPORTÉES À LA VERSION 2010 EN FONT DÉSORMAIS UN ENSEMBLE TRÈS DIFFICILE À PRENDRE EN FAUTE. AUCUN AMATEUR SÉRIEUX DE SPORT-TOURISME NE POURRA L'IGNORER. »

Une oasis. Voilà à quoi ressemble la ville de Palm Springs, en Californie, lorsqu'on l'aperçoit du hublot des petits avions à hélices la reliant à l'aéroport de Los Angeles. Un grand rectangle d'asphalte et de verdure dont l'homme est entièrement responsable, elle est implantée sur le fond plat d'une vallée désertique. Mais elle est aussi entourée de montagnes et, donc, d'une multitude de routes sublimement sinueuses. Il n'en fallait pas plus pour pousser Kawasaki à la choisir comme lieu de présentation pour la Concours 14 2010. Prise presque au sommet de l'une de ces montagnes, la photo est de Adam Campbell.

Une question de quelques degrés...

Il n'y a rien d'étonnant à ce qu'une sportive de pointe soit revue, voire complètement repensée deux ans après son introduction. Mais la vie d'une monture de tourisme sportif comme la Concours 14 est généralement beaucoup, beaucoup plus longue. Pourquoi donc, après à peine plus de deux ans sur le marché, Kawasaki a-t-il choisi de la revoir de manière aussi profonde? La réponse est un peu étonnante puisqu'il s'agit non pas d'une stratégie particulière de la part de Kawasaki, mais plutôt d'un bon vieux cas de «tant qu'à y être». Le directeur des produits pour Kawasaki USA, Karl Edmondson, explique : «Pour être franc, cette révision n'était pas prévue. Pas à cette échelle, en tout cas. Ce qui est arrivé c'est que nous avons réalisé, peu de temps après avoir mis sur le marché le modèle 2008, au courant de 2007, que le problème de chaleur excessive dont se plaignaient beaucoup d'acheteurs allait devoir être réglé. Nous nous sommes donc dit que tant qu'à modifier le modèle, on pourrait profiter de l'occasion pour voir quelles autres améliorations les propriétaires souhaiteraient voir apportées à la Concours.» La question du dégagement excessif de chaleur mena ainsi à une série d'autres mesures, toutes liées à des commentaires provenant des propriétaires. Un pare-brise plus haut et générant moins de turbulences, des poignées chauffantes, un petit compartiment déplacé sur le côté du carénage afin de libérer le dessus du réservoir, des attaches pour un sac de réservoir ainsi que des rétroviseurs situés plus haut résument les demandes d'améliorations retenues par Kawasaki pour la Concours 14 2010. Mais le gros du travail fut néanmoins effectué au niveau des panneaux latéraux du carénage, qui sont complètement transformés afin d'évacuer la chaleur du moteur plus rapidement et plus loin du pilote.

Au-delà de ces modifications, Kawasaki s'est aussi beaucoup attardé à la version ABS de la Concours 14. La liste des fonctions offertes par celle-ci est impressionnante : système antipatinage K-TRC ultrasophistiqué et désactivable sur demande; complexe système ABS assisté K-ACT géré par ordinateur et offrant un choix de deux niveaux de freinage combiné; pare-brise à 4 positions préréglées; aide visuelle à l'économie d'essence intégrée à l'écran à cristaux liquides multifonctions; et, enfin, cartographie secondaire limitant légèrement la puissance, mais réduisant la consommation et maximisant l'autonomie. La liste s'ajoute évidemment au système KIPASS permettant de laisser la clé de contact sur la moto. La gestion de toutes ces fonctions s'effectue au moyen de commandes situées sur la poignée gauche et d'un menu navigable s'affichant sur l'écran numérique de l'instrumentation. Une chose est claire, vous ne vous en tirerez probablement pas avec celle-là sans lire bien attentivement le manuel du propriétaire. En fait, vous devrez probablement le traîner avec vous.

Des panneaux de plastique bien arrosés procurèrent l'environnement parfait pour démontrer l'efficacité du système de contrôle de traction K-TRC équipant de série la Concours 14 ABS 2010. Sur cette surface littéralement plus glissante que de la glace, le moindre coup d'accélérateur suffisait à faire «chuter» la Concours sur ses barres de retenue. Un journaliste croyant pouvoir maîtriser la situation s'est même payé un spectaculaire tête-à-queue, puis arrêta de glisser quelques centimètres à peine avant de percuter l'échelle sur laquelle le photographe Keeney Jones était juché. Non, ça n'était pas Gahel. Avec le système K-TRC enclenché, le même exercice généra une accélération faible, certes, mais néanmoins parfaitement contrôlée et pratiquement exempte de tout signe de travail du K-TRC.

Général

Catégorie	Sport-Tourisme
Prix	18 899 $ (ABS : 20 199 $)
Immatriculation 2010	627 $
Catégorisation SAAQ 2010	« régulière »
Évolution récente	introduite en 2008, revue en 2010
Garantie	3 ans/kilométrage illimité
Couleur(s)	bleu
Concurrence	BMW K1300GT, Honda ST1300, Yamaha FJR1300

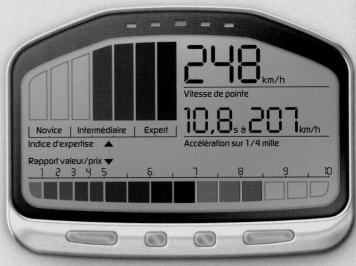

Voir légende en page 7

Moteur

Type	4-cylindres en ligne 4-temps, DACT, 4 soupapes par cylindre, refroidissement par liquide
Alimentation	injection à 4 corps de 40 mm
Rapport volumétrique	10,7:1
Cylindrée	1 352 cc
Alésage et course	84 mm x 61 mm
Puissance	156 ch @ 8 800 tr/min
Couple	102,5 lb-pi @ 6 200 tr/min
Boîte de vitesses	6 rapports
Transmission finale	par arbre
Révolution à 100 km/h	environ 2 900 tr/min
Consommation moyenne	7,1 l/100 km
Autonomie moyenne	310 km

Partie cycle

Type de cadre	monocoque, en aluminium
Suspension avant	fourche inversée de 43 mm ajustable en précharge et détente
Suspension arrière	monoamortisseur ajustable en précharge et détente
Freinage avant	2 disques « à pétales » de 310 mm de Ø avec étriers radiaux à 4 pistons (avec ABS)
Freinage arrière	1 disque « à pétales » de 270 mm de Ø avec étrier à 2 pistons (avec ABS)
Pneus avant/arrière	120/70 ZR17 & 190/50 ZR17
Empattement	1 520 mm
Hauteur de selle	815 mm
Poids tous pleins faits	304 kg (ABS : 308 kg) (à vide : 275 kg; ABS : 279 kg)
Réservoir de carburant	22 litres

QUOI DE NEUF EN 2010 ?

Gestion de la chaleur dégagée par le moteur entièrement revue

Suspensions légèrement recalibrées et nouveaux pneus

Pare-brise plus haut à quatre préréglages de hauteur

Silencieux revu; rétroviseurs repositionnés plus haut

Poignées chauffantes; petit compartiment relocalisé

Version ABS livrée avec système de freinage K-ACT couplé et assisté, système de contrôle de traction K-TRC et fonction d'économie d'essence

Coûte 1 100 $ de plus qu'en 2009

PAS MAL

Un niveau de performances suffisamment élevé pour combler l'amateur de vitesse ou, à tout le moins, le satisfaire, en plus d'une excellente quantité de couple livrée à bas et moyen régimes

Une version ABS équipée de systèmes aussi sophistiqués qu'efficaces

Un excellent niveau de confort à tous les égards

Un comportement routier qui doit être considéré comme le meilleur de la catégorie en raison de sa pureté en pilotage sportif

BOF

Un système de freinage assisté sur la version ABS qui ne renvoie pas une sensation aussi précise au levier de frein que le système classique de version sans ABS

Un pare-brise qui génère encore un peu de turbulence en position haute

Un régulateur de vitesse qui est toujours absent de la liste d'équipements

Un prix qui grimpe de manière assez abrupte

Conclusion

Kawasaki avait commis une erreur évidente sur la première Concours 14 en croyant que le confort serait d'une importance secondaire pour la clientèle potentielle du modèle et que la performance représenterait en revanche l'attrait premier de la monture. La réalité est que même si une certaine partie des acheteurs de la Concours 14 la choisissent — avec raison — pour son unique nature sportive, ils demandent aussi de retrouver tout le confort, tous les gadgets et toutes les fonctions habituellement retrouvées sur ces formidables avaleuses de route. La Concours 14 2010 et son impressionnante version ABS devraient donc être en mesure de satisfaire à la fois les plus sportifs et les plus pépères des amateurs de sport-tourisme. Ce qui pourrait par ailleurs causer de sérieux maux de tête à tous les autres modèles du genre, et ce, sans exception.

Concours 14 ABS

Ninja ZX-14 édition spéciale

KAWASAKI
Kawasaki
NINJA ZX-14

Vitesse à volonté...

Générant tout près de 200 chevaux et juste assez longue et lourde pour ne pas constamment se dresser sur sa roue arrière en pleine accélération, la ZX-14 possède une capacité de vitesse presque infinie. Il s'agit de la — très — digne héritière des vénérables Ninja 1000R, ZX-10, ZX-11 et ZX-12R qui ont établi la réputation de la marque d'Akashi en matière de vitesse pure. Propulsée par un 4-cylindres en ligne de 1 352 centimètres cubes et construite autour d'un cadre monocoque en aluminium unique à Kawasaki, la ZX-14 est électroniquement limitée à 299 km/h, une vitesse qu'elle dépasserait allégrement sinon. L'édition spéciale ne diffère de la version de base que par sa peinture.

Une vulgaire et banale formalité. Voilà à quoi se résume la vitesse pour le pilote d'une ZX-14. Contrairement à d'autres modèles sportifs remarquablement compacts, agiles et précis, mais aussi bien plus délicats à exploiter et dont l'utilité se limite à exceller sur circuit, la plus grosse Ninja de Kawasaki représente plutôt une façon incroyablement accessible d'entrer dans l'univers de la vitesse à son état le plus pur. À ses commandes, le pilote moyen n'a besoin que d'un bout d'asphalte droit et long — ainsi que préférablement désert et éloigné de toute population — pour vivre des sensations d'une intensité presque indescriptible. Nul besoin de faire grimper les régimes avant le départ, pas plus que d'anticiper un violent wheelie dès que l'aiguille du compte-tours s'anime sur les premiers rapports. À pleins gaz, dix secondes à peine suffisent à doubler la vitesse légale. Quelques-unes de plus permettent de voir cette limite triplée, un exercice durant lequel la Kawasaki stupéfie littéralement par sa sérénité. Évidemment, même si la grosse Ninja accomplit l'exploit qu'est de rendre un tel niveau de performances aussi accessible, il reste que le pilote qui s'engage à découvrir ce potentiel de vitesse doit quand même détenir une expérience considérable. Sans parler d'un jugement correspondant. La ZX-14 détient ainsi l'étrange particularité de mettre à la portée du premier venu un calibre de performances qui s'avère très difficile à vivre de manière légale et vraiment sécuritaire. Car la réalité est que les «bouts d'asphalte longs, droits et déserts» ne font pas vraiment partie de l'environnement quotidien de beaucoup de motocyclistes. Serait-ce dire que l'acte de produire une ZX-14 ou toute autre monture similaire est irresponsable de la part de Kawasaki? Mais non, pas plus que ne l'est l'acte de produire une quelconque voiture très rapide, d'ailleurs. La seule irresponsabilité, si irresponsabilité il y a, serait celle du pilote qui *choisit* d'abuser de ce potentiel de vitesse.

Le débat entourant une telle accessibilité à une telle vitesse que déclenche inévitablement tout véhicule du calibre de la ZX-14 est de toute façon presque vide puisque les individus généralement attirés par ces véhicules le sont, généralement, par le potentiel de vitesse de l'engin plutôt que par l'envie ou l'intention d'expérimenter cette vitesse. Il est donc heureux de constater que la ZX-14 possède de nombreuses autres qualités que celle de pouvoir atteindre le quart de la vitesse du son. Des qualités comme une surprenante agilité et comme une grande légèreté de direction. Elle n'est pas conçue pour rouler sur piste, mais elle pourrait le faire.

La ZX-14 est également animée par un 4-cylindres exceptionnellement doux et dotée de suspensions un peu fermes, mais quand même calibrées de manière réaliste pour la route. Une bonne selle, une excellente protection au vent et une position de conduite raisonnable sont autant de caractéristiques additionnelles qui en font une monture étonnamment confortable pour une moto dont le thème de la performance est aussi proéminent.

> ## LA PLUS GROSSE NINJA REPRÉSENTE UNE SOLUTION EXTRAORDINAIREMENT ACCESSIBLE À LA QUÊTE DE LA VITESSE PURE.

Général

Catégorie	Sportive
Prix	16 099 $ (éd. spéciale : 16 399 $)
Immatriculation 2010	1 410 $
Catégorisation SAAQ 2010	« sport »
Évolution récente	introduite en 2006
Garantie	1 an/kilométrage illimité
Couleur(s)	rouge (éd. spéciale : titane)
Concurrence	BMW K 1300S, Honda VFR 1200F, Suzuki GSX 1300R Hayabusa

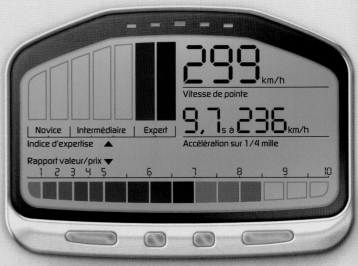

Voir légende en page 7

Moteur

Type	4-cylindres en ligne 4-temps, DACT, 4 soupapes par cylindre, refroidissement par liquide
Alimentation	injection à 4 corps de 44 mm
Rapport volumétrique	12,0:1
Cylindrée	1 352 cc
Alésage et course	84 mm x 61 mm
Puissance sans Ram Air	191 ch @ 9 500 tr/min
Puissance avec Ram Air	201 ch @ 9 500 tr/min
Couple	114 lb-pi @ 7 500 tr/min
Boîte de vitesses	6 rapports
Transmission finale	par chaîne
Révolution à 100 km/h	environ 3 500 tr/min
Consommation moyenne	6,3 l/100 km
Autonomie moyenne	349 km

Partie cycle

Type de cadre	monocoque, en aluminium
Suspension avant	fourche inversée de 43 mm ajustable en précharge, compression et détente
Suspension arrière	monoamortisseur ajustable en précharge, compression et détente
Freinage avant	2 disques « à pétales » de 310 mm de Ø avec étriers radiaux à 4 pistons
Freinage arrière	1 disque « à pétales » de 250 mm de Ø avec étrier à 2 pistons
Pneus avant/arrière	120/70 ZR17 & 190/50 ZR17
Empattement	1 460 mm
Hauteur de selle	800 mm
Poids tous pleins faits	257 kg (à vide : 220 kg)
Réservoir de carburant	22 litres

QUOI DE NEUF EN 2010 ?

Aucun changement

Coûte 1 000 $ de plus qu'en 2009

PAS MAL

Un niveau de puissance fabuleux, particulièrement à partir des mi-régimes jusqu'à la zone rouge lorsque la ZX-14 génère une accélération d'une intensité inimaginable

Une partie cycle qui encaisse toute la furie du gros 4-cylindres comme si de rien n'était et qui se montre par ailleurs étonnamment agile et légère compte tenu du poids et des dimensions considérables du modèle

Une ligne réussie puisqu'elle ne laisse planer aucune confusion en ce qui concerne la nature et les intentions du modèle, en plus d'être instantanément identifiable

BOF

Une puissance à bas régime qui a été améliorée par rapport à la première version, mais qui ne transforme pas la ZX-14 en tracteur sous les mi-régimes ; il s'agit d'une limite volontaire du constructeur

Une direction qui se montre très stable dans la majorité des situations, mais qui peut occasionnellement s'agiter, si un certain nombre de circonstances sont réunies; le montage en série d'un amortisseur de direction ne serait pas superflu sur la ZX-14

Un potentiel de vitesse tellement élevé et si facilement atteint qu'une conduite quotidienne sans excès peut devenir un exercice de discipline personnelle particulièrement difficile à réaliser

Conclusion

On pourrait très facilement voir en la ZX-14 une inutile brute dont la mission se résume à terroriser les chemins publics. Mais une telle analyse ne pourrait qu'être le fruit d'une grande ignorance du monde du motocyclisme. Une telle analyse ferait par exemple complètement abstraction du fait que pour Kawasaki, dont les racines sont profondément ancrées dans une culture de vitesse, la ZX-14 est presque une obligation, au même titre qu'il est impératif pour Ferrari de construire des fusées routières. Puis, il y a la réalité qu'au-delà des incroyables performances qui font sa réputation, la reine Ninja est en fait l'une des sportives les plus civilisées du marché puisqu'à ses commandes, on peut *aussi* se balader.

Ninja ZX-14

Ninja ZX-10R édition spéciale

KAWASAKI

NINJA ZX-10R

Ce sera dorénavant chaque 3 ans...

Voilà quelques années à peine, Kawasaki annonçait qu'au lieu de revoir ses sportives selon un cycle de 3 ou de 4 ans comme c'était le cas pour la plupart des manufacturiers, il s'engageait à présenter une 600 et une 1000 toutes neuves tous les 2 ans. Ce rythme fut en effet respecté durant quelque temps. Au grand dam des ingénieurs, d'ailleurs, puisque ceux-ci devaient entamer la préparation d'une nouvelle génération dès l'instant où un modèle était introduit. Le sévère ralentissement économique et l'engagement de ressources simplement trop élevées ont néanmoins eu raison de cette promesse. La ZX-10R revient ainsi pratiquement inchangée en 2010, sa troisième année sous cette forme.

Ce sont les constructeurs eux-mêmes qui, en s'engageant chacun à leur tour dans cette course à l'armement dont a été témoin la catégorie des sportives pures, ont créé les problèmes auxquels ils font face aujourd'hui. À commencer par des consommateurs «trop gâtés» dont l'intérêt se limite désormais aux modèles complètement revus, et seulement si ceux-ci sont les plus rapides, et ce, même si ces capacités ne sont essentiellement d'aucune utilité. Or, produire «la plus rapide et la plus légère» des 600 ou des 1000 est aujourd'hui devenu une proposition extrêmement complexe et coûteuse. Combinez cette réalité aux considérables baisses de ventes de l'année dernière et vous comprendrez pourquoi la ZX-10R revient sans changement en 2010, plutôt que totalement repensée, ce qui aurait dû être le cas si le cycle de renouvellement de 2 ans avait été respecté.

Mais qui peut vraiment s'en plaindre ? La ZX-10R actuelle représente en effet un exceptionnel outil de piste en plus de s'être distinguée au sein de sa classe en offrant une extraordinaire accessibilité de pilotage, une qualité facilement mise en évidence.

L'une des situations les plus difficiles à contrôler en piste est, par exemple, l'accélération maximale en sortie de virage alors que le pneu arrière est constamment à la limite du dérapage, et ce, surtout sur une puissante 1000. La ZX-10R impressionne franchement dans ces circonstances en se montrant presque amicale et en permettant au pilote d'enrouler l'accélérateur de manière

> **QUI PEUT, EN TOUTE HONNÊTETÉ, SE PLAINDRE DU FAIT QUE LE FORMIDABLE OUTIL DE PISTE QU'EST LA 10R NE CHANGE PAS EN 2010?**

assez agressive sans que l'arrière se dérobe. Il s'agit d'une qualité fort étonnante pour une sportive aussi courte et légère produisant environ 180 chevaux, surtout qu'aucun système de contrôle de traction n'est présent. L'arrivée de la puissance s'avère même tellement progressive qu'on est presque tenté de douter de la puissance annoncée, mais elle est bel et bien réelle. Kawasaki arrive à cet équilibre entre performance et traction grâce à son système KIMS qui gère la puissance disponible de façon numérique en la limitant durant les régimes correspondant aux sorties de virages. Il ne s'agit absolument pas d'un système antipatinage déguisé, mais plutôt d'un choix technique permettant d'augmenter la confiance du pilote lors de la très délicate manœuvre qu'est la sortie de courbe.

Toute la puissance de la ZX-10R ainsi que la technologie qui l'accompagne seraient inutiles sans une partie cycle à la hauteur, et celle de la 1000 de Kawasaki l'est décidément. Superbe dans son aisance et dans sa précision en freinage intense durant l'amorce de virage, la ZX-10R aide son pilote dans ces circonstances grâce à un excellent embrayage à limiteur de contre-couple. Parfaitement sereine en complète inclinaison et inébranlable en pleine accélération en sortie de courbe, la partie cycle de la 10R constitue un magnifique ensemble. Le freinage est, bien entendu, très puissant, mais il a aussi la particularité de ne pas «mordre» immédiatement afin de donner au pilote un bref délai avant de sérieusement ralentir la moto.

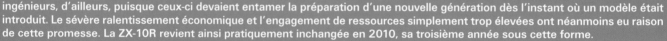

Général

Catégorie	Sportive
Prix	15 999 $ (éd. spéciale : 16 199 $)
Immatriculation 2010	1 410 $
Catégorisation SAAQ 2010	« sport »
Évolution récente	introduite en 2004, revue en 2006 et en 2008
Garantie	1 an/kilométrage illimité
Couleur(s)	noir (éd. spéciale : vert, noir et blanc)
Concurrence	BMW S1000RR, Honda CBR1000RR, Suzuki GSX-R1000, Yamaha YZF-R1

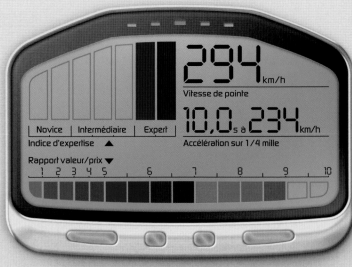

Voir légende en page 7

Moteur

Type	4-cylindres en ligne 4-temps, DACT, 4 soupapes par cylindre, refroidissement par liquide
Alimentation	injection à 4 corps de 43 mm
Rapport volumétrique	12,9:1
Cylindrée	998 cc
Alésage et course	76 mm x 55 mm
Puissance sans Ram Air	179 ch @ 11 500 tr/min
Puissance avec Ram Air	190 ch @ 11 500 tr/min
Couple	83,3 lb-pi @ 8 700 tr/min
Boîte de vitesses	6 rapports
Transmission finale	par chaîne
Révolution à 100 km/h	environ 4 100 tr/min
Consommation moyenne	7,0 l/100 km
Autonomie moyenne	242 km

Partie cycle

Type de cadre	périmétrique, en aluminium
Suspension avant	fourche inversée de 43 mm ajustable en précharge, compression et détente
Suspension arrière	monoamortisseur ajustable en précharge, en haute et basse vitesses de compression, et en détente
Freinage avant	2 disques « à pétales » de 310 mm de Ø avec étriers radiaux à 4 pistons
Freinage arrière	1 disque à « pétales » de 220 mm de Ø avec étrier à 1 piston
Pneus avant/arrière	120/70 ZR17 & 190/55 ZR17
Empattement	1 415 mm
Hauteur de selle	830 mm
Poids tous pleins faits	208 kg (à vide : 179 kg)
Réservoir de carburant	17 litres

QUOI DE NEUF EN 2010 ?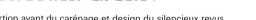

Portion avant du carénage et design du silencieux revus

Amortisseur de direction revu

Mécanisme du levier de changement de vitesse revu

Coûte 1 400 $ de plus qu'en 2009

PAS MAL

Une livrée de puissance à la fois élevée et étonnamment exploitable qui permet vraiment un pilotage plus efficace en piste

Un comportement solide et d'une extrême précision sur circuit, et un châssis qui seconde parfaitement les qualités de la mécanique

Une minceur étonnante et des dimensions généralement compactes et bien étudiées afin de mettre le pilote à l'aise dans l'environnement du circuit

BOF

Un niveau de performances évidemment très élevé, mais qui est livré de manière si contrôlée et docile qu'on a parfois l'impression d'être aux commandes d'une moto moins puissante que la ZX-10R ne l'est en réalité

Une approche tellement concentrée sur le pilotage en piste que tout autre critère prend une importance très secondaire, comme le confort sur la route, par exemple

Un niveau de praticité aussi faible que la performance est élevée; dans l'environnement routier qui lui est réservé dans la très grande majorité des cas, le plaisir qu'on retire d'un tel modèle est très limité, du moins tant qu'on n'est pas prêt à tomber dans l'illégalité de manière aussi régulière que majeure

Un prix qui grimpe beaucoup et sans raison en 2010

Conclusion

On s'est demandé durant des années combien de temps les constructeurs japonais pourraient continuer l'incroyable escalade technologique qui nous a menés jusqu'aux fantastiques sportives d'un litre actuelles. Bien que rien n'indique que cette escalade en est à sa fin — elle est loin de l'être —, le contexte économique force à tout le moins les manufacturiers à ralentir le rythme. Au sein d'une catégorie qui n'a pas changé depuis l'an dernier, exception faite bien entendu de l'arrivée de la fabuleuse BMW S1000RR, la ZX-10R fait encore très belle figure. La facilité d'exploitation qui fait sa réputation sur circuit est même d'autant plus impressionnante que plusieurs de ses rivales éprouvent justement de la difficulté à ce niveau. Bref, d'ici à ce que les systèmes de contrôle de traction deviennent plus communs chez les 1000, la ZX-10R demeure l'une des manières les plus efficaces de boucler un tour de piste rapide.

Ninja ZX-10R

Ninja ZX-6R édition spéciale

NINJA ZX-6R

Magnifique spécimen...

Il aura fallu le temps d'une génération à Kawasaki pour qu'il produise une cylindrée moyenne « non-tricheuse » capable de rivaliser directement avec le reste de la classe en termes de poids et de puissance. Car si la ZX-6R 2007-2008, avec sa cylindrée limitée à **599 cc** plutôt que 636 cc, s'était avérée facile à exploiter, mais aussi en recul par rapport à la concurrence en matière de performances, ça n'est décidément pas le cas de la version courante. Introduite l'an dernier et de retour en 2010 sans le moindre changement, cette génération de la ZX-6R est une représentante absolument brillante de ce qu'une 600 devrait être.

En 2003, après de nombreuses années à produire des sportives prétendant aussi être de bonnes motos de route, Kawasaki changea de stratégie et décida de ne produire, dorénavant, que des 600 et des 1000 qui seraient de pures et dures machines de piste, habillées du strict minimum nécessaire à leur légalité sur la route. La ZX-6R actuelle doit être considérée comme la plus convaincante réalisation de ce vœu puisqu'elle est tout bonnement exceptionnelle en piste.

Nous avons amené notre monture d'essai sur la piste ontarienne de Calabogie. Sur ce tracé, l'un des rares suffisamment rapide pour permettre à une 1000 de se délier les jambes, la ZX-6R s'est avérée exceptionnelle et n'a jamais démontré d'essoufflement, ce qui est très étonnant pour une 600. La raison réside tout simplement dans le fait que la ZX-6R est animée par un moteur absolument brillant. La génération précédente produite en 2007-2008 possédait une mécanique offrant une bande de puissance large, mais autrement timide. Celle-ci est un véritable monstre de 600 cc.

Dotée d'une zone rouge débutant à 16 500 tr/min, la 6R aurait toutes les excuses pour afficher un caractère pointu, comme c'est entre autres le cas de la YZF-R6, mais ça n'est pas du tout le cas. La Kawasaki livre, au contraire, une fort impressionnante puissance dans la moitié inférieure de sa plage de régimes. Il s'agit bien entendu encore d'une 600, donc d'une monture surtout performante à très haut régime, mais on ne semble malgré

> TOUT SUR LA ZX-6R S'AVÈRE TELLEMENT BRILLANT QU'ELLE FAIT FIGURE D'UN GENRE D'ARME ABSOLUE SUR CIRCUIT.

cela pas en souffrir en pilotage quotidien. La 6R s'élance sans protester à partir d'un arrêt et tolère sans problème une conduite urbaine et les tours relativement bas liés à cet environnement. Si nous insistons sur cette qualité, c'est que la ZX-6R possède *aussi* celle d'accélérer de manière furieuse lorsque l'aiguille du tachymètre entre dans merveilleuse zone des très hauts régimes. Gardez-la dans cette zone, comme c'est le cas en piste, et vous aurez de la difficulté à associer l'accélération ressentie à seulement 600 cc.

Ce qui fait de la génération courante de la ZX-6R une 600 exceptionnelle ne tient toutefois pas qu'à un aspect du pilotage. Le modèle excelle plutôt à tous les niveaux, et nous insistons sur le verbe exceller.

Le poids de la moto est extrêmement faible et la direction ne demande qu'un minimum d'effort pour amorcer un virage *exactement* comme on le souhaite. Des freins superbes tant par leur puissance que par la précision de leur dosage, des suspensions à peu près irréprochables même à rythme élevé sur piste et un châssis aussi incroyablement communicatif que totalement impossible à prendre en faute sont autant de caractéristiques qui font de la ZX-6R un genre d'arme absolue sur circuit. La vérité est qu'il ne nous a fallu que très peu de temps pour arriver à une cadence où ce sont les pneus d'origine qui sont devenus la limite. Et on parle pourtant de pneus neufs et de très haute qualité. Le reste semblait tellement serein que le rythme aurait aisément pu être bien supérieur avec plus de traction.

Général

Catégorie	Sportive
Prix	13 199 $ (éd. spéciale : 13 399 $)
Immatriculation 2010	1 410 $
Catégorisation SAAQ 2010	« sport »
Évolution récente	introduite en 1995, revue en 1998, en 2000, en 2003, en 2005, en 2007 et en 2009
Garantie	1 an/kilométrage illimité
Couleur(s)	rouge, noir (éd. spéciale : noir et vert)
Concurrence	Honda CBR600RR, Suzuki GSX-R600, Triumph Daytona 675, Yamaha YZF-R6

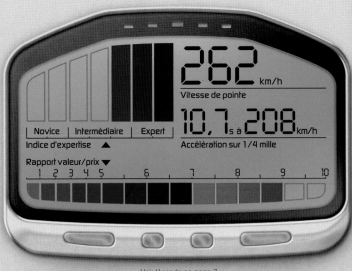

Voir légende en page 7

Moteur

Type	4-cylindres en ligne 4-temps, DACT, 4 soupapes par cylindre, refroidissement par liquide
Alimentation	injection à 4 corps de 38 mm
Rapport volumétrique	13,3:1
Cylindrée	599 cc
Alésage et course	67 mm x 42,5 mm
Puissance sans Ram Air	125 ch @ 13 500 tr/min
Puissance avec Ram Air	131 ch @ 13 500 tr/min
Couple	49,2 lb-pi @ 11 800 tr/min
Boîte de vitesses	6 rapports
Transmission finale	par chaîne
Révolution à 100 km/h	environ 5 600 tr/min
Consommation moyenne	6,2 l/100 km
Autonomie moyenne	274 km

Partie cycle

Type de cadre	périmétrique, en aluminium
Suspension avant	fourche inversée de 41 mm ajustable en précharge, compression et détente
Suspension arrière	monoamortisseur ajustable en précharge, en haute et en basse vitesses de compression, et détente
Freinage avant	2 disques « à pétales » de 300 mm de Ø avec étriers radiaux à 4 pistons
Freinage arrière	1 disque « à pétales » de 220 mm de Ø avec étrier à 1 piston
Pneus avant/arrière	120/70 ZR17 & 180/55 ZR17
Empattement	1 400 mm
Hauteur de selle	815 mm
Poids tous pleins faits	191 kg
Réservoir de carburant	17 litres

QUOI DE NEUF EN 2010 ?

Aucun changement

ZX-6R coûte 900 $ et édition spéciale 800 $ de plus qu'en 2009

PAS MAL

Un moteur dont la capacité à tirer à la fois très fort à haut régime et à se montrer utilisable en conduite quotidienne est vraiment exceptionnelle

Une tenue de route simplement brillante à tous les niveaux grâce à la sérénité du châssis en courbe, au freinage exceptionnel, à la grande précision de la direction et au travail sans faute des suspensions

Un ensemble qui frôle la perfection en matière de 600

BOF

Hum...

Un niveau de confort relativement faible, comme c'est le cas sur la plupart des sportives

Une capacité de vitesse tellement élevée que même les excellents pneus d'origine arrivent à leur limite assez vite en piste

Un prix qui grimpe de manière considérable

Hum...

Conclusion

La ZX-6R nous a éblouis. Et pourtant, elle fait partie d'une catégorie où le talent est exceptionnellement élevé chez *toutes* les participantes. En la pilotant, nous avouons très franchement avoir eu l'impression d'être aux commandes de la 600 parfaite. Après des années à évaluer des modèles possédant diverses qualités isolées, elle semblait finalement être celle qui incarne la réunion de toutes ces qualités. Il s'agit de conclusions très fortes que nous n'avons presque jamais utilisées pour une 600, mais celle-là les mérite. Elle est aussi la preuve roulante que personne ne peut possiblement souffrir d'un ralentissement du rythme où ces modèles sont mis en marché. Le monde des sportives étant ce qu'il est, un moment, probablement pas très lointain d'ailleurs, arrivera où une autre 600 surpassera celle-ci. Ça se produira, mais pour l'instant, nous n'arrivons tout simplement pas à imaginer une telle chose.

Ninja ZX-6R

ER-6n

NINJA 650R & ER-6n

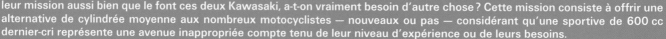

Le sport, avec modération...

Les montures comme la Ninja 650R et sa version standard, la ER-6n, étaient pratiquement introuvables sur notre marché il y a à peine quelques années. S'il est tout à fait vrai que ce type de motos n'est pas plus commun aujourd'hui, on pourrait en revanche argumenter qu'une fois que sont disponibles des modèles remplissant leur mission aussi bien que le font ces deux Kawasaki, a-t-on vraiment besoin d'autre chose? Cette mission consiste à offrir une alternative de cylindrée moyenne aux nombreux motocyclistes — nouveaux ou pas — considérant qu'une sportive de 600 cc dernier-cri représente une avenue inappropriée compte tenu de leur niveau d'expérience ou de leurs besoins.

On pourrait chercher très longtemps avant de dénicher des montures aussi accessibles que cette paire de Kawasaki. Et on pourrait aussi très bien ne jamais mieux trouver.

Techniquement, la Ninja 650R et sa version «naked» la Er-6n sont de parfaites jumelles propulsées par le même sympathique bicylindre parallèle et construites autour de la même agile partie cycle. Qu'on soit aux commandes de l'une ou de l'autre, les mêmes surprenantes et immédiates impressions de légèreté et de facilité de prise en main sont donc ressenties.

Il existe plusieurs autres cylindrées moyennes de nature sportive comme la FZ6R de Yamaha ou la GSX650F de Suzuki qui, comme les Ninja 650R et ER-6n, n'ont rien à voir avec des hypersportives comme les CBR-RR ou autres ZX-R. Mais même par rapport à ces autres sportives modérées, le niveau d'accessibilité des deux Kawasaki est tel qu'il les place presque dans une autre classe, raison pour laquelle des modèles comme la FZ6R ne figurent d'ailleurs pas parmi notre liste de concurrentes directes.

Le premier facteur responsable de l'exceptionnelle accessibilité de ce duo est lié à leurs dimensions physiques. Étrangement, sur papier, ni la Ninja ni la ER-6n ne sont particulièrement petites ou légères. Toutefois, en selle, on jurerait avoir affaire à des vélos tellement elles semblent minces et légères. Seul bémol à ce niveau, les selles ne sont pas hautes, mais les pilotes de très petite taille, comme c'est souvent le cas des femmes,

> ## LES MANŒUVRES S'ACCOMPLISSENT COMME SI LA DIRECTION NE DEMANDAIT AUCUN EFFORT, COMME SI LE POIDS N'EXISTAIT PAS.

préféreraient qu'elles soient encore un peu plus basses. L'agréable position de conduite relevée ne plaçant aucun poids sur les mains représente par ailleurs un autre facteur mettant instantanément en confiance quiconque prend place sur l'un de ces deux modèles.

La nature extrêmement amicale du duo se manifeste à chaque étape du pilotage. Par exemple, toutes les manœuvres, qu'il s'agisse de virages serrés dans un environnement urbain ou d'une série de courbes à négocier sur une route secondaire en lacet, s'accomplissent de manière presque instinctive, presque comme si la direction ne demandait aucun effort et comme si les motos n'avaient aucun poids. Il est vraiment question ici d'un niveau d'agilité exceptionnel.

La façon avec laquelle les chevaux sont livrés contribue elle aussi à grandement faciliter tous les aspects du pilotage. Car même si l'on dispose d'assez de puissance pour doubler la limite légale sur l'autoroute et pour vivre des accélérations d'une intensité plus que respectable, ces performances arrivent d'une manière on ne peut plus civilisée. Mais la plus belle qualité du petit Twin parallèle qui anime ces Kawasaki est sans aucun doute sa souplesse. Malgré sa cylindrée limitée, il accepte volontiers d'accélérer sur les rapports supérieurs à partir des tout premiers régimes, une qualité que bien de moteurs plus gros ne possèdent pas. Sans qu'il émette la mélodie naturelle d'un V-Twin, la sonorité du Twin parallèle demeure distincte et plaisante, tandis que sa grande douceur de fonctionnement est aussi digne de mention.

Général

Catégorie	Routière Sportive/Standard
Prix	Ninja 650R : 8 699 $ ER-6n : 8 249 $
Immatriculation 2009	627 $
Catégorisation SAAQ 2009	« régulière »
Évolution récente	introduites en 2006, revues en 2009
Garantie	1 an/kilométrage illimité
Couleur(s)	Ninja 650R : noir, vert ER-6n : orange, noir
Concurrence	Hyosung GT650R, Suzuki SV650, Suzuki Gladius,

Voir légende en page 7

Moteur

Type	bicylindre parallèle 4-temps, DACT, 4 soupapes par cylindre, refroidissement par liquide
Alimentation	injection à 2 corps de 38 mm
Rapport volumétrique	11,3:1
Cylindrée	649 cc
Alésage et course	83 mm x 60 mm
Puissance	72 ch @ 8 500 tr/min
Couple	48,7 lb-pi @ 7 000 tr/min
Boîte de vitesses	6 rapports
Transmission finale	par chaîne
Révolution à 100 km/h	environ 4 400 tr/min
Consommation moyenne	5,3 l/100 km
Autonomie moyenne	292 km

Partie cycle

Type de cadre	treillis tubulaire, en acier
Suspension avant	fourche conventionnelle de 41 mm non ajustable
Suspension arrière	monoamortisseur ajustable en précharge
Freinage avant	2 disques « à pétales » de 300 mm de Ø avec étriers à 2 pistons
Freinage arrière	1 disque « à pétales » de 220 mm de Ø avec étrier à 1 piston
Pneus avant/arrière	120/70 ZR17 & 160/60 ZR17
Empattement	1 405 mm
Hauteur de selle	785 mm
Poids tous pleins faits	204 kg (ER-6n : 200 kg)
Réservoir de carburant	15,5 litres

QUOI DE NEUF EN 2010 ?

Aucun changement

Ninja 650R coûte 500 $ et ER-6n 450 $ de plus qu'en 2009

PAS MAL

Un moteur qui impressionne surtout par sa souplesse à bas et moyen régimes et un niveau de performances à la fois amusant et accessible tout à fait approprié pour la clientèle visée

Un châssis agile, précis et stable qui se prête volontiers à tous les aspects de la conduite sportive et propose un avant-goût très représentatif du comportement des modèles plus pointus et rapides

Une facilité de prise en main exceptionnelle amenée par une selle plutôt basse, par une grande légèreté et par une position de conduite qui met même les motocyclistes craintifs ou peu expérimentés immédiatement en confiance

Une ligne soignée qui génère majoritairement de bons commentaires

BOF

Un niveau de performances correct pour les motocyclistes novices ou peu gourmands, mais trop juste pour les plus exigeants

Des suspensions de qualité correcte qui sont quand même capables de soutenir un rythme impressionnant sur tracé sinueux, mais dont le travail s'effectue de façon un peu rudimentaire

Des versions ABS qui existent, mais que Kawasaki n'offre pas au Canada, ce qui est très dommage, surtout compte tenu de la clientèle plus ou moins expérimentée visée

Une impression générale de monture quelque peu simpliste que ne remarqueront pas les motocyclistes moins expérimentés, mais qui pourrait laisser les pilotes de calibre plus avancé sur leur faim

Conclusion

Le choix de réellement combiner accessibilité et sport. Voilà ce que représente avant tout ce fort intéressant duo. Construites autour d'une partie cycle et d'une mécanique en tous points identiques, la Ninja 650R et sa version « naked » la ER-6n font partie des très rares montures proposant à la fois un comportement sportif authentique dans un ensemble dont le niveau d'accessibilité est exceptionnel. Elles sont encore clairement plus agiles et amicales que d'autres sportives modérées comme la Yamaha FZ6R ou la Suzuki GSX650F, mais elles constituent au même titre que ces dernières une porte d'entrée extrêmement recommandable dans l'univers de la moto à caractère sportif.

Ninja 650R

Ninja 250R édition spéciale

KAWASAKI
NINJA 250R

Un étincelant succès...

À moins de reculer jusqu'à une période très lointaine, on constate que les montures qualifiées aujourd'hui de très petites cylindrées, disons 250 cc et moins, ne génèrent qu'un enthousiasme très limité sur le marché nord-américain. Malgré d'intéressantes qualités et une sympathique mine, la petite Ninja 250R n'a, quant à elle, jamais réussi à se démarquer suffisamment pour devenir une exception à cette règle. La situation changea néanmoins complètement lorsque Kawasaki présenta le modèle 2008, et surtout, lorsqu'il en annonça le prix : 4 249 $. Bien que sa facture ait pris un peu d'embonpoint depuis, la petite Ninja est désormais l'une des motos les plus vendues au Canada.

En 2007, tout juste avant l'arrivée de la génération actuelle de la Ninja 250R, il fallait débourser 6 299 $ pour faire l'acquisition de la petite Kawasaki. Afin d'arriver à offrir le nouveau modèle pour environ 2 000 $ de moins, un certain recul technologique fut effectué. Un cadre en acier remplaça par exemple l'ancien châssis en aluminium, et il fut décidé de conserver une alimentation par carburateur plutôt que de passer à l'injection. Même la puissance du moteur a chuté de quelques chevaux. Bien que la fiche technique de la Ninja 250R semble ainsi indiquer une expérience de conduite moins intéressante que celle offerte par la génération précédente, sur la route, il n'en est rien.

La plus petite des Ninja affiche des proportions similaires à celles d'une sportive pure de 600 cc. Pour le néophyte, elle est néanmoins beaucoup plus accueillante et beaucoup moins intimidante. Ultra mince, dotée d'une selle inhabituellement basse pour la classe et offrant presque une légèreté de bicyclette, la Ninja 250R possède toutes les qualités pour mettre immédiatement à l'aise les débutants les plus craintifs. De plus, malgré sa nature sportive, le modèle offre un confort très convenable grâce à une bonne selle, à une position de conduite relevée et à une bonne protection au vent.

Si le niveau de performances n'est évidemment pas miraculeux, il demeure tout de même très suffisant pour suivre tout genre de circulation, ce qui inclut même un rythme rapide sur l'autoroute. Maintenir 120 km/h est notamment accompli sans

MALGRÉ LA FAIBLE CYLINDRÉE, MAINTENIR 120 KM/H SUR L'AUTOROUTE NE POSE AUCUN PROBLÈME.

problème puisqu'une bonne trentaine de kilomètres à l'heure sont alors encore en réserve, et même un peu plus avec de la patience. Bien qu'on ne puisse pas vraiment parler de souplesse mécanique, la petite Ninja produit assez de puissance à bas et moyen régimes pour ne pas forcer le pilote à étirer les rapports jusqu'à la zone rouge en conduite normale. On s'en sort même très bien en ville en passant les vitesses vers les mi-régimes. Même si le petit moteur tourne régulièrement haut et semble toujours travailler fort, ses vibrations sont très bien contrôlées et ne deviennent jamais gênantes.

L'une des caractéristiques les plus étonnantes de la petite Ninja est qu'au-delà de ses belles qualités de monture d'initiation, en matière de tenue de route, on a affaire à rien de moins qu'une véritable sportive.

Le comportement routier a même de quoi impressionner puisque la petite Ninja se montre capable de supporter un rythme très élevé sur une route sinueuse. Il faut avoir piloté de «vraies» sportives pour réaliser à quel point le comportement général de la 250R est authentique. Une direction légère et précise, mais pas nerveuse, une grande sérénité en pleine courbe, une stabilité sans faute, un freinage aussi puissant que facile à doser et des suspensions capables d'encaisser une cadence agressive sont autant d'éléments faisant que tout, à ses commandes, ressemble à l'expérience offerte par une plus grosse cylindrée du même genre.

Général

Catégorie	Routière Sportive
Prix	4 999 $ (éd. spéciale : 5 199 $)
Immatriculation 2009	373 $
Catégorisation SAAQ 2009	« régulière »
Évolution récente	introduites en 1987, revue en 1988, en 2000 et en 2008
Garantie	1 an/kilométrage illimité
Couleur(s)	noir, bleu, rouge (éd. spéciale : vert)
Concurrence	Honda CBR125R, Hyosung GT250R

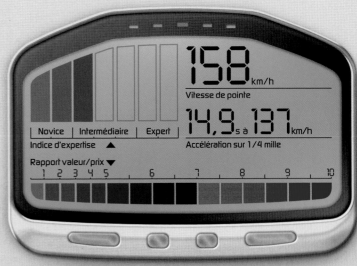

Voir légende en page 7

Moteur

Type	bicylindre parallèle 4-temps, DACT, 4 soupapes par cylindre, refroidissement par liquide
Alimentation	2 carburateurs à corps 30 mm
Rapport volumétrique	11,6:1
Cylindrée	249 cc
Alésage et course	62,0 mm x 41,2 mm
Puissance	32 ch @ 11 000 tr/min
Couple	16 lb-pi @ 10 000 tr/min
Boîte de vitesses	6 rapports
Transmission finale	par chaîne
Révolution à 100 km/h	environ 7 400 tr/min
Consommation moyenne	4,3 l/100 km
Autonomie moyenne	418 km

Partie cycle

Type de cadre	épine dorsale, en acier
Suspension avant	fourche conventionnelle de 37 mm non ajustable
Suspension arrière	monoamortisseur ajustable en précharge
Freinage avant	1 disque « à pétales » de 290 mm de Ø avec étrier à 2 pistons
Freinage arrière	1 disque « à pétales » de 220 mm de Ø avec étrier à 2 pistons
Pneus avant/arrière	110/70-17 & 130/70-17
Empattement	1 390 mm
Hauteur de selle	780 mm
Poids tous pleins faits	170 kg (à vide : 151 kg)
Réservoir de carburant	18 litres

QUOI DE NEUF EN 2010 ?

Aucun changement

Ninja 250R coûte 450 $ et édition spéciale 500 $ de plus qu'en 2009

PAS MAL

Un niveau d'accessibilité extraordinaire qui n'est surpassé que par celui d'une Honda CBR125R; la Kawasaki a en revanche l'avantage non négligeable d'offrir deux fois plus de puissance que la 125, ce qui facilite beaucoup la conduite quotidienne

Un comportement dont l'authenticité sportive étonne franchement; l'ancienne génération de la Ninja 250R était limitée par des suspensions trop molles, mais celle-ci propose un véritable avant-goût de la tenue de route qu'offre une sportive plus puissante

Une très bonne valeur puisque pour le montant demandé, on obtient une vraie moto, bien fabriquée et bien finie, et non un jouet

Une ligne qui semble non seulement beaucoup plaire, mais aussi faire partie intégrante du succès du modèle

BOF

Un niveau de performances très correct et tout à fait approprié compte tenu de la mission de la moto, mais que même un débutant exploitera pleinement presque instantanément; on doit en être conscient, surtout si on n'achète pas le modèle pour s'initier au monde sportif, mais plutôt parce qu'il est seulement économique

Un problème récurant chez toutes ces très petites cylindrées qui n'arrivent souvent à distraire les acheteurs que sur une période relativement courte; la revente et le rachat d'un autre modèle arrivent donc plus vite qu'on l'anticipe parfois; cela dit, il s'agit du prix à payer pour une entrée progressive dans le monde du motocyclisme ou pour un nouvel arrivant craintif et ce prix en vaut pleinement le coup

Conclusion

La petite Ninja 250R est un véritable phénomène. En faisant exception de la Honda CBR 125R — qui n'est d'ailleurs pas offerte en version 2010 afin de laisser les 2009 s'écouler — la sympathique Kawasaki est arrivée à accomplir ce qu'aucune autre petite cylindrée, sportive ou pas, n'a jamais réussi à faire : obtenir un véritable succès. Il s'agit même aujourd'hui d'un des modèles les plus vendus au Canada, toutes catégories confondues. Les raisons derrière ce succès sont nombreuses et comprennent des qualités comme une excellente valeur — même si Kawasaki semble profiter de la forte popularité du modèle pour en gonfler le prix... —, un comportement franchement étonnant et une très belle finition. Mais l'aspect de la Ninja 250R que nous apprécions le plus est qu'elle représente ni plus ni moins que la porte d'entrée parfaite pour une catégorie de nouveaux motocyclistes ne désirant pas nécessairement effectuer leurs premiers tours de roues sur une 600.

Ninja 250R

KAWASAKI

Z 1000

NOUVEAUTÉ 2010

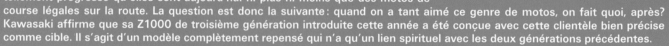

La vie après le sport...

Rares sont les amateurs de sportives pures qui, un jour ou l'autre, n'en arrivent pas au point où l'absence de confort et de praticité de ces machines devient un inconvénient majeur. D'autant plus que ces fameuses sportives ont dernièrement tellement progressé qu'elles sont aujourd'hui ni plus ni moins que des motos de course légales sur la route. La question est donc la suivante: quand on a tant aimé ce genre de motos, on fait quoi, après? Kawasaki affirme que sa Z1000 de troisième génération introduite cette année a été conçue avec cette clientèle bien précise comme cible. Il s'agit d'un modèle complètement repensé qui n'a qu'un lien spirituel avec les deux générations précédentes.

Plusieurs montures de type standard ont dernièrement été construites à partir de sportives pures, une recette que Kawasaki aurait très bien pu reprendre pour créer une Z1000 qui intéresserait les anciens amateurs de sportives. Le prototype d'une telle moto fut même bâti à partir d'une ZX-10R, mais son comportement s'est avéré tellement violent que le résultat fut une monture encore *plus* pointue et *moins* pratique que la Ninja. Or, l'objectif était exactement le contraire. Une Z1000 complètement repensée fut donc réalisée, avec des résultats fabuleux.

Arriver à des extrêmes n'est pas vraiment difficile en matière de motos. Atteindre un équilibre bien déterminé l'est en revanche beaucoup plus, et c'est ce tour de force que Kawasaki a splendidement réussi avec la nouvelle Z1000. Quelque chose à propos d'elle est en fait si particulier que nous irons même jusqu'à affirmer qu'elle est unique. Elle est agile, mais pas nerveuse, stable, mais pas lourde de direction, rapide, mais toujours contrôlable. À ses commandes, on se sent étrangement revenir un peu en arrière en termes de comportement routier, du moins par rapport à une sportive récente. Le plus étrange est que ce retour en arrière n'a rien de déplaisant du tout. Ça peut sembler contradictoire comme commentaire, mais il y a une logique derrière ce sentiment. En effet, les dernières sportives sont aujourd'hui capables de confortablement maintenir un rythme tellement élevé en piste qu'une fois sur la route, même à vive allure, on a souvent l'impression que rien ne se passe de très

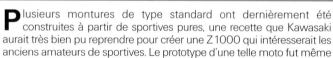

QUELQUE CHOSE À PROPOS DE LA Z1000 EST VRAIMENT TRÈS PARTICULIER. ELLE EST DEVENUE UNE SORTE DE MÉLANGE DE GENRES.

excitant. Le facteur d'amusement de la Z1000 dans les mêmes circonstances est beaucoup plus élevé parce qu'elle fait sentir à son pilote qu'il travaille plutôt que lui donner l'impression que tout se fait tout seul. Mais même si on la sent plus routière que pistarde, sa haute technologie et sa précision demeurent constamment palpables. Ce qu'elle propose est une sorte de mélange de genres très rare. Il s'agit d'un commentaire qu'on formulerait en pensant à la Triumph Speed Triple, par exemple, ce qui est un immense compliment pour la Z1000.

Afin de garder l'amusement à son niveau le plus haut, Kawasaki a conçu un tout nouveau moteur qu'il a calibré pour qu'il soit gavé de couple en bas et pour qu'il pousse très fort des mi-régimes à la zone rouge. De plus, en jouant avec les propriétés acoustiques de la boîte à air, le constructeur est arrivé à générer une résonance profonde et gutturale chaque fois que l'accélérateur est ouvert. Enfin, la boîte de vitesse possède six rapports rapprochés.

Le résultat est une mécanique qui procure un plaisir de conduite véritablement hors du commun, particulièrement pour un «banal» 4-cylindres en ligne. Les accélérations sont aussi immédiates que puissantes à tous les régimes et sur tous les rapports, tandis que chaque ouverture des gaz est accompagnée par un hurlement qui ressemble à s'y méprendre à la sonorité d'un silencieux de performance au son modéré. Quant aux performances, disons simplement que l'avant est impossible à garder au sol en première et qu'il s'envole sans le moindre effort sur le second rapport.

256

« UNE STANDARD DÉRIVÉE D'UNE SPORTIVE PEUT OFFRIR UNE EXPÉRIENCE DE CONDUITE FORT EXCITANTE. MAIS AVEC SA NOUVELLE Z1000, KAWASAKI A DÉCIDÉ D'UN AUTRE BUT ET A CHOISI UN AUTRE CHEMIN POUR ATTEINDRE CELUI-CI. LE RÉSULTAT — UNE MACHINE TOUTE NEUVE DONT TANT LA PARTIE CYCLE QUE LA MÉCANIQUE SONT UNIQUES AU MODÈLE —, EST ABSOLUMENT BRILLANT. »

Mais oui, nous savons très bien que les wheelies sont illégaux sur la route et que publier de telles images pourrait inciter les âmes influençables à imiter la figure. Mais nous avons une excuse. D'abord, la route n'est pas publique et traverse plutôt une base militaire californienne dont nous tairons le nom. Ensuite, Gahel insiste, il ne l'a pas fait exprès. Une dénivellation prononcée de la route combinée au fort couple de la Z1000 seraient les vrais responsables. Keeney Jones est quant à lui responsable de la photo, tandis que Kawasaki Canada est responsable d'avoir décidé de n'offrir que la Z1000 noire et grise chez nous.

Sous la jupe...

Vue sans la minijupe qui lui sert d'habillement, la nouvelle Z1000 révèle les raisons de son invitant comportement routier. On note d'abord que Kawasaki a mis de côté les matériaux communs et les architectures vestigieuses de cadre. Le traitement qu'il a réservé à la troisième génération du modèle est en fait on ne peut plus sérieux puisqu'il est carrément l'équivalent de celui que reçoit une sportive pure. Unique à la Z1000, le cadre en aluminium a été conçu afin d'atteindre un comportement aux caractéristiques bien déterminées. La Z1000 n'est ni très courte ni ultra légère, et c'est absolument voulu. La mécanique n'est, quant à elle, ni une évolution de l'ancien moteur ni une version recalibrée du 4-cylindres d'un autre modèle. Comme le châssis, elle est non seulement toute nouvelle, mais elle est aussi expressément conçue et calibrée afin d'atteindre les propriétés de puissance et de couple recherchées. Notez les dimensions du moteur qui ne sont pas particulièrement compactes, les composantes des suspensions et des freins qui sont très sérieuses, les roues conçues de manière à ne pas trop ressembler à des pièces d'hypersportives et l'amortisseur placé à l'horizontale afin de laisser la place requise à la volumineuse chambre de résonance du système d'échappement sous la moto. La Z1000 se veut donc une standard très particulière en ce sens qu'elle est faite sur mesure et en fonction d'un plan d'origine bien établi, ce qui est très différent d'une moto qui serait le résultat relativement aléatoire d'un assemblage de pièces déjà disponibles ou de la modification d'un modèle déjà existant.

Général

Catégorie	Routière Sportive
Prix	13 199 $
Immatriculation 2010	NC - probabilité : 627 $
Catégorisation SAAQ 2010	NC - probabilité : « régulière »
Évolution récente	introduite en 2003, revue en 2007 et en 2009
Garantie	1 an/kilométrage illimité
Couleur(s)	noir et gris
Concurrence	BMW K1300R, Ducati Streetfighter, Triumph Speed Triple, Yamaha FZ-1

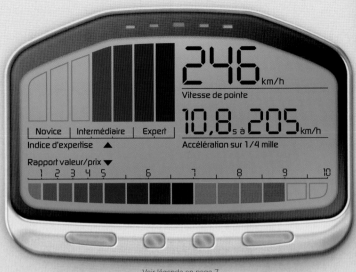

Voir légende en page 7

Moteur

Type	4-cylindres en ligne 4-temps, DACT, 4 soupapes par cylindre, refroidissement par liquide
Alimentation	injection à 4 corps de 38 mm
Rapport volumétrique	11,8:1
Cylindrée	1 043 cc
Alésage et course	77 mm x 56 mm
Puissance sans Ram Air	138 ch @ 9 600 tr/min
Couple	81,1 lb-pi @ 7 800 tr/min
Boîte de vitesses	6 rapports
Transmission finale	par chaîne
Révolution à 100 km/h	environ 4 200 tr/min
Consommation moyenne	6,2 l/100 km
Autonomie moyenne	250 km

Partie cycle

Type de cadre	périmétrique, en aluminium
Suspension avant	fourche inversée de 41 mm ajustable en précharge, compression et détente
Suspension arrière	monoamortisseur ajustable en précharge et en détente
Freinage avant	2 disques « à pétales » de 300 mm de Ø avec étriers radiaux à 4 pistons
Freinage arrière	1 disque à « pétales » de 250 mm de Ø avec étrier à 1 piston
Pneus avant/arrière	120/70 ZR17 & 190/50 ZR17
Empattement	1 415 mm
Hauteur de selle	815 mm
Poids tous pleins faits	218 kg
Réservoir de carburant	15,5 litres

QUOI DE NEUF EN 2010 ?

Nouvelle génération de la Z1000

Coûte 1 700 $ de plus que la dernière Z1000 offerte, en 2008

PAS MAL

Un équilibre merveilleux entre performance et contrôle, entre agilité et accessibilité; la Z1000 est l'une des très rares motos de performances du marché qui soient avant tout conçues pour la route

Un moteur fabuleux qui tire fort immédiatement et tout le temps et qui, en plus, chatouille l'ouïe comme peut-être aucun 4-cylindres en ligne de série n'est arrivé à le faire jusque-là

Un niveau de confort très appréciable grâce à une bonne selle, à une position relevée et à des suspensions judicieusement calibrées; même la protection au vent est meilleure qu'on pourrait le croire

Une selle plus basse que ce à quoi on s'attendrait

Une ligne très intéressante, puisque moins dénudée et retenue que celles de standards traditionnelles; elle est conçue dans le but d'attirer les ex-proprios de modèles sportifs

BOF

Un moteur qui vibre beaucoup moins que celui des versions précédentes, surtout la première, mais qu'on sent néanmoins toujours à certains régimes

Une impression de sensation vague dans la tenue de route, dans certaines circonstances, comme les changements rapides de direction

Une exposition au vent qui devient fatigante lors de longs trajets rapides

Conclusion

Compte tenu de l'expérience de conduite amusante, mais sans plus, offerte par les première et seconde générations de la Z1000, nous n'avions que des attentes limitées envers cette troisième génération. Mais elle nous a complètement pris par surprise. Rarement a-t-on vu une machine aussi précisément planifiée dans l'unique but de faire plaisir à son pilote dans l'environnement de la route, sans excuses bidon et sans autres prétentions. Franchement, nous sommes encore sous le choc puisque ce genre de détermination est en général réservé à des sportives pures comme les ZX-6R et ZX-10R. En appliquant tout le savoir-faire requis pour construire des motos aussi avancées que ces dernières à une monture comme la Z1000, Kawasaki a mis sur le marché l'une des plus plaisantes routières jamais produites. Un de nos rares Bravo! à celle-là.

KAWASAKI
VERSYS

RÉVISION 2010

Frankenstein...

D'accord, d'accord, ça n'est pas très gentil d'appeler la sympathique Versys « Frankenstein ». L'analogie était bien trop facile pour la passer, car avec ses organes de Ninja 650R, ses longues jambes et sa position de conduite mi-standard, mi-aventurière, la Versys est un étrange mélange. Et puis, la vérité c'est aussi qu'elle se veut carrément une expérience de la part de Kawasaki qui décida, en 2007, de proposer une nouvelle catégorie de monture « tout usage » en tentant de combiner différents styles de motos. Avouez que les parallèles avec le célèbre monstre sont quand même troublants... Une légère révision pour 2010 voit la Versys bénéficier d'une ligne raffinée et d'un niveau de vibrations réduit.

Affichant une position de conduite relevée, n'offrant qu'une protection au vent très sommaire, faisant appel à des suspensions à long débattement et retenant une partie cycle de nature sportive, la Versys est le résultat d'un mélange entre une routière sportive, une standard et une routière aventurière. Mélange pratiquement unique dans le monde du motocyclisme, devrions-nous ajouter.

En raison de sa hauteur de selle relativement importante, elle vous perche assez haut au-dessus du sol, tandis que sa position de conduite est un mélange des postures dictées par une sportive pour le bas du corps et par une routière aventurière pour le haut du corps. Si, à ses commandes, la première impression ressentie en est une de confusion légère, il ne faut néanmoins qu'un court temps pour s'habituer à cette façon d'être installé aux commandes d'une moto. On se fait toutefois moins facilement à la selle qui s'avère décente pour des sorties de courte ou moyenne durée, mais qui devient inconfortable sur long trajet. Il s'agit d'un point non seulement difficile à comprendre, mais aussi malheureux puisque l'un des buts premiers d'une moto ainsi conçue devrait être d'offrir un confort exemplaire. Encore plus difficile à comprendre, la selle du passager est revue en 2010, mais pas celle du pilote...

Dans le même ordre d'idée, contrairement à ce que laissent présager les longs débattements des suspensions, celles-ci sont ajustées plutôt fermement, comme sur une sportive. Il s'agit d'une caractéristique qui, lorsqu'elle est combinée avec

> ## TRÈS SIMILAIRE AU TWIN QUI ANIME LA NINJA 650R ET LA ER-6N, LE MOTEUR DE LA VERSYS EST UN PETIT BIJOU.

l'excellente partie cycle, permet à la Versys d'offrir une tenue de route d'un calibre étonnement élevé. L'effort requis pour la placer en angle est presque nul en raison du large guidon, tandis que la moto encaisse sans broncher un rythme sportif élevé sur une route sinueuse. L'envers de la médaille en ce qui concerne cette grande légèreté de direction est un genre d'instabilité due aux mouvements du pilote qui retransmettent une impulsion dans le guidon chaque fois qu'il bouge le moindrement ou chaque fois que le vent le fait bouger. Par ailleurs, nous croyons qu'un réglage plus souple des suspensions pourrait très bien favoriser un peu plus le confort sans enlever quoi que ce soit à la tenue de route et serait plus approprié. Des motos bien plus pointues que la Versys offrent déjà un tel compromis, mais ces motos sont aussi plus chères et il est fort possible que ce « défaut » soit lié à une question de budget.

Très similaire à l'excellent petit Twin parallèle qui anime la Ninja 650R et la ER-6n, mais ajusté pour produire plus de couple, plus tôt dans sa plage de régime, le moteur de la Versys est un petit bijou. Sa souplesse est exemplaire malgré sa cylindrée relativement faible — il accélère proprement en sixième dès 2 000 tr/min — et ses performances sont étonnamment satisfaisantes même si elles ne sont bien évidemment pas très élevées. Il vibrait un peu trop sur la version 2007-2009, mais Kawasaki a ajouté des supports-moteur en caoutchouc et a modifié les repose-pieds en 2010 pour réduire l'importance de ces vibrations.

Général

Catégorie	Routière Crossover
Prix	8 999 $
Immatriculation 2010	627 $
Catégorisation SAAQ 2010	« régulière »
Évolution récente	introduite en 2007, revue en 2010
Garantie	1 an/kilométrage illimité
Couleur(s)	noir
Concurrence	aucune

Voir légende en page 7

Moteur

Type	bicylindre parallèle 4-temps, DACT, 4 soupapes par cylindre, refroidissement par liquide
Alimentation	injection à 2 corps de 38 mm
Rapport volumétrique	10,6:1
Cylindrée	649 cc
Alésage et course	83 mm x 60 mm
Puissance	64 ch @ 8 000 tr/min
Couple	45 lb-pi @ 7 000 tr/min
Boîte de vitesses	6 rapports
Transmission finale	par chaîne
Révolution à 100 km/h	environ 4 500 tr/min
Consommation moyenne	4,9 l/100 km
Autonomie moyenne	387 km

Partie cycle

Type de cadre	treillis tubulaire, en acier
Suspension avant	fourche inversée de 41 mm ajustable en précharge et détente
Suspension arrière	monoamortisseur ajustable en précharge et détente
Freinage avant	2 disques « à pétales » de 300 mm de Ø avec étriers à 2 pistons
Freinage arrière	1 disque « à pétales » de 220 mm de Ø avec étrier à 1 piston
Pneus avant/arrière	120/70 ZR17 & 160/60 ZR17
Empattement	1 415 mm
Hauteur de selle	840 mm
Poids tous pleins faits	206 kg (à vide : 181 kg)
Réservoir de carburant	19 litres

QUOI DE NEUF EN 2010 ?

Révision esthétique : carénage avant, phares avant et feu arrière, caches du radiateur, caches du châssis, aile avant, embout de silencieux, rétroviseurs et clignotants redessinés

Selle et poignées du passager revues; Pare-brise ajustable en 3 positions

Supports-moteur et repose-pieds revus pour réduire les vibrations

Coûte 500 $ de plus qu'en 2009

PAS MAL

Une partie cycle dont la précision et la légèreté de direction permettent à la Versys d'offrir un comportement routier décidément relevé; elle aime se retrouver inclinée et ne craint pas du tout un rythme carrément sportif

Un charmant petit Twin parallèle qui semble plus souple qu'un moteur de cette cylindrée ne devrait normalement pouvoir l'être

Une position de conduite un peu particulière, mais à laquelle on s'habitue vite et qui donne un grand niveau de contrôle sur la moto

BOF

Une selle non seulement haute, mais aussi inconfortable sur long trajet en raison de sa forme peu naturelle

Des suspensions qui devraient bénéficier de leur long débattement afin d'être souples, mais qui sont plutôt ajustées de manière assez ferme; cela enlève l'avantage d'avoir de tels débattements et fait simplement de la Versys une moto haute

Une direction qui est légère au point d'être nerveuse si le pilote ne porte pas une attention particulière aux impulsions qu'il envoie dans le guidon par ses mouvements

Un concept nouveau qui ne semble toujours pas arrivé à maturité

Conclusion

La Versys a le potentiel d'être carrément révolutionnaire. Grâce à sa nature accessible et à ses excellentes manières, elle pourrait facilement devenir une formidable machine à usages multiples. Relativement peu de défauts l'empêchent d'atteindre un tel niveau de polyvalence, ce qui est un peu dommage. Des caractéristiques comme des suspensions à long débattement ajustées de manière ferme plutôt que souple ou comme une selle peu confortable qui mine les bienfaits de la belle position de conduite. Nous continuons de croire que Kawasaki a mis le doigt sur quelque chose avec cette « expérience », et nous attendrons patiemment que le constructeur aille jusqu'au bout. La Versys le mérite.

Vulcan 1700 Classic

 Kawasaki

KAWASAKI
VULCAN 1700

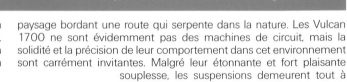

Historiques...

On a tendance à l'oublier, mais la popularité des motos de type custom est un phénomène relativement jeune. Il y a 25 ans, à peu près personne n'en fabriquait sauf Harley-Davidson, et à peu près personne ne s'y intéressait sauf les fanatiques de Harley-Davidson. Un quart de siècle plus tard, après avoir envahi le créneau avec d'innombrables modèles pratiquement tous inspirés d'une quelconque Harley-Davidson, et après avoir ajusté leur tir quelques fois en termes de style et de sensations mécaniques, les « autres » constructeurs de customs font tous face à la même question : et maintenant, on fait quoi ? Introduites l'an dernier, ces Vulcan 1700 se veulent la réponse de Kawasaki à cette énigme.

L'avenir, dans le créneau custom, risque d'être fort intéressant à observer, puisqu'il verra chaque constructeur essayer, à sa façon, de faire évoluer le genre custom. Alors que Honda semble décidé à bâtir cette évolution sur le modèle du chopper, chez Kawasaki, on a plutôt opté pour une approche très classique.

Rien, chez cette nouvelle génération de Vulcan 1700, ne choque. Chaque élément est à sa place, tout suit l'image que nous avons tous d'une custom poids lourd. Mais tout est aussi nouveau. Chaque pièce est remodelée dans le but de former un ensemble non seulement cohérent, mais aussi élégant. Franchement, c'est réussi, et ce, qu'on fasse référence à la classe de l'image générale ou à l'attention très poussée apportée aux détails. Visuellement, les Vulcan 1700 ne représentent aucunement une révolution, mais elles sont quand même splendides.

Une fois en selle, là encore, on se retrouve en terrain connu. Les dimensions sont imposantes sans qu'elles soient exagérées. La leçon de l'éléphantesque Vulcan 2000 n'a donc pas été vaine. La masse considérable et les proportions généreuses de l'ensemble sont en fait plutôt agréables. On a un poids lourd entre les mains et c'est exactement ce qu'on ressent.

Grâce aux magiciens que sont les ingénieurs, toute cette masse semble disparaître aussitôt les roues en mouvement. Même la direction se montre légère à souhait, et ce, qu'on exécute une manœuvre dans un stationnement ou qu'on absorbe le

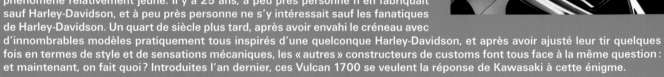

LA SIXIÈME VITESSE FAIT TOMBER LES TOURS JUSQU'À UN RÉGIME SI BAS QU'ON SE SENT TRAVERSÉ D'UN DOUX TREMBLEMENT.

paysage bordant une route qui serpente dans la nature. Les Vulcan 1700 ne sont évidemment pas des machines de circuit, mais la solidité et la précision de leur comportement dans cet environnement sont carrément invitantes. Malgré leur étonnante et fort plaisante souplesse, les suspensions demeurent tout à fait posées lorsqu'on les soumet à ce genre de pilotage. Les freins travaillent exactement comme on s'y attend sur ce genre de moto en permettant des ralentissements sûrs et faciles à maîtriser. Dommage, cependant, que le système ABS de la Voyager, qui est pourtant une très proche parente de ces customs, ne soit pas du tout offert par Kawasaki sur celles-ci.

Aussi agréables que puissent être le comportement ou la ligne des Vulcan 1700, il s'agirait de qualités insignifiantes si le moteur n'était pas à la hauteur. Mais il l'est.

Émettant une sonorité peut-être pas exactement Harleyesque, mais non moins plaisante puisque profonde et feutrée, vrombissant juste assez pour qu'on n'oublie jamais sa présence et sa nature, le gros V-Twin est une pure joie à solliciter. Gorgé de couple dès le ralenti, il est amplement puissant pour propulser pilote et moto avec suffisamment de force pour qu'on ne se plaigne jamais de manquer de quoi que ce soit. Une fois qu'on arrive à vitesse de croisière sur l'autoroute, la sixième vitesse fait tomber les tours jusqu'à un régime si bas qu'on se sent tout entier traversé d'un doux mais puissant tremblement. En matière de custom poids lourd, on trouve peu de moteurs plus satisfaisants que celui-là.

« FIXEZ UN GROS PARE-BRISE, UNE PAIRE DE SACOCHES SOUPLES ET UN DOSSIER DE PASSAGER À UNE VULCAN 1700 CLASSIC ET VOUS OBTENEZ LA LT. LE CÔTÉ PRATIQUE EST LÀ, BIEN QU'IL SOIT LIMITÉ PAR LE FAIBLE VOLUME DE RANGEMENT, ET LA PROTECTION ADDITIONNELLE EST ELLE AUSSI PRÉSENTE, BIEN QU'ELLE ARRIVE AU PRIX DE TURBULENCES À VITESSE D'AUTOROUTE. LA BASE SUR LAQUELLE CES ACCESSOIRES SONT INSTALLÉS REPRÉSENTE UNE BELLE RÉUSSITE. LES VULCAN 1700 NE FONT PAS FIGURE DE RÉVOLUTION EN MATIÈRE DE CUSTOMS, MAIS ELLES FONT CLAIREMENT AVANCER L'ESPÈCE DANS LA BONNE DIRECTION. »

La Californie n'est pas aussi souvent choisie pour rien lorsqu'il s'agit de présenter une nouveauté à la presse. Des routes serpentines dont on ne peut que rêver chez nous — comme dans bien d'autres endroits en Amérique du Nord — sont là-bas la chose la plus commune. Le relief tout en collines qui couvre une importante partie de l'état force en effet toute route s'y trouvant à se tortillonner de la sorte. La tête à peine sortie d'un fossé bordant l'une de ces magnifiques routes, à quelques kilomètres « à l'intérieur des terres » au niveau de la région de San Francisco, le photographe Kenney Jones faisait son travail lors de la présentation des Vulcan 1700. Le crédit photo lui revient.

Voyager en t-shirt...

La Nomad a toujours été une très proche parente des autres Vulcan de même cylindrée, mais depuis l'arrivée de cette nouvelle génération l'an dernier, une certaine distinction existe entre les différentes variantes de Vulcan. En fait, on doit considérer qu'il existe deux paires de Vulcan 1700 : celle des Classic et Classic LT, et celle des Voyager et Nomad. Le châssis et les pièces de la partie cycle sont à quelques exceptions près identiques sur tous les modèles, mais des différences notables existent à d'autres niveaux. Au chapitre de l'équipement, par exemple, la Nomad bénéficie du même régulateur de vitesse que la Voyager, alors qu'au chapitre mécanique, là encore la Nomad et la Voyager partagent une version légèrement différente du V-Twin de 1 700 cc qui anime toutes ces motos. Un tout petit peu plus puissant, il se distingue surtout au niveau de sa production maximale de couple qui survient 500 tr/min plus haut que sur les Classic et LT. Il s'agit d'une différence tout à fait volontaire à laquelle Kawasaki est arrivé en jouant avec l'allumage, la cartographie et l'alimentation. Le but est de maximiser les caractéristiques de la mécanique en fonction de l'utilisation qui sera faite des modèles. Les Classic et LT devant en théorie passer plus de temps à des vitesses plus basses, leur couple maximal serait plus accessible en étant livré plus tôt. À l'inverse, les Voyager et Nomad devant en théorie passer plus de temps à vitesse d'autoroute, leur couple maximal fut programmé pour être livré à un régime plus élevé correspondant à cet environnement.

La Nomad demeure à ce jour l'une des customs de tourisme léger les plus sérieusement apprêtées pour accueillir un passager sur de longues distances. Nous croyons en fait qu'elle pourrait très bien être LA custom la plus confortable pour un passager. Avec une selle arrière (et avant) essentiellement identique à celle de la Voyager, des plateformes en guise de repose-pieds, le plus large dossier qui soit et une suspension arrière qui fonctionne vraiment, cette qualité n'est certainement pas le fruit d'un accident.

Vulcan 1700 Nomad

Général

Catégorie	Custom/Tourisme léger
Prix	Vulcan 1700 Classic : 15 999 $ Vulcan 1700 Classic LT : 17 699 $ Vulcan 1700 Nomad : 18 699 $
Immatriculation 2010	627 $
Catégorisation SAAQ 2010	« régulière »
Évolution récente	Vulcan 1500 introduite en 1996, 1600 en 2003, 1700 en 2009
Garantie	1 an (Nomad, LT : 2 ans)/ kilométrage illimité
Couleur(s)	Classic : noir Classic LT : rouge et titane Nomad : noir et titane
Concurrence	Classic : Harley-Davidson Softail Deluxe, Suzuki Boulevard C90, Yamaha Road Star Classic LT : Harley-Davidson Heritage Softail Classic, Suzuki Boulevard C90SE, Yamaha Road Star Silverado Nomad : Harley-Davidson Road King, Suzuki Boulevard C90T, Yamaha Road Star Silverado S

Moteur

Type	bicylindre 4-temps en V à 52 degrés, SACT, 4 soupapes par cylindre, refroidissement par liquide
Alimentation	injection à 2 corps de 42 mm
Rapport volumétrique	9:5
Cylindrée	1 699 cc
Alésage et course	102 mm x 104 mm
Puissance	79 ch @ 4 500 tr/min (Classic, LT) 82 ch @ 5 000 tr/min (Nomad)
Couple	108,4 lb-pi @ 2 250 tr/min (Cla., LT) 107,7 lb-pi @ 2 750 tr/min (Nomad)
Boîte de vitesses	6 rapports
Transmission finale	par courroie
Révolution à 100 km/h	environ 2 200 tr/min
Consommation moyenne	6,6 l/100 km
Autonomie moyenne	303 km

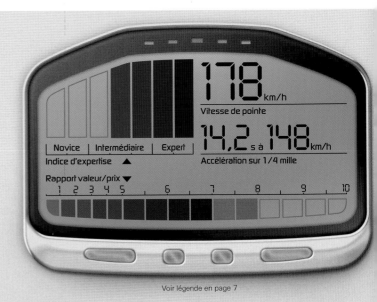

Voir légende en page 7

Partie cycle

Type de cadre	double berceau, en acier
Suspension avant	fourche conventionnelle de 43 mm non ajustable
Suspension arrière	2 amortisseurs ajustables en précharge et détente
Freinage avant	2 disques de 300 mm de Ø avec étriers à 4 pistons
Freinage arrière	1 disque de 300 mm de Ø avec étrier à 2 pistons
Pneus avant/arrière	130/90 B16 & 170/70 B16
Empattement	1 665 mm
Hauteur de selle	720 mm (Nomad : 750 mm)
Poids tous pleins faits	Classic : 345 kg, LT : 365 kg, Nomad : 373 kg
Réservoir de carburant	20 litres

QUOI DE NEUF EN 2010 ?

Aucun changement

Classic coûte 600 $, LT 450 $ et Nomad 900 $ de plus qu'en 2009

PAS MAL

Un gros V-Twin qui doit être considéré comme une réussite franche; il est extrêmement coupleux, gronde de belle façon et se montre doux quand il le faut, et présent quand il le faut

Une partie cycle très sérieusement bâtie qui est responsable d'un comportement très invitant sur la route, puisque solide, précis et léger

Des lignes classiques aussi élégantes que soignées qui ne révolutionnent pas le genre custom, mais qui le font néanmoins progresser avec beaucoup de classe

BOF

Une masse importante dans tous les cas, ce qui implique que les intéressés devront posséder un minimum d'expérience pour arriver à gérer les situations serrées et lentes

Des pare-brise qui remplissent très bien leur rôle en ce qui a trait à procurer une protection face aux éléments, mais qui génèrent encore et toujours une certaine turbulence au niveau du casque, à vitesse d'autoroute

Un système de freinage ABS assisté et combiné qui existe sur la Voyager, mais qui n'est malheureusement pas offert chez ces trois variantes

Conclusion

Les Vulcan 1700 figurent parmi les plus beaux exemples de ce que sont devenues les customs japonaises. Alors que les 1600 qui les précédaient étaient à bien des niveaux anonymes et communes, celles-là semblent enfin avoir trouvé le chemin qui est le leur. Elles semblent ne plus se limiter à essayer d'imiter et donnent plus que jamais l'impression que Kawasaki commence à avoir sa propre idée de ce que devrait être une custom poids lourd. Elles s'adressent ainsi aux motocyclistes qui s'avouent parfaitement heureux avec le format traditionnel d'une custom, mais qui exigent de leur monture qu'elle soit performante, bien maniérée, techniquement à jour et, bien entendu, élégante sous tous les angles. Celles-ci collent très bien à une telle demande.

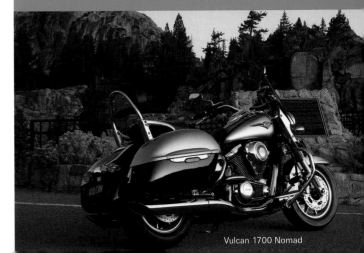

Vulcan 1700 Nomad

Vulcan 900 Classic LT

VULCAN 900

Bon coup...

S'il est une caractéristique chez les custom qu'aucune quantité de chrome ne peut remplacer, il s'agit du cubage. En effet, chez ces motos, le plaisir de conduite recule avec toute réduction de cylindrée, d'où l'importance de chaque centimètre cube. Proposer une 900 cc dans une catégorie où la moyenne tourne autour de 800 cc, et ce, pour pas beaucoup plus cher, fut donc une stratégie judicieuse de la part de Kawasaki lorsqu'il présenta la Vulcan 900 Classic en 2006. Le modèle actuel n'a guère changé, mais il est depuis 2007 aussi offert en version Custom. Notons qu'une variante de tourisme léger de la Classic, la LT, est aussi présente au catalogue de la marque d'Akashi.

En raison de leur prix alléchant, les customs de cylindrée moyenne sont souvent perçues comme de très bonnes affaires. Les mesures utilisées pour arriver à des prix aussi bas ont néanmoins amené avec elles plusieurs aspects indésirables, comme des mécaniques aux performances limitées, une qualité de finition au mieux décente et une certaine avarice au niveau des composantes utilisées. Cela dit, encore une fois, tant que la facture restait raisonnable, personne ne se plaignait trop. En lançant la Vulcan 900 Classic en 2006, Kawasaki a changé les règles du jeu en éliminant presque tous les désavantages jusque-là inhérents à cette classe. Soudainement, pour un déboursé similaire à celui des autres modèles, on obtenait plus de cubage, une finition plus soignée, des composantes plus désirables et, finalement, une meilleure moto.

Parce que la Vulcan 900 possède une mécanique plus grosse que celle de modèles rivaux de 750 ou 800 cc, on pense parfois que ses performances sont largement supérieures. Cela ne reflète pas nécessairement la réalité puisqu'on ne peut pas vraiment qualifier les accélérations du V-Twin de 903 cc d'excitantes. Elles s'avèrent plutôt satisfaisantes et décidément plus intéressantes que celles des cylindrées plus faibles. Cette différence de performance peut ne pas paraître très importante, mais dans cette classe où l'agrément de conduite est toujours restreint par la cylindrée, le cubage supérieur des Vulcan 900 est l'un de leurs plus grands atouts. Le niveau de performances n'est pas équivalent à celui d'une 1100 comme

> **PAR RAPPORT À SES RIVALES DE PLUS PETITE CYLINDRÉE, LA VULCAN 900 SE MONTRE PLUS SATISFAISANTE À TOUS LES NIVEAUX.**

la V-Star de Yamaha, mais il permet aux Vulcan 900 de se montrer plus puissantes à tous les régimes, à toutes les vitesses et dans toutes les situations que les plus petits modèles. Ainsi, les accélérations sont plus plaisantes, les dépassements plus francs et le maintien d'une vitesse de croisière raisonnable sur l'autoroute plus aisé.

La transmission n'attire aucune critique, ni l'injection ou l'entraînement final par courroie, d'ailleurs. En fait, mécaniquement, tout semble léger et précis, du relâchement de l'embrayage jusqu'au changement des vitesses en passant par le travail des freins, qui se montrent toujours à la hauteur de la situation.

Les proportions de ces Vulcan sont plus généreuses que celles des autres montures de la catégorie et se rapprochent de celles d'une machine de grosse cylindrée comme l'ancienne Vulcan 1500 Classic ou la Harley-Davidson Fat Boy. Grâce à une répartition judicieuse de la masse, elles démontrent une bonne facilité de prise en main, ce qui les rend parfaitement envisageables par une clientèle novice. Malgré leur poids considérable, elles s'allègent dès qu'elles sont en mouvement, se montrent agréablement légères en amorce de virage et solides lorsqu'inclinées. Enfin, le pilote bénéficie d'une position de conduite dégagée et équilibrée, mais la selle ne reste confortable que sur des distances moyennes. La suspension arrière peut se montrer sèche à l'occasion si l'état de la route se dégrade, ce qui n'est d'ailleurs pas rare chez les customs. Enfin, la version LT est plus pratique, mais son pare-brise crée de la turbulence.

Général

Catégorie	Custom/Tourisme léger
Prix	Classic : 9 599 $ Custom : 9 899 $ (éd. spéc. : 10 299 $) Classic LT : 11 399 $
Immatriculation 2009	627 $
Catégorisation SAAQ 2009	« régulière »
Évolution récente	introduite en 2006
Garantie	1 an (LT : 2 ans)/km illimité
Couleur(s)	Classic : noir, rouge Custom : noir (SE), bleu, rouge Classic LT : bleu et gris, rouge et noir, vert et titane
Concurrence	Harley-Davidson Sportster 883, Honda Shadow 750, Suzuki Boulevard C50, Yamaha V-Star 950

Moteur

Type	bicylindre 4-temps en V à 55 degrés, SACT, 4 soupapes par cylindre, refroidissement par liquide
Alimentation	injection à 2 corps de 34 mm
Rapport volumétrique	9,5:1
Cylindrée	903 cc
Alésage et course	88 mm x 74,2 mm
Puissance	54 ch @ 6 000 tr/min
Couple	60,6 lb-pi @ 3 500 tr/min
Boîte de vitesses	5 rapports
Transmission finale	par courroie
Révolution à 100 km/h	n/d
Consommation moyenne	5,8 l/100 km
Autonomie moyenne	344 km

Voir légende en page 7

Partie cycle

Type de cadre	double berceau, en acier
Suspension avant	fourche conventionnelle de 41 mm non ajustable
Suspension arrière	monoamortisseur ajustable en précharge
Freinage avant	1 disque de 300 mm de Ø avec étrier à 2 pistons
Freinage arrière	1 disque de 270 mm de Ø avec étrier à 2 pistons
Pneus avant/arrière	130/90-16 (Custom : 80/90-21) & 180/70-15
Empattement	1 645 mm
Hauteur de selle	680 mm (Custom : 685 mm)
Poids tous pleins faits	Classic : 281 kg, LT : 298 kg, Custom : 277 kg (à vide : Cl : 253 kg, LT : 270 kg, Cu : 249 kg)
Réservoir de carburant	20 litres

QUOI DE NEUF EN 2010 ?

Aucun changement

Custom, Custom SE, Classic LT coûtent 900 $ et Classic 650 $ de plus qu'en 2009

PAS MAL

Une mécanique douce, relativement puissante qui travaille bien à tous les niveaux du pilotage — accélérations, dépassements, reprises, vitesse de croisière — si bien qu'à elle seule, la « grosseur » du V-Twin justifie d'envisager la famille de modèles

Un châssis sain et une facilité de prise en main étonnante pour une moto d'un poids et d'un gabarit tout de même imposants

Une très bonne valeur résultant de l'une des plus grosses cylindrées de la classe, mais aussi d'un niveau de finition élevé, de l'attention accordée aux détails, de l'injection, de l'entraînement par courroie, etc.

BOF

Une selle acceptable sur de courtes ou moyennes distances, mais dont le confort est limité sur de longs trajets

Une suspension arrière occasionnellement sèche lorsque la qualité du revêtement se dégrade

Un pare-brise qui génère d'agaçantes turbulences au niveau du casque, à des vitesses d'autoroute, sur la version LT, comme c'est d'ailleurs le cas pour la majorité des customs ainsi équipées, malheureusement

Conclusion

À force de mettre l'accent sur l'avantage considérable que représente un V-Twin plus gros que la moyenne dans cette classe, on a tendance à oublier que Kawasaki est allé beaucoup plus loin avec la Vulcan 900. Le constructeur a également élevé la qualité de la finition commune à la catégorie, sans parler du fait qu'il y a amené des composantes habituellement réservées aux plus grosses et plus chères montures du genre. Or, on pourrait argumenter qu'il s'agit d'avantages sur lesquels on ne peut mettre un prix puisqu'il est impossible d'ajouter un système d'alimentation par injection ou un entraînement par courroie à un modèle de cette classe qui n'en est pas équipé à la sortie de l'usine.

Vulcan 900 Custom

RC8R

KTM
RC8 & 1190 RC8R

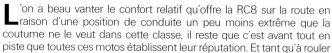

Douce vengeance...

L'an dernier, notre premier contact avec la très attendue RC8 de KTM se déroula de manière controversée, notre machine d'essai ne s'avérant tout simplement pas à la hauteur de nos attentes. Pour 2010, KTM prend d'une certaine façon sa revanche face à ce résultat en nous mettant entre les mains non seulement une RC8 « sur la coche », mais aussi une redoutable version R dont la cylindrée passe de 1 148 cc à 1 195 cc et dont la puissance grimpe de 155 à 170 chevaux. Les caractéristiques qui distinguent la RC8R de la RC8 sont par ailleurs beaucoup plus nombreuses et se retrouvent aussi en bonne quantité au niveau de la partie cycle.

L'on a beau vanter le confort relatif qu'offre la RC8 sur la route en raison d'une position de conduite un peu moins extrême que la coutume ne le veut dans cette classe, il reste que c'est avant tout en piste que toutes ces motos établissent leur réputation. Et tant qu'à rouler en piste, pourquoi pas celle de Laguna Seca, à Monterey en Californie, et pourquoi pas lors de la présentation officielle des modèles KTM 2010 ? Dans cet environnement, avec un circuit de ce calibre à notre disposition et des motos apprêtées et vérifiées par le constructeur, aucune excuse n'était possible si les conclusions demeuraient les mêmes que lors de notre premier contact. Les RC8 n'eurent toutefois besoin d'aucune excuse cette fois puisqu'elles se sont avérées brillantes.

A-t-on besoin de rappeler qu'une sportive de pointe animée par un V-twin est une espèce extrêmement rare dans l'univers du motocyclisme, surtout maintenant qu'Aprilia a opté pour un V4 et que Buell n'est plus ? À lui seul ce contexte suffit à faire des RC8 des modèles d'exception, mais heureusement, les KTM arrivent à mériter ce titre grâce à leurs propres qualités, à commencer justement par le rendement de ce fameux V-Twin.

Au chapitre des performances, la version de base de la RC8, avec ses 155 chevaux, propose des accélérations intenses et offre même une très bonne répartition de la puissance en se montrant agréablement coupleuse à mi-régime. Sa transmission et son embrayage fonctionnent sans accroc.

La dure réalité de la catégorie sportive demeure toutefois

> ## LA RC8R DONNE L'IMPRESSION D'UN PUR-SANG DESTINÉ À LA COMPÉTITION. ELLE VAUT LE SURPLUS EXIGÉ PAR KTM.

que 155 chevaux ne représentent plus un chiffre extraordinaire. Mais faites grimper la barre à 170 chevaux et là, vous vous retrouvez dans les ligues majeures, un environnement auquel appartient d'ailleurs, de manière on ne peut plus claire, la fabuleuse version R de RC8. Tout ce que la version de base fait de bien, la R le fait mieux, et nous disons bien tout. La RC8 2010 possède une tenue de route très difficile à prendre en faute puisqu'elle se montre légère à lancer en courbe, très précise et inébranlable à haute vitesse en piste. C'est surtout en descendant de la RC8 et en grimpant sur la R que l'on constate les différences entre les deux, mais celles-ci sont quand même considérables. À tous les niveaux du pilotage en piste, la R travaille mieux. La stabilité est plus grande, la précision en virage est meilleure, la sensation de solidité renvoyée par l'ensemble de la partie cycle est plus forte, le travail des suspensions est supérieur. Bref, aux commandes de la R, on a l'impression de piloter une autre moto que la RC8 et non seulement une version légèrement supérieure. On sent la RC8R comme un pur-sang destiné à la compétition alors que la RC8 ne serait qu'une excellente machine de piste. Cette sensation de machinerie supérieure s'applique aussi au V-Twin dont les chevaux supplémentaires sont non seulement clairement présents, mais aussi fort divertissants à solliciter. En fait, la RC8R est tellement plus gratifiante à piloter en piste que la RC8 que nous n'hésiterions pas à suggérer aux intéressés de débourser le surplus demandé par KTM pour l'acquérir.

« PLUS QU'UNE RC8 VITAMINÉE, LA RC8R SEMBLE ÊTRE UNE AUTRE MOTO, DOTÉE D'UN CHÂSSIS CONSIDÉRABLEMENT PLUS SOLIDE ET COMMUNICATIF ET D'UNE MÉCANIQUE DONT LA LIVRÉE DE PUISSANCE EST FABULEUSE. IL S'AGIT D'UNE BÊTE DE PISTE DE LA PLUS BELLE ESPÈCE DONT LA PURETÉ DU COMPORTEMENT DANS CET ENVIRONNEMENT EST REMARQUABLE. DUCATI N'EN EST PAS ENCORE AU POINT DE DEVOIR S'INQUIÉTER, MAIS UNE LUEUR ORANGÉE EST DÉSORMAIS CLAIREMENT PERCEPTIBLE DANS LES RÉTROVISEURS DE LA 1198. »

Le célèbre « Corkscrew », ou tirebouchon, du circuit californien de Laguna Seca est l'un des plus étranges virages qui soient. Il descend tellement abruptement qu'on ne le voit même pas avant de s'y engager. La suite semble avoir l'inclinaison d'une pente de ski « double diamant », avec une chicane au milieu... La photo montrant l'auteur tentant de comprendre quoi faire avec cette insolite courbe est celle de Kevin Wing.

RC8

Juste pour les autres...

Plusieurs autres livrées que la version orange de la RC8 seront offertes sur d'autres marchés. Outre notre version blanche d'essai, KTM propose aussi une RC8 toute noire. Les éditions qui risquent toutefois de générer le plus d'intérêt sont les magnifiques versions Red Bull et Akrapovic de la RC8R, cette dernière étant en plus équipée d'un système d'échappement de la même marque et d'un kit de course faisant grimper la puissance à 180 chevaux. Il s'agit d'une série limitée dans les deux cas.

RC8R Red Bull

RC8R Akrapovic

Crédit photo : Brian Nelson

Général

Catégorie	Sportive
Prix	18 898 $ (R : 22 989 $)
Immatriculation 2010	1 410 $
Catégorisation SAAQ 2010	« sport »
Évolution récente	introduite en 2008, version R introduite en 2009
Garantie	1 an/20 000 km
Couleur(s)	RC8 : orange RC8R : noir et blanc
Concurrence	Ducati 1198

Moteur

Type	bicylindre 4-temps en V à 75 degrés, DACT, 4 soupapes par cylindre, refroidissement par liquide
Alimentation	injection à 2 corps de 52 mm
Rapport volumétrique	12,5:1 (R : 13,5:1)
Cylindrée	1 148 cc (R : 1 195 cc)
Alésage et course	103 (R : 105) mm x 69 mm
Puissance	RC8 : 154,7 ch @ 10 000 tr/min
	RC8R : 170 ch @ 10 250 tr/min
Couple	RC8 : 88,5 lb-pi @ 8 000 tr/min
	RC8R : 90,7 lb-pi @ 8 000 tr/min
Boîte de vitesses	6 rapports
Transmission finale	par chaîne
Révolution à 100 km/h	environ 3 500 tr/mn
Consommation moyenne	6,7 l/100 km
Autonomie moyenne	246 km

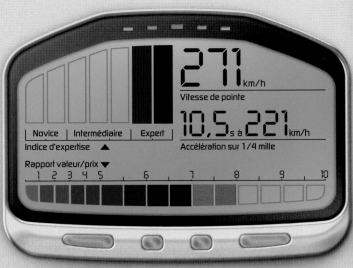

271 km/h
Vitesse de pointe

10,5 s à 221 km/h
Accélération sur 1/4 mille

Novice | Intermédiaire | Expert
Indice d'expertise ▲
Rapport valeur/prix ▼
1 2 3 4 5 6 7 8 9 10

Voir légende en page 7

Partie cycle

Type de cadre	treillis, en acier
Suspension avant	fourche inversée de 43 mm ajustable en précharge, compression et détente
Suspension arrière	monoamortisseur ajustable en précharge, en haute et basse vitesses de compression, et en détente
Freinage avant	2 disques de 320 mm de Ø avec étriers radiaux à 4 pistons
Freinage arrière	1 disque de 220 mm de Ø avec étrier à 2 pistons
Pneus avant/arrière	120/70 ZR17 & 190/55 ZR17
Empattement	1 430 mm (R : 1 425 mm)
Hauteur de selle	805/825 mm
Poids tous pleins faits	198 kg (R : 196 kg)
Réservoir de carburant	16,5 litres

QUOI DE NEUF EN 2010 ?

Version RC8R introduite en 2009 en Europe, en 2010 au Canada

Transmission revue; suspensions recalibrées; roue arrière renforcée

RC8 coûte 2 000 $ de moins qu'en 2009

PAS MAL

Une mécanique très impressionnante autant par les hautes performances qu'elle livre que par la personnalité forte du V-Twin; celui de la version R est tout simplement fabuleux

Un châssis dont les manières sur piste sont excellentes dans le cas de la RC8, et carrément formidables dans celui de la version R qui est une bête de piste d'un calibre extrêmement impressionnant

Une ligne très particulière qui semble encore plus agressive chaque fois qu'on aperçoit la RC8 avec de nouvelles couleurs

Un niveau de confort étonnant sur la route en raison de la position de conduite relativement peu basculée sur l'avant

BOF

Une différence de comportement aussi ahurissante que difficile à expliquer entre le modèle d'essai de KTM Canada, une RC8 de première génération qui nous avait laissés perplexes, et les motos de la présentation américaine, qui étaient impeccables

Une facture un peu élevée pour la version de base, et ce, malgré la baisse de prix de 2010; on comprend que KTM aimerait demander les mêmes prix que Ducati, mais...

Un certain retard technologique par rapport à la concurrente directe qu'est la Ducati 1198, celle-ci offrant un système antipatinage

Une version de base qui semble presque lente et maladroite après qu'on ait pris conscience du calibre de la version R

Conclusion

Après un premier contact difficile et finalement peu flatteur à l'égard de ces sportives, rouler des RC8 préparées par le constructeur lui-même dans un environnement comme celui de Laguna Seca était exactement ce dont nous avions besoin pour enfin arriver à comprendre ce qu'est la RC8. Les montures que nous avons découvertes nous ont choqués par leur compétence et leurs performances. Plus particulièrement la version R de la RC8 qui est une fusée en bonne et due forme que nous n'hésiterions aucunement à comparer à la Ducati 1198, ce qui est un immense compliment à l'égard de la KTM. D'un point de vue technique, les RC8 sont donc de légitimes membres de cet exclusif club qu'est celui des sportives à moteur V-Twin. Tout ce qui reste à faire au constructeur est de convaincre les amateurs de sportives de choisir l'orange plutôt que la rouge.

990 Supermoto T

KTM
990 SUPERMOTO T

NOUVEAUTÉ 2010

Personnalités multiples...

Rares sont les motocyclistes qui, et ce, de manière complètement instinctive, ne se questionnent pas sur la nature exacte de la nouvelle 990 Supermoto T lorsqu'ils la contemplent pour la première fois. Mais qu'est-ce au juste? Le nom semble indiquer un certain lien avec la classe supermoto, mais le style dit autre chose, alors que les composantes clairement sportives pointent elles aussi dans une direction différente. Ajoutez à ce mélange un T pour Tourisme, une paire des sacoches latérales et des suspensions à long débattement, et la confusion devient presque parfaite. Il s'agit d'un modèle lancé l'an dernier, mais il arrive sur notre marché pour la première fois cette année.

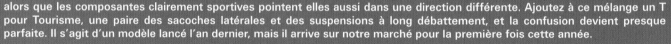

La plupart des manufacturiers n'osent pas beaucoup et préfèrent plutôt s'en tenir aux catégories qu'ils connaissent et dans lesquelles ils obtiennent un certain succès. On parle des classes établies que sont les customs, les sportives, les sport-tourisme, etc.

Le cas de KTM est différent puisque la marque autrichienne est très jeune, pour ne pas dire naissante, en ce qui concerne le marché de la moto de route. Or, avec ce jeune âge vient une difficulté tout à fait normale de la part du public à identifier ce qu'est une KTM de route. Vient aussi une difficulté de la part du manufacturier à définir la nature de ses machines routières. On sait ce qu'est une Ducati ou une Harley-Davidson, mais qu'est une KTM? La réponse n'est pas encore claire, mais plusieurs modèles semblent indiquer une volonté de la part du constructeur de se faire connaître comme un producteur de montures à la fois amusantes et extrêmes. L'arrivée relativement récente de KTM sur la route permet par ailleurs au manufacturier d'expérimenter sans risquer sa réputation, puisqu'on ne s'attend à rien de précis de ses produits. Pour cette raison, KTM peut se permettre de prendre le risque que représente une monture aussi différente que la 990 SMT. En fait, jusqu'à un certain point, si KTM entend établir une image de marque extrême et joueuse, l'on pourrait croire qu'il se doit de produire des modèles aussi surprenants et inhabituels que la 990 SMT. Si une chose devient très claire dès les premiers instants passés aux commandes de la nouveauté, c'est qu'elle est décidément surprenante et inhabituelle.

> **UN VÉRITABLE COCKTAIL DE GENRES, VOILÀ CE QU'EST LA 990 SMT. IL NE S'AGIT NI PLUS NI MOINS QUE DE PLUSIEURS MOTOS EN UNE.**

La 990 SMT est un véritable cocktail de genres. Sa position rappelle un peu celle d'une Adventure, mais avec une saveur standard, voire sportive. La haute selle et les suspensions à grand débattement disent routière aventurière ou supermoto. Et au milieu du tout, un V-Twin LC8 en très bonne santé. Le résultat fait penser à une expérience qui, par accident, mène à une découverte inattendue.

Perché sur l'étrange création, guidon large en main, on se sent envahi d'une envie de tout faire. De partir pour une courte balade, d'attaquer sans pitié une route en lacet, de peut-être faire un tour en piste, d'avaler du sérieux kilométrage, d'enfiler les rapports avec la roue avant pointant les cieux... La 990 SMT n'est pas qu'un mélange de genres de motos, elle est plusieurs genres de motos. Elle est assez confortable et pratique pour faire tout ce qu'une standard peut accomplir. Elle est assez mince, agile et précise pour chauffer les fesses d'une sportive. Elle est assez coupleuse et puissante pour non seulement distraire le pilote expérimenté, mais aussi pour le divertir avec autant de folies qu'il le désirera.

La plus grande qualité du modèle et le plus bel accomplissement de KTM ne sont toutefois pas d'offrir une telle largeur d'utilisation. Le véritable exploit dans ce cas est d'être arrivé à proposer un tel amalgame de catégories de motos dans un ensemble qui ne semble d'aucune façon dérangé par cette étrange et hautement inhabituelle mission. Au contraire, la 990 SMT passe de l'une à l'autre de ses personnalités multiples d'une manière on ne peut plus naturelle.

« UN NOUVEAU GENRE DE MOTOS SEMBLE VOULOIR NAÎTRE, UN GENRE QUI SERAIT DÉFINI PAR UNE CAPACITÉ DE FAIRE NON SEULEMENT TOUT, MAIS AUSSI DE TOUT FAIRE DE MANIÈRE EXTRAORDINAIRE. PUISSANTE, AMUSANTE, PRATIQUE ET CONFORTABLE, LA NOUVELLE SUPERMOTO T FAIT DÉCIDÉMENT PARTIE DE CETTE CATÉGORIE ÉMERGENTE. »

La présentation des modèles KTM 2010 n'a duré qu'une journée et s'est déroulée sur le circuit de Laguna Seca, à Monterey en Californie. Le peu de temps que nous avons passé sur la Supermoto T le fut sur les routes voisines du circuit. Le crédit de la photo, prise en revenant à la piste pour quelques derniers tours aux commandes des RC8, revient à Brian Nelson de Riles & Nelson.

990 Supermoto T

L'origine de l'espèce...

Aussi étrange que soit la 990 Supermoto T et aussi floue que soit sa vocation, une certaine logique existe derrière son existence, mais pour la comprendre, un retour en arrière s'impose. On doit d'abord se rappeler que les toutes premières motos de route de KTM furent des montures de type supermoto à monocylindre. Le constructeur autrichien poussa plus tard ce concept à l'extrême en créant une supermoto construite autour du V-Twin carburé de l'Adventure 950. Le résultat, la 950 Supermoto, s'avéra l'une des plus amusantes machines à folies jamais produites, sans toutefois qu'elle affiche un grand côté pratique. La suite naturelle des événements fut de repenser le modèle en lui greffant la version injectée du V-Twin autrichien qui animait la Super Duke. La 990 Supermoto était née. Bien qu'il n'ait pas connu un succès notable en Amérique du Nord, le concept de la grosse supermoto fut très bien reçu en Europe, ce qui poussa KTM à créer une version R de la 990 Supermoto pour ceux désirant amener le côté sportif du modèle à un niveau extrême. Le constructeur autrichien réalisa au même moment une autre variante « supermoto »
basée sur la même plateforme, mais plus orientée vers le tourisme, la 990 Supermoto T. Il est intéressant de noter que la R et la T partagent la même plateforme et qu'elles sont propulsées par la même mécanique. La R, qui fait beaucoup penser à l'Hypermotard de Ducati, fait toutefois appel à plusieurs pièces de haute performance provenant de sportives. La T possède un carénage complètement différent et propose une position de conduite très distincte de celle de la R.

990 Supermoto R

Général

Catégorie	Routière Crossover
Prix	15 298 $
Immatriculation 2010	NC - probabilité : 627 $
Catégorisation SAAQ 2010	NC - probabilité : « régulière »
Évolution récente	introduite en 2009
Garantie	2 ans/40 000 km
Couleur(s)	orange
Concurrence	Ducati Multistrada 1200, Triumph Tiger

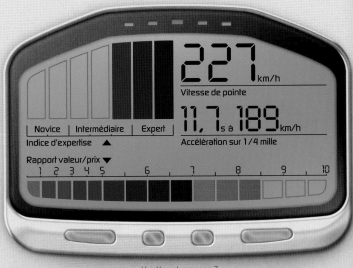

Voir légende en page 7

Moteur

Type	bicylindre 4-temps en V à 75 degrés, DACT, 4 soupapes par cylindre, refroidissement par liquide
Alimentation	injection à 2 corps de 48 mm
Rapport volumétrique	11,5:1
Cylindrée	999 cc
Alésage et course	101 mm x 62,4 mm
Puissance	115,6 ch @ 9 000 tr/min
Couple	71,5 lb-pi @ 7 000 tr/min
Boîte de vitesses	6 rapports
Transmission finale	par chaîne
Révolution à 100 km/h	environ 3 900 tr/mn
Consommation moyenne	6,4 l/100 km
Autonomie moyenne	297 km

Partie cycle

Type de cadre	treillis, en acier
Suspension avant	fourche inversée de 48 mm ajustable en compression et détente
Suspension arrière	monoamortisseur ajustable en précharge, compression et détente
Freinage avant	2 disques de 305 mm de Ø avec étriers radiaux à 4 pistons
Freinage arrière	1 disque de 240 mm de Ø avec étrier à 2 pistons
Pneus avant/arrière	120/70 ZR17 & 180/55 ZR17
Empattement	1 505 mm
Hauteur de selle	855 mm
Poids à sec	196 kg
Réservoir de carburant	19 litres

QUOI DE NEUF EN 2010 ?

Modèle introduit en 2009 en Europe, en 2010 au Canada

PAS MAL

Un mélange de genres de conduite déroutant, mais aussi très amusant; on arrive difficilement à conclure qu'il s'agit d'une catégorie précise, mais le plaisir de pilotage est tel qu'on s'en fiche

Un moteur qui incite au vice, et ce, non seulement en raison de son caractère très fort et de ses vives montées en régimes, mais aussi à cause de son couple instantané qui soulève l'avant sans cesse

Un niveau de confort tout de même élevé grâce à une excellente position, à une bonne protection au vent, à des suspensions plutôt souples et à une selle très correcte

BOF

Une hauteur de selle assez importante pour mettre mal à l'aise les pilotes courts

Un comportement qui peut prendre par surprise, particulièrement en ce qui concerne la facilité avec laquelle l'avant se soulève à l'accélération

Une appellation Supermoto qui pourrait porter à confusion puisqu'il s'agit d'une routière avant tout et non pas d'une moto qui a un quelconque lien avec la discipline que sont les épreuves de supermoto

Une ligne qui ne fait décidément pas l'unanimité, surtout avec les petites valises latérales en place

Conclusion

La meilleure manière de décrire très honnêtement la 990 Supermoto T serait de conclure qu'il s'agit d'une énigme, d'une machine hautement désirable et gratifiante à piloter, mais dont il est difficile de préciser la vocation exacte. La réponse à cette énigme deviendra probablement beaucoup plus évidente dès que nous pourrons accumuler plus de kilomètres à ses commandes que ce que la présentation officielle nous a permis de faire, mais nous demeurons avec une impression extrêmement positive de cette très particulière moto. Elle restera probablement toujours un peu étrange à piloter et nous croyons que l'appellation Supermoto — qui ne la décrit pas correctement — ne devrait pas lui être associée, mais le plaisir de pilotage qu'elle procure dans une grande variété de circonstances est, pour le moment, ce que nous en retenons.

690 SMC

KTM
690 DUKE & SMC

Spécialité autrichienne...

Les 690 Duke et 690 SMC sont des motos très particulières qui ne s'adressent pas au grand public, mais qui se veulent plutôt destinées aux plus sérieux des amateurs de montures de type supermoto à monocylindre. Elles sont chères, mais proposent une expérience de conduite qu'on ne retrouve nulle part ailleurs, soit celle livrée par la combinaison d'une partie cycle très sérieuse et d'un moteur monocylindre inhabituellement puissant. La Duke est techniquement si proche de l'ancienne 690 Supermoto qu'on pourrait la considérer comme une version esthétiquement corrigée du controversé modèle. Quant à la SMC, il s'agit plutôt d'une version supermoto de la double-usage 690 Enduro.

Chacune à sa façon, la 690 Duke et la 690 SMC proposent d'une certaine manière une interprétation ultime du concept de la mince et agile monture de type Supermoto. Cette nature très pointue représente d'ailleurs la raison derrière l'unicité de l'expérience qu'elles offrent. En effet, KTM est pour l'instant la seule compagnie qui s'investit à pousser le concept Supermoto aussi loin sur une plateforme à monocylindre. La plupart des constructeurs rivaux proposent plutôt de petites machines sympathiques, mais plus ou moins sérieuses comme la Suzuki DR-Z400SM, ou des «monstres» comme la Ducati Hypermotard. La marque autrichienne fait d'ailleurs payer cher cet effort puisque la facture de plus de 11 000 $ accompagnant ces modèles permettrait d'envisager nombre de montures beaucoup plus polyvalentes. Il reste, cela dit, que les intéressés n'ont guère d'autres choix.

En raison de sa ligne tout en arêtes très particulière, la 690 Duke est celle des deux risquant le plus d'attirer l'attention du motocycliste moyen qui pourrait aussi bien l'envisager comme monture d'initiation que comme une machine à monocylindre de haut calibre. La Duke arrive d'ailleurs très bien à remplir le premier de ces deux rôles en se montrant docile, légère et agile dans les mains d'un pilote possédant une expérience limitée. À l'exception d'une selle haute et d'une injection légèrement abrupte à l'ouverture des gaz, la Duke est essentiellement dépourvue de caractéristiques qui compromettraient sa grande accessibilité.

EN PLEINE ACCÉLÉRATION SUR LE PREMIER RAPPORT, ELLES NE TARDENT PAS À SE DRESSER SUR LEUR ROUE ARRIÈRE.

À l'amateur et au connaisseur de montures animées par monocylindre, la 690 Duke offre toutes les qualités typiques de ce genre de machine, mais propose en plus un niveau de performances étonnamment élevé. En pleine accélération, sur le premier rapport, la Duke ne tarde d'ailleurs pas à se mettre à la verticale sans provocation. Les rapports suivants procurent un plaisir inhabituel. En effet, en ces temps où l'on a presque abandonné la possibilité d'étirer les vitesses d'une moto, poignée de droite bien tordue, sans immédiatement se retrouver dans une zone d'illégalité sévère, la 690 laisse le pilote assouvir ce genre de désir de manière régulière. Parce qu'une moto se dressant sur sa roue arrière sans provocation n'est pas un choix idéal pour un pilote en formation, la 690 Duke — et la SMC dont la mécanique est identique — possède par ailleurs un sélecteur de courbe de puissance permettant d'adoucir l'arrivée des chevaux.

Si la SMC propose un niveau de performances très semblable à celui de la Duke, les deux modèles sont très différents lorsqu'on s'installe à leurs commandes. Même si elle est très mince, la Duke possède une selle presque «normale» et pourrait même être considérée comme une standard. Haute et très mince, la SMC donne en revanche à son pilote l'impression d'être assis sur une machine hors-route, ce qui est normal puisqu'il s'agit du modèle 690 Enduro duquel on a retiré les roues à rayons et les pneus à crampons pour les remplacer par des équipements sportifs.

Général

Catégorie	Supermoto
Prix	Duke : 11 598 $ SMC : 11 398 $
Immatriculation 2010	627 $
Catégorisation SAAQ 2010	« régulière »
Évolution récente	introduites en 2008
Garantie	1 an/20 000 km
Couleur(s)	Duke : orange SMC : blanc
Concurrence	aucune

Voir légende en page 7

Moteur

Type	monocylindre 4-temps, SACT, 4 soupapes, refroidissement par liquide
Alimentation	injection
Rapport volumétrique	11,8:1
Cylindrée	654 cc
Alésage et course	102 mm x 80 mm
Puissance	Duke : 64,4 ch @ 7 500 tr/min SMC : 62,1 ch @ 7 500 tr/min
Couple	Duke : 49,4 lb-pi @ 5 500 tr/min SMC : 47,2 lb-pi @ 6 000 tr/min
Boîte de vitesses	6 rapports
Transmission finale	par chaîne
Révolution à 100 km/h	environ 4 000 tr/mn
Consommation moyenne	5,7 l/100 km
Autonomie moyenne	237 km

Partie cycle

Type de cadre	treillis, en acier
Suspension avant	fourche inversée de 48 mm ajustable en compression et détente
Suspension arrière	monoamortisseur ajustable en précharge, compression et détente
Freinage avant	1 disque de 320 mm de Ø avec étrier radial à 4 pistons
Freinage arrière	1 disque de 240 mm de Ø avec étrier à 1 piston
Pneus avant/arrière	120/70 ZR17 & 160/60 ZR17
Empattement	1 472 mm (SMC : 1 480 mm)
Hauteur de selle	865 mm (SMC : 900 mm)
Poids à vide	148,5 kg (SMC : 139,5 kg)
Réservoir de carburant	13,5 litres (SMC : 12 litres)

QUOI DE NEUF EN 2010 ?

Design « sans tube » pour les roues de la SMC

690 Duke coûte 200 $ et 690 SMC 400 $ de plus qu'en 2009

PAS MAL

Un monocylindre qui figure parmi les plus puissantes mécaniques du genre; les performances qu'il offre sont impressionnantes et raviront les amateurs de ce type de moteur

Une tenue de route de qualité sportive qui découle du sérieux de la partie cycle dont la construction n'a rien d'économique

Un style tout en arêtes très particulier dans le cas de la 690 Duke qui fait régulièrement tourner les têtes sur son passage

BOF

Une hauteur de selle importante qui gêne les pilotes courts, surtout ceux dont l'expérience est limitée

Un concept qui demande presque d'être un fanatique de monocylindres pour être vraiment apprécié, surtout compte tenu du prix élevé qui accompagne les deux modèles

Une faible autonomie qui résulte de la petite contenance du réservoir

Un confort limité dans les deux cas, mais surtout dans celui de la SMC dont la selle très étroite n'est pas un endroit privilégié pour accumuler les kilomètres

Conclusion

Le duo des 690 Duke et SMC incarne la notion de moto de niche. Toutes deux explorent le concept de la monture de type supermoto d'une manière beaucoup plus sérieuse que la coutume ne le veut. Elles représentent l'autre extrême d'une classe très souvent peuplée par de banales machines de sentiers auxquelles on a greffé des roues de 17 pouces chaussées de pneus sportifs. Comme c'est souvent le cas avec des motos de niche, elles ne sont ni économiques ni destinées au motocycliste moyen. Par contre, ceux qui reconnaissent l'exclusivité d'un monocylindre aussi avancé, qui apprécient l'agilité et la minceur inhérente à ce type de monture et qui ne sont pas refroidis par la facture sont au bon endroit. En fait, ils sont même au seul endroit où ce genre de moto est construit de manière sérieuse.

690 Duke

990 Adventure

KTM
990 ADVENTURE

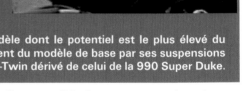

Nom approprié...

Les routières aventurières vendent l'aventure à son sens le plus pur. Elles vendent l'idée de la liberté la plus totale à moto, une liberté qui ne se limite pas aux routes pavées, mais qui s'étend plutôt jusqu'au bout de la nature. C'est du moins la théorie, puisque dans la pratique, rares sont les modèles de ce type dont les capacités hors-route sont légitimes. L'Adventure de KTM est probablement le modèle dont le potentiel est le plus élevé du marché dans un environnement non asphalté. La version R se distingue principalement du modèle de base par ses suspensions dont le débattement est de 55 mm plus long et par la puissance supérieure de son V-Twin dérivé de celui de la 990 Super Duke.

L'héritage hors-route qui fait la réputation de la marque autrichienne ne tarde décidément pas à faire surface lorsqu'on s'installe aux commandes de la 990 Adventure. Avec son guidon large et plat et sa selle longue et étroite dont la hauteur fait pointer des pieds la plupart des pilotes à l'arrêt, la 990 propose une posture assise et avancée rappelant clairement celle d'une moto de sentier. Par rapport à la BMW R1200GS à laquelle l'autrichienne est souvent comparée, la saveur hors-route de cette position est aussi marquée et évidente que l'est le penchant routier qu'offre la position de l'allemande. Loin d'être un handicap, la position de conduite de l'Adventure est, au contraire, dégagée et laisse au pilote une impression de contrôle très marquée, surtout hors-route.

Les capacités tout terrain de la 990 ne sont évidemment pas illimitées, fort gabarit oblige, mais elles restent impressionnantes pour une machine de telles dimensions. Sur une route non pavée, peu importe qu'elle soit recouverte de gravier ou de terre, l'Adventure maintient facilement des vitesses élevées et passe sa puissance au sol de manière relativement progressive et accessible. Pousser l'exploration jusqu'à s'engager carrément en sentier sur des revêtements plus glissants révèle néanmoins que tout l'héritage de KTM ne suffit pas à transformer une haute routière de 200 kilos en agile machine de sous-bois. Cela dit, bien qu'elle semble devenir plus haute et plus lourde au fur et à mesure que les conditions deviennent plus serrées, la 990 possède

LE V-TWIN AUTRICHIEN EST L'UN DES MOTEURS LES PLUS PARTICULIERS ET PLAISANTS DU MONDE DU MOTOCYCLISME.

quand même d'excellentes qualités de passe-partout, du moins tant qu'on a assez d'expérience pour en profiter et surtout si on installe les pneus appropriés pour ce type d'utilisation. Notons que la version R propose des possibilités encore plus sérieuses en pilotage hors-route grâce à ses suspensions à très long débattement.

Les talents de l'Adventure dépassent l'environnement de la poussière et se retrouvent aussi sur la route où elle affiche même quelques étonnantes qualités. La 990 est en effet capable d'enfiler une succession de virages avec un aplomb surprenant. Haute sur pattes, dotée de suspensions souples et chaussée de pneus double-usage à gomme tendre, elle se dandine un peu lorsqu'on attaque, mais pas au point de réduire le rythme, ou même le plaisir. Malgré son guidon plat et large qui allège la direction, il faut pousser énergiquement sur celui-ci pour incliner l'Adventure en amorce de virage ou pour passer d'un angle à l'autre, un phénomène attribuable à la longueur de l'arc que la hauteur de la moto la force à décrire.

Le V-Twin d'un litre de l'Adventure recevait une dose appréciable de vitamines l'an dernier alors que sa puissance grimpait de 7 chevaux sur la version de base et de 17 sur la R. Il s'agit d'une des mécaniques les plus particulières de l'univers de la moto, d'un moteur qui semble demander au pilote qu'il le fasse souffrir sur la route et qui remercie celui-ci par un plaisir de pilotage qu'on ne soupçonnerait jamais d'une telle moto.

Général

Catégorie	Routière Aventurière
Prix	16 698 $ (R : 17 098 $)
Immatriculation 2010	627 $
Catégorisation SAAQ 2010	« régulière »
Évolution récente	introduite en 2003
Garantie	2 ans/40 000 km
Couleur(s)	blanc (R : noir et blanc)
Concurrence	BMW R1200GS et R1200GS Adventure

Moteur

Type	bicylindre 4-temps en V à 75 degrés, DACT, 4 soupapes par cylindre, refroidissement par liquide
Alimentation	injection à 2 corps de 48 mm
Rapport volumétrique	11,5:1
Cylindrée	999 cc
Alésage et course	101 mm x 62,4 mm
Puissance	Adventure : 104,6 ch @ 8 250 tr/min R : 114,9 ch @ 8 750 tr/min
Couple	73,7 lb-pi @ 6 750 tr/min
Boîte de vitesses	6 rapports
Transmission finale	par chaîne
Révolution à 100 km/h	environ 3 900 tr/mn
Consommation moyenne	6,2 l/100 km
Autonomie moyenne	314 km

209 km/h
Vitesse de pointe
11,7 s à **182** km/h
Accélération sur 1/4 mille

Novice	Intermédiaire	Expert

Indice d'expertise ▲

Rapport valeur/prix ▼

1 2 3 4 5 6 7 8 9 10

Voir légende en page 7

Partie cycle

Type de cadre	treillis, en acier
Suspension avant	fourche inversée de 48 mm ajustable en précharge, compression et détente
Suspension arrière	monoamortisseur ajustable en précharge, compression et détente
Freinage avant	2 disques de 300 mm de Ø avec étriers à 2 pistons et système (Adventure : ABS)
Freinage arrière	1 disque de 240 mm de Ø avec étrier à 2 pistons et système (Adventure : ABS)
Pneus avant/arrière	90/90-21 & 150/70 R18
Empattement	1 570 mm
Hauteur de selle	860 mm (R : 915 mm)
Poids à vide	209 kg (R : 207 kg)
Réservoir de carburant	19,5 litres

QUOI DE NEUF EN 2010 ?

Aucun changement

990 Adventure coûte 300 $ et 990 Adventure R 100 $ de moins qu'en 2009

PAS MAL

Un V-Twin aussi caractériel que vif et puissant, qui monte très rapidement en régime et qui rugit d'une manière très particulière et tout aussi plaisante

Des suspensions souples à long débattement qui gomment les pires défauts de la route et se débrouillent très bien sur les chemins non pavés où l'Adventure roule comme s'il s'agissait d'asphalte

Un comportement routier étonnamment solide et précis qui permet un amusement réel en pilotage sportif

BOF

Une selle qui, bien que beaucoup améliorée par rapport à celle du modèle d'origine, n'est pas encore un standard en matière de confort

Une hauteur de selle considérable qui gênera les pilotes courts sur pattes; la version R avec ses suspensions encore plus hautes et sa selle perchée à plus de 900 mm du sol n'est décidément pas à mettre dans les mains de pilotes inexpérimentés

Une allure torturée aux lignes angulaires qui dégage une certaine authenticité puisqu'elle est tirée de la silhouette des machines de rallye du constructeur, mais qui n'a jamais fait l'unanimité

Conclusion

Un peu comme l'appellation Supermoto qui commence à se retrouver sur des montures n'ayant rien à voir avec ce qu'est une machine de ce type, l'appellation « aventure » a, elle aussi, été utilisée à tort et à travers ces dernières années. Une utilisation d'ailleurs carrément trompeuse dans bien des cas, surtout si la définition qu'on a du terme « aventure » inclut des paysages désertiques, des pays en voie de développement et des coins tellement reculés qu'on n'en connaissait pas l'existence. Ce genre de capacités, très peu de motos sur le marché les possèdent vraiment. La 990 Adventure de KTM est l'une d'elles.

990 Adventure R

SUZUKI
GSX-R 1000

Au sommet de l'art...

Les sportives de la trempe de la GSX-R1000 n'ont fait que s'alléger et devenir de plus en plus puissantes. Cette course effrénée à la performance représente un défi extrêmement complexe pour les quelques manufacturiers qui y participent, défi que chacun d'eux approche à sa façon. Afin de générer encore plus de chevaux, mais aussi de les contrôler — là se trouve aujourd'hui l'aspect le plus complexe de l'équation — la GSX-R1000 2009-2010 affiche des changements tellement profonds qu'ils ont transformé la nature à laquelle le modèle nous a habitués depuis son introduction au début du siècle. Une édition célébrant le 25ᵉ anniversaire des GSX-R est offerte ailleurs dans le monde, mais pas ici.

Depuis qu'elle a été lancée en 2001, la GSX-R1000 a toujours fait partie des machines les plus redoutables de la classe, pour ne pas dire qu'elle la domine. Cet exploit a traditionnellement été accompli avec une recette assez simple, mais extrêmement efficace. Alors que les produits rivaux ont tour à tour exploré différentes avenues, la grosse GSX-R est toujours arrivée à ses fins grâce à une puissance très élevée, à un couple particulièrement gras dans les bas régimes et à un châssis sûr et précis. La génération courante du modèle est différente. Pour la première fois, la GSX-R1000 ne peut plus être considérée comme un monstre de couple puisqu'elle produit désormais sa puissance comme la tendance semble le dicter dans cette classe, c'est-à-dire grâce à des hauts régimes. La zone rouge se situe d'ailleurs à 14 000 tr/min, ce qui est très élevé pour une 1000. On se sent toujours un peu étrange de qualifier la puissance à bas régime d'une sportive de 190 chevaux comme «peu impressionnante», mais le fait est que cette GSX-R est moins coupleuse que l'ancienne à bas et moyen régimes. Cela dit, amenez l'aiguille du tachymètre jusqu'à la moitié supérieure de la plage de régimes et vous aurez droit à un effet de catapulte en bonne et due forme, effet d'ailleurs amplifié par la différence notable de puissance avec les tours inférieurs. En ligne droite, ce passage dans la zone de puissance de la GSX-R1000 se traduit par un décollage de l'avant non seulement instantané, mais aussi carrément brutal en pleine accélération sur le premier rapport. La réaction est beaucoup

EN EST-ON ARRIVÉ, CHEZ LES 1000, AU POINT OÙ UN SYSTÈME ANTIPATINAGE COMME CELUI DE LA S1000RR EST NÉCESSAIRE ?

plus douce sur le second rapport, mais elle fait quand même partie du comportement de la GSX-R1000. Sur circuit, cette arrivée non pas soudaine, mais quand même marquée des chevaux aux régimes élevés complique le pilotage en demandant du pilote qu'il gère cette augmentation de puissance avec le plus grand doigté en sortie de courbe. En effet, le passage au sol de l'immense puissance d'une 1000 constitue déjà la caractéristique la plus difficile à maîtriser de toutes ces motos sur un tour de piste. La nature de la livrée de la puissance rend ainsi cet aspect du pilotage plus complexe. Par ailleurs, le sélecteur de mode S-DMS n'est pas d'une grande utilité à ce chapitre. En éliminant le mode où il coupe une grande partie des chevaux et celui où la puissance est intacte, il n'en reste qu'un, le B, qui réduit la puissance en bas et la rétablit lorsqu'on arrive à haut régime. Or, avec ce mode sélectionné, le résultat est une arrivée encore plus soudaine des chevaux et un besoin encore plus grand de la part du pilote de faire très attention aux dérapages de l'arrière en sortie de courbe. En est-on arrivé au point où des systèmes de contrôle de traction comme celui de la BMW S1000RR sont devenus nécessaires? Nous croyons que oui.

Tout ce qui touche le comportement routier de la GSX-R1000 en pilotage sur circuit est absolument irréprochable. En fait, à ce chapitre, on a presque affaire à une magicienne de piste qui obéit aux souhaits du pilote avec une précision, un aplomb et même une facilité de pilotage qui s'avèrent tout bonnement difficiles à critiquer.

« LA GSX-R NE FIT QU'UNE BOUCHÉE DE LA ZR1.

EN LIGNE DROITE...

PAR QUELQUES LONGUEURS... »

On pourrait croire, en regardant de près le cliché du bas, que l'auteur ferme les yeux juste au moment où Éric Lefrançois, à qui le crédit photo revient, tire la gâchette. Mais il n'en est rien. Gahel explique plutôt qu'il était bel et bien éveillé, mais qu'il jetait simplement un rapide coup d'oeil au sol. Il affirme que les espaces remplis de caoutchouc séparant les dalles de béton du circuit ICAR sont particulièrement glissants en pleine inclinaison et qu'une attention toute spéciale doit leur être prêtée, Corvette ZR1 au derrière ou pas.

GSX-R1000 vs ZR1

La bâtisse principale du circuit d'ICAR n'étant pas encore ouverte en ce radieux matin de juin, je me dirige vers une toilette extérieure. Alors que je négocie tant bien que mal avec mes cuirs tout en tentant de ne pas sombrer dans la claustrophobie, mes oreilles sont emplies d'un bruit qu'elles ont de la difficulté à comprendre. Nous venons d'entrer sur ce circuit établi sur l'ancien tarmac de l'aéroport de Mirabel. Jacques Duval, qui conduit une toute nouvelle Corvette ZR1 dans le cadre d'un test pour le livre *L'Auto*, s'est engagé en piste pour quelques tours de chauffe le temps que je termine mes... préparatifs. Je n'ai jusqu'à ce moment aucune idée de ce qu'est exactement une ZR1, croyant qu'il s'agit simplement d'une édition limitée et probablement un peu vitaminée de la Corvette. En suggérant ce match, Jacques ne m'a d'ailleurs rien dit d'autre. À part une pièce de plexiglas sur le capot permettant d'apercevoir « Supercharged », des freins très costauds et quelques tout petits ajouts aérodynamiques à la carrosserie, c'est une Corvette. Le furieux grondement que j'entends semble toutefois correspondre à autre chose. « Impossible... », me dis-je. Y aurait-il un bolide de course sur la piste ? Bousculant la porte de ma boîte de plastique, je vois au loin une voiture grise qui file. C'est la Corvette. Et ce rugissement fou provient bel et bien d'elle. Hum...

Nous nous rejoignons au départ du quart de mille, la première épreuve prévue à notre défi. Jacques sort de la Corvette en riant aux éclats. Il affirme ne jamais rien avoir piloté de pareil. Jamais ? On m'explique ensuite que la ZR1 n'est pas une Corvette normale, mais plutôt une sorte de mangeuse de Ferrari offerte pour une fraction du prix. Elle coûte 160 000 $ et produit 640 chevaux...

Sans tarder, Jacques se met à réaliser quelques passes afin de voir comment le système antipatinage de la Corvette se comporte et quelle sera la manière pour lui d'arriver au meilleur temps possible sur un quart de mille. Les régimes montent, la voiture s'élance, et je suis ébahi. Jamais je n'ai entendu quoi que ce soit de semblable provenant d'une voiture de production et, surtout, jamais je n'ai vu une voiture accélérer de la sorte. En fait, la vitesse à laquelle la Corvette s'éloigne de la zone de départ est presque incroyable. Elle semble accélérer comme une moto. Je me dis alors que je devrais peut-être pratiquer moi aussi.

La fraîcheur matinale et l'adhérence moins qu'idéale de la zone de départ de la piste d'accélération d'ICAR limitent considérablement l'agressivité avec laquelle j'arrive à lancer la GSX-R. L'arrière patine facilement, ce qui soulève l'avant lorsque l'adhérence revient, me forçant à relâcher les gaz. Éventuellement, j'arrive à un compromis entre adhérence et accélération que j'estime être convenable. De son côté, Jacques se dit lui aussi prêt.

Compte tenu de la manière très impressionnante avec laquelle la ZR1 s'élançait à partir d'un arrêt, j'étais sûr d'avoir beaucoup de difficulté à garder le rythme au départ, mais qu'une fois lancé j'arriverais à passer et possiblement distancer la voiture avant la fin du quart de mille. Mais la réalité m'a surpris et malgré un degré d'adhérence moyen, la GSX-R1000 prit immédiatement les devants, puis ne cessa de distancer la voiture jusqu'à ce que la ligne d'arrivée soit croisée. Nous avons répété l'exercice plusieurs fois, mais le résultat resta à peu près le même. La voiture obtint un meilleur temps de 11,65 secondes à 208,8 km/h contre 10,45 secondes à 220,2 km/h pour la moto. La GSX-R1000

possède la capacité de s'approcher très près des 10 secondes, mais les conditions l'en ont empêché, et d'ailleurs, la voiture aurait probablement, elle aussi, fait un peu mieux avec plus de traction au départ. Ce qu'il faut toutefois retenir de cette comparaison c'est qu'il n'y a rien de vraiment étonnant à ce que la moto arrive devant. Mais que la voiture soit à peine une seconde et une douzaine de kilomètres à l'heure à l'arrière de l'une des motos les plus rapides de la planète représente un résultat extrêmement impressionnant. Durant chaque passe le long de la piste du quart de mille, je n'en revenais d'ailleurs pas de constater à quel point la voiture restait dans mon rétroviseur. En général, les voitures ne restent pas dans le rétroviseur d'une GSX-R1000. Elles en disparaissent plutôt instantanément.

Les très impressionnants résultats de la ZR1 en ligne droite m'ont indiqué que la seconde partie de cette comparaison, le circuit routier, serait probablement très ardue pour la moto et moi, et c'est exactement ce qui se passa. Avec Jacques Duval au volant, la Corvette ne mit que quelques tours pour réaliser un temps de 1:38,41 alors qu'il m'a fallu 3 séances pour descendre de manière constante sous le 1:40, avec un meilleur temps de 1:39,41. En roulant en même temps sur la piste, nous avons tous les deux constaté ce que nous soupçonnions, c'est-à-dire que la voiture négociait les virages avec beaucoup plus de vitesse que la moto, qui cherchait de l'adhérence sans en trouver suffisamment. En fait, cette dernière fut très difficile à pousser fort, limitée un peu par ses pneus d'origine, mais plus particulièrement par la glissante surface cimentée sur laquelle je n'ai jamais pu rouler avec confiance, et ce, sans parler de la complication additionnelle amenée par les larges fentes séparant les rectangles de bétons qui constituent la piste.

Jacques, en gentil diplomate, conclut qu'il s'agissait d'un match nul parce que la moto fut la plus rapide en ligne droite, mais que la voiture réalisa le meilleur temps en piste. Je crois plutôt que la moto a subi une petite raclée. Le simple fait que la ZR1 est restée dans l'aspiration d'une GSX-R1000 en ligne droite est non seulement absolument ahurissant, mais aussi tout à l'honneur de la voiture. Je n'y aurais pas cru sans l'avoir vu de mes yeux. Quant à la portion piste de la comparaison, nonobstant les temps réalisés, je crois que la voiture en sort grande gagnante puisqu'il m'a semblé que sa performance fut beaucoup plus constante et régulière que celle de la moto, celle-ci s'étant montrée très difficile à piloter « rapidement » (les meilleurs pilotes de Superbike tournent en 1:25...) sur ce circuit en raison de l'adhérence problématique. Je sais, ou plutôt je suis convaincu qu'une sportive de série comme une GSX-R1000 peut faire beaucoup plus belle figure sur une piste contre une voiture comme la ZR1. Mais ça dépend de la piste. Dans ce cas, je savais avant même de me rendre là-bas que le tracé serré et surtout le revêtement glissant de la piste de ICAR donnerait beaucoup de fil à retordre à la moto. « L'excuse » était la même lorsque nous avons fait une comparaison semblable Jacques et moi il y a quelques années sur le circuit de l'Autodrome Saint-Eustache, où c'était cette fois le revêtement bosselé et la nature serrée du tracé qui ont désavantagé la moto par rapport à la voiture. Je suis convaincu qu'une sportive de série peut faire mieux qu'une supervoiture en piste, mais cette piste doit être plus ouverte et offrir une bonne adhérence pour que cela se produise, comme Tremblant ou Calabogie. Enfin, c'est de cela que je suis convaincu. Seule une nouvelle confrontation déterminerait si j'ai raison ou pas. BG.

Général

Catégorie	Sportive
Prix	16 599 $
Immatriculation 2010	1 410 $
Catégorisation SAAQ 2010	« sport »
Évolution récente	introduite en 2001, revue en 2003, 2005, 2007 et 2009
Garantie	1 an/kilométrage illimité
Couleur(s)	bleu et blanc, noir et or
Concurrence	BMW S1000RR Honda CBR1000RR, Kawasaki Ninja ZX-10R, Yamaha YZF-R1

Voir légende en page 7

Moteur

Type	4-cylindres en ligne 4-temps, DACT, 4 soupapes par cylindre, refroidissement par liquide
Alimentation	injection à 4 corps de 44 mm
Rapport volumétrique	12,8:1
Cylindrée	999 cc
Alésage et course	74,5 mm x 57,3 mm
Puissance	191 ch
Couple	85 lb-pi
Boîte de vitesses	6 rapports
Transmission finale	par chaîne
Révolution à 100 km/h	environ 4 300 tr/min
Consommation moyenne	6,8 l/100 km
Autonomie moyenne	257 km

Partie cycle

Type de cadre	périmétrique, en aluminium
Suspension avant	fourche inversée de 43 mm ajustable en précharge, compression, et détente
Suspension arrière	monoamortisseur ajustable en précharge, en haute et en basse vitesses de compression, et détente
Freinage avant	2 disques de 310 mm de Ø avec étriers radiaux à 4 pistons
Freinage arrière	1 disque de 220 mm de Ø avec étrier à 1 piston
Pneus avant/arrière	120/70 ZR17 & 190/50 ZR17
Empattement	1 405 mm
Hauteur de selle	810 mm
Poids tous pleins faits	203 kg
Réservoir de carburant	17,5 litres

QUOI DE NEUF EN 2010 ?

Aucun changement

Coûte 1 100 $ de plus qu'en 2009

PAS MAL

Un niveau de performances fabuleux; on doit absolument vivre une accélération de cette intensité pour arriver à comprendre de quel genre d'expérience il est ici question

Une partie cycle extrêmement bien équilibrée et dont les caractéristiques en pilotage sur piste sont exceptionnelles; des manœuvres les plus exigeantes jusqu'aux ajustements de trajectoire ou de freinage les plus fins, la GSX-R1000 se montre brillante

Un niveau de technologie extraordinairement avancé pour lequel la logique voudrait qu'on paie plusieurs fois le prix de détail suggéré; ces machines représentent des valeurs exceptionnelles

Une ligne qui progresse d'une manière presque prévisible, mais non moins réussie; il est intéressant de constater comment Suzuki arrive à garder un certain air de famille d'une génération à l'autre tout en continuant de plaire aux amateurs du genre

BOF

Une arrivée marquée de la puissance à haut régime qui rend les accélérations maximales en sortie de virage, en piste, délicates à gérer; le sélecteur de mode S-DMS ne représente pas vraiment de solution à cette caractéristique

Un niveau de performances tellement élevé qu'on ne peut vraiment l'exploiter qu'en piste; pilotée légalement sur la route, la GSX-R1000 et toutes ses semblables sont des motos jolies et agiles, mais elles représentent aussi des montures inconfortables et ennuyeuses

Une souplesse exemplaire à bas régime qui était fort appréciée sur la route, mais qui a disparu avec l'arrivée de cette génération

Conclusion

On ne peut en toute franchise qu'être complètement abasourdi des performances de chacune des machines de cette classe. Leur niveau performances, la qualité de leur tenue de route et la technologie qu'elles utilisent sont dans tous les cas d'un calibre extraordinaire. Malgré cet environnement on ne peut plus compétitif, la GSX-R1000 continue de faire très belle figure puisqu'il s'agit d'une bête de piste absolument fabuleuse. Elle s'est régulièrement retrouvée à l'avant du peloton en termes de puissance, mais a aussi toujours été capable d'offrir une gestion très saine de cette puissance. Nous croyons que le niveau de puissance offert par cette génération pourrait bien être la limite de ce qu'il est possible de demander aux motocyclistes de gérer sans un système antipatinage comme celui de la S1000RR. Il ne s'agit ni d'une rumeur ni d'une prévision, mais nous croyons qu'il est inévitable que de tels systèmes fassent très prochainement leur apparition sur tous ces modèles.

GSX-R600

SUZUKI

GSX-R600/750

Joyeux anniversaire...

Le temps file presque aussi vite que ces deux « jumelles » puisque la célèbre famille de sportives de Suzuki fête un important anniversaire en 2010. Il y a 25 ans, en 1985, la marque d'Hamamatsu lançait la première GSX-R750, une moto qui allait complètement transformer la face sportive du monde du motocyclisme. Cet attachement purement sentimental à la GSX-R750 est d'ailleurs la seule raison pour laquelle le constructeur continue de l'offrir, ce qu'il réussit à faire à peu de frais en gonflant tout simplement le moteur de la 600. Quant à cette dernière, elle est d'un calibre qui se compare sans problème à quoi que ce soit d'autre dans la classe. Ni l'une ni l'autre ne change en 2010.

La catégorie des sportives de cylindrée moyenne a évolué à un rythme tellement effréné durant les deux dernières décennies qu'il semble presque impensable de commencer à parler aujourd'hui de plafonnement. L'on ne peut toutefois que constater qu'il existe un certain ralentissement chez ces magiciennes de la tenue de route. En effet, on ne se souvient pas de la dernière année où aucune des quatre 600 japonaises n'évoluait, ce qui est pourtant le cas en 2010. Les GSX-R600/750 suivent cette tendance puisqu'elles n'ont évolué que légèrement depuis 2006. Les facteurs responsables de cette direction ont beaucoup à voir avec la complexe équation économique liée à la production de machines tellement avancées et à leur révision aussi fréquente. Cela dit, le calibre extraordinaire des modèles courants rend toute plainte au sujet de ce statu quo très difficile à prendre au sérieux. Les GSX-R600/750 sont d'excellents exemples de cette situation puisqu'en dépit de la quantité relativement mineure d'améliorations qu'elles ont reçues depuis leur introduction de 2006 — elles ont été légèrement revues en 2008 —, toutes deux demeurent des pistardes absolument brillantes.

Même si toutes les 600 peuvent presque être décrites de la même façon, il reste que chacune d'elles se distingue d'une certaine façon. Dans le cas de la GSX-R, on a affaire à une monture accomplissant tellement bien tous les aspects du pilotage sportif qu'il devient carrément difficile d'en pointer les faiblesses, du moins tant qu'on ne traite pas de confort et de praticité.

> **LES 150 CC ADDITIONNELS DE LA GSX-R750 TRANSFORMENT LA 600 EN UNE « MINI-1000 » DONT L'EFFICACITÉ EN PISTE EST SUBLIME.**

Dans l'environnement du circuit, la GSX-R600 se montre carrément brillante. Offrant une précision absolue et une légèreté inouïe, elle offre une tenue de route qu'on peine vraiment à critiquer. Les freins sont aussi puissants que progressifs, tandis que l'embrayage à limiteur de contre-couple qui empêche l'arrière de sautiller en approche de courbe aide grandement à raffiner son pilotage. En ce qui concerne la puissance, elle se compare avec celle des autres 600, mais se montre un peu plus remplie que la moyenne en bas et au milieu, ce dont on profite tout particulièrement sur la route où ce sont surtout ces régimes qu'on utilise. Évidemment, le confort est très limité, mais dans l'ensemble, ça reste quand même tolérable pour ce genre de motos.

Même si elle est une jumelle parfaite de la 600 à tous les niveaux autres que celui de la mécanique, la 750 est un tout autre animal. Ses 150 cc additionnels font non seulement disparaître complètement le manque de souplesse commun chez toutes les 600, mais ils transforment la GSX-R600 en une « mini-1000 ». Comme la puissance est bien plus facile à exploiter que sur une machine d'un litre, la GSX-R750 devient un outil de piste redoutable. Avec presque la puissance d'une 1000 et presque l'agilité d'une 600 — l'inertie supérieure des plus grosses pièces internes la rend un peu plus lourde à incliner que la 600 —, la GSX-R750 propose un équilibre sportif qui est non seulement absolument unique sur le marché actuel, mais qui équivaut aussi à une formule dont l'efficacité sur circuit est sublime.

Général

Catégorie	Sportive
Prix	GSX-R600 : 13 299 $ GSX-R750 : 13 899 $
Immatriculation 2010	1 410 $
Catégorisation SAAQ 2010	«sport»
Évolution récente	750 introduite en 1985, revue en 1988, 1992, 1996, 2000, 2004, 2006 et 2008 600 introduite en 1997, revue en 2001, 2004, 2006 et 2008
Garantie	1 an/kilométrage illimité
Couleur(s)	GSX-R600 : bleu et blanc, bleu et argent GSX-R750 : bleu et blanc, argent et brun
Concurrence	GSX-R600 : Honda CBR600RR, Kawasaki ZX-6R, Triumph Daytona 675, Yamaha YZF-R6 GSX-R750 : aucune

Voir légende en page 7

Moteur

Type	4-cylindres en ligne 4-temps, DACT, 4 soupapes par cylindre, refroidissement par liquide
Alimentation	injection à 4 corps de 40 (42) mm
Rapport volumétrique	12,8:1 (12,5:1)
Cylindrée	599 (749) cc
Alésage et course	67 (70) mm x 42,5 (48,7) mm
Puissance	600 : 124 ch @ 13 000 tr/min 750 : 150 ch @ 12 800 tr/min
Couple	600 : 51,7 lb-pi @ 10 800 tr/min 750 : 65,4 lb-pi @ 10 800 tr/min
Boîte de vitesses	6 rapports
Transmission finale	par chaîne
Révolution à 100 km/h	environ 5 500 (4 600) tr/min
Consommation moyenne	6,4 (6,7) l/100 km
Autonomie moyenne	258 (246) km

Partie cycle

Type de cadre	périmétrique, en aluminium
Suspension avant	fourche inversée de 41 mm ajustable en précharge, (750 : haute et basse vitesses de comp.) compression et détente
Suspension arrière	monoamortisseur ajustable en précharge, haute et basse vitesses de compression, et détente
Freinage avant	2 disques de 310 mm de Ø avec étriers radiaux à 4 pistons
Freinage arrière	1 disque de 220 mm de Ø avec étrier à 1 piston
Pneus avant/arrière	120/70 ZR17 & 180/55 ZR17
Empattement	1 400 mm (1 405 mm)
Hauteur de selle	810 mm
Poids tous pleins faits	600 : 196 kg (à vide : 163 kg) 750 : 198 kg (à vide : 165 kg)
Réservoir de carburant	17 litres

QUOI DE NEUF EN 2010 ?

Aucun changement

Coûtent 900 $ de plus qu'en 2009

PAS MAL

Une tenue de route sublime dans le cas de la 600 qui s'avère aussi légère qu'elle est précise; sa mécanique relativement bien remplie à mi-régime est également un avantage dans toutes les situations

Un équilibre absolument unique dans le cas de la 750 qui offre presque l'agilité d'une 600 et presque la puissance d'une 1000

Une ligne que Suzuki fait progresser à petits pas, mais de façon fort habile puisqu'elle continue de plaire à beaucoup d'amateurs

BOF

Un côté pratique presque inexistant, que ce soit en raison de l'inconfort sur des distances le moindrement longues ou de l'accueil symbolique offert au passager

Un système S-DMS qui modifie, comme c'est annoncé, les performances selon la sélection de l'une de trois cartographies d'injection, mais dont la réelle utilité reste floue; le système réduit soit un peu, soit beaucoup la puissance maximale, ce qui pourrait être utile sous la pluie alors que la chaussée est glissante et il pourrait aussi s'avérer pratique pour enlever le côté brutal et surprenant des performances pour un pilote moins expérimenté ou moins à l'aise avec le comportement parfois extrême inhérent à ces sportives de hautes performances; mais est-ce vraiment le but du système ?

Si Suzuki pouvait trouver le moyen de rendre la 750 aussi légère à piloter en piste que la 600, on pourrait avoir affaire à la sportive parfaite

Conclusion

Comme bien des sportives récentes, les GSX-R600 et 750 rendent notre travail à la fois très excitant et très difficile. Excitant parce que piloter une GSX-R600 sur circuit est l'une des expériences les plus plaisantes qui soient tellement le modèle excelle à tous les niveaux; quant à l'unique 750, elle continue d'offrir ce fabuleux équilibre entre l'agilité d'une 600 et la puissance d'une 1000. Équilibre qui nous fait encore répéter qu'il s'agit d'une formule extraordinaire. Tout ça pour seulement 600 $ de plus que la 600 ? Et difficile parce que ces GSX-R étant si bien maniérées à tous les niveaux sportifs, on peine carrément à leur trouver des défauts. En dehors de leur côté pratique très limité et de leur niveau de confort absent, bien sûr.

GSX-R750

GSX1250FA

SUZUKI

GSX1250FA

NOUVEAUTÉ 2010

Air de famille...

Affichant une ligne fraîche et portant un nom inédit, techniquement, la GSX1250FA se veut une nouveauté. Néanmoins, on ne peut s'empêcher de remarquer un certain air de famille en l'observant d'un peu plus près. Puis, on comprend. Derrière ce carénage tout neuf se trouve en fait nulle autre qu'une Bandit 1250S, un modèle qui disparaît d'ailleurs de la gamme en 2010. La GSX1250FA est donc plutôt une variante de la grosse Bandit se distinguant de cette dernière par les parties avant et latérales de son carénage, ainsi que par sa nouvelle instrumentation. Une version SE, toujours réalisée par Suzuki Canada en ajoutant des accessoires au modèle de base, est offerte. L'ABS est livré de série.

Depuis toujours l'une des motos les plus populaires de l'immense marché européen, la grosse des Bandit n'a jamais été plus, pour les motocyclistes nord-américains, qu'une standard économique pas nécessairement désirable. Réalisant l'intérêt beaucoup plus grand, chez nous, pour les modèles entièrement carénés que pour les routières sportives semi-carénées, Suzuki Canada apprêta en 2008 une version SE la Bandit 1250S équipée du bas de carénage accessoire. Une paire de valises faisait aussi partie de l'offre, augmentant le côté pratique de la Bandit. La GSX1250FA, que nous n'avons pas testée, est pratiquement cette moto, mais préparée par Suzuki Japon. En termes de comportement, on a donc affaire à une jumelle de la Bandit 1250S qui, elle, fut évaluée.

Bien que les Bandit aient traditionnellement eu recours à une mécanique relativement simpliste, celle qui propulse la GSX1250FA est au contraire tout à fait à jour et renvoie même une fort plaisante impression de finesse. Il s'agit d'un 4-cylindres conçu expressément pour les besoins routiers de la Bandit 1250S — qui sont à peu près les mêmes que ceux de la GSX1250FA — et non d'un moteur adapté pour la route après avoir été conçu pour une hypersportive. Clairement calibré afin de produire autant de couple que possible dès les premiers tours, sa puissance maximale relativement modeste et ses montées en régimes absolument linéaires n'en font toutefois pas la plus excitante des mécaniques. À l'exception des inconditionnels de hautes performances, la plupart des motocyclistes intéressés par ce

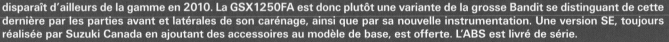

CONÇU EXPRESSÉMENT POUR LES BESOINS ROUTIERS DU MODÈLE, LE 4-CYLINDRES NE PROVIENT PAS D'UNE HYPERSPORTIVE.

type de modèles devraient néanmoins se déclarer satisfaits des accélérations, surtout s'ils apprécient le couple gras et la souplesse.

En pleine accélération à partir d'un arrêt, l'avant reste sagement au sol, la stabilité n'attire aucun reproche et pilote et moto s'élancent avec grâce et puissance. Le moteur s'éveille dès le ralenti et offre une poussée musclée et plaisante à partir de régimes aussi bas que 2 000 tr/min. On peut même faire descendre les tours jusqu'à 1 500 tr/min en sixième, puis enrouler complètement l'accélérateur. L'injection se montre abrupte à l'ouverture des gaz, ce qui peut provoquer une conduite saccadée surtout à basse vitesse, mais elle fonctionne parfaitement le reste du temps, tout comme l'embrayage et la transmission d'ailleurs.

Compte tenu de sa masse, de ses dimensions et de sa cylindrée, la Bandit 1250S — dont la partie cycle est exactement la même que celle de la GSX1250FA — a toujours fait preuve d'une étonnante agilité, ayant même la capacité de se débrouiller de manière très honorable sur une route sinueuse. Sa conduite semble exempte de toute réaction nerveuse. Le niveau de confort offert par la Bandit 1250S s'est avéré suffisamment bon pour qu'elle soit envisagée pour de longs trajets, et ce, malgré une selle bonne, mais pas exceptionnelle et des suspensions plus fermes qu'elles n'ont besoin de l'être. Les caractéristiques offertes par la GSX1250FA devraient être les mêmes, mais seul un essai déterminera vraiment si les suspensions réagissent différemment et quelles sont les qualités du nouveau pare-brise.

« L'EXERCICE QU'AVAIT RÉALISÉ SUZUKI CANADA EN TRANSFORMANT LA BANDIT 1250S EN VERSION SE S'EST AVÉRÉ PRÉMONITOIRE. LA NOUVELLE GSX1250FA EST, ELLE AUSSI, UNE BANDIT 1250S ENTIÈREMENT CARÉNÉE. »

Édition canadienne

Les versions SE sont devenues une véritable habitude pour Suzuki Canada qui les crée en greffant une série d'accessoires au modèle de base. Pour arriver à la version SE de la nouvelle GSX1250FA, un trio de valises rigides et un pare-brise de tourisme sont fixés à la monture de base, et un supplément de 1 500 $ est ajouté au prix de détail de cette dernière.

GSX vs GSX-R

Depuis leur création, les Bandit ont toujours eu un lien évident avec les GSX-R. Et plus particulièrement avec des générations antérieures de GSX-R auxquelles les routières empruntaient moteurs, freins, roues, etc. Le cas de la GSX1250FA 2010, qui n'est rien de plus qu'une Bandit 1250S entièrement carénée, poursuit cette tradition en affichant un « visage » dont les traits sont clairement inspirés de ceux de récentes GSX-R. L'avant de la GSX-R1000 2009 illustrée ci-bas illustre très bien le style parallèle existant entre le modèle routier et le modèle sportif et sur lequel Suzuki joue afin de donner une certaine crédibilité sportive à la nouveauté.

Général

Catégorie	Routière Sportive
Prix	11 799 $ (SE : 13 299 $)
Immatriculation 2010	NC - probabilité : 627 $
Catégorisation SAAQ 2010	NC - probabilité : « régulière »
Évolution récente	introduite en 1996, revue en 2001, 2006, 2007 et 2010
Garantie	1 an/kilométrage illimité
Couleur(s)	bleu, noir
Concurrence	Honda CBF1000, Yamaha FZ1

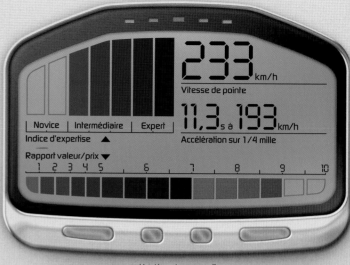

Voir légende en page 7

Moteur

Type	4-cylindres en ligne 4-temps, DACT, 4 soupapes par cylindre, refroidissement par liquide
Alimentation	injection à 4 corps de 36 mm
Rapport volumétrique	10,5:1
Cylindrée	1 255 cc
Alésage et course	79 mm x 64 mm
Puissance	98 ch @ 7 500 tr/min
Couple	79,6 lb-pi @ 3 700 tr/min
Boîte de vitesses	6 rapports
Transmission finale	par chaîne
Révolution à 100 km/h	environ 3 300 tr/min
Consommation moyenne	6,1 l/100 km
Autonomie moyenne	311 km

Partie cycle

Type de cadre	double berceau, en acier
Suspension avant	fourche conventionnelle de 43 mm ajustable en précharge
Suspension arrière	monoamortisseur ajustable en précharge et détente
Freinage avant	2 disques de 310 mm de Ø avec étriers à 4 pistons et système ABS
Freinage arrière	1 disque de 240 mm de Ø avec étrier à 1 piston et système ABS
Pneus avant/arrière	120/70 ZR17 & 180/55 ZR17
Empattement	1 485 mm
Hauteur de selle	805/825 mm
Poids tous pleins faits	257 kg (SE : 273 kg)
Réservoir de carburant	19 litres

QUOI DE NEUF EN 2010 ?

Nouveau modèle dérivé de la Bandit 1250S

Coûtent 900 $ de plus que les Bandit 1250S et 1250S SE 2009

PAS MAL

Une excellente valeur, et ce, même si le prix grimpe; la facture de GSX1250FA est clairement plus élevée que celle de la bonne vieille Bandit 1200 refroidie par huile, mais elle achète aussi une moto d'un calibre nettement supérieur propulsée par un moteur moderne et équipée de série de l'ABS

Un 4-cylindres conçu avec une seule et unique mission, celle de produire beaucoup de couple, tôt en régime, ce qu'il fait très bien

Une ligne très réussie, puisqu'elle est à la fois sobre et sportive

Un genre de sportive raisonnable et confortable qui est malheureusement trop rare; à part la CBF1000 de Honda on ne trouve pratiquement rien de directement comparable

Une partie cycle dont l'accessibilité étonne toujours; malgré sa forte cylindrée, il s'agit d'un modèle pouvant être envisagé sans problème par des motocyclistes dont le niveau d'expérience est très varié, ce qui inclut même les nouveaux arrivants au sport

BOF

Une selle qui se montre très confortable lors de déplacements de courte et moyenne durée, mais qui n'est pas exceptionnelle lorsque la longueur des trajets augmente beaucoup

Une injection qui se comporte parfaitement dans toutes les situations, mais qui se montre abrupte lors de l'ouverture des gaz

Des suspensions qui se sont raffermies lors de la dernière révision et qui sont maintenant plus fermes qu'elles n'ont besoin de l'être sur une moto de ce genre; rien n'indique que Suzuki a changé cet aspect de la Bandit 1250S lorsqu'il l'a transformée en GSX1250FA

Conclusion

La nouvelle GSX1250FA représente l'embourgeoisement du concept ultra simple de la grosse Bandit. Suzuki a commencé par se débarrasser de l'ancien moteur de GSX-R refroidi par huile — ce qui ne fut certes pas un luxe —, et hausse à nouveau la barre cette année en ajoutant un tout nouveau carénage plein et une nouvelle instrumentation. Inévitablement, le prix grimpe, ce qui pourrait devenir dangereux pour ce modèle dont l'attrait a toujours été une facture raisonnable. Cela dit, ce qu'elle permet d'acheter pour moins de 12 000 $ demeure exceptionnellement généreux. Il s'agit d'une excellente routière sportive « d'adultes » qui se situe nez à nez avec la Honda CBF1000 en matière de clientèle et qui s'adresse surtout aux motocyclistes désirant combiner sport et confort, mais sans aller jusqu'à envisager une véritable — et bien plus coûteuse — machine de sport-tourisme.

GSX1250FA

GSX650F

Style sportif, comportement routier...

Les constructeurs de motos sont indéniablement des génies, mais il arrive qu'ils ne comprennent pas vite. Durant des années, on leur a demandé des sportives de cylindrée moyenne dont la ligne serait aussi attirante que celle des modèles extrêmes, mais dont le prix serait moindre et dont le comportement serait davantage axé vers une utilisation routière. Tout le monde ne veut pas rouler une machine de course sur la route, après tout. On nous a servi durant des années une série d'excellentes machines d'un point de vue technique, mais qui, visuellement, ne correspondaient pas à la demande. Basée sur l'une de ces motos — la Bandit 650S —, cette GSX650F répond enfin à ce besoin.

Les motocyclistes nord-américains n'ont jamais exigé de manière unanime que les manufacturiers produisent uniquement des sportives pures, pas plus qu'ils n'ont exigé que celles-ci gagnent des championnats pour qu'ils daignent les envisager. Il existe, bien entendu, une clientèle que ces critères intéressent beaucoup, mais pour bien d'autres amateurs de motos, un comportement accessible et un côté pratique élevé sont préférables.

À ce dernier type de motocyclistes, on propose depuis des années des routières semi carénées conçues non pas pour eux, mais plutôt pour les Européens dont les goûts sont différents.

La GSX650F est l'une des rares motos du marché dont le but consiste à combler ce besoin. Il s'agit, d'une certaine manière, d'une «fausse sportive» puisque sous cette robe d'inspiration GSX-R ne se trouve nulle autre que la Bandit 650S, une excellente petite routière sportive qui fut vendue sur notre marché seulement en 2007, l'année de son introduction.

Malgré les traits effilés de son carénage sportif, malgré l'air de famille existant entre son visage et celui des GSX-R, malgré une instrumentation «sport», la GSX650F fait partie des routières sportives les plus accessibles et pratiques qu'on puisse trouver. Étonnamment légère de direction, la GSX650F se distingue dès les premiers tours de roues par une très agréable agilité dont est surtout responsable une bonne répartition du poids. La selle exceptionnellement basse pour une machine de style sportif contribue également à mettre le pilote en confiance puisque, pour une rare fois, ce dernier

LE MOTEUR ACCEPTE DE REPRENDRE À PARTIR DE 2 000 TR/MIN EN SIXIÈME, CE QUI EST LOIN D'ÊTRE BANAL POUR UNE 650.

touchera le sol même s'il n'est que de taille moyenne. Comme cette selle est également confortable, comme la position de conduite de type assise est naturelle et équilibrée et comme la protection au vent est très bonne, les longs trajets de même que les courtes promenades peuvent être entrepris sans crainte de courbatures ou d'inconfort prématuré.

Les quelque 85 chevaux ne battront aucun record, mais pour se déplacer confortablement dans toutes les situations et même pour s'amuser, surtout si on n'a pas une grande expérience de la conduite d'une deux-roues, c'est absolument parfait comme niveau de performances. L'une des plus belles qualités du 4-cylindres est une souplesse qui surprend franchement compte tenu de la cylindrée. Par exemple, le moteur accepte sans jamais rouspéter de reprendre à partir de 2 000 tr/min sur le sixième rapport, ce qui n'a rien de banal pour une 650.

Malgré le fait qu'elle n'est pas conçue pour gagner des courses, la GSX650F se débrouille quand même admirablement bien au chapitre de la tenue de route. Stable en toutes circonstances même en pleine accélération, légère en entrée de courbe et solide une fois inclinée, elle dispose d'une réelle capacité de rouler vite et précisément sur une route sinueuse. À ce sujet, on pourrait d'ailleurs lui reprocher ses réglages de suspensions un peu trop fermes. Compte tenu de la nature du modèle, un peu plus de souplesse à ce niveau serait probablement une direction judicieuse à prendre.

Général

Catégorie	Routière Sportive
Prix	9 299 $
Immatriculation 2010	627 $
Catégorisation SAAQ 2010	« régulière »
Évolution récente	introduite en 2008
Garantie	1 an/kilométrage illimité
Couleur(s)	blanc et noir, bleu et argent
Concurrence	Kawasaki Ninja 650R, Yamaha FZ6R

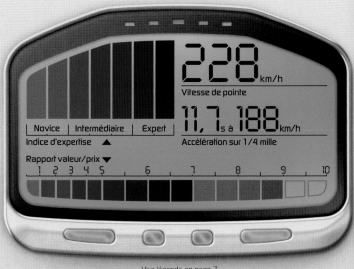

Voir légende en page 7

Moteur

Type	4-cylindres en ligne 4-temps, DACT, 4 soupapes par cylindre, refroidissement par liquide
Alimentation	injection à 4 corps de 36 mm
Rapport volumétrique	11,5:1
Cylindrée	656 cc
Alésage et course	65,5 mm x 48,7 mm
Puissance	85 ch @ 10 500 tr/min
Couple	45,6 lb-pi @ 8 900 tr/min
Boîte de vitesses	6 rapports
Transmission finale	par chaîne
Révolution à 100 km/h	environ 5 200 tr/min
Consommation moyenne	5,4 l/100 km
Autonomie moyenne	351 km

Partie cycle

Type de cadre	double berceau, en acier
Suspension avant	fourche conventionnelle de 41 mm ajustable en précharge
Suspension arrière	monoamortisseur ajustable en précharge et détente
Freinage avant	2 disques de 310 mm de Ø avec étriers à 4 pistons et système ABS
Freinage arrière	1 disque de 240 mm de Ø avec étrier à 1 piston et système ABS
Pneus avant/arrière	120/70 ZR17 & 160/60 ZR17
Empattement	1 470 mm
Hauteur de selle	770 mm
Poids tous pleins faits	245 kg
Réservoir de carburant	19 litres

QUOI DE NEUF EN 2010 ?

Aucun changement

Coûte 500 $ de plus qu'en 2009

PAS MAL

Une ligne sympathique qui réussit assez bien à imiter les traits des sportives extrêmes que sont les GSX-R et qui donne au modèle l'attrait nécessaire pour attirer une clientèle recherchant le style d'une sportive pure, mais le comportement d'une routière

Un comportement routier qui n'est pas du tout aussi vif et pointu que celui d'une GSX-R, mais qui reste d'une excellente qualité et qui se montre très accessible

Un très bon niveau de confort amené par une protection au vent correcte, une bonne selle, une position de conduite relevée et dégagée, et une mécanique douce, du moins à bas et moyen régimes

Une bonne valeur, surtout maintenant que l'ABS est livré de série

BOF

Un niveau de performances que les amateurs de sensations fortes pourraient trouver un peu juste, et ce, même s'ils ne possèdent pas une grande expérience de la moto; tous les autres devraient s'en déclarer satisfaits

Des suspensions qui ne sont pas rudes, mais qui restent calibrées avec une certaine fermeté dans le but de maximiser le potentiel de la tenue de route; si nous avions le choix, compte tenu de la vocation routière du modèle, nous les souhaiterions un peu plus souples

Une injection qui travaille bien dans la plupart des situations, mais qui n'est pas tout à fait douce à la remise des gaz; le système donne l'impression d'être une version satisfaisante, mais économique

Conclusion

Le style d'une sportive représente un facteur déterminant du succès qu'elle obtiendra sur le marché. Pour certains motocyclistes, un niveau de performances très élevé doit aussi faire partie de l'expérience. À ceux-ci, un ample choix s'offre. D'autres, toutefois, en raison d'une moins grande témérité, de préférences différentes ou d'une expérience de conduite limitée, préfèrent plutôt joindre polyvalence et confort à une jolie ligne. La GSX650F est l'une des rares motos construites expressément pour eux. Elle propose un intéressant mélange de tempérament sportif et d'accessibilité dans un ensemble qui favorise avant tout le côté routier de la conduite d'une moto. Offerte pour une somme très raisonnable et équipée de série de l'ABS, elle incarne le concept de la routière sportive de cylindrée moyenne.

Gladius

SUZUKI
SV650S & GLADIUS

Transition générationnelle...

Le fossé qui s'est creusé entre la majorité des motos offertes aujourd'hui et les attentes d'une nouvelle génération représente l'un des plus grands défis devant être relevés par les constructeurs, et vite. Alors que la SV650S incarne la petite sportive présentée de manière classique, la Gladius introduite l'an dernier se veut plutôt l'un des premiers modèles destinés à séduire cette nouvelle génération de motocyclistes. Il s'agit d'une clientèle jeune, exigeante et pointilleuse au sein de laquelle les femmes prennent par ailleurs une place de plus en plus importante. Pour 2010, la version standard de la SV650 disparaît, ce qui est logique vu la présence de la Gladius, tandis que cette dernière reçoit l'ABS.

La mission de la Gladius, celle d'attirer une clientèle plus jeune, représente actuellement le plus grand casse-tête des manufacturiers de motos qui constatent chaque année l'augmentation de l'âge moyen des acheteurs et l'arrivée au compte-gouttes de la relève censée assurer l'avenir du sport. Possède-t-elle les qualités requises pour séduire ces convoités jeunes? La réponse est non seulement oui, mais dans ce contexte bien particulier, la Gladius est même presque parfaite, entre autres parce qu'elle offre visuellement quelque chose de nouveau et de frais qui semble concorder avec la clientèle visée. C'est avant tout au niveau mécanique que la Gladius brille, un constat qui n'a rien d'étonnant lorsqu'on se rappelle qu'il s'agit d'une très proche parente de la SV650S.

La Gladius propose une combinaison de caractéristiques très habilement choisies afin de rendre son pilotage le plus aisé et plaisant possible. On s'en rend compte dès le tout premier contact puisqu'il s'agit d'une monture particulièrement légère. Qu'on ait à la soulever de sa béquille ou à la déplacer lorsque le moteur est à l'arrêt, l'opération requiert un effort minimum. Une fois en route, cette impression de légèreté prend encore plus d'importance lorsqu'on découvre chez la Gladius l'une des directions les plus légères qui soient. La poussée nécessaire sur le guidon pour la faire changer de cap est même tellement faible que cette qualité peut se transformer en une sorte d'instabilité si le pilote ne fait pas attention aux impulsions qu'il transmet involontairement

> **SUR LA GLADIUS, SUZUKI AFFIRME AVOIR AMÉLIORÉ LE COUPLE DE LA SV SANS AMOINDRIR LES PERFORMANCES, CE QUI REFLÈTE LA RÉALITÉ.**

dans les poignées, au passage de bosses, par exemple. L'un des autres attraits prédominants de la Gladius n'est nul autre que l'adorable V-Twin de 645 cc qui l'anime. Par rapport aux prestations qu'il propose sur la SV650S, Suzuki affirme avoir amélioré le couple à bas régime sans pour autant avoir réduit la puissance à haut régime, et c'est exactement ce qu'on constate. Les accélérations sont immédiates et ne font que s'intensifier à mesure que les tours grimpent. Aucun besoin, donc, d'amener le moteur jusqu'à la toute fin de sa plage de régimes pour s'amuser. Les performances absolues ne sont pas extraordinaires, comme cela n'a jamais été le cas pour la SV650S, d'ailleurs, mais dans le contexte qui est celui de ces deux modèles, elles sont décidément plus qu'appropriées puisqu'elles en mettront plein les bras à la clientèle convoitée. La position compacte, mais relevée de la Gladius s'avère aussi naturelle que reposante tandis que sa selle est relativement basse. Quant à la SV650S, il s'agit de la même sportive très compétente qu'on connaît depuis si longtemps. Son comportement n'est peut-être pas aussi fin que celui d'une 600 plus pointue, mais elle est tout de même très capable d'effectuer des tours de piste à un rythme très élevé. La SV650S s'est toujours distinguée par sa très rare capacité à divertir son pilote sans le placer dans une fâcheuse position ou lui faire — trop — enfreindre la loi. L'un de ses rares défauts est une position de conduite un peu trop agressive pour son positionnement avant tout routier.

Général

Catégorie	Sportive/Standard
Prix	SV650S : 9 499 $ Gladius : 9 399 $
Immatriculation 2010	627 $
Catégorisation SAAQ 2010	« régulière »
Évolution récente	SV650 introduite en 1999, revue en 2003; Gladius introduite en 2009
Garantie	1 an/kilométrage illimité
Couleur(s)	SV650 : blanc, noir Gladius : noir et rouge, noir
Concurrence	Ducati Monster 696, Hyosung GT650, Kawasaki Ninja 650R et ER-6n

Moteur

Type	bicylindre 4-temps en V à 90 degrés, DACT, 4 soupapes par cylindre, refroidissement par liquide
Alimentation	injection à 2 corps de 39 mm
Rapport volumétrique	11,5:1
Cylindrée	645 cc
Alésage et course	81 mm x 62,6 mm
Puissance	74 ch @ 9 000 tr/min (Gladius : 72 ch @ 8 400 tr/min)
Couple	45 lb-pi @ 7 400 tr/min (Gladius : 46,3 lb-pi @ 6 400 tr/min)
Boîte de vitesses	6 rapports
Transmission finale	par chaîne
Révolution à 100 km/h	environ 4 700 tr/min
Consommation moyenne	6,0 l / 100 km
Autonomie moyenne	283 km (Gladius : 241 km)

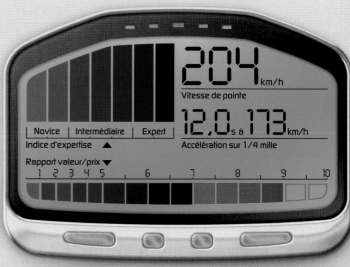

Voir légende en page 7

Partie cycle

Type de cadre	treillis périmétrique, en aluminium
Suspension avant	fourche conventionnelle de 41 mm ajustable en précharge
Suspension arrière	monoamortisseur ajustable en précharge
Freinage avant	2 disques de 290 mm de Ø avec étriers à 2 pistons avec système ABS
Freinage arrière	1 disque de 220 mm (G : 240mm) de Ø avec étrier à 1 piston avec système ABS
Pneus avant/arrière	120/60 ZR17 & 160/60 ZR17
Empattement	1 430 mm (G : 1445 mm)
Hauteur de selle	800 mm (G : 785 mm)
Poids tous pleins faits	SV650S : 203 kg (à vide : 169 kg) Gladius : 202 kg
Réservoir de carburant	17 litres (G : 14,5 litres)

QUOI DE NEUF EN 2010 ?

Retrait de la version standard de la SV650

Gladius reçoit l'ABS de série

SV650S coûte 600 $ et Gladius 500 $ de plus qu'en 2009

PAS MAL

Un petit V-Twin charmant au caractère débordant dont la puissance est assez élevée pour permettre à un large éventail de pilotes de s'amuser sans pour autant – trop – enfreindre la loi

Une tenue de route sportive facile à exploiter; tant la SV que la Gladius représentent des outils parfaits pour s'initier à la conduite sur piste ou pour préparer le passage vers un autre modèle de type sportif

Une ligne très intéressante pour la Gladius qui troque le style haute performance de la SV pour une apparence haute couture et qui prend une attitude beaucoup plus amicale

Une excellente valeur puisque les prix sont très intéressants et que les produits s'avèrent exceptionnels, surtout maintenant que l'ABS est livré en équipement de série

BOF

Un niveau de performances qui pourrait être plus excitant, du moins pour les pilotes expérimentés et exigeants

Une position de conduite trop radicale qui taxe les poignets sur la SV; il s'agit d'un « défaut » inutile puisque le positionnement de la SV650S n'a jamais été celui d'une sportive pure destinée à la piste, mais plutôt celui d'une sportive modérée destinée surtout à une utilisation routière

Une direction tellement légère sur la Gladius qu'elle peut devenir nerveuse si le pilote ne prête pas une attention aux impulsions qu'il renvoie dans le guidon, lors du passage de bosses par exemple

Conclusion

Si la Gladius se veut effectivement une moto appropriée pour une nouvelle génération de motocyclistes, c'est surtout en raison de l'ensemble qu'elle représente, car seules une direction légère ou une excellente mécanique n'auraient, bien entendu, pas été suffisantes pour arriver à cette conclusion. En agrémentant le tout d'une ligne distincte et d'une position invitante, et en ne lésinant pas sur des détails comme l'instrumentation ou la qualité de la finition, Suzuki peut considérer avoir mis toutes chances de son côté. Il reste maintenant à voir si cette fameuse clientèle se manifestera. Quant à la SV650S, qui est en fait la même moto dans un format sportif, elle représente la principale raison derrière l'attrait et les qualités de la Gladius. Elle demeure une proposition unique pour quiconque recherche une véritable sportive dans un format moyen offrant à la fois les grisantes sensations d'un V-Twin et un niveau d'accessibilité élevé.

SV650S

V-Strom 1000 SE

SUZUKI
V-STROM 1000

Routière d'aventure...

Personne ne peut nier que le concept « aventure » provienne de chez BMW puisque celui-ci fut le premier à créer une routière aux capacités tellement variées en termes de conditions et de terrains qu'elle fut qualifiée d'aventurière. C'est de cette idée que sont d'ailleurs nés la V-Strom et tout le reste de la classe. La Suzuki se distingue toutefois par une construction beaucoup plus axée sur une utilisation routière que l'allemande. En fait, la V-Strom devrait plutôt être considérée comme une routière à laquelle on aurait greffé certaines composantes typiques des aventurières. Son moteur provient des regrettées TL1000, tandis que son cadre périmétrique en aluminium pourrait très bien être celui d'une sportive.

En dépit du nombre toujours grandissant de machines inspirées du concept de l'aventurière lancé il y a plus de 30 ans par BMW, les montures aujourd'hui présentes dans cette catégorie prennent petit à petit des directions quelque peu différentes les unes des autres. Dans le cas de la V-Strom d'un litre, il s'agit d'une direction avant tout routière dont les principaux points d'intérêt sont un comportement accessible et un caractère mécanique fort provenant du V-Twin qui l'anime.

La V-Strom a la faculté de mettre son pilote immédiatement à l'aise lorsqu'il y prend place. Seule l'importante hauteur de selle constitue une ombre au tableau à ce sujet. En revanche, la position de conduite se montre particulièrement équilibrée. Le large guidon tubulaire tombe naturellement sous les mains tandis que son effet de levier important permet d'incliner la V-Strom avec une facilité déconcertante. La qualité de la tenue de route est de calibre sportif et le châssis renvoie une impression surprenante de rigueur et de précision pour une moto de ce genre. La V-Strom 1000 se laisse d'ailleurs facilement convaincre de jouer les sportives sur une route sinueuse. Ces caractéristiques sont en fait tellement prononcées qu'on a par moments l'impression de simplement piloter une routière sportive avec une position de conduite d'aventurière.

L'une des plus belles qualités du modèle est l'impressionnante capacité d'absorption des suspensions à long débattement.

En plus d'être en bonne partie responsables du très bon niveau de confort, ces suspensions permettent d'élever le

> **ELLE DONNE PAR MOMENTS L'IMPRESSION D'ÊTRE UNE ROUTIÈRE AVEC UNE POSITION DE CONDUITE D'AVENTURIÈRE.**

rythme du pilotage jusqu'à un degré très surprenant. Parce que la V-Strom laisse le pilote se concentrer sur la route plutôt que sur l'état dans lequel elle se trouve, le modèle peut même facilement se montrer plus rapide qu'une sportive pointue sur un tracé en lacet dont le revêtement est abîmé.

Un autre grand attrait du modèle est le très plaisant V-Twin qui l'anime. Générant près d'une centaine de chevaux, bien injecté et marié à une boîte à 6 rapports douce et précise, il gronde et tremble d'une façon non seulement typique des V-Twin, mais aussi très agréable.

Si son niveau de performances absolu ne s'avère pas époustouflant, le couple qu'il produit est par contre abondant à tous les régimes. Ses reprises franches et ses accélérations assez intenses pour soulever l'avant en pleine accélération sont amplement suffisantes pour distraire un motocycliste expérimenté. Parmi les rares reproches qu'on peut formuler à l'égard de la V-Strom 1000 se trouve un certain jeu dans le rouage d'entraînement qui, combiné avec le couple élevé et le frein moteur important du V-Twin, peut provoquer une conduite saccadée à basse vitesse sur les rapports inférieurs. Par ailleurs, même si elle est très à l'aise sur des sorties de longues distances, la V-Strom mériterait une selle mieux dessinée et plus confortable. La situation du pare-brise est semblable puisque s'il offre une bonne protection du torse et qu'il possède deux réglages en hauteur, il génère en revanche une turbulence constante et gênante au niveau du casque, peu importe l'ajustement.

Général

Catégorie	Routière Aventurière
Prix	12 299 $ (SE : 13 299 $)
Immatriculation 2010	627 $
Catégorisation SAAQ 2010	« régulière »
Évolution récente	introduite en 2002, SE introduite en 2009
Garantie	1 an/kilométrage illimité
Couleur(s)	noir, rouge
Concurrence	Honda Varadero, Ducati Multistrada, Triumph Tiger

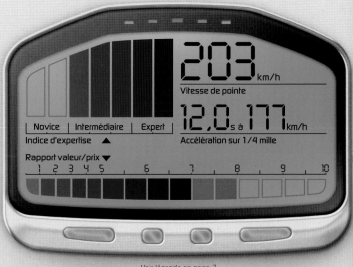

Voir légende en page 7

Moteur

Type	bicylindre 4-temps en V à 90 degrés, DACT, 4 soupapes par cylindre, refroidissement par liquide
Alimentation	injection à 2 corps de 45 mm
Rapport volumétrique	11,3:1
Cylindrée	996 cc
Alésage et course	98 mm x 66 mm
Puissance	98 ch @ 8 200 tr/min
Couple	65 lb-pi @ 7 000 tr/min
Boîte de vitesses	6 rapports
Transmission finale	par chaîne
Révolution à 100 km/h	environ 3 700 tr/min
Consommation moyenne	7,0 l/100 km
Autonomie moyenne	314 km

Partie cycle

Type de cadre	périmétrique, en aluminium
Suspension avant	fourche conventionnelle de 43 mm ajustable en détente
Suspension arrière	monoamortisseur ajustable en précharge et détente
Freinage avant	2 disques de 310 mm de Ø avec étriers à 2 pistons
Freinage arrière	1 disque de 260 mm de Ø avec étrier à 1 piston
Pneus avant/arrière	110/80 R19 & 150/70 R17
Empattement	1 535 mm
Hauteur de selle	840 mm
Poids tous pleins faits	238 kg (à vide : 208 kg) SE : 252 kg (à vide : 222 kg)
Réservoir de carburant	22 litres

QUOI DE NEUF EN 2010 ?

Aucun changement

Coûtent 800 $ de plus qu'en 2009

PAS MAL

Un V-Twin d'un litre performant et très plaisant, car aussi souple et fougueux que doté d'un caractère absolument charmant

Une tenue de route étonnamment solide et précise, mais aussi très facilement exploitable; la V-Strom ne se fait pas prier pour jouer les sportives de manière très convaincante sur une route sinueuse, et se montre même particulièrement efficace si la chaussée est abîmée

Un niveau de confort élevé pour le pilote et le passager qui découle d'une position de conduite équilibrée et de suspensions dont la souplesse arrive à aplanir les pires routes

Une version SE qui a le potentiel de transformer l'excellente routière qu'est la V-Strom 1000 en machine à voyager, et de le faire pour un

BOF

Une hauteur de selle trop importante pour une moto dont le rôle n'est pas d'explorer les sentiers, mais plutôt de circuler sur la route

Un pare-brise qui se règle sur deux positions, mais qui crée une turbulence gênante au niveau du casque quel que soit l'ajustement

Une selle perfectible qui nuit légèrement aux aptitudes de la V-Strom pour les voyages au long cours

Un système ABS qui tarde toujours à faire son apparition

Un concept qui vieillit et qui semble être prêt pour une révision

Conclusion

Très efficace sur tout genre de routes, assez confortable pour permettre d'envisager de longs trajets sans crainte de souffrir, dotée de capacités sportives étonnantes et offrant un niveau de praticité très élevé, la V-Strom en format d'un litre se montre aussi facile à piloter que plaisante à vivre au quotidien, et ce, même si elle n'a jamais évolué depuis 2002. Elle a longtemps été et demeure une moto pour laquelle nous avons beaucoup d'affection. Mais le concept commence à prendre de l'âge, elle n'est plus unique et son prix se retrouve maintenant de plus en plus près de celui de modèles comme la Triumph Tiger et de la Honda Varadero. La V-Strom 1000 reste une excellente moto et un excellent achat, mais elle aurait besoin d'évoluer.

V-Strom 1000

V-Strom 650 SE

SUZUKI
V-STROM 650

Complexe simplicité...

Dérivée de sa grande soeur la V-Strom 1000, la 650 du même nom n'a d'autre concurrente que la F650GS de BMW. Il s'agit d'une machine sophistiquée puisqu'elle est propulsée par un V-Twin et qu'elle possède une très solide partie cycle, mais aussi d'une monture simple puisque sa conduite est avant tout axée sur l'accessibilité, la polyvalence et le plaisir de pilotage. Malgré une augmentation de prix assez importante en 2010, elle demeure une excellente valeur puisqu'elle est livrée de série avec l'ABS. Moyennant un supplément de 1 100 $, Suzuki propose une version SE équipée d'un trio de valises rigides permettant d'agrémenter les longues distances.

La V-Strom 650, avec sa petite cylindrée, sa ligne anonyme et son étrange combinaison de suspensions à long débattement et de cadre sportif, n'est pas la moto la plus facile à « saisir ». Du moins, tant qu'on ne l'a pas enfourchée pour une première randonnée, puisque c'est dès ce moment qu'elle prend tout son sens. À la défense du constructeur, force est d'admettre qu'il serait très difficile de créer une ligne qui permettrait aux observateurs de « visualiser » le rôle d'une V-Strom 650 comme ceux-ci le font instinctivement en voyant une sportive ou une custom.

La mission première du modèle consiste à remplir une multitude de rôles et de le faire à bon compte. Pour y parvenir, Suzuki a combiné le V-Twin injecté de 645 cc de la sportive SV650S à la partie cycle de la V-Strom 1000. Le résultat est une monture dotée d'un comportement à saveur routière absolument charmant qui, grâce à son faible poids et au caractère docile de sa mécanique, se montre extrêmement facile d'accès, et ce, sans égard au degré d'expérience du pilote. Non seulement la V-Strom 650 peut être envisagée comme première moto, mais elle constitue aussi une excellente manière de s'initier au sport et d'y progresser.

En dépit d'une puissance limitée découlant de sa cylindrée moyenne, le petit V-Twin se montre étonnamment coupleux à bas régime et propose une aisance d'utilisation hors du commun. Une injection qui fonctionne parfaitement à l'exception d'un léger à-coup à l'ouverture des gaz ainsi qu'une excellente

> ## LA V-STROM 650 CONSTITUE UNE EXCELLENTE MANIÈRE DE S'INITIER AU SPORT ET D'Y PROGRESSER.

transmission et un embrayage doux confèrent à la petite mécanique une très agréable finesse. Il s'agit d'un V-Twin extrêmement attachant en raison du caractère unique qu'il dégage. Il s'agit aussi d'une mécanique qui, malgré ses performances limitées, arrive à satisfaire un pilote expérimenté. Ses vibrations très bien contrôlées rendent par ailleurs possible l'utilisation fréquente des hauts régimes.

Compte tenu de la facture raisonnable accompagnant le modèle, on s'étonne franchement de retrouver un comportement routier d'une qualité aussi élevée. L'aisance et la précision avec lesquelles la V-Strom 650 dévore une route tortueuse sont stupéfiantes. La combinaison de suspensions judicieusement calibrées, d'un châssis solide et d'une direction légère, neutre et précise est la grande responsable de cette qualité qui permet au modèle de maintenir un rythme carrément sportif sur un tracé sinueux. Sur une route en lacets au revêtement abîmé, un bon pilote aux commandes de la V-Strom pourrait même ridiculiser une sportive puisque celle-ci serait très difficile à maîtriser sur ce type de pavé.

Avec une position de conduite relevée, une bonne selle autant pour le pilote que pour le passager, une protection au vent honnête et des suspensions qui semblent comme par magie embellir les mauvaises routes, la V-Strom 650 se prête sans problème au jeu des longues distances. Une selle un peu plus confortable pour ce genre de long trajet et un pare-brise ne causant pas de turbulences à la hauteur du casque seraient nos seules demandes à ce sujet.

Général

Catégorie	Routière Aventurière
Prix	9 699 $ (SE : 10 799 $)
Immatriculation 2010	627 $
Catégorisation SAAQ 2010	« régulière »
Évolution récente	introduite en 2004, SE introduite en 2009
Garantie	1 an/kilométrage illimité
Couleur(s)	blanc, noir, orange
Concurrence	BMW F650GS

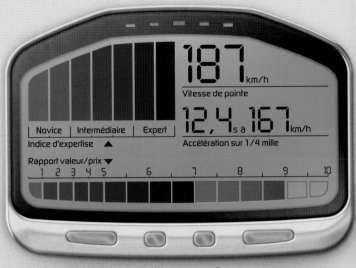

187 km/h
Vitesse de pointe

12,4 s à 167 km/h
Accélération sur 1/4 mille

Novice	Intermédiaire	Expert
Indice d'expertise ▲

Rapport valeur/prix ▼
1 2 3 4 5 6 7 8 9 10

Voir légende en page 7

Moteur

Type	bicylindre 4-temps en V à 90 degrés, DACT, 4 soupapes par cylindre, refroidissement par liquide
Alimentation	injection à 2 corps de 39 mm
Rapport volumétrique	11,5:1
Cylindrée	645 cc
Alésage et course	81 mm x 62,6 mm
Puissance (SV650S)	67 ch @ 8 800 tr/min
Couple (SV650S)	44,3 lb-pi @ 6 400 tr/min
Boîte de vitesses	6 rapports
Transmission finale	par chaîne
Révolution à 100 km/h	environ 4 600 tr/min
Consommation moyenne	5,8 l/100 km
Autonomie moyenne	380 km

Partie cycle

Type de cadre	treillis périmétrique, en aluminium
Suspension avant	fourche conventionnelle de 43 mm ajustable en précharge
Suspension arrière	monoamortisseur ajustable en précharge et détente
Freinage avant	2 disques de 310 mm de Ø avec étriers à 2 pistons et système ABS
Freinage arrière	1 disque de 260 mm de Ø avec étrier à 1 piston et système ABS
Pneus avant/arrière	110/80 R19 & 150/70 R17
Empattement	1 540 mm
Hauteur de selle	820 mm
Poids tous pleins faits	220 kg (à vide : 189 kg) SE : 236 kg (à vide : 205 kg)
Réservoir de carburant	22 litres

QUOI DE NEUF EN 2010 ?

Aucun changement

V-Strom 650 coûte 700 $ et V-Strom 650 SE 800 $ de plus qu'en 2009

PAS MAL

Un V-Twin absolument charmant qui compense sa puissance limitée par un caractère étonnamment fort et qui constitue l'une des plus attrayantes caractéristiques de la petite V-Strom

Une tenue de route impressionnante, surtout sur chaussée dégradée; les suspensions gomment les irrégularités sur leur passage et permettent un rythme qui surprend

Un niveau de confort appréciable, une position relevée très agréable et d'excellentes suspensions

Une version SE très intéressante puisqu'elle augmente le côté pratique du modèle de façon considérable moyennant un déboursé raisonnable

Un système ABS efficace livré de série

BOF

Une bonne selle, mais qui n'est pas du genre à demeurer confortable durant plusieurs centaines de kilomètres sans pauses

Une hauteur de selle légèrement réduite par rapport à celle de la 1000, mais qui reste trop élevée pour la plupart des motocyclistes

Un pare-brise qui génère une turbulence gênante au niveau du casque, et ce, malgré le fait qu'il est réglable en deux positions

Conclusion

La plus petite des V-Strom n'est peut-être pas la plus flamboyante des motos, mais ce qu'elle offre comme combinaison de qualités est exceptionnel. Pour un déboursé aussi raisonnable, bien peu de montures roulent si bien, sont si confortables et procurent un tel plaisir de conduite au jour le jour, dans une variété de situations aussi large. Elle n'est pas exempte de petits défauts puisque Suzuki n'a jamais daigné repenser le pare-brise afin qu'il ne génère plus de turbulences, mais à cette exception près... Le constructeur s'est en revanche rattrapé en l'équipant dorénavant de série avec l'ABS, en plus d'en augmenter considérablement le côté pratique grâce à la version SE équipée d'un trio de valises.

V-Strom 650

Boulevard M109R Limited

SUZUKI
BOULEVARD M109R

Novatrice brute...

Durant de longues années, Suzuki, comme quelques autres constructeurs, s'est contenté de produire des customs prévisibles au style commun, quand il ne s'agissait pas de reliques des années 80, qu'on semble d'ailleurs avoir finalement enterré cette année. C'est en 2006, avec l'introduction de cette audacieuse M109R, que le vent tourna. Aujourd'hui, la controversée ligne de la plus grosse et de la plus puissante custom jamais produite par Suzuki semble carrément en voie de devenir une signature stylistique pour la gamme custom de la firme d'Hamamatsu. Il y a néanmoins bien plus à la M109R qu'une certaine ligne, puisque celle-ci est également une véritable brute en ligne droite.

Toute les marques japonaises suivirent l'idée de Honda et de sa VTX1800 en offrant chacune à leur tour une interprétation du concept de la custom très puissante. Si Suzuki fut le dernier constructeur à rejoindre la classe, il ne fut certainement pas le moindre. Avec sa cylindrée «limitée» à 1 800 cc et son inhabituelle silhouette carénée de manière presque sportive, la M109R fut une surprise totale, surtout compte tenu du manque d'intérêt dont la marque avait longtemps fait preuve pour le genre custom.

L'on ne peut vraiment apprécier la présence visuelle de la M109R que lorsqu'on se tient à côté. Longue, basse et très massive, elle est immense et renvoie immédiatement une impression de largeur extrême dont sont surtout responsables le réservoir surdimensionné et toute la partie arrière, qui est construite autour de l'un de ces très gros pneus de 240 mm.

Les grosses proportions de certaines motos semblent disparaître une fois qu'on y prend place, mais ce n'est pas le cas de la M109R dont le côté massif reste bel et bien présent lorsqu'on en prend les commandes. Ce qui n'a d'ailleurs rien de désagréable et qui, au contraire, est un plus pour les amateurs de machines costaudes.

Si la M109R ne semble pas tellement lourde à l'arrêt en raison de son centre de gravité bas, sa position de conduite très typée, elle, pourrait gêner les pilotes aux jambes courtes puisqu'il faut étendre les pieds assez loin pour atteindre les repose-pieds. L'emplacement tout aussi avancé du guidon bas et plat crée

une posture en C très accentuée. Le niveau de confort n'est, malgré cela, pas mauvais du tout, en partie grâce à la selle large et bien rembourrée et en partie grâce à la surprenante protection apportée par l'avant de la moto. Celle-ci permet même de maintenir de façon très tolérable des vitesses d'autoroute qui seraient vraiment inconfortables sur une custom classique, ce qui est un gros avantage. La suspension avant n'attire aucune critique, mais l'amortisseur arrière est sec sur tout ce qui est plus que moyennement abîmé.

Bien qu'il soit très possible que la ligne de la M109R constitue son premier facteur d'intérêt, une fois en route, l'attention se détourne immanquablement vers le gros V-Twin qui anime la bête. Ce moteur, qui est absolument fabuleux et qu'on entend carrément renifler et souffler au ralenti, génère non seulement l'une des accélérations les plus puissantes de l'univers custom, mais aussi l'une des plus particulières puisqu'il continue d'étirer les bras du pilote jusqu'aux tout derniers régimes. L'intense tremblement et la profonde sonorité qui s'en échappent à tous les régimes ajoutent également beaucoup à l'agrément de conduite.

Quant au comportement routier, il est caractérisé par une stabilité de tous les instants, par un bon freinage et par une direction qui demande un effort légèrement supérieur à la moyenne en amorce et en milieu de virage à cause du large pneu arrière. Celui-ci touche par ailleurs tous les autres aspects de la tenue de route, sans pour autant que cela soit vraiment dérangeant.

> SUZUKI FUT LE DERNIER CONSTRUCTEUR À REJOINDRE CETTE CLASSE, MAIS IL NE FUT CERTAINEMENT PAS LE MOINDRE.

Général

Catégorie	Custom
Prix	M109R : 16 799 $ M109R Limited : 17 299 $
Immatriculation 2010	627 $
Catégorisation SAAQ 2010	« régulière »
Évolution récente	introduite en 2006
Couleur(s)	M109R : noir, bleu M109R Limited : noir et orange
Concurrence	Harley-Davidson Night Rod Special, Victory Hammer, Yamaha Road Star Warrior

Moteur

Type	bicylindre 4-temps en V à 54 degrés, DACT, 4 soupapes par cylindre, refroidissement par liquide
Alimentation	injection à 2 corps de 56 mm
Rapport volumétrique	10,5:1
Cylindrée	1 783 cc
Alésage et course	112 mm x 90,5 mm
Puissance	127 ch @ 6 200 tr/min
Couple	118,6 lb-pi @ 3 200 tr/min
Boîte de vitesses	5 rapports
Transmission finale	par arbre
Révolution à 100 km/h	environ 2 900 tr/min
Consommation moyenne	7,8 l/100 km
Autonomie moyenne	250 km

Voir légende en page 7

Partie cycle

Type de cadre	double berceau, en acier
Suspension avant	fourche inversée de 46 mm non ajustable
Suspension arrière	monoamortisseur ajustable en précharge
Freinage avant	2 disques de 310 mm de Ø avec étriers radiaux à 4 pistons
Freinage arrière	1 disque de 275 mm de Ø avec étrier à 2 pistons
Pneus avant/arrière	130/70 R18 & 240/40 R18
Empattement	1 710 mm
Hauteur de selle	705 mm
Poids tous pleins faits	347 kg (à vide : 319 kg)
Réservoir de carburant	19,5 litres

QUOI DE NEUF EN 2010 ?

Retrait de la version R2

Coûte 1 200 $ de plus qu'en 2009

PAS MAL

Un moteur dont la manière de renifler et de souffler au ralenti est presque bestiale et dont le niveau de performances est vraiment impressionnant

Une partie cycle qui encaisse sans broncher toute la fougue du gros V-Twin et dont le large pneu arrière ne sabote pas trop les bonnes manières dont elle fait preuve dans la plupart des situations

Des prix qui, malgré une bonne augmentation, restent raisonnables puisqu'ils se comparent à ceux de customs poids lourds « normales »

Une ligne qui, même si elle ne fait toujours pas l'unanimité, représente l'un des plus audacieux design customs du moment; elle est même en train de devenir la signature visuelle des customs de Suzuki

BOF

Une injection qui se montre abrupte à la réouverture des gaz et un frein moteur inhabituellement fort qui se combinent pour rendre la conduite saccadée sur les rapports inférieurs, à basse vitesse

Un rouage d'entraînement dont on perçoit le sifflement presque chaque instant en selle et qui compte parmi les raisons pour lesquelles nous disons qu'il ne s'agit pas de la grosse custom la plus raffinée qui soit

Une suspension arrière qui digère mal les routes très abîmées et dont la capacité d'absorption semble se limiter aux revêtements peu endommagés

Une augmentation de prix qui amène les M109R vers une zone où bien d'autres constructeurs ont éprouvé des difficultés

Conclusion

La M109R est l'un des très rares modèles méritant vraiment d'être qualifiés de custom de performances. Elle fait même honte aux nombreuses machines ayant faussement utilisé l'appellation. Au-delà de son audacieux style exploitant de manière fort originale des lignes fuyantes presque sportives, elle se distingue surtout par le monstre cracheur de feu auquel elle a recours en guise de mécanique. Extrêmement coupleux et puissant, ce bestial V-Twin constitue l'une des principales raisons pour lesquelles on devrait envisager une M109R. Elle est par ailleurs la démonstration qu'il y a beaucoup plus aux customs que la simple et bête imitation d'une quelconque Harley-Davidson.

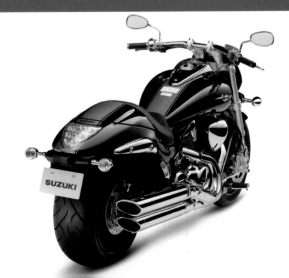

BOULEVARD C 109R T

Alternative classique...

La C109R fut conçue avec l'intention d'offrir une alternative de style classique à la « sportive » M109R et fut lancée 2 ans après cette dernière, en 2008. Dans le but de conserver l'esprit très particulier de la M109R qui, elle, fut bien reçue, Suzuki décida de garder certaines de caractéristiques clé du modèle, notamment le gros V-Twin de 1,8 litre et le gigantesque pneu arrière de 240 mm. Suzuki annonçait une puissance un peu moins élevée, mais plus de couple, ce qui semblait correspondre à la mission classique de la C. Pour 2010, la version custom originale ne fait déjà plus partie de la gamme, pas plus que la SE de Suzuki Canada. Seule la variante de tourisme léger, la C109R T, demeure donc offerte.

Propulsée par la plus grosse mécanique de moto jamais produite par Suzuki, un V-Twin fougueux, vivant et très caractériel emprunté à la M109R, la C109R est présentée comme une version classique de la M. Jusque-là, tout va bien. Sa ligne, bien que prévisible, reprend tous les détails populaires et affiche toutes les courbes à la mode. Bien. Le modèle offre même un système de freinage combiné, une rareté sur une custom. Encore mieux. Et pourtant, la C109R affiche d'importantes lacunes.

Par exemple, alors que les impressionnantes dimensions du châssis, des suspensions et des roues devraient se traduire par une sensation de solidité et de stabilité sur la route, on sent plutôt la C109R vague et floue dès qu'un virage doit être amorcé. L'une des caractéristiques coupables est le gros pneu arrière qui résiste aux inclinaisons et avec lequel moto et pilote semblent constamment avoir à se battre. Si un tel comportement peut à la limite être toléré sur un chopper à la géométrie extrême, dans le cas de la C109R T, on a plutôt affaire à une classique custom de tourisme léger.

Puis, il y a le moteur qu'on annonce un peu moins puissant, mais en revanche plus coupleux que la petite bombe de V-Twin qui anime la M109R. Pourtant, sur la route, on se rend compte qu'il peine à pousser de manière autoritaire le poids énorme de la C109R T et qu'il semble même, étrangement, moins coupleux à bas régime que celui de la M109R.

Même les freins amènent la critique puisque, si le

> **AVEC LA C109R T, SUZUKI A VOULU METTRE LE PAQUET ET CRÉER UNE MACHINE DE STYLE CLASSIQUE DIGNE DE LA M109R.**

système combiné fonctionne adéquatement, il augmente en revanche l'effort au levier de manière démesurée et inappropriée lors d'un arrêt d'urgence.

La C109R T n'est pas pour autant exempte de qualités puisqu'elle bénéficie quand même d'une partie cycle solidement construite et d'un style classique réussi. Elle offre une position de conduite dégagée typique de ce genre de motos et propose un niveau de confort décent sur un long trajet. Et bien qu'elle soit très lourde à l'arrêt, elle camoufle plutôt bien son embonpoint une fois en mouvement. Elle est aussi mue par une mécanique relativement douce à vitesse d'autoroute et dont la sonorité et le caractère sont assez plaisants.

Mais il reste que dans son ensemble, la C109R T commet un nombre d'erreurs inhabituellement élevé. Par pure spéculation, nous expliquons la situation en soupçonnant davantage une réalisation pour laquelle on a voulu mettre le paquet en matière de style et de mécanique, mais sans toutefois vraiment comprendre le milieu custom. Ainsi, pour arriver à l'ambitieux but, il fut décidé de produire l'une des plus massives customs du marché. Évidemment, un populaire gros pneu arrière ferait partie des caractéristiques de cette moto. Une version remaniée du V-Twin de la M109R représenterait le choix parfait de mécanique. Enfin, un système de freinage combiné — le seul chez Suzuki — compléterait le tout en augmentant la sécurité. Malheureusement, l'exécution n'est pas ce qu'elle aurait dû être.

Général

Catégorie	Tourisme léger
Prix	19 299 $
Immatriculation 2010	627 $
Catégorisation SAAQ 2010	« régulière »
Évolution récente	introduite en 2008
Couleur(s)	noir et gris
Concurrence	Triumph Rocket III Touring, Yamaha Roadliner et Stratoliner

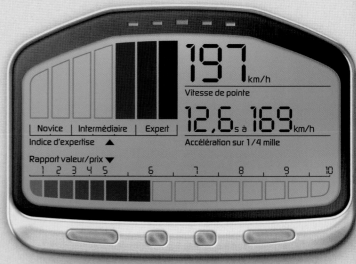

Voir légende en page 7

Moteur

Type	bicylindre 4-temps en V à 54 degrés, DACT, 4 soupapes par cylindre, refroidissement par liquide
Alimentation	injection à 2 corps de 56 mm
Rapport volumétrique	10:1
Cylindrée	1 783 cc
Alésage et course	112 mm x 90,5 mm
Puissance	114 ch @ 5 800 tr/min
Couple	116 lb-pi @ 3 200 tr/min
Boîte de vitesses	5 rapports
Transmission finale	par arbre
Révolution à 100 km/h	n/d
Consommation moyenne	7,6 l/100 km
Autonomie moyenne	250 km

Partie cycle

Type de cadre	double berceau, en acier
Suspension avant	fourche conventionnelle de 49 mm non ajustable
Suspension arrière	monoamortisseur ajustable en précharge
Freinage avant	2 disques de 290 mm de Ø avec étriers à 3 pistons
Freinage arrière	1 disque de 275 mm de Ø avec étrier à 2 pistons
Pneus avant/arrière	150/80 R16 & 240/55 R16
Empattement	1 755 mm
Hauteur de selle	705 mm
Poids tous pleins faits	401 kg (à vide : 378 kg)
Réservoir de carburant	19 litres

QUOI DE NEUF EN 2010 ?

Retrait des versions de base et SE

Coûte 1 300 $ de plus qu'en 2009

PAS MAL

Une ligne à la fois costaude et classique que la plupart des amateurs du genre trouvent réussie

Une mécanique plutôt douce et plaisante à l'oreille dont le niveau de performances n'est pas aussi grisant que celui de la M109R, mais qui reste suffisant pour satisfaire la moyenne des pilotes

Une liste de composantes toutes plus massives les unes que les autres qui contribuent non seulement à l'aspect musclé du modèle, mais aussi à la stabilité en ligne droite

BOF

Un comportement altéré par la combinaison du gros pneu arrière et de la direction très légère due au large guidon; le résultat est une série de réactions floues et imprécises chaque fois que la moto doit quitter la verticale pour s'incliner; ça reste tout à fait contrôlable, mais ça n'a rien d'agréable

Un moteur qu'on a retravaillé pour qu'il produise plus de couple à bas régime, mais qui, dans les faits, ne donne pas l'impression d'accomplir ce but; cela dit, quiconque ne sait pas de quoi est capable le V-Twin de la M109R n'aura pas de déception liée à la comparaison

Un système combinant la pédale de frein arrière au frein avant qui fonctionne, mais qui augmente trop la pression au levier

Un pare-brise qui crée d'agaçantes turbulences à la hauteur du casque à vitesses d'autoroute, et ce, pour des pilotes courts ou grands; la C109R T est néanmoins loin d'être la seule custom affligée par ce défaut que les constructeurs devraient sérieusement tenter de régler un de ces jours

Conclusion

Nous croyons que le concept de la C109R a été élaboré avec les meilleures intentions, mais qu'une compréhension limitée ou erronée de l'univers custom a, d'une certaine manière, fait déraper le projet. Par exemple, si, dans cet univers, un gros pneu arrière a évidemment sa place, ce n'est pas à n'importe quel prix en termes de comportement routier, et ce, surtout si la mission du modèle concerné en est plus une de balade ou de tourisme que d'agressivité, comme c'est le cas ici. La C109R T est une custom classique, ce qui est très différent d'une M109R. Or, en installant quand même un très gros pneu arrière et en ayant recours à un guidon large qui démultiplie les effets indésirables souvent associés à ces pneus, Suzuki n'a pas eu la plus brillante des idées. La C109R T est en plus trop chère pour ce qu'elle offre, ce qui nous laisse bien peu d'éléments pour sauver sa peau. Trop peu.

SUZUKI
BOULEVARD M90

Digne petite sœur de la M109R...

Avec le retrait cette année des C90 et l'arrivée de la M50 de 800 cc, il semble clair que la direction stylistique que prend la gamme custom de Suzuki est de plus en plus liée au surprenant design de la M109R. En affichant une ligne très semblable à celle de cette dernière, la M90 lancée l'an dernier avait d'ailleurs indiqué l'existence de cette tendance. Contrairement à la M50 qui est mécaniquement identique à la C50, la M90 est propulsée par son propre V-Twin et s'avère nettement plus performante que la C90. Comme la plupart des produits Suzuki, elle subit une bonne augmentation de prix en 2010, mais la valeur du modèle demeure bonne malgré cela.

La Boulevard M90 n'est pas ce qu'on pourrait qualifier d'une copie fidèle de Harley-Davidson. Par contre, on peut parler d'une digne petite sœur de la M109R. Est-ce mieux?

Personne ne connaît vraiment la nature de la maladresse dont a longtemps fait preuve Suzuki en matière de customs. Il semble toutefois que cette « innocence » en matière de customs lui permette aujourd'hui de concevoir des modèles sans les œillères que portent trop souvent les marques concurrentes. La M90 en est le parfait exemple puisqu'elle est née de la « philosophie Suzuki » plutôt que de la volonté de bêtement imiter les produits de Milwaukee. Cette philosophie ayant traditionnellement été d'offrir des modèles performants, au look aguichant et à bon prix, nous fait découvrir en la M90 une custom bien maniérée, bien motorisée, bien présentée et qui, à moins de 14 000 $, représente une très bonne valeur. On ne retrouve toutefois pas une machine dont le bicylindre en V « chante » exactement comme celui d'une Harley-Davidson, un important objectif pour la plupart des modèles de ce type. On ne retrouve pas non plus en la M90 une custom dont le style classique représente une variation des lignes d'une quelconque Harley-Davidson, comme c'est presque toujours le cas chez ces motos. Au contraire, tant au niveau stylistique que mécanique, la M90 s'inspire plutôt de la bestiale et brutale, mais oh combien plaisante Boulevard M109R, une custom très particulière que Suzuki lui-même qualifiait de « GSX-R des

> ### LA M90 EST NÉE DE LA « PHILOSOPHIE SUZUKI » PLUTÔT QUE DE LA VOLONTÉ D'IMITER LES PRODUITS DE MILWAUKEE.

customs » lorsqu'il l'a lancée.

Malgré sa cylindrée de « seulement » 1 500 cc, la M90 s'arrache à un arrêt avec une surprenante volonté. Elle ne délogera pas les plus rapides spécimens de la classe, ce qui n'est d'ailleurs pas sa mission, mais le fait est qu'elle propose un niveau de performances aisément supérieur à la moyenne pour cet ordre de cylindrée. Son V-Twin, qui monte en régimes vigoureusement plutôt que nonchalamment comme c'est la coutume chez ces motos, semble clairement avoir été conçu pour générer une poussée franche et immédiate plutôt que pour imiter le rythme saccadé d'un bicylindre Made in Milwaukee. Ce qui ne l'empêche pas de trembler de manière aussi abondante que plaisante en pleine accélération et d'être toujours bien senti par le pilote.

En termes de comportement routier, la M90 ne réinvente pas la roue, mais elle se distingue quand même par des manières qui restent saines tant qu'on n'élève pas le rythme de pilotage jusqu'à un niveau inapproprié pour une custom. Gardez la cadence dans une zone « plus ou moins légale » et elle fait bon usage des solides pièces qui la composent en offrant une agréable solidité en virage et une stabilité sans faute. L'un de ses seuls véritables défauts à ce chapitre est une suspension arrière assez sèche pour vous maltraiter le dos au passage de certaines irrégularités. La position de conduite, qui s'avère autrement plaisante, n'aide pas à ce chapitre puisqu'elle place le pilote en position vulnérable.

Général

Catégorie	Custom
Prix	13 799 $
Immatriculation 2010	627 $
Catégorisation SAAQ 2010	« régulière »
Évolution récente	introduite en 2009
Garantie	1 an/kilométrage illimité
Couleur(s)	noir, rouge
Concurrence	Harley-Davidson Sportster 1200, Honda VT1300, Yamaha V-Star 1300

Voir légende en page 7

Moteur

Type	bicylindre 4-temps en V à 54 degrés, SACT, 4 soupapes par cylindre, refroidissement par liquide
Alimentation	injection à 2 corps de 42 mm
Rapport volumétrique	9,5:1
Cylindrée	1 462 cc
Alésage et course	96 mm x 101 mm
Puissance	80 ch @ 4 800 tr/min
Couple	90,4 lb-pi @ 2 700 tr/min
Boîte de vitesses	5 rapports
Transmission finale	par arbre
Révolution à 100 km/h	n/d
Consommation moyenne	6,4 l/100 km
Autonomie moyenne	281 km

Partie cycle

Type de cadre	double berceau, en acier
Suspension avant	fourche inversée de 43 mm non ajustable
Suspension arrière	monoamortisseur ajustable en précharge
Freinage avant	2 disques de 290 mm de Ø avec étriers à 2 pistons
Freinage arrière	1 disque de 275 mm de Ø avec étrier à 2 pistons
Pneus avant/arrière	120/70 ZR18 & 200/50 ZR17
Empattement	1 690 mm
Hauteur de selle	716 mm
Poids tous pleins faits	328 kg
Réservoir de carburant	18 litres

QUOI DE NEUF EN 2010 ?

Retrait de la C90

Coûte 900 $ de plus qu'en 2009

PAS MAL

Une ligne intéressante qui semble être en train de devenir la signature stylistique de Suzuki, ce qui est beaucoup plus rafraîchissant que la simple imitation de la ligne d'une quelconque Harley-Davidson

Un V-Twin qui surprend par sa présence mécanique inhabituellement forte et par son très bon niveau de performances vu sa cylindrée

Un comportement routier qui se montre généralement solide et sain sans qu'il affiche toutefois des qualités exceptionnelles

Une valeur intéressante compte tenu de la cylindrée quand même considérable et des bonnes performances

Une position de conduite assez typée pour mettre le pilote dans la bonne ambiance, mais pas au point de devenir extrême

BOF

Une tenue de route qui se dégrade si on s'éloigne un peu trop d'un rythme de balade

Une mécanique qui tremble beaucoup en pleine accélération, ce que pourraient ne pas aimer certains motocyclistes; en revanche, ceux qui aiment les V-Twin au caractère fort apprécieront ce trait

Une suspension arrière qui digère très mal les imperfections prononcées de la chaussée et qui fera clairement comprendre au pilote qu'il est préférable pour lui de les éviter

Conclusion

La raison pour laquelle Suzuki n'a pas toujours été brillant en matière de designs customs est très probablement une affaire d'incompatibilité entre la philosophie « de performance et de valeur » de la firme d'Hamamatsu et la culture du chrome, des courbes classiques et du langoureux V-Twin qui fait le succès de Harley-Davidson et l'envie des constructeurs rivaux. Constructeurs qui, ne sachant souvent trop quoi faire d'autre, s'appliquent la plupart du temps à imiter cette fameuse culture. La M90 démontre que Suzuki aurait peut-être intérêt à s'éloigner de cette parade uniformisée et à plutôt appliquer sa propre philosophie au genre custom. Ce qu'il semble être d'ailleurs en train de faire. À en juger par des produits comme la M109R et comme cette étonnante M90, il s'agit d'une direction qui lui va beaucoup mieux.

Boulevard C50

BOULEVARD C50

NOUVEAUTÉ 2010

À toutes les sauces...

Alors que certains constructeurs tentent d'attirer les nombreux acheteurs de ce type de petites customs chez eux en offrant plus de cubage, la stratégie de Suzuki est plutôt d'offrir plus de variantes. La C50 est ainsi proposée en pas moins de quatre versions cette année : une custom standard, la C50, deux modèles de tourisme léger, les SE et T, et, finalement, une M50 fraîchement redessinée. Il s'agit de la même M50 qu'en 2009 d'un point de vue mécanique, mais Suzuki l'a complètement rhabillée, remplaçant le style un peu étrange de l'ancien modèle par une ligne offrant un air de famille très clair avec la grosse et puissante M109R, qui semble avoir instauré la direction visuelle que prendront dorénavant les customs Suzuki.

Malgré le fait que leur cubage relativement faible les rend moins désirables que les modèles plus gros, les customs de cylindrée moyenne représentent certaines des meilleures valeurs du marché et se vendent en très grand nombre. Elles constituent un défi de taille pour leur constructeur puisque les acheteurs insistent pour retrouver toutes les caractéristiques des convoités modèles de plus grosse cylindrée, mais à une fraction du prix. Le modèle le plus généreux verra ses ventes grimper tandis que celui qui résiste à la tendance sera délaissé. Les C50 et la M50 se débrouillent assez bien dans cet environnement en offrant pratiquement tous les critères recherchés. Une alimentation par injection, une ligne à jour et réussie, des proportions généreuses, une finition soignée et un entraînement final propre par arbre sont autant de critères exigés par les acheteurs de montures de cette classe. La C50 et ses variantes se montrent par contre avares au niveau du frein arrière qui est toujours du type à tambour. Par ailleurs, sa cylindrée de 800 cc, qui a longtemps été la norme de la classe, commence maintenant à être surpassée par d'autres modèles. Suzuki cédera-t-il à la pression ? Pour le moment, il semblerait que non, le constructeur paraissant plutôt satisfait de se distinguer en offrant plusieurs versions de sa custom poids moyen. L'arrivée cette année d'une M50 redessinée dont la ligne suit la tendance inaugurée par la M109R représente un autre pas dans la même direction.

Les C50 et M50 se présentent comme des choix moyens

> ## PLUTÔT QUE D'AUGMENTER LA CYLINDRÉE, SUZUKI PARAÎT SATISFAIT EN OFFRANT UN GRAND CHOIX DE VARIANTES.

dans leur catégorie en se situant en termes de prix et de performances entre les 900/950 de Kawasaki et Yamaha et les diverses Shadow 750 de Honda.

Le V-Twin de 805 cc qui anime toutes ces variantes fait correctement son travail sans toutefois montrer beaucoup de caractère. Il est doux, tremble et gronde gentiment, et procure des accélérations et des reprises satisfaisantes. L'injection fonctionne sans accroc tandis que les performances, sans s'avérer excitantes, peuvent être qualifiées d'honnêtes et de tout à fait suffisantes lorsque l'esprit reste à la balade. Un effort léger au levier d'embrayage et une transmission plutôt douce et précise sont d'autres points qui rendent ces motos amicales durant la besogne quotidienne. En raison du poids modéré, de la selle basse et de la position de conduite naturelle et décontractée, la prise en main se montre très aisée, même pour un pilote peu expérimenté. Les manœuvres lentes et serrées souvent délicates sur les customs de plus grosse cylindrée s'accomplissent ici sans complication, tandis qu'une fois en mouvement, elles se montrent faciles à mettre en angle tout en demeurant neutres et saines le long des virages. Les plateformes finissent par frotter, mais pas trop prématurément pour la classe. Si la stabilité reste généralement bonne quand la vitesse grimpe, la sensation de mollesse du levier et la puissance limitée du frein avant sont responsables d'un freinage qui n'est que moyen. De meilleures composantes et un frein à disque à l'arrière seraient bienvenus.

« SUZUKI A TOUJOURS ESSAYÉ DE VENDRE LA M50 COMME UNE CUSTOM QUI SE DISTINGUE DES MODÈLES CLASSIQUES PAR UN STYLE MUSCLÉ ET TRAPU. MALHEUREUSEMENT, CE STYLE NE SEMBLE PAS AVOIR REMPORTÉ UN SUCCÈS NOTABLE. LA SOLUTION PROPOSÉE PAR LA M50 2010 EST TRÈS LOGIQUE PUISQUE LA MÉCANIQUE NE CHANGE PAS, MAIS QUE LA LIGNE EST CALQUÉE SUR CELLE DE LA M109R QUI, ELLE, A FAIT BEAUCOUP D'ADEPTES. »

Boulevard M50

M50

La refonte de la M50 en 2010 fut réalisée en suivant une recette régulièrement utilisée chez Harley-Davidson. Celle-ci consiste à conserver la base mécanique d'un modèle, mais à rhabiller ce dernier de manière à ce qu'il soit méconnaissable. Ce procédé résume exactement le cas de la Boulevard M50 puisque, d'un point de vue mécanique, la version 2010 de celle-ci est en tous points identique à la version 2009. En remplaçant simplement les garde-boue avant et arrière, en fixant un minicarénage de tête et en calquant les formes des nouvelles pièces sur celles de la convoitée M109R, Suzuki a créé une petite custom de cylindrée moyenne beaucoup plus désirable que la version précédente, et il l'a fait avec des ressources très limitées. Il y a très peu de doute que la M50 obtiendra considérablement plus de succès sous cette forme que sous l'ancienne.

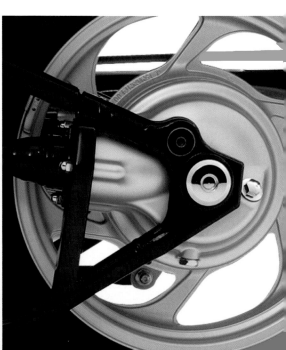

Général

Catégorie	Custom/Tourisme léger
Prix	C50 : 9 299 $, SE : 10 699 $ C50 T : 10 799 $, M50 : 9 499 $
Immatriculation 2010	627 $
Catégorisation SAAQ 2010	« régulière »
Évolution récente	introduites en 2001
Garantie	1 an/kilométrage illimité
Couleur(s)	C50 et C50 SE : noir, rouge T : noir et rouge, bleu et blanc M50 : noir, orange
Concurrence	Harley-Davidson Sportster 883, Honda Shadow 750, Kawasaki Vulcan 900, Yamaha V-Star 950

Voir légende en page 7

Moteur

Type	bicylindre 4-temps en V à 45 degrés, SACT, 4 soupapes par cylindre, refroidissement par liquide
Alimentation	injection à 2 corps de 34 mm
Rapport volumétrique	9,4:1
Cylindrée	805 cc
Alésage et course	83 mm x 74,4 mm
Puissance	51 ch @ 6 000 tr/min
Couple	51 lb-pi @ 3 500 tr/min
Boîte de vitesses	5 rapports
Transmission finale	par arbre
Révolution à 100 km/h	environ 3 800 tr/min
Consommation moyenne	5,2 l/100 km
Autonomie moyenne	298 km

Partie cycle

Type de cadre	double berceau, en acier
Suspension avant	fourche conventionnelle (M : inversée) de 41 mm non ajustable
Suspension arrière	monoamortisseur ajustable en précharge
Freinage avant	1 disque de 300 mm de Ø avec étrier à 2 pistons
Freinage arrière	tambour mécanique de 180 mm de Ø
Pneus avant/arrière	130/90 H16 & 170/80 H15
Empattement	1 655 mm
Hauteur de selle	700 mm
Poids tous pleins faits	277 kg (SE/T : 295 kg; M : 269 kg)
Réservoir de carburant	15,5 litres

QUOI DE NEUF EN 2010 ?

Variante M50 redessinée

C50 et M50 coûtent 600 $, C50SE et C50T coûtent 800 $ de plus qu'en 2009

PAS MAL

De bonnes customs de cylindrée moyenne affichant une finition soignée et une ligne classique; le style musclé de la M50 est plus réussi qu'il ne l'a jamais été sous cette forme

Une tenue de route relativement solide et équilibrée ainsi qu'un comportement général facile d'accès

Un V-Twin qui fonctionne en douceur et dont les performances sont dans la moyenne pour la catégorie

BOF

Un moteur qui n'est pas très caractériel sans toutefois que cela en fasse une mécanique désagréable; par ailleurs, bien qu'il soit plus puissant que le V-Twin des Shadow 750, il n'est pas aussi intéressant que les moteurs des Yamaha V-Star 950 et Kawasaki Vulcan 900

Une suspension arrière qui ne digère pas toujours avec élégance les routes abîmées

Un freinage qui n'impressionne pas, surtout à cause du frein avant peu puissant et spongieux

Conclusion

Les motocyclistes qui sont intéressés par cette classe de customs forment un groupe de consommateurs à la fois exigeants et très gâtés par les constructeurs. Ces derniers ont même, dans certains cas, commencé à augmenter les cylindrées, ce qui n'a rien de banal et qui démontre bien le niveau élevé de la concurrence. Dans cet environnement, les diverses variantes de la C50, dont la nouvelle M50, proposent de bonnes manières et des performances honnêtes pour un prix correct. Leur ligne est classique et soignée, la mécanique est amicale et le comportement accessible. Les versions de tourisme léger offrent quant à elles une série d'équipements qui coûteraient plus cher à acheter et à faire installer séparément. Aucune variante n'est supérieure à une autre d'un point de vue du comportement ou de la valeur.

Boulevard C50SE

BOULEVARD S40 & MARAUDER 250

Demi-portion...

L'aspect le plus particulier de la toute petite custom qu'est la S40 est qu'un monocylindre de 650 cc lui sert de mécanique au lieu d'un traditionnel V-Twin, une caractéristique qu'elle possède surtout par souci d'économie. La S40, qui était connue depuis 1986 sous le nom de Savage, bénéficie depuis 2005 d'un guidon de style drag. Quant à la Marauder 250 (non illustrée) elle est une minuscule custom purement destinée à initier.

L a principale raison pour laquelle la S40, alias Savage 650, n'a jamais vraiment évolué durant sa carrière qui s'étend maintenant sur plus de deux décennies est qu'elle n'est ni plus ni moins qu'un outil d'initiation. Son rôle n'est donc pas d'exciter les sens, d'être performante ou de faire tourner les têtes, mais plutôt de permettre à une catégorie bien précise de motocyclistes d'entreprendre l'aventure du pilotage d'une moto dans les conditions les plus simples et les plus amicales possible. Ces derniers la trouvent en général immédiatement basse et légère, ce qui augmente leur niveau de confiance. Bien qu'elles n'aient rien de très excitant, même pour un novice, les performances que propose la S40 sont quand même beaucoup plus intéressantes que celles des petites 250 d'initiation. La sonorité agricole du monocylindre n'a rien de vraiment agréable non plus. Il n'y a pas de problème à suivre la circulation automobile, mais cela devient toutefois plus ardu avec un passager ou s'il faut dépasser rapidement. Comme la mécanique se débrouille bien à bas régime, on peut généralement éviter les tours élevés et leurs vibrations. Le prix peut sembler bas pour une moto neuve, mais on doit réaliser que ce qu'il permet d'obtenir est un véhicule techniquement vétuste. La S40 est en fin de compte une moto qui ne devrait être envisagée que si et seulement si le seul but de l'exercice est d'acquérir une monture qui permettra une période d'apprentissage aussi amicale que possible.

Général

Catégorie	Custom
Prix	6 799 $ (Marauder 250 : 4 999 $)
Immatriculation 2010	627 $ (Marauder 250 : 373 $)
Catégorisation SAAQ 2010	« régulière »
Évolution récente	introduite en 1986 (Marauder 250 : 1999)
Garantie	1 an/kilométrage illimité
Couleur(s)	S40 : noir, noir et blanc Marauder 250 : noir
Concurrence	aucune

Moteur

Type	monocylindre 4-temps, SACT, 4 soupapes, refroidissement par air
Alimentation	1 carburateur à corps de 40 mm
Rapport volumétrique	8,5:1
Cylindrée	652 cc
Alésage et course	94 mm x 94 mm
Puissance	31 ch @ 5 400 tr/min
Couple	37 lb-pi @ 3 000 tr/min
Boîte de vitesses	5 rapports
Transmission finale	par courroie
Révolution à 100 km/h	n/d
Consommation moyenne	5,1 l/100 km
Autonomie moyenne	206 km

Partie cycle

Type de cadre	berceau semi-double, en acier
Suspension avant	fourche conventionnelle de 36 mm non ajustable
Suspension arrière	2 amortisseurs ajustables en précharge
Freinage avant	1 disque de 260 mm de Ø avec étrier à 2 pistons
Freinage arrière	tambour mécanique
Pneus avant/arrière	110/90-19 & 140/80-15
Empattement	1 480 mm
Hauteur de selle	700 mm
Poids tous pleins faits	173 kg (à vide : 160 kg)
Réservoir de carburant	10,5 litres

GS500

Général

Catégorie	Routière Sportive
Prix	7 399 $
Immatriculation 2010	627 $
Catégorisation SAAQ 2010	« régulière »
Évolution récente	introduite en 1989, version F en 2004
Garantie	1 an/kilométrage illimité
Couleur(s)	bleu et blanc
Concurrence	aucune

Moteur

Type	bicylindre parallèle 4-temps, DACT, 4 soupapes, refroidissement par air
Alimentation	2 carburateurs à corps de 34 mm
Rapport volumétrique	9:1
Cylindrée	487 cc
Alésage et course	74 mm x 56.6 mm
Puissance	52 ch @ 9 200 tr/min
Couple	30,4 lb-pi @ 7 500 tr/min
Boîte de vitesses	6 rapports
Transmission finale	par chaîne
Révolution à 100 km/h	environ 6 700 tr/min
Consommation moyenne	5,5 l/100 km
Autonomie moyenne	363 km

Partie cycle

Type de cadre	périmétrique, en acier
Suspension avant	fourche conventionnelle de 37 mm non ajustable
Suspension arrière	monoamortisseur ajustable en précharge
Freinage avant	1 disque de 310 mm de Ø avec étrier à 4 pistons
Freinage arrière	1 disque de 250 mm de Ø avec étrier à 2 pistons
Pneus avant/arrière	110/70-17 & 130/70-17
Empattement	1 405 mm
Hauteur de selle	790 mm
Poids tous pleins faits	199 kg (à vide : 180 kg)
Réservoir de carburant	20 litres

Mini sportive...

Utilisée depuis toujours par les écoles de conduite, la GS500 représente l'une des manières les plus amicales de s'initier au pilotage d'une moto. Suzuki a eu la bonne idée il y a quelques années d'installer un plein carénage sur le modèle jusque-là dénudé. La réaction de la clientèle débutante fut excellente et la recette a depuis été appliquée à quelques autres sportives du catalogue du constructeur. La version standard disparaît en 2010.

La GS500F n'est rien de plus ou de moins que le modèle bien connu qui n'a pratiquement pas changé depuis la fin des années 90, la GS500E, auquel on a greffé un carénage dont la ligne a un lien de famille avec celle des sportives GSX-R. Grâce à ce carénage, la GS500 est passée d'une standard à l'allure timide dont la fonctionnalité et le confort étaient limités par l'absence de toute protection à une vraie petite moto d'allure fière qui ne craint désormais plus les journées venteuses ou les distances prolongées sur l'autoroute. L'aspect confort du modèle est d'autant plus intéressant que la position relevée dictée par le guidon haut soulage les mains de tout poids, que de la selle est bonne et que les suspensions sont calibrées de façon souple.

L'une des facettes du pilotage de la GS500 qui a toujours été exceptionnelle est l'agilité du modèle. Le poids faible, la hauteur de selle modérée, la minceur de la moto et l'effet de levier considérable du large guidon se combinent pour en faire une monture qui se montre à la fois facile à manœuvrer dans les situations serrées, et légère et précise dans les situations plus rapides, comme une route sinueuse parcourue à un bon rythme. La cinquantaine de chevaux du petit Twin permet aux débutants de se divertir sans problème, et même d'atteindre et de maintenir des vitesses plutôt élevées. Le bicylindre parallèle n'est pas un exemple de souplesse, mais la manière linéaire avec laquelle il livre ses chevaux, le bon contrôle des vibrations qu'il génère, et la légèreté de l'embrayage et de la transmission le rendent plaisant à solliciter.

TRIUMPH
SPRINT ST

Très particulier compromis...

Même si le terme «routière sportive» explique de manière très instinctive le genre de qualités qu'affiche une monture de ce type, la réalité reste que cette classe est peuplée de modèles favorisant légèrement plus ou moins certains aspects de la conduite. La Triumph Sprint ST occupe une place presque unique dans cette classe puisque le constructeur britannique n'a voulu en faire ni une machine particulièrement rapide ou pointue ni une moto trop axée sur le tourisme. Confortable et agile, performante et accessible, elle propose un compromis d'autant plus particulier qu'elle est animée par une mécanique à trois cylindres aussi exquise qu'elle est unique. L'ABS et les valises font partie de l'équipement de série.

On a beau chercher, on peine à trouver quoi que ce soit de déplacé ou d'extrême sur la Sprint ST. Dès les premiers tours de roues à ses commandes, des détails comme un embrayage doux et progressif, une transmission fluide et précise et une injection bien calibrée font comprendre au pilote qu'il est aux commandes d'une monture dont le fonctionnement est particulièrement fin.

Il ne fait pas le moindre doute que l'une des plus plaisantes caractéristiques de la Sprint se situe au niveau de la mécanique qui l'anime puisqu'il s'agit d'un tricylindre dont la sonorité en pleine accélération tient carrément de la symphonie.

Le niveau de performances généré par la mécanique anglaise est parfaitement approprié compte tenu de la nature du modèle puisque les accélérations sont suffisamment fortes sur toute la plage des régimes pour se faire plaisir en toute occasion. La puissance est livrée de façon exceptionnellement linéaire, chaque graduation du tachymètre amenant une poussée d'un niveau plus intense. Le couple est impressionnant. Comme il se manifeste dès les premiers tours, il suffit d'enrouler l'accélérateur pour s'élancer avec autorité à partir d'un arrêt, tandis qu'on se retrouve à moins utiliser l'embrayage et la boîte de vitesses et à davantage se fier à la puissance à bas et moyen régimes pour faire le travail. La tendance du marché vers des mécaniques plus grosses nous fait rêver de ce qu'une version 1200 de ce tricylindre pourrait être.

La ST ne se distingue pas qu'en ce qui concerne son

> ON N'A PAS AFFAIRE À UNE SPORTIVE PLUS CONFORTABLE QUE LA MOYENNE, MAIS PLUTÔT À UNE ROUTIÈRE TRÈS CAPABLE EN VIRAGE.

agréable mécanique puisqu'elle excelle de manière tout aussi admirable au niveau du comportement routier. On comprend vite qu'on n'a pas affaire à une sportive pure dotée d'un confort supérieur à la moyenne, mais plutôt à une routière mature tout à fait capable de soutenir un rythme élevé sur une route en lacet. L'effort qu'elle demande pour s'engager en virage est presque instinctif, tandis que le reste de la manœuvre s'exécute de façon rassurante et précise. La surprenante agilité ne se transforme par ailleurs jamais en nervosité. Le réglage des suspensions s'avère très habile aussi bien en utilisation routière qu'en conduite sportive. Quant aux freins, ils sont efficaces, mais pourraient bénéficier d'un peu plus de mordant, surtout que l'ABS est là pour prévenir tout enthousiasme mal calculé. L'adoption des superbes composantes de freins de la Speed Triple nous semblerait une amélioration logique.

Malgré sa saveur sportive et joueuse, la position de conduite ne taxe aucune partie de l'anatomie. Le dos du pilote reste droit et aucune pression inutile n'est placée sur les mains, juste comme il se doit sur une monture de ce type. En ajoutant à l'équation une selle aussi bien formée que rembourrée, une douceur de fonctionnement remarquable de la part du tricylindre et une excellente protection contre les éléments, la Sprint ST devient non seulement l'une des meilleures routières sportives sur long trajet, mais aussi une moto offrant un compromis entre sport et confort qui rivalise avec celui de véritables modèles de tourisme sportif comme les Concours et FJR.

Général

Catégorie	Routière Sportive
Prix	13 999 $
Immatriculation 2010	627 $
Catégorisation SAAQ 2010	« régulière »
Évolution récente	introduite en 1999, revue en 2005
Garantie	2 ans/kilométrage illimité
Couleur(s)	rouge, noir
Concurrence	Honda CBF1000
	Suzuki GSX1250FA

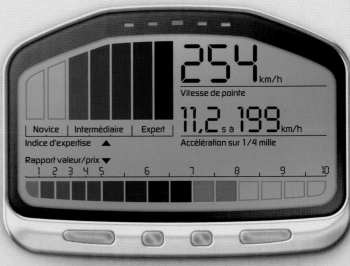

Voir légende en page 7

Moteur

Type	3-cylindres en ligne 4-temps, DACT, 4 soupapes par cylindre, refroidissement par liquide
Alimentation	injection à 3 corps
Rapport volumétrique	12:1
Cylindrée	1 050 cc
Alésage et course	79 mm x 71,4 mm
Puissance	125 ch @ 9 250 tr/min
Couple	77 lb-pi @ 7 500 tr/min
Boîte de vitesses	6 rapports
Transmission finale	par chaîne
Révolution à 100 km/h	environ 3 600 tr/min
Consommation moyenne	7,2 l/100 km
Autonomie moyenne	277 km

Partie cycle

Type de cadre	périmétrique, en aluminium
Suspension avant	fourche conventionnelle de 43 mm ajustable en précharge
Suspension arrière	monoamortisseur ajustable en précharge et détente
Freinage avant	2 disques de 320 mm de Ø avec étriers à 4 pistons avec système ABS
Freinage arrière	1 disque de 255 mm de Ø avec étrier à 2 pistons avec système ABS
Pneus avant/arrière	120/70 ZR17 & 180/55 ZR17
Empattement	1 457 mm
Hauteur de selle	805 mm
Poids tous pleins faits	241 kg
Réservoir de carburant	20 litres

QUOI DE NEUF EN 2010 ?

Aucun changement

Coûte 400 $ de plus qu'en 2009

PAS MAL

L'un des meilleurs moteurs sur le marché; puissant et doté d'une large plage de régimes utilisables, il émet une mélodie envoûtante en pleine accélération et offre des performances excitantes

L'une des routières sportives les plus équilibrées du marché; le niveau de confort est excellent, le comportement sportif est admirable et le côté pratique est rehaussé par un pare-brise haut, des valises de série et des poignées relevées

Un prix très raisonnable puisque largement inférieur à celui des sport-tourisme de classe GT comme les Concours et autres ST1300; les valises et l'ABS livrés de série augmentent aussi la valeur

BOF

Un compromis quasi idéal entre sport et confort, mais la ST favorise le second aspect; efficace sur une route sinueuse, elle n'a cependant pas sa place sur une piste, tandis que son moteur n'affiche pas le côté explosif d'une mécanique de sportive plus pointue; à quand une version plus musclée du 1050 ?

Une certaine quantité de chaleur qui rejoint le pilote par temps chaud

Une ligne qui pourrait bénéficier d'un petit rajeunissement même si elle n'est pas très vieille

Un système de freinage satisfaisant, mais qui serait bien plus impressionnant si les excellentes composantes de la Speed Triple étaient installées sur la Sprint ST

Un concept qui prend de l'âge et qu'il serait peut-être temps pour Triumph de mettre à jour

Conclusion

La Sprint ST occupe un positionnement qu'on ne retrouve que très rarement ailleurs sur le marché puisqu'elle est un genre de pont entre la classe des « vraies » — et grosses — machines de sport-tourisme que sont les FJR, K-GT et autres Concours et celle des routières sportives plus communes comme la Honda CBF1000 ou la nouvelle Suzuki GSX1250F. Sa liste de qualités est impressionnante puisqu'on la qualifie sans hésiter de rapide, coupleuse, confortable, agile, stable, caractérielle, bien équipée et même raisonnablement facturée. Nous avons été très surpris de découvrir en elle une monture offrant un tel équilibre et nous ne pouvons qu'imaginer ce qu'elle deviendrait si Triumph la révisait intelligemment, ce qui semble logique dans un avenir rapproché compte tenu de son âge.

TRIUMPH

TRIUMPH
TIGER

Saprée GS...

La R1200GS de BMW pourrait être en partie responsable de la création de la nouvelle catégorie de routières à laquelle appartient la Tiger. En effet, on pourrait croire que c'est en se décourageant d'essayer — en vain — de rejoindre le légendaire équilibre de l'allemande que les constructeurs rivaux auraient choisi de rediriger leur tir en donnant une nature plus routière aux aventurières, ce qui fut exactement le cas de la Tiger lorsqu'elle fut réinventée en 2007. Ce trajet correspond également à celui de la Ducati Multistrada, d'ailleurs. Propulsée par le superbe tricylindre de 1 050 cc de la marque de Hinckley, la Tiger est offerte en 2010 en version SE plus équipée.

Lorsqu'il révisa sa Tiger de manière à l'éloigner de l'environnement hors-route auquel elle prétendait appartenir jusque-là, puis qu'il la dirigea plutôt vers la route, mais en conservant les proportions d'aventurière de la génération précédente du modèle, Triumph prit décidément le milieu du motocyclisme par surprise en 2007. Certains diront que c'est de toute façon ce que la Tiger aurait toujours dû être puisque les premières générations n'étaient guère plus que des routières équipées de suspensions à long débattement et de pneus double-usage.

Malgré le changement d'orientation qu'il a fait subir à sa Tiger, Triumph lui a conservé une position de conduite relevée typique des aventurières tandis que les suspensions affichent encore un débattement relativement long. Ces caractéristiques expliquent d'ailleurs l'impression de déjà vu ressentie lorsqu'on s'installe à ses commandes. Cette impression se dissipe néanmoins dès l'instant où l'on enroule l'accélérateur ou que l'on s'engage sur un tracé sinueux, puisqu'il devient alors clair que cette génération de la Tiger n'a rien à envier aux modèles plus sportifs de la gamme anglaise. En fait, sur le genre de routes tortueuses et bosselées souvent retrouvées lorsqu'on s'éloigne des centres urbains, la Tiger s'avère même facilement supérieure à la plupart de sportives pures pourtant beaucoup plus pointues du point de vue technique. La raison est simple et se veut une conséquence directe de l'utilisation de ces fameuses suspensions capables à la fois d'absorber d'importants

SUR UNE ROUTE SINUEUSE AU REVÊTEMENT BOSSELÉ, LA TIGER S'AVÈRE FACILEMENT SUPÉRIEURE À UNE SPORTIVE PURE.

défauts de la chaussée et de demeurer posées en courbe.

Évidemment, qui dit Triumph dit aussi tricylindre charismatique et à ce chapitre, la Tiger livre décidément la marchandise. Bien que la version du renommé moteur anglais qui anime ce modèle soit un peu moins puissante que celle qu'on retrouve sur les Speed Triple et Sprint ST, elle conserve une personnalité tout aussi forte. Souple et coupleux à souhait, et ce, quel que soit le régime, le tricylindre en ligne de 1 050 cc donne l'impression de toujours livrer suffisamment de puissance pour satisfaire et amuser. L'avant s'envole doucement en pleine accélération sur le premier rapport et la poussée demeure très divertissante sur le reste des 6 vitesses. Au-delà de ses belles performances et de son étonnante douceur de fonctionnement, l'une des caractéristiques les plus attrayantes de cette mécanique est l'unique sonorité rauque qu'elle émet lorsqu'elle est sollicitée, surtout lorsqu'un silencieux accessoire est installé. Triumph en propose d'ailleurs un qui n'est pas ridiculement bruyant.

Les qualités de routières de la Tiger sont nombreuses. En plus de l'ABS offert en équipement de série et de la paire de valises rigides dont la couleur est agencée à celle de la moto, la Triumph se distingue par un niveau de confort découlant d'une position très équilibrée, d'une bonne selle, d'une bonne protection au vent et de suspensions bien calibrées dans la plupart des situations. L'un des seuls reproches à ce chapitre est un pare-brise qui génère de la turbulence au niveau du casque.

Général

Catégorie	Routière Crossover
Prix	13 999 $ (SE : 14 599 $)
Immatriculation 2010	627 $
Catégorisation SAAQ 2010	« régulière »
Évolution récente	introduite en 1994, revue en 1999 et 2007
Garantie	2 ans/kilométrage illimité
Couleur(s)	noir, blanc (SE : noir et noir mat)
Concurrence	KTM 990 Supermoto T Ducati Multistrada

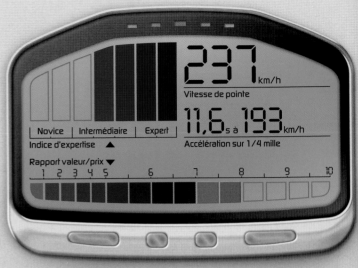

Voir légende en page 7

Moteur

Type	3-cylindres en ligne 4-temps, DACT, 4 soupapes par cylindre, refroidissement par liquide
Alimentation	injection à 3 corps
Rapport volumétrique	12:1
Cylindrée	1 050 cc
Alésage et course	79 mm x 71,4 mm
Puissance	114 ch @ 9 400 tr/min
Couple	74 lb-pi @ 6 250 tr/min
Boîte de vitesses	6 rapports
Transmission finale	par chaîne
Révolution à 100 km/h	environ 3 600 tr/min
Consommation moyenne	6,3 l/100 km
Autonomie moyenne	277 km

Partie cycle

Type de cadre	périmétrique, en aluminium
Suspension avant	fourche inversée de 43 mm ajustable en précharge, compression et étente
Suspension arrière	monoamortisseur ajustable en précharge et détente
Freinage avant	2 disques de 320 mm de Ø avec étriers radiaux à 4 pistons avec système ABS
Freinage arrière	1 disque de 255 mm de Ø avec étrier à 2 pistons avec système ABS
Pneus avant/arrière	120/70 ZR17 & 180/55 ZR17
Empattement	1 510 mm
Hauteur de selle	835 mm
Poids tous pleins faits	228 kg (SE : 241 kg)
Réservoir de carburant	20 litres

QUOI DE NEUF EN 2010 ?

Version SE avec peinture 2 tons et équipée de valises et de poignées avec protège-mains

Coûte 400 $ de plus qu'en 2009

PAS MAL

Une moto d'un nouveau genre qui tente d'être plusieurs choses à plusieurs types de pilotes, ce qui est plutôt réussi dans ce cas

Un moteur délicieux du ralenti à la zone rouge; il livre des performances élevées, se montre très coupleux et produit une véritable musique, surtout avec l'un des silencieux accessoires de Triumph, dont certains conservent un niveau sonore raisonnable

Une tenue de route impressionnante qui découle de la manière avec laquelle la Tiger est construite; il s'agit d'une sportive avec des suspensions à long débattement, ni plus ni moins

BOF

Un pare-brise qui offre une bonne protection, mais qui génère un niveau de turbulences agaçant à la hauteur du casque dès qu'on dépasse les limites légales sur l'autoroute

Une transmission qui fonctionne correctement, mais sans plus et qui pourrait se montrer plus fluide

Une hauteur de selle considérable qui n'a pas sa raison d'être puisque le modèle n'est plus du tout appelé à rouler en terrain abîmé

Une suspension arrière qui se montre occasionnellement un peu trop ferme

Conclusion

L'on pourrait considérer, avec une certaine logique d'ailleurs, que ce fut la Ducati Multistrada qui la première lança la classe des routières crossover, mais nous croyons plutôt que l'ouverture de ce nouveau créneau revient plutôt à la génération actuelle de la Tiger. Il s'agit d'un genre de croisement de genres, d'où le nom que nous avons donné à la classe, d'ailleurs. En partie sportive, en partie routière et en partie aventurière, elle incarne un type de montures qui commence à prendre de l'expansion et dont le but premier est de satisfaire plusieurs genres d'utilisations et d'humeurs, but qu'elle atteint de manière indéniable.

Daytona 675

TRIUMPH

TRIUMPH
DAYTONA 675 & STREET TRIPLE

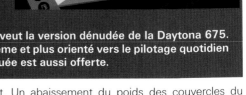

Anomalies...

La Daytona 675 fait figure d'anomalie chez les sportives de cylindrée moyenne puisqu'elle est animée par une mécanique de 675 cc plutôt que 600 cc et qu'elle compte 3 cylindres plutôt que 4. Mais elle se distingue aussi à bien d'autres égards, par exemple au niveau de son prix qu'on croirait logiquement plus élevé que celui des 600 rivales, mais qui est en fait considérablement inférieur. La Street Triple se veut la version dénudée de la Daytona 675. Elle en reprend la majorité des composantes, mais propose un ensemble moins extrême et plus orienté vers le pilotage quotidien que vers les performances en piste. Une version R dont la partie cycle est plus évoluée est aussi offerte.

TECHNIQUE

Chez les sportives pures de 600 cc où le niveau de performances des modèles japonais est tellement similaire que les amateurs éprouvent souvent de la difficulté à choisir, la 675 représente une proposition absolument unique. Dotée des qualités des 600 traditionnelles comme une tenue de route exceptionnelle et des accélérations très fortes pour la cylindrée, elle est en revanche exempte de certains défauts majeurs habituellement retrouvés dans cette classe, notamment celui d'une souplesse déficiente. Également, au lieu de la sonorité presque « électrique » commune à ces modèles, la 675 agrémente le pilotage en émettant une musique aussi unique qu'enivrante. Par ailleurs, en optant pour une configuration mécanique unique de 675 cc et 3 cylindres, Triumph évite également le problème de manque d'identité auquel font face les modèles japonais.

Au-delà de son très intéressant côté technique, c'est toutefois sur la route et en piste que la 675 fait l'étalage de ses qualités. À un cheveu d'offrir la finesse de tenue de route offerte par les 600 japonaises courantes, la 675 laisse néanmoins ces dernières dans la poussière au chapitre de la souplesse et du caractère. Triumph a aussi trouvé le moyen de créer une ligne qui ne vieillit pas trop vite.

La Daytona 675 évolua légèrement en 2009 alors qu'elle fut allégée de 3 kilos grâce surtout à un nouveau système d'échappement qui, à lui seul, comptait pour les deux tiers

> **LA STREET TRIPLE REPREND LE CHÂSSIS ET LA GÉOMÉTRIE DE DIRECTION DE LA 675, MAIS OFFRE UNE POSITION RELEVÉE.**

de cet allègement. Un abaissement du poids des couvercles du moteur, ainsi que de roues et des étriers de freins révisés, sont responsables de l'autre tiers. Des modifications au moteur ont par ailleurs permis de gagner 3 chevaux et d'augmenter de 450 tr/min l'entrée en jeu du limiteur de régimes. Les suspensions ont gagné une capacité d'ajustement en haute et en basse vitesse de compression. Finalement, la partie avant du carénage fut légèrement revue afin de présenter des traits plus raffinés.

Introduite en 2008, la Street Triple est une version standard de la Daytona 675. Elle conserve exactement le même châssis et la même géométrie de direction que la sportive, mais offre une position de conduite beaucoup plus relevée et une ligne évidemment inspirée de la silhouette de la Speed Triple. Le tricylindre est le même, mais sa puissance est amputée d'une vingtaine de chevaux. Son couple maximum est en revanche livré plus tôt en régime. La version R de la Street Triple fut, quant à elle, lancée en 2009 et se distingue du modèle de base par ses suspensions entièrement réglables ainsi que par ses étriers de freins à montage radial, comme sur la 675. La selle est légèrement plus haute afin de rendre la position un peu plus sportive. Malgré le supplément somme toute substantiel de 1 200 $ demandé par Triumph pour la version R, les valeurs de puissance et de couple demeurent les mêmes que dans le cas de la version de base de la Street Triple.

Général

Catégorie	Sportive/Standard
Prix	675 : 11 599 $ (SE : 11 999 $) Street Triple : 9 999 $ Street Triple R : 11 199 $
Immatriculation 2010	1 410 $ (675)/627 $ (Street Triple)
Catégorisation SAAQ 2010	« sport »/« régulière »
Évolution récente	675 introduite en 2006, revue en 2009; Street Triple introduite en 2008
Garantie	2 ans/kilométrage illimité
Couleur(s)	Daytona 675 : rouge, noir (SE : blanc) Street Triple : noir, rouge, blanc Street Triple R : graphite, orange
Concurrence	Daytona 675 : Honda CBR600RR, Kawasaki ZX-6R, Suzuki GSX-R600, Yamaha YZF-R6 Street Triple : BMW F800R, Ducati Monster 696/1100

Moteur

Type	3-cylindres en ligne 4-temps, DACT, 4 soupapes par cylindre, refroidissement par liquide
Alimentation	injection à 3 corps 44 mm
Rapport volumétrique	12,65 : 1
Cylindrée	675 cc
Alésage et course	74 mm x 52,3 mm
Puissance	675 : 126 ch @ 12 600 tr/min Street : 107 ch @ 11 700 tr/min
Couple	675 : 53 lb-pi @ 11 750 tr/min Street : 51 lb-pi @ 9 100 tr/min
Boîte de vitesses	6 rapports
Transmission finale	par chaîne
Révolution à 100 km/h	environ 5 100 tr/min (675 2008)
Consommation moyenne	6,4 l/100 km (675 2008)
Autonomie moyenne	272 km (675 2008)

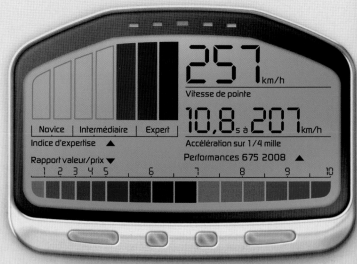

Voir légende en page 7

Partie cycle

Type de cadre	périmétrique, en aluminium
Suspension avant	fourche inversée de 41 mm ajustable en précharge, compression (675 haute et basse vitesse) et détente (Street : non ajustable)
Suspension arrière	monoamortisseur ajustable en précharge, compression (675 haute et basse vitesse) et détente (Street : précharge)
Freinage avant	2 disques de 308 mm de Ø avec étriers radiaux à 4 pistons (Street : 2 pistons)
Freinage arrière	1 disque de 220 mm de Ø avec étrier à 1 piston
Pneus avant/arrière	120/70 ZR17 & 180/55 ZR17
Empattement	1 415 mm (Street : 1 390 mm)
Hauteur de selle	830 mm (Street : 800 mm; R : 805 mm)
Poids tous pleins faits	185 kg (Street : 189 kg)
Réservoir de carburant	17,4 litres

QUOI DE NEUF EN 2010 ?

Instrumentation revue sur la 675

Version SE de la 675 avec finition spéciale

Daytona 675 coûte 800 $, Street Triple 300 $ et Street Triple R 700 $ de plus qu'en 2009

PAS MAL

Un moteur à 3 cylindres absolument brillant qui se montre plus coupleux à bas et moyen régimes que celui d'une 600 courante, mais aussi beaucoup plus agréable à l'oreille

Un niveau de performances maximal très proche de celui des 600 japonaises pour la 675 et une tenue de route très similaire

Une ligne presque exotique pour la 675 ainsi qu'un prix jusqu'à 2 000 $ moins élevé que celui d'une 600 japonaise; les Street Triple sont aussi de très intéressantes valeurs

BOF

Une position de conduite très agressive qui met beaucoup de poids sur les poignets et un niveau de confort général qui n'est pas très impressionnant pour la 675

Une hauteur de selle considérable qui ne fera pas l'affaire des pilotes un peu courts sur pattes pour la 675

Un accueil très sommaire réservé au passager, et ce, tant dans le cas de la 675 que dans celui des Street Triple

Une version R de la Street Triple qui ne s'en distingue que par des suspensions et des freins plus performants; une puissance équivalant à celle de la 675 n'aurait pas été complexe à offrir

Conclusion

Triumph continue de proposer l'un des plus intelligents compromis du marché sportif avec sa Daytons 675. Il s'agit non seulement d'une « 600 » sans les défauts d'une 600, mais aussi d'une sportive de cylindrée moyenne offrant un caractère mécanique génial et une souplesse remarquable, deux qualités dont ne peuvent que rêver les modèles à 4 cylindres des constructeurs rivaux. À près de 2 000 $ de moins que les 600 japonaises, il s'agit carrément d'une aubaine. La Street Triple et sa version R sont, elles aussi, d'intéressantes montures, notamment en raison de leur mécanique à 3 cylindres et de leur facture étonnamment raisonnable.

Street Triple R accessoirisée

Speed Triple accessoirisée

TRIUMPH

TRIUMPH
SPEED TRIPLE

Discipline requise...

La Speed Triple de Triumph fait partie de ces rares montures dont le pilotage est tellement particulier qu'elles deviennent une expérience unique. Expérience qui, dans ce cas, peut s'avérer tellement enivrante — un phénomène surtout dû au caractère fort du tricylindre qui l'anime — qu'elle ne tarde pas à se transformer en véritable partenariat de délinquance entre pilote et moto. Au-delà de son étrange pouvoir de corruption, la Speed Triple, qui est dérivée de la défunte Daytona 955i, démontre aussi de merveilleuses manières en conduite — plus ou moins... — normale. Pour 2010, une édition SE à tirage limité est offerte afin de marquer le 15e anniversaire du lancement du modèle.

Le tricylindre Triumph qui anime la Speed Triple se veut l'âme du modèle tellement il s'avère mélodieux à écouter et envoûtant à solliciter. Produisant quelque 130 chevaux, il offre une expérience de conduite décidément hors du commun. Dès les premiers moments aux commandes de la standard anglaise, son caractère unique devient d'ailleurs évident, et ce, tant pour les motocyclistes de longue date que pour les moins expérimentés. Fait étrange, rares sont ceux qui descendent du modèle en arrivant à décrire de manière précise le pourquoi de cet envoûtement. L'explication réside en grande partie dans la manière avec laquelle le tricylindre livre sa puissance. La plupart des mécaniques, peu importe leur configuration ou leur cylindrée, s'éveillent et sont vraiment gratifiantes à solliciter seulement sur une partie de leur plage de régimes. Sur la Speed Triple, cette plage s'étend de manière exceptionnelle du ralenti jusqu'à la zone rouge, ce qui se traduit par une capacité à bondir dès les premiers tours, par une aisance déconcertante à tourner haut et par un couple abondant à n'importe quel régime entre ces deux extrêmes. Le fait que cette livrée très particulière est accompagnée d'une mélodie unique à Triumph ne fait qu'ajouter à la longue liste de points positifs de la mécanique. En réalité, celle-ci n'a de défauts qu'une très légère tendance à vibrer à haut régime et un niveau de performances qui, bien que très satisfaisant, n'est pas nécessairement exceptionnel. Le jour où Triumph coincera un tricylindre de 1 200 cc dans cette moto sera historique.

> **LÉGÈRE, PLUTÔT MINCE ET EXTRÊMEMENT AGILE, LA SPEED TRIPLE DONNE L'IMPRESSION DE POUVOIR ACCOMPLIR N'IMPORTE QUOI.**

Bien que le moteur se retrouve au cœur de l'agrément de conduite offert par la Speed Triple, sa partie cycle contribue aussi grandement à rendre l'expérience plaisante. Légère, relativement mince et extrêmement maniable, l'anglaise donne l'impression à son pilote qu'il peut accomplir n'importe quoi, surtout lorsqu'on ajoute des facteurs comme l'absence de carénage à l'avant, la position de conduite relevée et le guidon large. C'est d'ailleurs la combinaison de toutes ces caractéristiques exceptionnellement amicales et de la générosité du moteur en couple à bas régime qui est à la base de la réputation de délinquante du modèle puisqu'elle met tellement le pilote en confiance qu'il se trouve inévitablement incité à tenter le diable. Rares sont les motos demandant moins d'effort pour se dresser sur leur roue arrière et encore moins nombreuses sont celles qui semblent aussi naturelles dans une telle position.

Cela dit, la Speed Triple a d'autres «qualités» que celle de pousser son pilote à l'irresponsabilité. Amenez-la par exemple sur une route sinueuse et elle brillera par son accessibilité. Les modèles sportifs plus incisifs et plus efficaces en conduite rapide pullulent sur le marché, mais la Speed Triple offre une facilité d'opération qu'on ne retrouve tout simplement pas sur ceux-ci. Grâce au large guidon qui tombe naturellement sous les mains, la direction est très légère tandis que la précision et la solidité du châssis sont sans reproches en courbe.

Les freins, qui ont été complètement revus en 2008, sont quant à eux excellents puisqu'à la fois très puissants et faciles à moduler.

Général

Catégorie	Standard
Prix	12 750 $ (SE : 13 750 $)
Immatriculation 2010	627 $
Catégorisation SAAQ 2010	« régulière »
Évolution récente	introduite en 1994, revue en 1997, 2002 et 2005
Garantie	2 ans/kilométrage illimité
Couleur(s)	blanc, orange, noir, noir mat
Concurrence	BMW R1200R

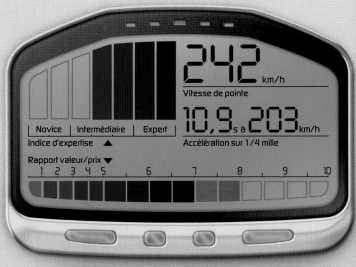

Voir légende en page 7

Moteur

Type	3-cylindres en ligne 4-temps, DACT, 4 soupapes par cylindre, refroidissement par liquide
Alimentation	injection à 3 corps
Rapport volumétrique	12:1
Cylindrée	1 050 cc
Alésage et course	79 mm x 71,4 mm
Puissance	131 ch @ 9 250 tr/min
Couple	77 lb-pi @ 7 550 tr/min
Boîte de vitesses	6 rapports
Transmission finale	par chaîne
Révolution à 100 km/h	environ 3 600 tr/min
Consommation moyenne	7,3 l/100 km
Autonomie moyenne	246 km

Partie cycle

Type de cadre	périmétrique, en aluminium tubulaire
Suspension avant	fourche inversée de 43 mm ajustable en précharge, compression et détente
Suspension arrière	monoamortisseur ajustable en précharge, compression et détente
Freinage avant	2 disques de 320 mm de Ø avec étriers radiaux à 4 pistons
Freinage arrière	1 disque de 220 mm de Ø avec étrier à 2 pistons
Pneus avant/arrière	120/70 ZR17 & 180/55 ZR17
Empattement	1 425 mm
Hauteur de selle	830 mm
Poids tous pleins faits	217 kg
Réservoir de carburant	18 litres

QUOI DE NEUF EN 2010 ?

Édition limitée SE marquant le 15ᵉ anniversaire de la Speed Triple avec signature de John Bloor, peinture noire, selle en gel, saute-vent, sabot de carénage et supplément de 1 000 $

Coûte 550 $ de plus qu'en 2010

PAS MAL

Un tricylindre envoûtant dont Triumph peut être fier; il est à lui seul responsable d'une importante partie de l'agrément que l'on ressent au guidon de l'anglaise et représente l'un des grands atouts du modèle

Une puissance étonnante, mais surtout bien répartie sur l'ensemble de la plage des régimes; on ne manque jamais de chevaux

Une partie cycle dont on oublie parfois les origines sportives; la Speed Triple offre à son pilote la capacité très réelle de tourner en piste si le cœur lui en dit, ce qui s'avère révélateur du niveau de sa tenue de route

BOF

Un manque de protection contre les éléments qui, s'il est inhérent au style standard, ne permet pas d'exploiter pleinement les performances de la machine; la pression de l'air devient vite trop forte avec la vitesse

Un réglage des suspensions trop ferme qui génère un certain inconfort sur mauvais revêtement

Une légèreté de direction extrême qui a le potentiel de se transformer en instabilité, surtout si le pilote ne fait pas attention aux mouvements qu'il induit lui-même au guidon, lorsque la pression du vent à haute vitesse le bouscule, par exemple

Conclusion

Tout au long de ses 15 années d'existences, et tout particulièrement à partir de la seconde génération du modèle lancée en 1997, la Speed Triple a acquis la réputation d'une monture réunissant les caractéristiques nécessaires pour pousser les pilotes les plus matures à l'indiscipline, au vice routier comme nous aimons le dire. Mais il existe une tout autre face à l'anglaise puisqu'elle possède aussi toutes les qualités d'une monture agile et accessible à un grand éventail de motocyclistes. Combinez cette capacité à satisfaire diverses humeurs au divin caractère du tricylindre qui l'anime et vous obtenez un ensemble non seulement très spécial, mais aussi très attachant.

Rocket III Roadster

TRIUMPH

TRIUMPH
ROCKET III

Ajustement de tir...

Lancée en 2004, la Rocket III originale avait non seulement pour but de s'établir comme le modèle de production affichant la plus grosse cylindrée au monde, mais aussi de rehausser la réputation de Triumph en tant que constructeur. Elle y arriva dans les deux cas. Pour 2010, la Rocket III voit son positionnement considérablement modifié puisque la custom originale disparaît et qu'elle est remplacée par une monture techniquement très proche, mais dont l'ergonomie et l'allure ont été changées afin d'adopter une ligne ayant un lien avec les Speed et Street Triple. Quant à la Touring, il s'agit d'une version de tourisme léger construite autour de la même plateforme.

TECHNIQUE

Triumph affirme que la Rocket III originale fut un franc succès qui généra même des listes d'attente à l'époque de son dévoilement en 2004. Le modèle arriva sur le marché à un moment où la plupart des manufacturiers produisant des customs cherchaient non seulement à offrir la plus grosse cylindrée au monde, mais aussi à être parmi les premiers à équiper leurs machines de pneus arrière surdimensionnés. Avec ses 2 300 cc et son massif pneu arrière de 240 mm, la Rocket III avait atteint son but. Elle demeure d'ailleurs à ce jour la moto de production possédant le plus gros moteur. Quant à la version Touring, elle arriva en 2008 après que Triumph eut tenté de créer une variante de tourisme léger en accessoirisant la Rocket III. Le modèle Touring actuel est très différent de cette dernière puisqu'il est animé par une version produisant moins de chevaux, mais plus coupleuse à bas régime du moteur de la Rocket III originale. Le gros pneu arrière de celle-ci a d'ailleurs été remplacé par un de 180 mm allégeant considérablement la direction et épargnant le pilotage des réactions pas toujours invitantes amenées par ces gros pneus. Elle est équipée de manière typique pour une monture de ce genre puisqu'elle possède un gros pare-brise, une selle de tourisme plus confortable pour le pilote et son passager et, enfin, une paire de valises rigides qui s'ouvrent par le haut et sont détachables rapidement.

La nouvelle variante Roadster est extrêmement intéressante

AVEC SON COUPLE DE 160 LB-PI, LA ROADSTER A CLAIREMENT L'INTENTION DE RENDRE JUSTICE À SON AIR DE « MUSCLEBIKE ».

en ce sens qu'elle constitue une façon fort judicieuse de « recycler » le concept de la Rocket III originale. En effet, la plupart des constructeurs de customs sont tous présentement aux prises avec une clientèle soit moins nombreuse, soit avide de changements, soit les deux. En transformant à relativement peu de frais et de manière surtout esthétique sa grosse custom en un genre de « musclebike », Triumph propose un design frais qui a le potentiel d'attirer à la fois des amateurs de customs et le genre de motocyclistes qui s'intéresseraient à une V-Max.

Si la fiche technique de la Roadster est très proche de celle de la Rocket III originale, il reste qu'on n'a décidément pas affaire à la même moto. La plus grande différence est retrouvée au niveau du couple qui grimpe de près de 15 pour cent pour s'établir à plus de 160 lb-pi, un chiffre presque surréel pour une deux-roues. La puissance maximale ne progressant que de 6 chevaux, il est clair que l'intention de Triumph est de créer une monture dont l'accélération à bas régime rend parfaitement justice à la ligne agressive. Outre ces gains et quelques raffinements au niveau de la transmission, la Roadster se distingue aussi de la custom originale par son ergonomie complètement repensée. En effet, les repose-pieds sont désormais en position centrale tandis que le guidon est positionné plus ou moins où on s'attendrait de le retrouver sur une standard. Une série de pièces peintes en noir donne à l'ensemble l'image recherchée.

Général

Catégorie	Custom / Tourisme léger
Prix	Rocket III Roadster : 16 999 $ Rocket III Touring noir : 18 699 $ Rocket III Touring 2 tons : 19 199 $
Immatriculation 2010	627 $
Catégorisation SAAQ 2010	« régulière »
Évolution récente	Rocket III introduite en 2004, Touring introduite en 2008, Roadster introduite en 2010
Garantie	2 ans/kilométrage illimité
Couleur(s)	Roadster : noir, noir mat Touring : noir, noir et blanc, bleu et bleu
Concurrence	Rocket III Roadster : Yamaha V-Max Touring : H-D Road King, Kawasaki Vulcan Nomad, Yamaha Stratoliner, Victory Cross Roads

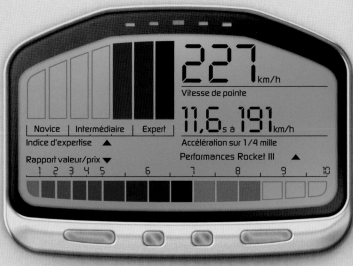

Voir légende en page 7

Moteur

Type	3-cylindres en ligne 4-temps, DACT, 4 soupapes par cylindre, refroidissement par liquide
Alimentation	injection à 3 corps de 56 mm
Rapport volumétrique	8,7:1
Cylindrée	2 294 cc
Alésage et course	101,6 mm x 94,3 mm
Puissance	Roadster : 146 ch @ 5 750 tr/min Touring : 105 ch @ 6 000 tr/min
Couple	Roadster : 163 lb-pi @ 2 750 tr/min Touring : 150 lb-pi @ 2 500 tr/min
Boîte de vitesses	5 rapports
Transmission finale	par arbre
Révolution à 100 km/h	environ 2 400 tr/min
Consommation moyenne	7,1 l/100 km (Roadster : ND)
Autonomie moyenne	314 km (Roadster : ND)

Partie cycle

Type de cadre	double épine dorsale, en acier
Suspension avant	fourche inversée de 43 mm non ajustable (Touring : conventionnelle)
Suspension arrière	2 amortisseurs ajustables en précharge
Freinage avant	2 disques de 320 mm de Ø avec étriers à 4 pistons (Roadster : ABS)
Freinage arrière	1 disque de 316 mm de Ø avec étrier à 2 pistons (Roadster : ABS)
Pneus avant/arrière	Classic : 150/80 R17 & 240/50 R16 Touring : 150/80 R16 & 180/70 R16
Empattement	1 695 mm (Touring : 1 705 mm)
Hauteur de selle	750 mm (Touring : 730 mm)
Poids tous pleins faits	367 kg (Touring : 395 kg)
Réservoir de carburant	24 litres (Touring : 22,3 litres)

QUOI DE NEUF EN 2010 ?

Retrait de la variante Rocket III originale et de la Classic

Introduction de la Rocket III Roadster

Rocket III Touring 2 tons coûte 200 $ de plus qu'en 2009; aucune augmentation pour la Rocket III Touring noire

PAS MAL

Un tricylindre unique autant par son concept que par les sensations qu'il fait vivre à chaque ouverture des gaz; il s'agit d'une des rares configurations mécaniques dont on ne peut vivre l'expérience qu'à une et une seule adresse

Un niveau de confort qui semble intéressant tant sur la Roadster dont la position assise devrait ressembler à celle d'une standard que sur la Touring équipée pour les longues distances

Une intéressante valeur dans les deux cas puisque les sommes demandées par Triumph sont même inférieures aux prix de montures japonaises relativement communes

BOF

Une ligne qui continue d'être controversée dans les 2 cas; cela dit, il semblerait que le type de clientèle qui achète ces motos soit au contraire attirée par cet aspect très distinct des modèles

Une direction qui, sur la Rocket III originale, était alourdie par la largeur du pneu arrière et demandait de bien prendre le temps de s'habituer à ses manies; il faut s'attendre au même phénomène sur la Roadster

Des proportions géantes qui requièrent un certain niveau d'expérience

Un système de freinage ABS installé de série sur la Roadster, mais qui n'est même pas offert sur la Touring

Conclusion

Le changement de direction qu'est en train de prendre la famille de modèles qui s'est formée autour de la custom Rocket III originale est fort intéressant à observer. Il traduit aussi une approche très judicieuse de la part de Triumph qui est en train de transformer ce qui n'était au début qu'un étrange animal de cirque en modèles tirant étonnamment bien avantage de la plateforme originale. En effet, une monture de tourisme léger dessinée élégamment, construite sérieusement et propulsée par une telle mécanique ne constitue certes pas un concept repoussant, tout comme c'est d'ailleurs le cas pour la Roadster qui pourrait bien être la seule rivale légitime de la VMAX. Mais la décision la plus intelligente de Triumph est néanmoins d'offrir ces modèles à des prix qui, incroyablement, sont inférieurs à ceux des customs japonaises poids lourd.

Rocket III Touring

TRIUMPH
TRIUMPH
THUNDERBIRD

NOUVEAUTÉ 2010

Promesse tenue...

Triumph promettait il y a quelque temps qu'il se consacrerait dorénavant uniquement à la production de modèles qui reflètent l'esprit de la firme de Hinckley, cet esprit étant défini, selon cette dernière, par des mécaniques à 2 ou à 3 cylindres en ligne. Lorsque vint le temps de combler l'écart béant séparant ses petites Speedmaster et America de sa gigantesque Rocket III, cet engagement garantissait donc la naissance d'une custom décidément pas comme les autres. Voilà d'ailleurs qui décrit fort bien la nouvelle Thunderbird 1600 dont la mécanique n'est pas l'obligatoire V-Twin, mais plutôt un tout nouveau Twin parallèle, le plus gros jamais produit, en fait. Promesse tenue.

La nouvelle Thunderbird, la première custom traditionnelle de grosse cylindrée de l'histoire de Triumph, représente sans l'ombre d'un doute l'application la plus délicate et la plus risquée de cette volonté puisque l'univers custom dans lequel elle entre voue une importance littéralement fanatique au V-Twin. Les acheteurs hautement conservateurs récompenseront-ils l'audace de ce choix ou, trop attachés à leur sacro-saint V-Twin, bouderont-ils plutôt cette direction ? Nous n'en avons pas la moindre idée puisque Triumph se retrouve en terrain complètement inconnu. Ce que nous savons toutefois, c'est que la Thunderbird roule bien. Très bien.

L'un des aspects les plus intéressants de la Thunderbird est que bien qu'elle paraisse très différente en raison du choix de la mécanique qui l'anime, une fois en selle, l'expérience de conduite qu'elle offre se rapproche énormément de celle que propose la moyenne des grosses customs. En fait, à plusieurs égards, la nouvelle Triumph est même nettement supérieure à cette moyenne. Par exemple, on découvre une précision et une rigueur très surprenante provenant de la partie cycle en virage, une qualité attribuable à une construction particulièrement rigide du cadre, aux solides composantes de suspensions et aux roues larges chaussées de pneus presque sportifs. Des suspensions qui fonctionnent, ce qui est loin d'être la norme chez les customs, ainsi que de très bons freins pouvant être équipés d'un système ABS sont autant d'autres raisons derrière le comportement routier exemplaire.

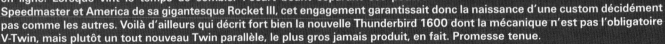

LA PLUS GRANDE SURPRISE QUE RÉSERVE LA THUNDERBIRD CONCERNE LES SENSATIONS RENVOYÉES PAR SA MÉCANIQUE.

D'une façon tout à fait ironique, la plus grande surprise que réserve la Thunderbird concerne les sensations renvoyées par sa mécanique. L'ironie vient du fait que malgré tout le brouhaha entourant la nature différente et inhabituelle de ce fameux Twin parallèle comparé aux traditionnels V-Twin, les sensations sonores et tactiles communiquées par le moteur anglais ressemblent à s'y méprendre à l'expérience offerte par un V-Twin de cylindrée semblable. Autrement dit, si vous pilotiez la Thunderbird sans savoir quel genre de moteur l'anime, vous devineriez très difficilement qu'il ne s'agit pas d'un V-Twin. D'ailleurs, il se pourrait fort bien que vous vous déclariez impressionné du profond grondement qui accompagne le rythme saccadé des pistons, du généreux couple livré à partir de très bas régimes et de la très satisfaisante accélération. Bref, grâce à la magie de l'ingénierie, le Twin parallèle de la Thunderbird renvoie carrément des sensations de V-Twin, et de bonnes sensations. Fallait le faire...

Le lien marqué qu'a la Thunderbird avec les customs traditionnelles se retrouve également au niveau de la position de conduite, celle-ci proposant un très plaisant équilibre entre un confort raisonnable et une posture cool. Le guidon tombe très naturellement sous les mains, les pieds font de même sur les repose-pieds modérément avancés et la selle est encore plus basse que le veut la coutume. De plus, elle est bien formée et bien rembourrée et ne cause pas d'inconfort de manière prématurée.

« TRIUMPH DEVAIT ABSOLUMENT AVOIR UNE CUSTOM DE CETTE CYLINDRÉE DANS SA GAMME PUISQUE LE MARCHÉ DONT IL SE PRIVAIT ÉTAIT SIMPLEMENT TROP GROS. LE CONSTRUCTEUR AFFIRME TOUTEFOIS NE PAS DU TOUT AVOIR BESOIN D'ÉCOULER DES QUANTITÉS HARLEYESQUES POUR ATTEINDRE SON OBJECTIF. C'EST EN PARTIE POUR CETTE RAISON QUE LE RISQUE QUE REPRÉSENTE LE CHOIX D'UN TWIN PARALLÈLE DANS CET UNIVERS DE V-TWIN A PU ÊTRE PRIS. L'OPTION D'UN V-TWIN FUT ENVISAGÉE, MAIS LA MARQUE DE HINCKLEY PRÉFÉRA CONSERVER SON INTÉGRITÉ MÉCANIQUE, QUITTE À ÉLEVER LE RISQUE. »

À quelques kilomètres de Barcelone en Espagne, l'auteur suit la voiture des photographes qui s'éloignent à vive allure de la montagne Montserrat, en direction du bar de l'hôtel de bord de mer où Triumph logea la presse lors du lancement mondial de la Thunderbird. Personne ne revit les deux talentueux personnages, et le crédit photo ne put donc être accordé à qui de droit.

Parallélisme

La mécanique qui anime la nouvelle Thunderbird n'est d'aucune manière — autre que spirituelle, bien entendu — liée ou dérivée d'un moteur précédemment produit par Triumph. Elle a plutôt été conçue à partir de zéro pour ce projet. Cette absence totale de restrictions techniques quant à la configuration de la motorisation de la Thunderbird signifie que s'il l'avait souhaité, Triumph aurait pu développer et construire n'importe quel autre type de moteur, comme un V-Twin, et ce, sans frais additionnels. Il s'agit donc d'une situation très différente de celle des Speedmaster et America qui, elles, n'ont fait qu'emprunter le Twin parallèle de la Bonneville. Il serait même parfaitement justifié de supposer que la raison principale pour laquelle les petites customs de Triumph sont propulsées par un Twin parallèle est qu'à l'époque de leur conception, c'est le type de moteur que le constructeur avait sous la main. La comparaison avec le cas Speedmaster/America illustre très bien comment la décision d'opter pour un inhabituel Twin parallèle fut prise de manière on ne peut plus délibérée malgré la liberté technique qu'avait Triumph quant au choix du futur moteur de la Thunderbird et comment le risque pris par Triumph, dans cet univers de V-Twin, le fut de façon tout à fait consciente.

Outre le fait qu'il s'agit du plus gros Twin parallèle jamais produit, le moteur de la nouvelle Thunderbird n'affiche aucune technologie particulière. Conçu dès le départ afin d'offrir une apparence propre et autant que possible exempte câbles et de tuyaux, il s'agit d'un bicylindre parallèle positionné de manière parfaitement verticale. Il est utilisé comme membre structural du cadre et participe donc à la très bonne tenue de route de la Thunderbird. Chaque cylindre est injecté indépendamment de l'autre et possède 4 soupapes actionnées par 2 arbres à cames en tête. Une paire de balanciers et un vilebrequin à 270 degrés permettent d'obtenir exactement le genre de vibrations souhaitées. La sortie de l'entraînement final par courroie se trouve à droite tandis que la transmission possède 6 rapports, le dernier étant surmultiplié afin d'abaisser au maximum les tours sur l'autoroute. En dépit des ailettes perceptibles sur les cylindres, le refroidissement s'effectue par liquide. Fait intéressant, Triumph offre un kit de performances installé par le concessionnaire et qui ne modifie pas les termes de la garantie. Il fait grimper la cylindrée à 1 700 cc et augmente la puissance à 100 chevaux et le couple à 115 lb-pi.

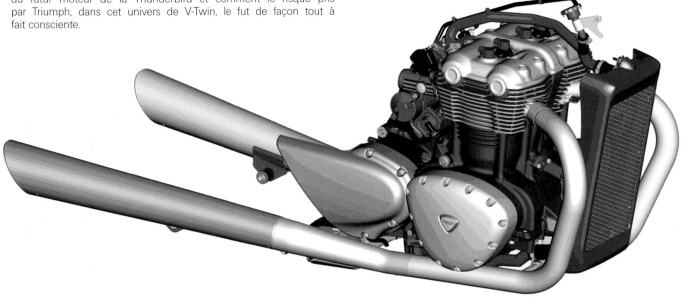

Général

Catégorie	Custom
Prix	noir : 14 899 $ (ABS : 15 899 $) 2 tons : 15 399 $ (ABS : 16 399 $)
Immatriculation 2010	627 $
Catégorisation SAAQ 2010	« régulière »
Évolution récente	introduit en 2010
Garantie	2 ans/kilométrage illimité
Couleur(s)	noir, argent et noir, bleu et blanc
Concurrence	Harley-Davidson Super Glide Custom et Fat Bob, Kawasaki Vulcan 1700 Classic, Victory Hammer, Yamaha Road Star

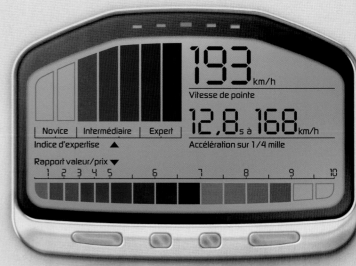

Voir légende en page 7

Moteur

Type	bicylindre parallèle 4-temps, DACT, 4 soupapes par cylindre, refroidissement par liquide
Alimentation	injection à 2 corps de 42 mm
Rapport volumétrique	9,7:1
Cylindrée	1 597 cc
Alésage et course	103,8 mm x 94,3 mm
Puissance	85 ch @ 4 850 tr/min
Couple	108 lb-pi @ 2 750 tr/min
Boîte de vitesses	6 rapports
Transmission finale	par courroie
Révolution à 100 km/h	environ 2 300 tr/min
Consommation moyenne	6,7 l/100 km
Autonomie moyenne	328 km

Partie cycle

Type de cadre	double épine dorsale, en acier
Suspension avant	fourche conventionnelle de 47 mm non ajustable
Suspension arrière	2 amortisseurs ajustables en précharge
Freinage avant	2 disques de 310 mm de Ø avec étriers à 4 pistons (et système ABS)
Freinage arrière	1 disque de 310 mm de Ø avec étrier à 2 pistons (et système ABS)
Pneus avant/arrière	120/70 R19 & 200/50 R17
Empattement	1 615 mm
Hauteur de selle	700 mm
Poids tous pleins faits	308 kg
Réservoir de carburant	22 litres

QUOI DE NEUF EN 2010 ?

Nouveau modèle

PAS MAL

Un Twin parallèle dont la sonorité et la cadence ressemblent à s'y méprendre aux sensations renvoyées non seulement par un V-Twin, mais bel et bien par un bon V-Twin

Un niveau de performances très intéressant puisque le couple à bas régime est excellent et que les accélérations sont plus puissantes qu'on s'y attendrait sur une custom de cette cylindrée

Un prix carrément alléchant compte tenu de la qualité de la marchandise; Twin parallèle ou pas, la Thunderbird représente une valeur très élevée

Un comportement routier qui ne peut qu'être qualifié d'exemplaire, ce qui s'explique par le fait que la partie cycle de la Thunderbird est construite avec une rigueur presque sportive

BOF

Une ligne élégante, mais beaucoup trop prévisible que Triumph a choisi de garder aussi sobre parce qu'il ne voulait pas trop bousculer la conservatrice clientèle visée; le constructeur demande déjà à celle-ci d'accepter un Twin parallèle plutôt qu'un V-Twin, il ne voulait pas prendre en plus un risque au niveau du style

Une image générale qui est très marquée par la présence d'un Twin parallèle là où devrait normalement se trouver un V-Twin; on a beau essayer, mais on continue de s'étonner chaque fois qu'on aperçoit ces cylindres verticaux

Un choix de silencieux double qui semble ne pas correspondre à l'image haut de gamme du produit; oserions-nous faire allusion à la Kawasaki Vulcan 500 LTD ? Ce serait un coup bas…

Conclusion

En dépit de sa configuration mécanique au bas mot inhabituelle, la nouvelle Thunderbird demeure une custom au sens le plus traditionnel du terme. La position détendue, la garde au sol limitée, le bicylindre fort en couple et la ligne rétro sont autant de facteurs qui pointent vers une expérience traditionnelle, bien que celle-ci soit agrémentée par un comportement routier supérieur à la moyenne. On pourrait donc conclure que Triumph a conçu la Thunderbird de manière différente seulement pour faire différent, ce qui pourrait faire paraître l'exercice quelque peu futile. Mais dans un créneau où l'on peine parfois à distinguer les modèles tellement ils se ressemblent, faire les choses différemment pourrait en fait plutôt rapporter. Tel est l'audacieux pari de Triumph.

America

TRIUMPH
AMERICA & SPEEDMASTER

Un peu plus crédibles...

Le fait que les customs représentent plus de la moitié des ventes de routières en Amérique du Nord est à la base de la présence de l'America et de la Speedmaster dans la gamme du constructeur britannique. Ainsi, comme ce fut le cas pour la défunte BMW R1200C, elles existent uniquement dans le but de s'approprier une portion de ces ventes, aussi petite soit-elle. Et comme la BMW et son moteur Boxer, elles ont la particularité d'être propulsées par une mécanique n'ayant rien à voir avec le V-Twin traditionnellement présent sur ces motos. L'arrivée de la Thunderbird cette année confère néanmoins une certaine crédibilité à ce choix mécanique très particulier.

La plateforme de la Bonneville a décidément donné naissance à une variété intéressante de modèles. Si l'on retrouve d'un côté des designs rétro admirablement bien réussis comme la Scrambler, la Thruxton ou encore, justement, la Bonneville, de l'autre, on découvre deux créations plus ou moins éthiques dont l'intérêt est purement commercial : l'America et la Speedmaster. Comme ce fut le cas avec la R1200C chez BMW, le fait d'associer la mécanique traditionnelle du constructeur de Hinckley à un tel style n'a pas fait que des heureux chez les puristes de la marque. Par ailleurs, si du côté des sérieux amateurs de customs on n'est jamais vraiment arrivé à accepter le mélange de la marque anglaise, du style custom et d'une mécanique autre qu'un V-Twin, l'America et la Speedmaster arrivent malgré tout à trouver preneur en raison de l'immensité du créneau. Tant que ça durera, elles figureront au catalogue et, comme la BMW, elles disparaîtront lorsque l'intérêt s'estompera. Pour le moment, toutefois, Triumph semble au contraire vouloir justement miser sur cette différence fondamentale en ce qui concerne la mécanique pour se distinguer dans l'univers custom, volonté que l'arrivée de la Thunderbird à Twin parallèle met clairement en évidence. Tant la Speedmaster que l'America sont aujourd'hui animées par la version de 865 cc du Twin britannique.

Notons qu'il s'agit d'une mécanique sympathique, mais dont les principaux défauts dans sa version précédente de 790 cc étaient un caractère timide et des accélérations faibles.

> **GRÂCE À SES MEILLEURS PNEUS ET À SON FREIN AVANT À DEUX DISQUES, LA SPEEDMASTER OFFRE UN COMPORTEMENT SUPÉRIEUR.**

Si le passage à 865 cc a bien servi les modèles à ces niveaux, les performances maximales, elles, demeurent relativement modestes. Comme les selles sont basses et que les poids ne sont pas trop élevés, l'une ou l'autre des variantes peut être envisagée par une très large variété de pilotes, dont les novices. Leur position de conduite à saveur custom allonge généreusement les jambes vers l'avant et laisse tomber les mains de façon naturelle sur un guidon de type large et bas sur l'America, et de type droit et avancé sur la Speedmaster. Cette dernière affiche un comportement routier légèrement plus intéressant que celui de l'America en raison de ses pneus de meilleure qualité et de son frein avant à disque double plutôt que simple. Les deux versions s'engagent en virage sans effort et se montrent assez précises et neutres une fois inclinées. À moins qu'on exagère, la stabilité n'attire pas de critique, et ce, que l'on se trouve en courbe ou en ligne droite.

Le niveau de confort n'est pas mauvais, car les positions dégagées sont agréables, du moins pour des périodes limitées, et parce que la selle est bien formée et bien rembourrée. Sans être rude, la suspension arrière reste ferme. Or, comme sur plusieurs customs, la position concentre une bonne partie du poids du pilote sur le bas de son dos, si bien qu'on finit assez rapidement par adapter sa conduite en tentant autant que possible de contourner les trous plutôt que de se diriger vers eux.

Général

Catégorie	Custom
Prix	America : 9 999 $ (noir : 10 299 $) Speedmaster : 9 999 $ (noir : 10 299 $)
Immatriculation 2010	627 $
Catégorisation SAAQ 2010	« régulière »
Évolution récente	America introduite en 2002, Speedmaster introduite en 2003
Garantie	2 ans/kilométrage illimité
Couleur(s)	America : noir, bleu et bleu, bleu et blanc Speedmaster : noir, bleu et blanc
Concurrence	Harley-Davidson Sportster 883, Honda Shadow 750, Kawasaki Vulcan 900 Classic, Suzuki Boulevard C50 et M50, Yamaha V-Star 950

Moteur

Type	bicylindre parallèle 4-temps, DACT, 4 soupapes par cylindre, refroidissement par air
Alimentation	injection à 2 corps
Rapport volumétrique	9,2:1
Cylindrée	865 cc
Alésage et course	90 mm x 68 mm
Puissance	61 ch @ 6 800 tr/min
Couple	55 lb-pi @ 3 300 tr/min
Boîte de vitesses	5 rapports
Transmission finale	par chaîne
Révolution à 100 km/h	environ 3 500 tr/min
Consommation moyenne	4,9 l/100 km
Autonomie moyenne	393 km

Voir légende en page 7

Partie cycle

Type de cadre	double berceau, en acier
Suspension avant	fourche conventionnelle de 41 mm non ajustable
Suspension arrière	2 amortisseurs ajustables en précharge
Freinage avant	1 disque (Speedmaster : 2) de 310 mm de Ø avec 1 étrier (Speedmaster : 2) à 2 pistons
Freinage arrière	1 disque de 285 mm de Ø avec étrier à 2 pistons
Pneus avant/arrière	America : 110/90 R18 & 170/80 R15 Speedmaster : 110/80 R18 & 170/80 R15
Empattement	1 655 mm
Hauteur de selle	720 mm
Poids à vide	226 kg (Speedmaster : 229 kg)
Réservoir de carburant	19,3 litres

QUOI DE NEUF EN 2010 ?

Aucun changement

Coûtent 300 $ en noir et 400 $ en 2 tons de plus qu'en 2009

PAS MAL

Une ligne qui semble plaire à une certaine catégorie d'acheteurs à la fois liés de manière émotionnelle à la marque anglaise et amateurs de customs

Un comportement routier qui fait preuve de belles manières à presque tous les niveaux, de la stabilité en ligne droite à la solidité en virage en passant par la légèreté de direction

Une facilité de prise en main indéniable; basses et pas trop lourdes, l'America comme la Speedmaster peuvent facilement être envisagées par des novices

BOF

Un style qui triche un peu; il s'agit indéniablement de customs, mais le Twin parallèle semble un peu égaré dans un tel ensemble; d'un autre côté, en présentant sa Thunderbird, Triumph confirme que c'est exactement le genre de customs qu'il souhaite vendre

Un niveau de performances qui n'est pas mauvais, surtout maintenant que la mécanique de 790 cc a enfin disparu, mais qui n'arrivera à satisfaire que les pilotes peu gourmands en chevaux; en revanche, on peut dire la même chose de la plupart des customs de 750 ou 800 cc

Une mécanique dont le caractère est encore et toujours très timide, en partie en raison de la grande douceur de fonctionnement du moteur, et en partie à cause de la sonorité bien trop étouffée du système d'échappement

Conclusion

Jusqu'à maintenant, nous n'avons pu nous empêcher de ressentir une certaine impression d'imposture face à ces modèles. En effet, nous les percevions depuis toujours comme des customs sans moteur de custom, sans toutefois nier des qualités comme un comportement aussi amical, sinon plus, que celui des modèles rivaux de cylindrées similaires, ou comme une finition soignée. Le dévoilement de la Thunderbird cette année nous force néanmoins à réévaluer notre position puisqu'il devient aujourd'hui clair que Triumph ne désire tout simplement pas vendre une custom propulsée par un V-Twin. Compte tenu de l'importance du V-Twin dans le créneau custom, il s'agit d'une position au bas mot audacieuse. Mais c'est celle de Triumph et il est indéniable que l'intégrité mécanique du constructeur injecte les Speedmaster et America d'une dose de crédibilité qu'elles n'ont jamais possédée jusque-là.

Speedmaster

Scrambler accessoirisée

TRIUMPH

SCRAMBLER

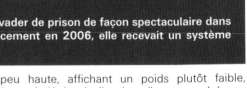

Comme dans le temps...

Après être revenue à la vie au début des années 90 grâce à des modèles décents, mais relativement fades, Triumph a fini par réaliser la valeur commerciale de son passé et mise aujourd'hui beaucoup sur la nostalgie pour vendre ses produits. La Scrambler est l'exemple parfait de cette stratégie puisqu'elle se veut la réincarnation de la légendaire Triumph TR6C qui a permis à Steve McQueen de s'évader de prison de façon spectaculaire dans le classique long métrage de 1963 _The Great Escape_. Inchangée depuis son lancement en 2006, elle recevait un système d'alimentation par injection l'an dernier.

Les stylistes de la firme anglaise Triumph sont aisément aussi talentueux que ceux de Harley-Davidson lorsque vient le temps de jouer sur le sentiment de nostalgie. La qualité du travail des responsables du style de la firme anglaise est d'autant plus évidente que tous les modèles à saveur rétro du catalogue britannique sont élaborés à partir d'une même plateforme. Un fait qui n'empêche aucune de ces motos d'afficher une authenticité visuelle remarquable, un accomplissement dont la Scrambler est un parfait exemple.

Les réactions générées par la Scrambler sont étonnantes puisqu'elle n'a aucune difficulté à passer pour la vraie chose, donc pour une vieille moto restaurée, du moins aux yeux d'observateurs non spécialisés. L'alimentation par injection représente un exemple particulièrement approprié à ce sujet puisque Triumph a installé les composantes du système à l'intérieur de boîtiers imitant des carburateurs. Toutes les autres pièces de la moto sont également à jour et parfaitement fonctionnelles. Sous sa silhouette rétro extrêmement réussie, la Scrambler cache ainsi un niveau de technologie tout à fait actuel.

Si cette façon de procéder, qui est tout à l'honneur de Triumph, explique en partie le succès que ses modèles néo-rétro remportent sur le marché, elle se justifie aussi lorsqu'on constate les belles manières dont fait preuve la Scrambler sur la route. En effet, au-delà du rôle qu'elle joue avec brio, l'anglaise s'avère aussi une monture d'une surprenante facilité de prise en main. Dotée

> ## LA SCRAMBLER S'ADAPTE À TOUS GENRES DE SITUATIONS ET CONSTITUE UN RAFRAÎCHISSANT RETOUR À L'ESSENTIEL.

d'une selle un peu haute, affichant un poids plutôt faible, agréablement étroite et très légère de direction, elle est propulsée par un Twin parallèle dont les performances sont livrées de manière on ne peut plus amicale. À ses commandes, rien n'intimide, si bien que même un débutant s'y sentirait à l'aise. Cela dit, elle saura satisfaire les pilotes plus expérimentés par des performances raisonnables et surtout par une capacité à transformer la moindre balade en petit plaisir instantané. Sortie imprévue de quelques kilomètres, escapade de quelques heures ou promenade sans but, la Scrambler s'adapte aisément à toutes ces situations et constitue un rafraîchissant retour à l'essentiel.

En ces temps de spécialisation aiguë où tout semble finement calculé et déterminé par de puissants logiciels d'analyse, la position de conduite de cette ancêtre des double-usage est tellement simple et logique qu'on se demande à quoi sert tout cet arsenal. On est tout bonnement assis sur une selle plate avec un large guidon entre les mains. La posture est bêtement celle que le corps demande. Toutes les commandes fonctionnent de manière fluide et naturelle. La puissance n'est pas énorme, mais le bicylindre est suffisamment coupleux pour qu'on ne manque jamais de rien en conduite urbaine comme sur l'autoroute. Il n'y a pas de protection contre le vent ni de suspensions très sophistiquées. Pas d'ordinateur de bord, pas d'instrumentation numérique et pas le moindre gadget en vue non plus. Aux commandes de la Scrambler, on se contente de rouler.

Général

Catégorie	Standard
Prix	9 999 $
Immatriculation 2010	627 $
Catégorisation SAAQ 2010	« régulière »
Évolution récente	introduite en 2006
Garantie	2 ans/kilométrage illimité
Couleur(s)	vert, noir
Concurrence	aucune

Voir légende en page 7

Moteur

Type	bicylindre parallèle 4-temps, DACT, 4 soupapes par cylindre, refroidissement par air
Alimentation	injection à 2 corps
Rapport volumétrique	9,2:1
Cylindrée	865 cc
Alésage et course	90 mm x 68 mm
Puissance	59 ch @ 6 800 tr/min
Couple	51 lb-pi @ 4 750 tr/min
Boîte de vitesses	5 rapports
Transmission finale	par chaîne
Révolution à 100 km/h	environ 3 500 tr/min
Consommation moyenne	5,5 l/100 km
Autonomie moyenne	291 km

Partie cycle

Type de cadre	double berceau, en acier
Suspension avant	fourche conventionnelle de 41 mm non ajustable
Suspension arrière	2 amortisseurs ajustables en précharge
Freinage avant	1 disque de 310 mm de Ø avec étrier à 2 pistons
Freinage arrière	1 disque de 255 mm de Ø avec étrier à 2 pistons
Pneus avant/arrière	100/90 R19 & 130/80 R17
Empattement	1 500 mm
Hauteur de selle	825 mm
Poids à vide	205 kg
Réservoir de carburant	16 litres

QUOI DE NEUF EN 2010 ?

Aucun changement

Coûte 500 $ de plus qu'en 2009

PAS MAL

Une autre néo-rétro de Triumph au style classique réussi; cette machine dérivée de la Bonneville démontre bien que Harley n'est pas le seul à multiplier les modèles sur une plateforme commune

Une facilité de pilotage hors du commun qui la rend accessible à tous; la solidité de la partie cycle, la position de conduite naturelle et la livrée de puissance très amicale du Twin parallèle anglais en font une excellente moto d'initiation que même les pilotes expérimentés peuvent apprécier, du moins s'ils comprennent le thème du modèle

Une bonne valeur, même si la Scrambler n'est pas vraiment une aubaine

BOF

Une capacité hors-route limitée malgré le look tout-terrain à l'ancienne; s'aventurer à l'occasion sur une route de gravier demeure néanmoins possible

Une selle plate qui est parfaite pour la besogne quotidienne, mais qui n'est pas vraiment dessinée pour être confortable sur de longues distances

Un moteur dont le niveau de performances est correct lorsque l'on a l'esprit à la balade, mais qui n'a rien de très excitant; comme sur tous les modèles dérivés de la Bonneville, le caractère du bicylindre doux et silencieux s'avère plutôt timide; une sérieuse augmentation de cylindrée transformerait le modèle

Conclusion

La magie de la technologie moderne rend possible le fait que l'attachante silhouette antique de la Scrambler ne l'empêche pas de se comporter avec solidité et précision en courbe, de freiner avec assurance ni même — une fois n'est pas coutume — de s'aventurer dans un sentier pas trop abîmé. Comme d'autres Triumph conçues dans le but de replonger leur propriétaire dans le passé, la Scrambler n'est pas destinée au motocycliste moyen, qui ne s'y intéressera pas plus qu'il ne la comprendra. Mais pour une poignée de nostalgiques jeunes et moins jeunes, la seule vue de la Triumph Scrambler générera un sourire qui ne s'effacera assurément pas une fois sur la route. Sa simplicité en fait un genre de retour à la case départ, une moto qu'on enfourche simplement pour le plaisir de rouler. En fait, ne serait-ce que pour cette raison, elle mériterait d'être mieux connue.

Scrambler accessoirisée

TRIUMPH

TRIUMPH
THRUXTON

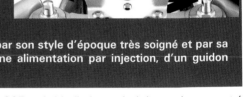

Glorieux passé...

Les vieux routiers racontent sans jamais s'en lasser les anecdotes remontant à l'époque où les sportives du Royaume-Uni dominaient les circuits du monde entier. La Thruxton est l'héritière de cette tradition qu'elle a pour mission de perpétuer en vous faisant revivre cette ère de gloire qui a fait de Triumph l'un des constructeurs le plus en vue du globe. Basée sur la plateforme de la Bonneville, elle se distingue par son style d'époque très soigné et par sa position de conduite basculée vers l'avant. Elle bénéficie depuis l'an dernier d'une alimentation par injection, d'un guidon repositionné un peu plus haut et de rétroviseurs placés en bout de poignées.

La Thruxton est une «moto à thème». Telle est la nature des rares montures qui, comme la Thruxton, n'ont d'autre mission ou utilité que d'évoquer un passé révolu. Elle s'adresse soit à ceux qui ont vécu cette époque, soit à ceux que celle-ci fascine. Son allure très «British» éveillera à coup sûr chez ces passionnés un fort sentiment de nostalgie. Comme ses sœurs de la lignée Bonneville, la Thruxton semble tout droit sortie des années glorieuses de l'industrie motocycliste anglaise et se veut l'une des motos rétro les plus réussies sur le marché. En suivant méticuleusement le thème de la sportive d'antan, Triumph a créé une monture unique, ce que l'on remarque d'ailleurs dès l'instant où on l'enfourche. L'étonnante fidélité avec laquelle la Thruxton respecte les proportions qui étaient courantes il y a un demi-siècle — mais considérées minuscules aujourd'hui — attire immanquablement l'attention. La selle est basse, étroite et mince, tandis que la moto ne semble pas plus large que son pneu avant. Cette impression n'est d'ailleurs pas très loin de la réalité puisqu'à l'exception du réservoir, des silencieux de style mégaphone et des couvercles latéraux du Twin parallèle, tout est étonnamment étroit. La position de conduite surprend elle aussi. Le buste penché vers l'avant, les poignets supportant tout le poids du corps basculé au-dessus du guidon bas et les jambes repliées à l'excès, le pilote se sent décidément à l'étroit.

Bien qu'on finisse par s'y habituer après un moment, il s'agit d'une posture vraiment peu commune. Notons que Triumph a légèrement rehaussé les poignées l'an passé.

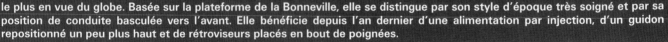

IL FAUT POUSSER FORT SUR LES POIGNÉES POUR AMORCER UN VIRAGE ET TRAVAILLER TOUT AUSSI FORT POUR PASSER D'UN ANGLE À L'AUTRE.

En dépit de ses 865 cc, le bicylindre vertical s'est toujours montré peu énergique et ses performances n'ont jamais impressionné, pas plus que son caractère d'ailleurs. Délivrant sa puissance de façon très linéaire, il génère des accélérations modestes à bas régime, décentes au milieu et qui finissent par s'intensifier à mesure que les tours grimpent. Doux jusqu'à 5 000 tr/min, il s'agite par la suite jusqu'à devenir considérablement vibreux à l'approche de la zone rouge de 7 500 tr/min. Il est donc préférable de ne pas tirer les rapports à l'excès et de maintenir les révolutions dans la partie médiane de la bande de puissance. La Thruxton n'est pas lente, mais elle décevra les accros de puissance et de sensations fortes. Triumph affirme que l'arrivée de l'injection l'an dernier améliore les performances, mais cela devra être vérifié avant que nous puissions le confirmer.

Le faible effet de levier généré par le guidon étroit nuit à la maniabilité de la Thruxton. Il faut pousser fort sur les poignées pour amorcer un virage et travailler aussi fort pour la faire passer d'un angle à l'autre rapidement. La sensation n'est pas désagréable puisqu'elle donne l'impression d'avoir à travailler un peu pour manier la moto, ce qui semble presque rafraîchissant de nos jours. Neutre et solide en courbe, la Thruxton fait toujours preuve d'une grande stabilité.

Le confort n'est pas le point fort de la petite sportive rétro d'Hinckley. La suspension arrière est simpliste et se montre rude sur une route en mauvais état, un fait que la dureté de la selle ne fait que mettre en évidence. Bref, les longues sorties ne sont pas sa spécialité.

Général

Catégorie	Standard
Prix	9 999 $
Immatriculation 2010	627 $
Catégorisation SAAQ 2010	« régulière »
Évolution récente	introduite en 2004
Garantie	2 ans/kilométrage illimité
Couleur(s)	noir et or, rouge et blanc
Concurrence	Harley-Davidson Sportster XR1200, Ducati SportClassic Sport 1000

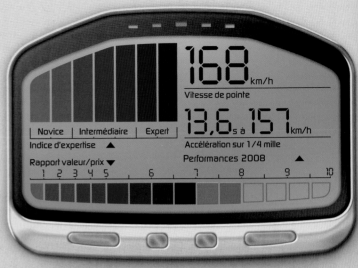

Voir légende en page 7

Moteur

Type	bicylindre parallèle 4-temps, DACT, 4 soupapes par cylindre, refroidissement par air
Alimentation	injection à 2 corps
Rapport volumétrique	9,2:1
Cylindrée	865 cc
Alésage et course	90 mm x 68 mm
Puissance	69 ch @ 7 400 tr/min
Couple	52 lb-pi @ 5 800 tr/min
Boîte de vitesses	5 rapports
Transmission finale	par chaîne
Révolution à 100 km/h	environ 3 900 tr/min
Consommation moyenne	5,5 l/100 km
Autonomie moyenne	291 km

Partie cycle

Type de cadre	double berceau, en acier
Suspension avant	fourche conventionnelle de 41 mm ajustable en précharge
Suspension arrière	2 amortisseurs ajustables en précharge
Freinage avant	1 disque de 320 mm de Ø avec étrier à 2 pistons
Freinage arrière	1 disque de 255 mm de Ø avec étrier à 2 pistons
Pneus avant/arrière	100/90 R18 & 130/80 R17
Empattement	1 490 mm
Hauteur de selle	790 mm
Poids à vide	205 kg
Réservoir de carburant	16 litres

QUOI DE NEUF EN 2010 ?

Aucun changement

Coûte 400 $ de plus qu'en 2009

PAS MAL

Une allure néo-rétro admirablement bien rendue grâce à des proportions très habiles et équilibrées; la Thruxton joue la carte de la nostalgie sans la moindre retenue

Une tenue de route contemporaine; ni la stabilité en ligne droite ni le comportement en courbe n'attirent de critiques, du moins tant qu'on ne se met pas à jouer aux « vraies » sportives

Une expérience de conduite « sportive » rafraîchissante puisqu'elle n'est pas axée que sur les performances

BOF

Un niveau de confort à l'ancienne; les poignées basses mettent du poids sur les mains, la selle étroite ne tarde pas à devenir douloureuse, la mécanique vibre à haut régime et les suspensions ne sont pas particulièrement souples, surtout à l'arrière

Des performances peu impressionnantes; la Thruxton n'arrive à satisfaire que les pilotes qui la comprennent et qui ne s'attendent pas à une avalanche de chevaux, ce que le Twin anglais est loin de générer; Triumph affirme néanmoins que la performance s'est beaucoup améliorée depuis l'arrivée de l'injection, ce qui serait à vérifier

Une mécanique qui manque de caractère surtout en raison du système d'échappement étouffé qui semble être commun à tous les modèles dérivés de la Bonneville

Conclusion

La Thruxton est l'une de ces motos vers lesquelles on se sent attiré pour des raisons purement émotives. Les intéressés doivent donc bien réaliser qu'au-delà de ses attrayantes proportions, la Thruxton affiche nombre de caprices avec lesquels il faut apprendre à vivre. Vibreuse, lourde de direction, assez inconfortable et n'ayant rien d'une fusée, elle offre finalement peu au motocycliste moyen. Heureusement pour elle, la Thruxton ne s'adresse pas à ce dernier, mais plutôt au nostalgique recherchant autre chose qu'une quantité infinie de chevaux ou une technologie extrême. La Thruxton est destinée au puriste, au romantique qui veut rouler comme on le faisait il y a un demi-siècle aux commandes de mythiques Café Racer.

Bonneville

TRIUMPH
BONNEVILLE

L'essence de Triumph...

Parce que la ligne d'une monture construite autour d'un thème rétro est censée être intemporelle, faire évoluer celle-ci tout en respectant son aspect historique n'est pas une mince affaire. En révisant la Bonneville l'an dernier, Triumph a donc volontairement limité ses interventions à quelques détails visuels et à une poignée de changements techniques. Des roues coulées ont remplacé les roues à rayons, les silencieux « tire-pois » ont fait place à ceux de la Thruxton et les garde-boue ont été redessinés. Pour ceux qui préféreraient un thème encore plus rétro que la ligne « années 70 » du modèle de base, Triumph propose la T100 au look « années 60 ». Une édition Sixty est d'ailleurs offerte en 2010.

Pour quiconque ressent une affection envers les modèles anglais des années 60, il est pratiquement impossible de résister à la Bonneville et tout ce que son look véhicule d'émotions et de souvenirs. Plusieurs constructeurs jouent aussi la carte de la nostalgie, mais Triumph s'en distingue en proposant des produits dont l'authenticité de l'apparence est frappante. La méthode qu'il utilise pour arriver à un tel résultat est simple, du moins dans le cas de la Bonneville, puisqu'il a tout simplement calqué la version d'époque pour créer le modèle courant. En plus de proportions très fidèlement reproduites, une foule de détails allant de la forme des couvercles du moteur à celle des silencieux en passant par le respect des emblèmes d'époque se combinent pour donner à l'ensemble un air d'antan extrêmement crédible. Il n'y a donc rien d'étonnant à ce que les curieux confondent souvent la Bonneville avec une moto restaurée. Notons que deux versions sont offertes, la Bonneville d'inspiration années 70 et la T100 arborant une ligne années 60. Dans les deux cas, malgré son apparence, la petite Triumph est construite avec des technologies contemporaines.

Avec une puissance relativement modeste de 67 chevaux, le Twin parallèle de la Bonnie fait le travail, mais n'est pas la plus excitante mécanique qui soit. Il est très silencieux et étonnamment doux, au point que ses vibrations sont presque imperceptibles une fois en mouvement. Certains motocyclistes apprécieront une telle tranquillité, mais d'autres aimeraient un caractère

plus fort. Ces derniers pourront au moins s'estimer heureux que Triumph ait doté la Bonneville de la version de 865 cc de cette mécanique puisque celle-ci représente une amélioration notable par rapport à la très anonyme version originale de 790 cc.

Si la partie cycle a été élaborée de manière à ne pas entrer en conflit avec le style d'époque recherché par Triumph, elle reste solide et moderne. Et même si les composantes des suspensions sont plutôt rudimentaires, l'ensemble reste assez bien conçu pour garantir un comportement routier sûr et précis. À moins de la pousser dans ses derniers retranchements, la Bonneville ne louvoie pas en courbe. Elle s'incline avec facilité et maintient son cap sur l'angle. Basse, mince et légère, il s'agit d'une petite moto très facile d'accès qui démontre une grande maniabilité

> ## BASSE, MINCE ET LÉGÈRE, LA BONNEVILLE EST TRÈS FACILE D'ACCÈS ET SE MONTRE TRÈS MANIABLE EN CONDUITE URBAINE.

dans les situations serrées de la conduite urbaine. Bien que la Bonnie ne se soit jamais prise pour une sportive, elle alloue quand même un certain amusement sur les routes secondaires sinueuses.

Sa position de pilotage est typique de celle d'une standard puisqu'elle offre amplement de dégagement pour les jambes et laisse le dos droit. Comme la selle n'est pas mauvaise et que les suspensions accomplissent décemment leur travail, le confort est acceptable. Il ne s'agit pas néanmoins d'une moto conçue pour les voyages sur de longues distances, mais plutôt d'une sympathique et nostalgique petite moto qui prend tout son sens lorsque l'atmosphère est à la balade.

Général

Catégorie	Standard
Prix	Bonneville T100 : 9 999 $ Bonneville SE : 9 699 $ (2 tons) Bonneville SE : 9 399 $ Bonneville : 8 699 $
Immatriculation 2010	627 $
Catégorisation SAAQ 2010	« régulière »
Évolution récente	introduite en 2001, revue en 2009
Garantie	2 ans/kilométrage illimité
Couleur(s)	Bonneville Sixty : bleu et bleu T100 : vert et crème, noir et blanc SE : bleu et blanc, noir Bonneville : noir, blanc
Concurrence	Harley-Davidson Sportster 883 Honda Shadow RS

Moteur

Type	bicylindre parallèle 4-temps, DACT, 4 soupapes par cylindre, refroidissement par air
Alimentation	injection à 2 corps
Rapport volumétrique	9,2:1
Cylindrée	865 cc
Alésage et course	90 mm x 68 mm
Puissance	67 ch @ 7 500 tr/min
Couple	51 lb-pi @ 5 800 tr/min
Boîte de vitesses	5 rapports
Transmission finale	par chaîne
Révolution à 100 km/h	environ 3 700 tr/min
Consommation moyenne	5,0 l/100 km
Autonomie moyenne	320 km

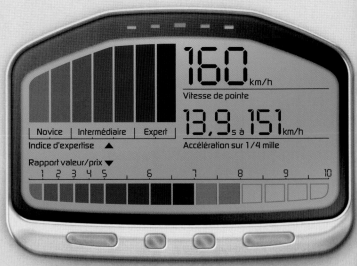

Voir légende en page 7

Partie cycle

Type de cadre	double berceau, en acier
Suspension avant	fourche conventionnelle de 41 mm non ajustable
Suspension arrière	2 amortisseurs ajustables en précharge
Freinage avant	1 disque de 310 mm de Ø avec étrier à 2 pistons
Freinage arrière	1 disque de 255 mm de Ø avec étrier à 2 pistons
Pneus avant/arrière	110/70 R17 & 130/80 R17 T100, Sixty : 100/90 R19 & 130/80 R17
Empattement	1 490 mm (T100, Sixty : 1 500 mm)
Hauteur de selle	740 mm (T100, Sixty : 775 mm)
Poids tous pleins faits	225 kg (T100, Sixty : 230 kg)
Réservoir de carburant	16 litres

QUOI DE NEUF EN 2010 ?

Édition à tirage limité Bonneville Sixty

Bonneville T100 coûte 200 $ de plus qu'en 2009

PAS MAL

Un style rétro fidèle à celui des Bonneville d'antan au point que certains observateurs la confondent avec une moto restaurée

Un comportement satisfaisant en harmonie avec la mission rétro que Triumph a confiée à la Bonneville, ainsi qu'un niveau de confort très acceptable en font une moto à la fois attachante et pratique

Un prix raisonnable qui, lorsque combiné à la bonne qualité de l'ensemble fait de la Bonneville une bonne valeur

BOF

Un niveau de performances bien plus intéressant que celui des premiers modèles de 790 cc, mais qui reste quand même modeste; le Twin manque toujours de vigueur, il est plaisant, mais pas excitant et on ne dirait certes pas non à une version de plus de 1 000 cc

Un moteur au caractère fade; ses pulsations sont presque imperceptibles et ses silencieux souffrent d'un étouffement profond; Triumph offre bien des échappements de remplacement, mais ils sont plus bruyants que plaisants

Un niveau de confort très correct pour la besogne quotidienne et les balades de moyennes durées, mais la selle plate n'est pas conçue pour demeurer confortable sur de longues distances

Conclusion

De toutes les montures présentes dans le catalogue Triumph, la Bonneville est la plus importante, celle qui ancre la réputation de la marque et qui donne toute sa profondeur à son histoire. Elle a cela en commun avec les Thruxton et Scrambler qu'elle doit en premier lieu être comprise pour être appréciée. On doit donc bien saisir qu'il s'agit d'une monture dont le but est d'abord de spirituellement remonter le temps, un peu comme une Harley, et ensuite de le faire de manière aussi aisée et fonctionnelle que possible en s'appuyant sur de la technologie moderne. Cette mission, la sympathique et attachante petite anglaise la remplit haut la main. Il s'agit de la carte de visite de la firme de Hinckley.

Bonneville T100

Vision Tour

VICTORY
VISION, CROSS ROADS & CROSS COUNTRY

NOUVEAUTÉ 2010

Indéniable progression...

Voilà à peine 3 ans, Victory n'offrait qu'une étrange version Tour de sa Kingpin en guise de monture apte au tourisme. Après avoir lancé la très particulière, mais aussi très compétente Vision Tour en 2008, le constructeur de Medina, Minnesota, poursuit sa percée dans ce créneau en introduisant en 2010 une paire de modèles de tourisme léger construits autour de la plateforme de la Vision. La Cross Roads, avec valises rigides et pare-brise, et la Cross Country, mieux équipée avec ses valises rigides, son carénage de fourche, son régulateur de vitesse et son système audio seraient, selon Victory, destinées à rivaliser avec les Road King et Street Glide de, on l'aura deviné, Harley-Davidson.

En termes de variété de modèles et de qualités mécaniques, la progression de Victory est indéniable. L'arrivée récente de la révolutionnaire Vision Tour et le dévoilement cette année de deux nouvelles variantes dérivées de la même excellente plateforme, les Cross Roads et Cross Country, illustrent de manière fort éloquente le travail qui s'accomplit chez « l'autre » marque américaine. Il s'agit par ailleurs d'une progression vitale puisqu'en dépit des qualités indiscutables de ses produits, Victory, pour des raisons difficiles à cerner, reste une marque méconnue dont les ventes sont modestes. Nous n'avons jamais été certains des avantages de la comparaison directe avec Harley-Davidson qu'a continuellement cherché à faire Victory et nous soupçonnons de manière purement subjective qu'elle pourrait avoir une certaine part de responsabilité à ce sujet. Après tout, « La nouvelle moto américaine » veut aussi dire « l'autre » moto américaine. Et qui veut de « l'autre » lorsque la première est Harley-Davidson ? Plusieurs indices, comme le retrait tout récent de ce slogan, semblent néanmoins indiquer un changement possible de direction à ce chapitre. Quoi qu'il en soit, une chose reste certaine, c'est que la marque de Medina mérite d'être perçue comme plus qu'une simple alternative à Harley-Davidson. Elle a non seulement besoin de sa propre et forte identité, mais elle a aussi aujourd'hui suffisamment progressé techniquement et visuellement pour mériter cette identité de plein droit, une réalité que cette famille de montures de tourisme illustre d'ailleurs parfaitement.

> **LE FAIT QUE LES CROSS ROADS ET CROSS COUNTRY SONT DÉRIVÉES DE LA VISION LAISSE ENVISAGER LE MEILLEUR.**

Bien que les nouvelles Cross Roads et Cross Country n'aient pu être testées, leur nature laisse envisager le meilleur. Si les résultats s'avéraient à la hauteur des attentes, on pourrait même avoir affaire à de très bonnes valeurs. En effet, malgré des factures raisonnables, puisque similaires à celles de customs japonaises rivales, les nouveautés ont l'avantage très notable d'être dérivées d'une monture impressionnante à bien des égards, c'est-à-dire la Vision. Celle-ci se veut toujours le seul modèle de type custom construit à la base comme une vraie machine de tourisme, ce qui est reflété par la qualité remarquable de son comportement routier. Lourde à l'arrêt et demandant toute l'attention du pilote dans les manœuvres serrées, la Vision devient étonnamment légère à manier dès qu'elle se met en mouvement. La tenue de route surprend puisqu'elle est non seulement caractérisée par une stabilité impériale dans toutes les situations, mais aussi par une sensation de solidité et de précision qui rappelle bien plus une Gold Wing qu'une custom. Bien injecté et doux, son coupleux V-Twin de 92 chevaux permet à la grosse Vision d'accélérer de manière plutôt autoritaire à partir d'un arrêt et alloue des dépassements francs et rapides sur l'autoroute. Quant au confort, il est décidément digne d'une moto de tourisme puisqu'on peut compter, en incluant les options, sur une selle large et moelleuse, sur des plateformes surdimensionnées permettant au pilote de varier sa position à souhait, sur une très bonne protection au vent, sur un système audio prêt à accueillir un lecteur MP3 et même sur des poignées et des selles chauffantes.

« LES NOUVELLES CROSS ROADS ET CROSS COUNTRY SONT LES PREMIÈRES CUSTOMS CONSTRUITES À PARTIR DE LA PLATEFORME DE LA VISION. ELLES REPRENNENT D'AILLEURS EXACTEMENT LES DIMENSIONS ET LA GÉOMÉTRIE DE LA MONTURE DE TOURISME. D'UN POINT DE VUE PLUS GÉNÉRAL, LEUR ARRIVÉE REPRÉSENTE LA NAISSANCE D'UNE VÉRITABLE FAMILLE DE MONTURES DE TOURISME CHEZ VICTORY, CE QUI NE SEMBLE DÉCIDÉMENT PAS UNE MAUVAISE DIRECTION POUR CETTE MARQUE QUI ATTEND TOUJOURS UN SUCCÈS CORRESPONDANT À LA QUALITÉ DE SES PRODUITS. »

Vision en tenues légères

En observant rapidement les nouvelles Cross Roads et Cross Country, on pourrait penser avoir affaire à des variantes de tourisme léger construites à partir de la Kingpin, mais elles sont plutôt dérivées de la Vision, une réalité dont les conséquences sont nombreuses. D'abord, on remarque que Victory n'a conservé qu'un soupçon du style tout aussi futuriste que polarisant de la Vision, mais également que l'aspect rétro des lignes est loin d'être aussi prononcé que sur le reste de sa gamme custom. Il s'agit d'un très intéressant mélange d'éléments modernes et classiques dont le succès auprès du public sera tout aussi intéressant à observer. L'aspect le plus important derrière la décision de retenir la Vision en guise de base pour cette nouvelle famille de tourisme tient à la manière dont le modèle de tourisme est construit. En effet, il s'agit d'un des très rares modèles customs dont le châssis est fabriqué en aluminium. En fait, à part les customs 1900 et la Warrior de Yamaha, il n'en existe pas d'autres. Or, les qualités de ce châssis conçu pour satisfaire les besoins beaucoup plus sévères d'une moto comme la Vision, devraient absolument combler ceux de ces plus légères machines de tourisme léger.

D'un point de vue technique, les nouveautés reprennent non seulement le cadre de la Vision, mais aussi la géométrie de ce dernier. En fait, les principales différences sont retrouvées au niveau de la fourche dont les poteaux ont un diamètre un peu plus faible de 43 mm contre 46 mm sur la touriste, du système de freinage qui est combiné sur la Vision (pour laquelle l'ABS est offert en 2010), mais pas sur les customs, et du réservoir d'essence qui est unique à ces dernières et dont la capacité est légèrement inférieure à celle de la Vision. On note enfin des roues de style différent sur les customs. Le V-Twin ainsi que sa calibration sont exactement les mêmes dans tous les cas.

Cross Country

Cross Roads

Général

Catégorie	Tourisme de luxe
Prix	Tour : 25 867 $ (ABS : 26 424 $) 8-Ball : 20 069 $ Arlen Ness Vision : 27 874 $ Cross Roads : 17 839 $ Cross Country : 20 069 $
Immatriculation 2010	627 $
Catégorisation SAAQ 2010	« régulière »
Évolution récente	Tour introduite en 2008, Cross Roads et Cross Country en 2010
Garantie	1 an/kilométrage illimité
Couleur(s)	choix multiples
Concurrence	Harley-Davidson Electra Glide, Road King et Street Glide; Kawasaki Voyager, Yamaha Royal Star Venture

Moteur

Type	bicylindre 4-temps en V à 50 degrés (Freedom 106/6), SACT, 4 soupapes par cylindre, refroidissement par air et huile
Alimentation	injection à 2 corps de 45 mm
Rapport volumétrique	9,4:1
Cylindrée	1 731 cc
Alésage et course	101 mm x 108 mm
Puissance	92 ch
Couple	109 lb-pi
Boîte de vitesses	6 rapports
Transmission finale	par courroie
Révolution à 100 km/h	environ 2 300 tr/mn
Consommation moyenne	6,6 l/100 km
Autonomie moyenne	345 km (Tour)

183 km/h
Vitesse de pointe

13,7 s à 156 km/h
Accélération sur 1/4 mille

Novice | Intermédiaire | Expert
Indice d'expertise ▲

Rapport valeur/prix ▼
1 2 3 4 5 6 7 8 9 10

Voir légende en page 7

Partie cycle

Type de cadre	épine dorsale, en aluminium
Suspension avant	fourche conventionnelle de 46 mm non ajustable (CR, CC : 43 mm)
Suspension arrière	monoamortisseur ajustable en pression d'air
Freinage avant	2 disques de 300 mm de Ø avec étriers à 3 pistons (CR, CC : 4 pistons)
Freinage arrière	1 disque de 300 mm de Ø avec étrier à 2 pistons
Pneus avant/arrière	130/70 R18 & 180/60 R16
Empattement	1 670 mm
Hauteur de selle	673 mm (CR, CC : 667 mm)
Poids à vide	387 kg (CR : 338 kg, CC : 347 kg)
Réservoir de carburant	22,7 litres (Cross : 22 litres)

QUOI DE NEUF EN 2010 ? ⊕

Retrait de la Vision Street; introduction des variantes Cross Roads et Cross Country; introduction d'une version 8-Ball de la Tour

ABS optionnel sur la Tour

Vison Tour : béquille latérale et écran numérique amélioré; selle pouvant accepter un dossier pour le pilote; boîte à air plus silencieuse

Aucune augmentation

PAS MAL ⊙

Un excellent niveau de confort découlant d'une très bonne selle, d'une position très dégagée et variable, de bonnes suspensions et d'un pare-brise électrique qui ne génère presque pas de turbulences

Une partie cycle extrêmement solide qui se montre stable et rassurante peu importe les conditions ou la vitesse

Un niveau d'équipement intéressant

Une selle exceptionnellement basse pour une monture de tourisme

BOF ⊙

Un V-Twin qui réussit à pousser toute cette masse avec une étonnante facilité, mais qui le fait sans sonorité vraiment particulière

Une transmission qui fonctionne correctement, mais en émettant de lourds bruits lors des changements de rapports

Un poids très élevé qui ne dérange aucunement une fois en mouvement, mais qui demande toute l'attention du pilote à basse vitesse dans les situations serrées

Des plateformes de passager qui entrent en contact avec l'arrière des mollets du pilote lorsqu'il recule la moto en étant assis dessus; elles agissent comme protection en cas de chute et ne sont donc pas repliables

Des valises latérales dont le volume n'est pas très généreux

Conclusion

Nous considérons la Vision et ses dérivées que sont les Cross Roads et Cross Country (que nous n'avons pas testées, mais envers lesquelles la Vision nous force à avoir de hautes attentes) comme des secrets bien gardés. Il s'agit de montures qui, pour des raisons difficiles à expliquer, sont loin d'être aussi populaires que les produits équivalents américains ou asiatiques. Ces raisons n'ont toutefois rien à voir avec des lacunes au niveau du comportement, de la mécanique, de la finition ou même de l'agrément de conduite. Au contraire, en fait, puisque la Vision représente même l'une des manières les plus efficaces et les plus plaisantes de combiner l'ambiance custom amenée par une position dégagée et le rythme lourd d'un gros V-Twin à une capacité de tourisme rivalisant avec celle des modèles les plus réputés. Elles n'attendent que d'être découvertes.

Vision Tour

Cory Ness Jackpot

VICTORY
VEGAS & KINGPIN

NOUVELLE VARIANTE 2010

Les customs du Minnesota...

Les Vegas et Kingpin représentent la base de la gamme Victory. C'est de ces deux montures que sont en effet dérivés la majorité des modèles présents dans le catalogue de la marque du Minnesota. La Vegas, avec ses garde-boue courts et sa grande roue avant de 21 pouces, peut être perçue comme la version « custom » des deux, alors que la Kingpin, avec ses garde-boue enveloppants et sa roue avant de 18 pouces, incarne plutôt la custom de style « classique ». Des versions 8-Ball abaissées et propulsées par le V-Twin 100/5 sont offertes pour un prix réduit, tandis que des variantes plus équipées comme la Jackpot et l'édition Cory Ness de celle-ci sont proposées aux portefeuilles plus garnis.

Tout manufacturier d'envergure offrant des customs dans son catalogue propose au moins un modèle haut de gamme très soigné tant d'un point de vue mécanique qu'esthétique. La Harley-Davidson Fat Boy, la Kawasaki Vulcan 1700, la Suzuki M109R et la Yamaha Road Star sont autant d'exemples qui prennent le rôle de carte de visite pour leur constructeur. La Vegas et sa version classique, la Kingpin, ont cette responsabilité chez Victory.

Les tout premiers tours de roues passés aux commandes de l'une ou de l'autre révèlent des montures agréablement bien maniérées. Très basses, élancées et relativement minces, elles s'avèrent étonnamment peu intimidantes pour des machines d'un tel poids, d'une telle cylindrée et de telles proportions. Il s'agit d'une qualité qui n'est pas du tout commune chez Victory qui produit aussi une immense et lourde Vision, sans parler d'une Hammer dont le large pneu arrière engendre un comportement qui demande un certain apprivoisement. À la fois très stables et légères de direction, les Vegas et Kingpin sont même si faciles d'accès qu'on pourrait sans problème les recommander à une clientèle ne détenant pas un niveau d'expérience très élevé. L'adoption cette année de la position de conduite plus basse et plus compacte des anciennes variantes Low amplifie encore cette qualité. Notons toutefois que le débattement réduit de la suspension arrière des modèles à selles basses amène des réactions sèches sur mauvais revêtement.

Très typée sans être extrême, la positon de conduite, qui est semblable sur les deux modèles, tend les jambes et place les

> **SOIGNÉES TANT SUR LE PLAN VISUEL QUE MÉCANIQUE, LES VEGAS ET KINGPIN SONT LA CARTE DE VISITE DE VICTORY.**

pieds plus ou moins loin devant, selon la version, tout en offrant un guidon juste assez reculé pour qu'il tombe bien sous les mains. Toutes les commandes renvoient une impression de qualité.

Le V-Twin de 100 pouces cubes à transmission à 6 rapports qui anime les Vegas et Kingpin est responsable de l'un des avantages les plus clairs des modèles puisqu'il livre un niveau de performances plus élevé que celui auquel on s'attendrait sur des montures dont ni le style ni le positionnement ne font allusion à des accélérations particulièrement fortes. Elles tirent proprement à partir de très bas régimes sur n'importe quel rapport et continuent de générer une poussée étonnamment forte jusqu'à l'entrée en jeu du rupteur. On note que la performance des versions 8-Ball est pratiquement identique et que leur transmission à 5 vitesses ne constitue aucunement un désavantage par rapport à celles à 6 vitesses.

Quant à la Jackpot, il s'agit d'un animal complètement différent, puisque les belles manières et l'invitante accessibilité des modèles normaux sont des qualités inapplicables dans ce cas. En raison d'une direction dont la nature est handicapée par la largeur extrême du pneu arrière, elle demande de la part du pilote une bonne dose d'expérience dans presque toutes les situations. Son comportement routier rappelle en fait celui d'un chopper artisanal, ce qui n'est pas le plus beau compliment. Mais la Jackpot n'est pas à éviter pour autant. Il s'agit tout simplement d'une custom extrême avec un caractère qui lui est bien particulier.

Vegas

« LES COURBES ÉLÉGANTES ET ÉLANCÉES DE LA VEGAS SONT DEVENUES LA SIGNATURE STYLISTIQUE DES CUSTOMS VICTORY. LE V-TWIN DONT LES NOMBREUSES AILETTES DE REFROIDISSEMENT ONT DES PROPORTIONS DONNANT UNE IMPRESSION DE HAUTEUR AUX CYLINDRES FAIT AUSSI PARTIE DE CETTE IMAGE. »

Kingpin

Kingpin 8-Ball

Vegas LE

Le jeu des combinaisons

Les Kingpin et Vegas constituent la base sur laquelle la majorité des produits de la marque américaine sont construits. Depuis l'introduction de la Vegas en 2003, Victory n'a jamais cessé de jouer avec différentes combinaisons de finitions et de caractéristiques afin d'offrir un choix aussi vaste que possible aux acheteurs potentiels. Ces combinaisons varient encore tellement en 2010 que s'y retrouver n'est pas une mince affaire. Par exemple, bien que les versions Low des deux modèles sont retirées cette année, les caractéristiques de ces versions sont encore présentes. La Vegas Low, avec ses repose-pieds et son guidon reculés ainsi que sa suspension arrière abaissée devient cette année la Vegas de base. Du côté de la Kingpin, si la version Low disparaît, ses propriétés, qui sont les mêmes que celles de la Vegas Low, peuvent désormais être retrouvées sur la Kingpin 8-Ball. Dans ce cas, toutefois, le V-Twin Freedom 100/6 de la Kingpin Low n'est plus présent, puisque tous les modèles 8-Ball customs sont propulsés par un 100/5, ce qui signifie une cylindrée de 100 pouces cubes et une transmission à 5 vitesses.

La Vegas LE, une nouveauté cette année, est elle aussi née d'un jeu de combinaisons de caractéristiques. Il s'agit d'une Vegas de base, qui est l'ancienne Low, dans laquelle on a installé la version la plus puissante du V-Twin de Victory, soit le 106/6 de 97 chevaux qui propulse la Hammer et la Jackpot. Le constructeur affirme d'ailleurs que cette édition spéciale dont le rôle est de rendre hommage aux Victory ayant roulé sur le lac salé de Bonneville ne sera construite qu'à 100 exemplaires numérotés. La Vegas LE serait la Victory la plus rapide jamais offerte selon le manufacturier, ce qui s'expliquerait par le fait qu'il s'agit du modèle le plus léger dans lequel ce moteur est installé.

Général

Catégorie	Custom
Prix	Kingpin : 16 799 $ (8-Ball : 14 499 $) Vegas : 16 199 $ (8-Ball : 13 999 $) Jackpot : 20 626 $; LE : 17 839 $
Immatriculation 2010	627 $
Catégorisation SAAQ 2010	« régulière »
Évolution récente	Vegas introduite en 2003, Kingpin en 2004 et Jackpot en 2006
Garantie	1 an/kilométrage illimité
Couleur(s)	choix multiples
Concurrence	Kingpin : Harley-Davidson Fat Boy, Vegas : Harley-Davidson Wide Glide Jackpot : Yamaha Raider

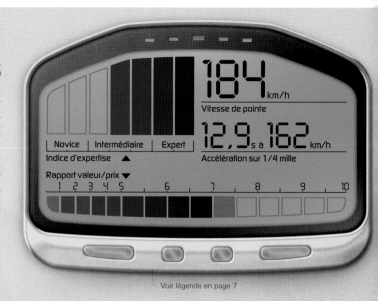

Voir légende en page 7

Moteur

Type	bicylindre 4-temps en V à 50 degrés, SACT, 4 soupapes par cylindre, refroidissement par air et huile
Alimentation	injection à 2 corps de 45 mm
Rapport volumétrique	8,7:1 (JPT, LE : 9,4:1)
Cylindrée	1 634 cc (JPT, LE : 1 731 cc)
Alésage et course	101 mm x 102 mm (JPT, LE : 108 mm)
Puissance	85 ch (JPT, LE : 97 ch)
Couple	106 lb-pi (JPT, LE : 113 lb-pi)
Boîte de vitesses	6 rapports (8-Ball : 5 rapports)
Transmission finale	par courroie
Révolution à 100 km/h	environ 2 200 tr/mn
Consommation moyenne	6,4 l/100 km
Autonomie moyenne	265 km

Partie cycle

Type de cadre	double berceau, en acier
Suspension avant	fourche conventionnelle de 43 mm non ajustable (Kingpin : inversée)
Suspension arrière	monoamortisseur ajustable en précharge
Freinage avant	1 disque de 300 mm de Ø avec étrier à 4 pistons
Freinage arrière	1 disque de 300 mm de Ø avec étrier à 2 pistons
Pneus avant/arrière	130/70 R18 (Vegas : 90/90-21) & 180/55 R18 (Jackpot : 250/40R18)
Empattement	1 666 mm (Vegas : 1 684 mm)
Hauteur de selle	640 mm (Kingpin, Jackpot : 673 mm)
Poids à vide	Kingpin : 303 kg (8-Ball : 300 kg) ; Vegas : 293 kg (8-Ball : 290 kg); Jackpot : 296 kg
Réservoir de carburant	17 litres

QUOI DE NEUF EN 2010 ?

Retrait de la Kingpin Tour, de la Vegas Low et de la Kingpin Low

Vegas Low avec selle abaissée et position plus compacte devient Vegas de base; Kingpin Low avec mêmes caractéristiques que Vegas Low devient Kingpin 8-Ball avec 100/5

Vegas coûte 2 309 $, Vegas 8-Ball 1 387 $, Kingpin 1 820 $ et Kingpin 8-Ball 1 110 $ de moins qu'en 2009

PAS MAL

Des lignes fluides sympathiques qui identifient le style Victory, une version Jackpot particulièrement osée et un large choix de variantes

Un V-Twin dont les performances sont très respectables dans le cas des 100/6 et 100/5, et surprenantes dans le cas du 106/6

Des selles basses que les pilotes de petite stature apprécieront

Des versions 8-Ball à la fois réussies visuellement et abordables

Un comportement solide, stable et plutôt précis qui rend la conduite accessible sur toutes les variantes sauf la Jackpot

BOF

Des factures suffisamment élevées pour envisager plusieurs autres modèles, dont bien des Harley-Davidson; il s'agit d'un fait qui ne joue pas souvent en la faveur de Victory qui pourrait voir ses ventes s'améliorer s'il révisait ses prix à la baisse, puisque ce fut le cas avec Triumph et BMW (Note importante : des baisses de prix ont été annoncées pour les Vegas et Kingpin juste avant d'aller sous presse et les prix inscrits sur cette page sont les nouveaux)

Un comportement routier étonnamment pauvre dans le cas de la Jackpot dont la combinaison du très large pneu arrière et très mince pneu avant ne se fait pas de manière harmonieuse

Une mécanique puissante, mais qui fait son travail de manière un peu froide, sans caractère ni sonorité particulière

Conclusion

Les modèles formant une famille constituée des nombreuses variations des Vegas et Kingpin sont des motos bien construites, bien maniérées et bien finies. Elles représentent aussi l'image que projette le constructeur aux yeux du grand public, une image qui est généralement décrite comme jolie et élégante, bien que pas nécessairement percutante. La Jackpot se veut l'exception à cette règle, puisque son comportement est assez particulier et que sa ligne est décidément accrocheuse. Il s'agit d'un cas classique où plus on paie, plus on en a, puisque les modèles les plus désirables sont assez chers et que les plus abordables ne sont ni équipés des mécaniques rapides ni finis de manière aussi généreuse. Le jonglage de noms et de caractéristiques fait cette année par Victory démontre d'ailleurs que le constructeur cherche toujours à ajuster la formule.

Jackpot

Hammer accessoirisé

VICTORY
HAMMER

NOUVELLE VARIANTE 2010

Hammericaine...

La large majorité des customs sont de sympathiques et rondelettes montures de balade. Pas la Hammer, dont la non-subtilité du nom donne une très bonne indication de la mission. Assise sur un — très — large pneu arrière de 250 mm, propulsée par le plus puissant V-Twin de Victory et affichant une ligne rendant particulièrement bien le thème de la custom de performances à l'américaine, la Hammer est, en raison de son originalité, l'un des modèles les plus connus de Victory. Trois versions sont offertes : le modèle standard, la S avec roues allégées et peinture spéciale et la nouvelle variante 8-Ball dont la finition noire et le moteur moins puissant abaissent la facture.

L'on ne peut qu'être impressionné à la vue de la Hammer, surtout d'un angle arrière alors que l'immense pneu de 250 mm domine l'image. Ce thème agressif est d'ailleurs bien reflété par la position de conduite, sans toutefois que celle-ci verse dans l'extrême. Pieds devant, mains qui tombent sur un guidon relativement bas et plat reculant juste assez, assis sur une selle très basse, on s'y sent rapidement à l'aise. On note à ce sujet que la nouvelle version 8-Ball ne se distingue pas que par une facture réduite, mais aussi par une selle plus basse et plus rapprochée des repose-pieds.

Peu importe la version, l'effet du gros pneu arrière sur le comportement devient évident dès qu'on se met à rouler. En gros, cet effet se résume à un effort à la direction considérablement plus élevé que la normale pour une même manœuvre. Qu'il s'agisse d'amorcer une longue courbe prononcée à vitesse d'autoroute ou de circuler dans un stationnement, on sent toujours le gros pneu arrière tenter d'empêcher la moto de s'incliner. On s'y habitue en apprenant simplement à pousser plus fort et de manière plus déterminée sur le guidon. Une fois accoutumé aux exigences particulières de la Hammer, le tout devient tout à fait vivable. La stabilité en ligne droite est imperturbable tandis qu'on est presque surpris de découvrir une bonne tenue de cap dans les longues courbes ainsi qu'un étonnant aplomb dans une enfilade de virages. Du moins si cette dernière est négociée avec un minimum de retenue, car ces « belles manières » ne sont pas inconditionnelles et se détériorent rapidement sur chaussée dégradée, si le rythme est exagéré

> **LA FORCE D'ACCÉLÉRATION DU V-TWIN 106/6 DE VICTORY IMPRESSIONNE À PARTIR DES TOUT PREMIERS TOURS.**

ou même s'il pleut.

Le niveau de performances livré par les Hammer et Hammer S surprend agréablement. Victory a fait passer la cylindrée à 106 pouces cubes en 2009 en adoptant une version modifiée du V-Twin Freedom 106/6 de la Vision. Quoique laissant toujours à désirer en matière de sonorité, il s'agit d'une mécanique qui impressionne par la force avec laquelle elle arrive à faire accélérer la Hammer à partir des tout premiers tours et sur toute la plage de régimes. En plus d'être admirablement souple, il s'agit d'un V-Twin au fonctionnement doux qui ne tremble franchement qu'en pleine accélération. Il est dommage que cette mécanique manque de charisme puisqu'une présence sensorielle plus recherchée en ferait potentiellement une référence. Dans son état actuel, elle rappelle un peu les V-Twin des premières customs japonaises qui tiraient fort, mais n'avaient pas de caractère particulier. On n'a donc pas affaire à un moteur déplaisant, mais le fait est qu'on est très loin des sensations finement orchestrées d'une Dyna ou d'une Raider. La variante 8-Ball est plutôt propulsée par le V-Twin Freedom dans sa version 100 pouces cubes à 5 vitesses, celui qui anime d'ailleurs toutes les autres 8-Ball sauf la Vision.

Bien que la Hammer ne soit clairement pas destinée à traverser le continent, elle s'avère néanmoins tout à fait tolérable au jour le jour grâce à une selle offrant un confort correct, puisque large et bien rembourrée, ainsi qu'à ses suspensions calibrées de manière ferme, mais pas rude.

Général

Catégorie	Custom
Prix	Hammer S : 20 626 $ Hammer : 21 184 $ Hammer 8-Ball : 16 166 $
Immatriculation 2010	627 $
Catégorisation SAAQ 2010	« régulière »
Évolution récente	introduite en 2005, variante 8-Ball introduite en 2010
Garantie	1 an/kilométrage illimité
Couleur(s)	Hammer S : bleu et blanc, noir et blanc Hammer : bleu avec motifs Hammer 8-Ball : noir
Concurrence	Harley-Davidson V-Rod (tous) Yamaha Road Star Warrior

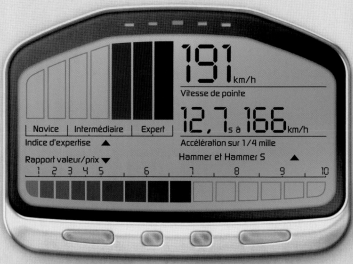

Voir légende en page 7

Moteur

Type	bicylindre 4-temps en V à 50 degrés (Freedom 106/6), SACT, 4 soupapes par cylindre, refroidissement par air et huile
Alimentation	injection à 2 corps de 45 mm
Rapport volumétrique	9,4:1 (Hammer 8-Ball)
Cylindrée	1 731 cc (1 634 cc)
Alésage et course	101 mm x 108 mm (102 mm)
Puissance	97 ch (85 ch)
Couple	113 lb-pi (106 lb-pi)
Boîte de vitesses	6 rapports (5 rapports)
Transmission finale	par courroie
Révolution à 100 km/h	environ 2 100 tr/mn
Consommation moyenne	6,4 l/100 km
Autonomie moyenne	265 km

Partie cycle

Type de cadre	double berceau, en acier
Suspension avant	fourche inversée de 43 mm non ajustable
Suspension arrière	monoamortisseur ajustable en précharge
Freinage avant	2 disques de 300 mm de Ø avec étriers à 4 pistons
Freinage arrière	1 disque de 300 mm de Ø avec étrier à 2 pistons
Pneus avant/arrière	130/70 R18 & 250/40 R18
Empattement	1 669 mm
Hauteur de selle	673 mm (8-Ball : 660 mm)
Poids à vide	305 kg
Réservoir de carburant	17 litres

QUOI DE NEUF EN 2010 ?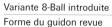

Variante 8-Ball introduite

Forme du guidon revue

Aucune augmentation

PAS MAL

Une ligne marquée par l'immense pneu arrière et qui semble plaire à la majorité des observateurs; elle compte beaucoup dans la décision d'achat; le thème sportif de la version S est par ailleurs bien réussi

Un V-Twin dont les performances sont impressionnantes et dont la livrée de couple à bas régime est grasse, dense et très plaisante

Une belle position de conduite, typée sans être extrême, et qui colle bien au modèle

BOF

Un V-Twin qui, au-delà de ses bonnes performances, ne communique rien de très spécial; on dirait que Victory fait passer les performances avant l'aspect sensoriel de son moteur

Un gros pneu arrière qui a beaucoup d'effets sur le comportement et la direction; la Hammer demande au pilote de constamment compenser pour la résistance du pneu à l'inclinaison; on s'y fait, mais une bonne expérience de pilotage est préférable et il faut rester sur ses gardes sous la pluie lorsque ces réactions sont plus délicates

Une facture corsée qui demande des acheteurs qu'ils soient vraiment vendus au produit; en revanche, ce qu'offre la Hammer ne peut vraiment être retrouvé ailleurs

Conclusion

La Hammer est l'une des plus intéressantes Victory puisqu'elle représente le fruit de l'imagination du constructeur plutôt que la réplique à une quelconque Harley. En fait, on pourrait même dire que l'audace d'installer sur la Hammer un immense pneu arrière de 250 mm poussa plusieurs autres constructeurs, dont Harley-Davidson, à emboîter le pas plus tard. Au-delà de ces réflexions existentielles, la Hammer se veut surtout une « power cruiser » en bonne et due forme puisque le couple massif de son gros V-Twin et l'étonnante force avec laquelle il permet au modèle d'accélérer n'ont rien de banal. Il s'agit d'une custom extrême qui s'avère plaisante à piloter, mais seulement tant qu'on est conscient des effets constants sur le comportement qu'amène un pneu arrière d'une telle dimension.

Hammer et Hammer S

Royal Star Venture. S.

ROYAL STAR VENTURE

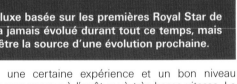

En avance sur son temps...

L'arrivée en 2010 de la version Deluxe de la Yamaha Stratoliner et l'introduction, l'an dernier, de la Voyager 1700 de Kawasaki pourraient laisser croire à l'émergence d'une tendance « inspirée » par le concept des Electra Glide de Harley-Davidson, mais la Venture prouve qu'il y bien longtemps qu'une telle tendance existe, celle-ci ayant été introduite en 1999. Il s'agit d'une monture de tourisme de luxe basée sur les premières Royal Star de 1996 et dont le V4 de 1,3 litre produit tout près d'une centaine de chevaux. Elle n'a jamais évolué durant tout ce temps, mais l'intérêt nouveau que ce type de montures semble être en train de générer pourrait être la source d'une évolution prochaine.

En dépit du fait qu'il y a maintenant plus d'une décennie que la Venture fut introduite et qu'elle n'a jamais bénéficié de la moindre évolution durant tout ce temps, la grosse Royal Star représente encore aujourd'hui une façon intéressante, et surtout unique, d'aborder le tourisme à saveur custom. Malgré ses origines boulevardières (elle est basée sur la custom Royal Star de 1996), elle est suffisamment équipée pour qu'on puisse l'inclure dans la classe des montures de tourisme de luxe, tandis que son moteur, l'un des très rares 4-cylindres en V sur le marché, la distingue de toutes ses concurrentes directes. Celles-ci sont en effet toutes propulsées par un gros V-Twin.

Depuis leur arrivée sur le marché, les Royal Star ont été louangées pour leur bonne tenue de route. Leur châssis a été rigidifié lors de la conception de la Venture. Il arrive à supporter sans problème l'excès de poids qu'elle affiche par rapport aux customs dont elle est dérivée. Dans les virages pris à grande vitesse, ou en ligne droite, la Venture fait preuve d'une stabilité irréprochable alors que la direction s'avère agréablement légère et précise, pour une moto de ce genre bien sûr. En courbe, son comportement est solide tandis que la direction se montre neutre. Les imperfections de la route rencontrées en virage ne l'incommodent pas outre mesure. Le freinage est puissant et précis. Il serait néanmoins grand temps que Yamaha la dote d'un système de freinage ABS, une technologie qu'offrent la plupart de ses rivales. En raison de son gros gabarit et de son poids élevé, la

> ## UNE SONORITÉ RAUQUE ET VELOUTÉE ACCOMPAGNE CHACUNE DES MONTÉES EN RÉGIME VIGOUREUSES DU GROS V4.

Venture demande une certaine expérience et un bon niveau d'attention lors des manœuvres à l'arrêt ou à très basse vitesse. Le centre de gravité bas facilite la conduite dès qu'on se met en mouvement, mais une hauteur de selle un peu plus faible aiderait à donner encore plus confiance au pilote dans ces circonstances.

En utilisation routière, le pilote et son passager avalent les kilomètres en tout confort et bénéficient de la plupart des accessoires habituellement associés aux machines de tourisme de luxe comme la Gold Wing. L'équipement s'avère fonctionnel et plutôt complet, la position de conduite est détendue et dégagée, la selle reste confortable pendant des heures, les suspensions s'en tirent avec une surprenante efficacité et la protection au vent demeure excellente. La hauteur du pare-brise risque néanmoins d'entraver la visibilité par temps pluvieux puisqu'on doit regarder au travers plutôt qu'au-dessus. La finition est irréprochable et la garantie de 5 ans est la meilleure de l'industrie.

Les performances du gros V4 de 1,3 litre qui anime la plus grosse des Royal Star sont intéressantes. Il faut dire qu'il développe tout de même près d'une centaine de chevaux, ce qui est facilement supérieur au rendement des V-Twin des modèles rivaux. Très coupleuse à bas et moyen régimes, la Venture accélère franchement jusqu'à sa zone rouge, tandis que la sonorité rauque et veloutée qui accompagne chaque montée en régime du V4 contribue, elle aussi, à l'agrément de conduite que l'on ressent à ses commandes.

Général

Catégorie	Tourisme de luxe
Prix	23 299 $ (S : 23 899 $)
Immatriculation 2010	627 $
Classification SAAQ 2010	« régulière »
Évolution récente	introduite en 1999
Garantie	5 ans/kilométrage illimité
Couleur(s)	bleu (S : noir)
Concurrence	Harley-Davidson Electra Glide, Kawasaki Vulcan 1700 Voyager Victory Vision Tour

Voir légende en page 7

Moteur

Type	4-cylindres 4-temps en V à 70 degrés, DACT, 4 soupapes par cylindre, refroidissement par liquide
Alimentation	4 carburateurs à corps de 32 mm
Rapport volumétrique	10:1
Cylindrée	1 294 cc
Alésage et course	79 mm x 66 mm
Puissance	98 ch @ 6 000 tr/min
Couple	89 lb-pi @ 4 750 tr/min
Boîte de vitesses	5 rapports
Transmission finale	par arbre
Révolution à 100 km/h	environ 3 000 tr/min
Consommation moyenne	7,5 l / 100 km
Autonomie moyenne	300 km

Partie cycle

Type de cadre	double berceau, en acier
Suspension avant	fourche conventionnelle de 43 mm avec ajustement pneumatique
Suspension arrière	monoamortisseur avec ajustement pneumatique
Freinage avant	2 disques de 298 mm de Ø avec étriers à 4 pistons
Freinage arrière	1 disque de 320 mm de Ø avec étrier à 4 pistons
Pneus avant/arrière	150/80-16 & 150/90-15
Empattement	1 705 mm
Hauteur de selle	750 mm
Poids tous pleins faits	394 kg (à vide : 366 kg)
Réservoir de carburant	22,5 litres

QUOI DE NEUF EN 2010 ?

Retrait de la variante Tour Deluxe

Coûte 100 $ de plus qu'en 2009

PAS MAL

Un V4 doux et souple qui gronde de façon plaisante; il s'agit d'une architecture moteur non seulement unique dans la classe, mais qui colle aussi très bien au rôle de machine de tourisme du modèle

Une solide partie cycle dont le comportement sain est bien secondé par des suspensions judicieusement calibrées

Une liste d'équipements exhaustive, un confort royal, une finition sans reproche et la meilleure garantie de l'industrie

BOF

Un gabarit imposant qui complique les manœuvres lentes et demande une bonne expérience de conduite

Un pare-brise dont la hauteur fait qu'on doit regarder au travers plutôt qu'au-dessus, ce qui devient dérangeant par temps pluvieux ou lorsqu'il est couvert d'insectes, une situation qui empire la nuit; il semble évident que toutes ces montures devraient offrir un certain ajustement du pare-brise, ne serait-ce que manuel

Un concept qui commence à dater, même s'il est encore intéressant; de plus, on regrette l'absence d'options indispensables aujourd'hui sur ce type de motos : poignées et selle chauffantes, ABS, injection, GPS, système audio moderne, etc.

Conclusion

Comme tout bouge traditionnellement très lentement dans le créneau custom, le fait que la Venture 2010 est identique au modèle 1999 ne représente pas nécessairement une statistique très dérangeante. Surtout qu'elle demeure un moyen efficace, confortable et plaisant de parcourir de longues distances. La proposition unique qu'est son moteur V4, dans cet univers où les V-Twin représentent la norme, ajoute par ailleurs un côté aussi particulier qu'agréable à son pilotage. Impeccablement finie et appuyée par la meilleure garantie de l'industrie, la Venture arrive néanmoins à une étape de sa « carrière » où des changements sont requis, ne serait-ce que pour tirer avantage de la récente popularité de ce genre de motos.

Royal Star Venture S

YAMAHA
FJR 1300

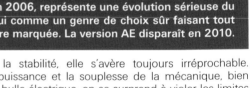

Juste au milieu...

Introduite sur le marché européen en 2001, mais seulement en 2003 au Canada, la FJR1300 amenait enfin un peu de compétition nippone à la ST de Honda. Elle fut la première moto de ce type à revendiquer des capacités plus sportives que la tradition l'a toujours dicté dans ce créneau, une direction que Kawasaki s'est toutefois appropriée depuis avec sa Concours 14. La version actuelle, présentée en 2006, représente une évolution sérieuse du concept original, mais pas une refonte complète. La FJR1300 s'affiche aujourd'hui comme un genre de choix sûr faisant tout bien, mais ne tirant pas l'équilibre sport-tourisme d'un côté ou de l'autre de manière marquée. La version AE disparaît en 2010.

S a personnalité homogène et ses bonnes performances ont permis à la FJR1300 de mettre très peu de temps à s'imposer comme un incontournable du micro-univers du tourisme sportif. Avec un châssis rigide, un poids raisonnable et un gros 4-cylindres de 145 chevaux pour la propulser, elle se positionna d'emblée comme la moto de prédilection des pilotes de sportives vieillissants. En plus de son ADN sportif, la FJR leur offrait plus de confort, une position de conduite relevée et une excellente protection contre les éléments. Sans oublier le côté pratique des valises rigides de série et suffisamment de caractéristiques pour rendre un passager heureux. Au fil des ans, l'évolution de la FJR1300 s'est poursuivie dans la même philosophie, mais sans jamais s'éloigner de l'équilibre original. En ce qui concerne le comportement routier, on a toujours affaire à une moto qui fait mentir la balance et le ruban à mesurer. Confortablement installé sur une selle dont la hauteur est réglable, assis bien droit et sans poids sur les mains, le pilote audacieux peut attaquer franchement une route en lacet sans que la moto semble s'y opposer.

En conduite très sportive, les repose-pieds de la FJR frottent relativement tôt, mais c'est plus en raison de son étonnante facilité à atteindre des angles d'inclinaison importants que par manque de garde au sol. Les freins de type semi-combinés (le frein arrière active le frein avant, mais pas l'inverse afin de garder la tenue de route aussi pure que possible) sont livrés de série avec

> **LA FJR A TOUJOURS TOURNÉ UN PEU HAUT SUR L'AUTOROUTE. PLUTÔT QU'AJOUTER UNE SIXIÈME, LE TIRAGE FINAL FUT ALLONGÉ.**

l'ABS. Quant à la stabilité, elle s'avère toujours irréprochable. Propulsé par la puissance et la souplesse de la mécanique, bien caché derrière la bulle électrique, on se surprend à violer les limites de vitesse avec une facilité dérisoire.

L'un des objectifs principaux de la marque aux trois diapasons, lorsque vint le temps de faire évoluer la FJR1300 en 2006, fut de remédier aux problèmes d'inconfort plus ou moins sérieux soulevés par les propriétaires, dont un dégagement de chaleur excessif. La FJR actuelle chauffe toujours dans la circulation, mais elle le fait désormais de façon normale plutôt qu'extrême.

La volonté d'améliorer l'écoulement de l'air amena plusieurs modifications qui ont toutes eu un effet bénéfique. Le pare-brise n'est toutefois pas encore un modèle d'efficacité. Il continue de générer, surtout lorsqu'il se trouve en position haute, un niveau de turbulences gênant. Celles-ci sont moins présentes que par le passé cependant. Le retour d'air poussant le pilote dans le dos a quant à lui été considérablement réduit. L'ajout d'ouïes latérales qui s'ouvrent pour dévier l'air des jambes du pilote constitue un dispositif peu complexe qui fonctionne finalement bien.

Sur l'autoroute, le moteur de la FJR1300 a toujours tourné un peu haut. Plutôt qu'ajouter un sixième rapport, ce qui aurait été complexe et coûteux, Yamaha a simplement allongé légèrement le tirage final. Le compromis s'avère acceptable, mais pas idéal. Enfin, l'instrumentation est complète, claire et bien disposée.

Général

Catégorie	Sport-Tourisme
Prix	20 199 $
Immatriculation 2010	627 $
Catégorisation SAAQ 2010	« régulière »
Évolution récente	introduite en 2001; revue en 2006; version AE introduite en 2006
Garantie	1 an/kilométrage illimité
Couleur(s)	argent
Concurrence	BMW K1300GT, Honda ST1300, Kawasaki Concours 14

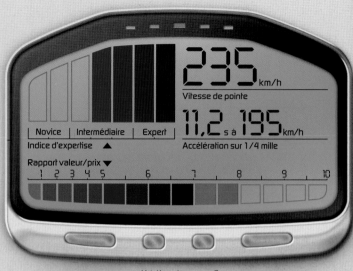

Voir légende en page 7

Moteur

Type	4-cylindres en ligne 4-temps, DACT, 4 soupapes par cylindre, refroidissement par liquide
Alimentation	injection à 4 corps de 42 mm
Rapport volumétrique	10,8:1
Cylindrée	1 298 cc
Alésage et course	79 mm x 66,2 mm
Puissance	145 ch @ 8 000 tr/min
Couple	99,1 lb-pi @ 7 000 tr/min
Boîte de vitesses	5 rapports
Transmission finale	par arbre
Révolution à 100 km/h	environ 3 200 tr/min
Consommation moyenne	7,4 l/100 km
Autonomie moyenne	337 km

Partie cycle

Type de cadre	périmétrique, en aluminium
Suspension avant	fourche conventionnelle de 48 mm ajustable en précharge, compression et détente
Suspension arrière	monoamortisseur ajustable en précharge et détente
Freinage avant	2 disques de 320 mm de Ø avec étriers à 4 pistons et système ABS
Freinage arrière	1 disque de 282 mm de Ø avec étrier à 2 pistons combiné avec le frein avant et ABS
Pneus avant/arrière	120/70 ZR17 & 180/55 ZR17
Empattement	1 545 mm
Hauteur de selle	800/820 mm
Poids tous pleins faits	291 kg (à vide : 264 kg)
Réservoir de carburant	25 litres

QUOI DE NEUF EN 2010 ?

Retrait de la FJR1300AE à boîte de vitesses semi-automatique

Coûte 100 $ de plus qu'en 2009

PAS MAL

Un plaisant mélange de sportivité et de confort dans un ensemble équilibré qui permet de se faire plaisir sur une route sinueuse tout en proposant un niveau pratique élevé

Un 4-cylindres qui pousse fort des bas régimes à la zone rouge, et qui est bien secondé par une partie cycle qui se montre aussi sportive que stable dans toutes les circonstances

Un judicieux compromis entre la complexité et le coût d'une BMW, la sportivité prédominante de la Kawasaki et l'âge de la Honda qui fait de la FJR1300R la sport-tourisme au caractère relativement neutre capable de satisfaire une large variété de pilotes

BOF

Un moteur qui tourne un peu moins haut sur l'autoroute que sur le modèle original, mais une sixième vitesse surmultipliée serait toujours la bienvenue

Un pare-brise qui, en position haute, cause un certain retour d'air poussant le pilote vers l'avant et génère toujours d'agaçantes turbulences — moins que le précédent cependant — au niveau du casque, surtout à haute vitesse

Une garantie qui devrait être plus longue; la concurrence offre 3 ans, ce qui semble approprié pour des machines de ce prix et dont l'utilisation est axée sur les longues distances

Conclusion

La version actuelle de la FJR1300 représente une évolution du concept original introduit au début de la décennie. En ajoutant à celui-ci une foule de raffinements, Yamaha en a fait une machine de tourisme sportif dont le comportement est exemplaire et dont l'efficacité sur long trajet est du plus haut niveau. Elle s'adresse au motocycliste souhaitant de retrouver à la fois sport, confort et praticité sur une même moto. Avec l'arrivée de la sportive Concours et de la sophistiquée, mais coûteuse BMW, et compte tenu de l'âge relativement avancé de la Honda, elle semble devenir le modèle de ce type se situant à mi-chemin à la plupart des niveaux. Ni la plus rapide ni la plus équipée ni la plus sportive, elle se montre quand même plus que respectable pour chacun de ces critères et fait quand même vivre à plein l'aventure du sport-tourisme au pilote qui en prend les commandes.

YZF-R1 Rossi Special Edition

YAMAHA
YZF-R1

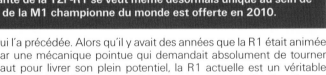

Unique 1000...

Chaque année, quelques sportives évoluent. Parfois de manière marquée, parfois de façon difficile à percevoir. Lancée l'an passé, la dernière génération de la célèbre R1 de Yamaha représente plutôt une métamorphose complète qui, et c'est là l'aspect le plus surprenant de la machine, ne provient pas d'une quelconque diète ou d'un ajout de puissance notable. C'est plutôt en raison de sa livrée de puissance très particulière que la R1 se retrouve transformée par rapport à toutes les versions précédentes. En fait, la génération courante de la YZF-R1 se veut même désormais unique au sein de sa propre classe. Notons qu'une version spéciale Rossi aux couleurs de la M1 championne du monde est offerte en 2010.

Un coup d'oeil, même attentif, à la fiche technique de cette génération de la YZF-R1 ne peut tout simplement pas préparer le pilote qui l'enfourche à la surprise qui l'attend. Celui-ci découvrira en effet, et ce, dès la poussée du bouton de démarrage, non seulement une monture différente de quoi que ce soit d'autre sur le marché, mais aussi des particularités techniques qu'on n'aurait même pas crues possibles.

L'unicité de la R1 devient évidente dès que sa mécanique prend vie. Si on camouflait l'apparence du modèle et qu'on nous demandait de deviner le type de mécanique qui la propulse, jamais la réponse ne serait un 4-cylindres en ligne. En fait, on croirait plutôt entendre et sentir une version vitaminée du moteur d'une VFR, bref, un V4, ce qui est absolument stupéfiant. Ce constat se veut une conséquence directe de l'utilisation de ce fameux vilebrequin de type « Crossplane », une technologie qui serait par ailleurs extrêmement complexe à produire selon le manufacturier. Son but est d'améliorer la traction en sortie de virage en générant une livrée de puissance plus saccadée que coulée afin de maximiser la « morsure » du pneu au sol et de réduire son patinage. Le moteur de la R1 cherche ainsi à imiter les propriétés d'un V-Twin. Nous avons amené la R1 sur le circuit de l'Autodrome Saint-Eustache afin de constater les résultats en piste.

La génération actuelle de la R1 est non seulement unique parmi les 1000, mais elle est aussi très différente du modèle

> **SI ON CAMOUFLAIT LA R1 ET QU'ON DEVAIT DEVINER LE TYPE DE MÉCANIQUE QUI L'ANIME, JAMAIS LA RÉPONSE NE SERAIT UN 4-CYLINDRES EN LIGNE.**

qui l'a précédé. Alors qu'il y avait des années que la R1 était animée par une mécanique pointue qui demandait absolument de tourner haut pour livrer son plein potentiel, la R1 actuelle est un véritable tracteur à bas régime et produit davantage de couple plus tôt que n'importe quelle autre 1000 rivale. En piste, ce couple, qui arrive même de manière assez précipitée, s'est en fait avéré si grand qu'il a rendu les sorties de virages délicates à gérer. La livrée de puissance de type « V4 » aide un peu à favoriser l'adhérence lorsqu'on accélère en pleine inclinaison, mais le couple est tellement fort qu'une précision extrême du contrôle de l'accélérateur doit constamment faire partie intégrante du pilotage. Si le sélecteur de mode permet de faciliter ce contrôle en optant pour le mode qui adoucit la puissance à bas régime, il semble que la véritable solution à ce problème d'adhérence commun à toutes les sportives aussi puissantes réside dans l'utilisation d'un système antipatinage comme celui de la BMW S1000RR.

Le comportement de la R1 en piste surprend un peu puisqu'elle demande un effort notable pour être pilotée rapidement, surtout sur une piste serrée, un peu comme si on avait affaire à une monture plus lourde. Une fois qu'on s'habitue à cette particularité, les manières du châssis sont aussi difficiles à prendre en faute que sur les 1000 rivales puisqu'au niveau de toutes les manœuvres effectuées en piste, la YZF-R1 se révèle brillante par sa grande précision et son degré très élevé de communication avec le pilote.

Général

Catégorie	Sportive
Prix	16 799 $ (Rossi SE : 17 699$)
Immatriculation 2010	1 410 $
Catégorisation SAAQ 2010	« sport »
Évolution récente	introduite en 1998 ; revue en 2001, 2004, 2007 et en 2009
Garantie	1 an/kilométrage illimité
Couleur(s)	noir, blanc, bleu (SE : bleu et blanc)
Concurrence	BMW S1000RR Honda CBR1000RR, Kawasaki ZX-10R, Suzuki GSX-R1000

Voir légende en page 7

Moteur

Type	4-cylindres en ligne 4-temps, DACT, 4 soupapes par cylindre, refroidissement par liquide
Alimentation	injection à 4 corps de 45 mm
Rapport volumétrique	12,7:1
Cylindrée	998 cc
Alésage et course	78 mm x 52,2 mm
Puissance sans Ram Air	179,6 ch @ 12 500 tr/min
Couple sans Ram Air	84,6 lb-pi @ 10 000 tr/min
Boîte de vitesses	6 rapports
Transmission finale	par chaîne
Révolution à 100 km/h	environ 4 200 tr/min
Consommation moyenne	6,8 l/100 km
Autonomie moyenne	264 km

Partie cycle

Type de cadre	périmétrique « Deltabox », en aluminium
Suspension avant	fourche inversée de 43 mm ajustable en précharge, compression et détente
Suspension arrière	monoamortisseur ajustable en précharge, en haute et en basse vitesses de compression, et en détente
Freinage avant	2 disques de 310 mm de Ø avec étriers radiaux à 6 pistons
Freinage arrière	1 disque de 220 mm de Ø avec étrier à 1 piston
Pneus avant/arrière	120/70 ZR17 & 190/55 ZR17
Empattement	1 415 mm
Hauteur de selle	835 mm
Poids tous pleins faits	206 kg
Réservoir de carburant	18 litres

QUOI DE NEUF EN 2010 ?

Version Rossi Special Edition qui ne diffère de la version de base que par son traitement visuel

Coûte entre 100 $ de plus qu'en 2009

PAS MAL

Une mécanique stupéfiante qui renvoie des sensations telles qu'on jurerait avoir affaire à un V4 et non à un 4-cylindres en ligne ; non seulement ses performances sont exceptionnelles et son couple à bas régime très élevé, mais la sonorité de gros V8 qu'elle émet en pleine accélération est aussi enivrante ; il s'agit de la seule 1000 à 4 cylindres qui possède une mécanique caractérielle

Une partie cycle extrêmement compétente, ce dont on ne s'étonne d'ailleurs même plus chez ces motos puisque quoi que ce soit de moins serait simplement inconcevable compte tenu des performances

Une ligne très particulière qui ne fait peut-être pas l'unanimité, mais qui donne un côté très original au modèle

BOF

Une mécanique dont l'aspect particulier amené par le vilebrequin « Crossplane » est aussi plaisant pour les sens que performant en ligne droite, mais qui n'est pas pour autant parfaite puisque le moteur ne semble pas aimer traîner à très bas régime sur un rapport élevé ; par ailleurs, le couple à bas régime, qui se montre étonnamment élevé, complique les accélérations fortes en sorties de virage ; seul un vrai système antipatinage semble être la solution à ce type de problème

Un comportement en piste marqué par une certaine lourdeur lors des changements de direction qui se transforme en un effort de pilotage plus élevé que la moyenne

Un potentiel de vitesse tellement élevé qu'on n'arrive que très rarement à en bénéficier pleinement, comme sur les autres 1000

Conclusion

Rares sont les sportives qui nous étonnent autant que la R1 l'a fait. On s'attend désormais à ce qu'une machine appartenant à cette classe offre une tenue de route pratiquement irréprochable et un niveau de performances ahurissant, deux facteurs qui font décidément partie de l'expérience proposée par la R1. Mais on ne s'attend certes pas à ce qu'un 4-cylindres en ligne renvoie la très agréable combinaison de sons et de sensations qui caractérise plutôt un V4, ce qui est incroyablement le cas de la YZF-R1. Par ailleurs, le but derrière la technologie responsable de cette unique particularité est d'améliorer la traction en sortie de courbe, en piste. Il est atteint, mais seulement jusqu'à un certain point et il semble que seul un système antipatinage réussira à offrir le genre de contrôle qu'on recherche sur des sportives produisant une telle puissance. On est rendu là.

YZF-R1

YAMAHA
YZF-R6

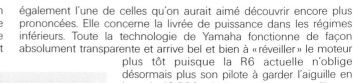

Par et pour la piste...

Chacune des sportives pures de 600 cc aujourd'hui offertes sur le marché est une bête de piste dont la priorité est de boucler un tour de circuit aussi rapidement que possible. Au sein de ce groupe, la R6 est celle qui tente d'atteindre ce but en n'acceptant aucun compromis. Il ne s'agit pas d'une monture violente ou démesurément rapide, mais plutôt d'une 600 dont la mission est pure, unique et tout sauf diluée par un quelconque remords lié à un manque de confort ou à un côté pratique réduit. Avec son accélérateur électronique et ses tubulures d'admission à longueur variable, il s'agit aussi de la plus avancée des 600.

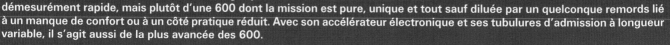

L'une des caractéristiques prédominantes de cette génération de la YZF-R6, qui fut lancée en 2006, était une mécanique particulièrement creuse à bas et moyen régimes. Une cinquantaine de modifications apportées au compact 4-cylindres en 2008 avait pour but d'atténuer ce trait de caractère. La friction produite par les pièces en mouvement fut réduite et le taux de compression fut encore augmenté, mais l'une des plus importantes modifications fut l'arrivée du complexe système YCC-I (Yamaha Chip Controlled Intake) variant la longueur des tubulures d'admission.

Comme on semble ne jamais en faire trop dans cette classe, surtout lorsqu'on entreprend de la dominer, Yamaha est même allé jusqu'à complètement revoir les caractéristiques de rigidité du châssis. Les suspensions ont été revues et la distribution du poids ajustée par une modification de la position de conduite qui bascule désormais le pilote encore plus sur l'avant de la moto.

L'ensemble de ces modifications n'avait ni plus ni moins comme but que d'aider la R6 à s'approcher encore plus de son unique raison d'être, briller en piste. Bien qu'ils soient réels, les résultats ne sont pas nécessairement évidents à ressentir, surtout pour le motocycliste moyen qui ne roule que sur la route, ou même pour l'occasionnel visiteur de journées d'essais libres. Il reste que si minimes soient-ils à certains niveaux, tous ces changements modifient le comportement de la R6 de manière positive.

L'une des améliorations les plus faciles à percevoir est

> **TOUTE LA TECHNOLOGIE DE YAMAHA FONCTIONNE DE MANIÈRE TOTALEMENT TRANSPARENTE SUR LA R6.**

également l'une de celles qu'on aurait aimé découvrir encore plus prononcées. Elle concerne la livrée de puissance dans les régimes inférieurs. Toute la technologie de Yamaha fonctionne de façon absolument transparente et arrive bel et bien à «réveiller» le moteur plus tôt puisque la R6 actuelle n'oblige désormais plus son pilote à garder l'aiguille en haut de 12 000 tr/min pour livrer ses meilleures performances. Ce régime est maintenant abaissé à environ 10 000 tr/min, ce qui demeure tout de même assez élevé. Il reste que sous cette barre, et particulièrement beaucoup plus bas, dans les tours auxquels on a affaire tous les jours, la nature creuse de la R6 demeure. Bref, dans ce cas, l'électronique aide la situation, mais ne la transforme pas.

Une utilisation routière ne mettra pas en évidence les améliorations apportées à la partie cycle, si ce n'est qu'on note une position légèrement plus sévère. En piste, toutefois, la YZF-R6 2008-2010 semble moins exigeante que le modèle 2006-2007. Sa précision dans le choix de lignes, sa capacité à s'inscrire en courbe en plein freinage et son aisance à soutenir chaque once de puissance de la mécanique en sortie de courbe sont autant de qualités qui restent inchangées, mais qui ne demandent plus un effort de concentration aussi élevé pour être atteintes. Cette mouture de la R6 demeure donc l'un des outils les plus impressionnants qui soient si le but de l'exercice est uniquement de disséquer une piste. Dans cet environnement, elle constitue une machine exceptionnelle.

Général

Catégorie	Sportive
Prix	13 299 $
Immatriculation 2010	1 410 $
Catégorisation SAAQ 2010	« sport »
Évolution récente	introduite en 1999 ; revue en 2003 et en 2006
Garantie	1 an/kilométrage illimité
Couleur(s)	bleu, blanc, noir
Concurrence	Honda CBR600RR, Kawasaki ZX-6R, Suzuki GSX-R600, Triumph Daytona 675

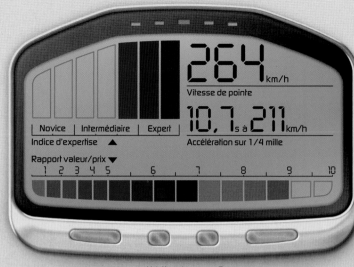

Voir légende en page 7

Moteur

Type	4-cylindres en ligne 4-temps, DACT, 4 soupapes par cylindre, refroidissement par liquide
Alimentation	injection à 4 corps de 41 mm
Rapport volumétrique	13,1:1
Cylindrée	599 cc
Alésage et course	67 mm x 42,5 mm
Puissance avec Ram Air	133 ch @ 14 500 tr/min
Puissance sans Ram Air	127 ch @ 14 500 tr/min
Couple avec Ram Air	49,9 lb-pi @ 10 500 tr/min
Couple sans Ram Air	48,5 lb-pi @ 10 500 tr/min
Boîte de vitesses	6 rapports
Transmission finale	par chaîne
Révolution à 100 km/h	environ 5 600 tr/min
Consommation moyenne	6,4 l / 100 km
Autonomie moyenne	273 km

Partie cycle

Type de cadre	périmétrique, en aluminium
Suspension avant	fourche inversée de 41 mm ajustable en précharge, en haute et en basse vitesses de compression, et en détente
Suspension arrière	monoamortisseur ajustable en précharge, en haute et en basse vitesses de compression, et en détente
Freinage avant	2 disques de 310 mm de Ø avec étriers à 4 pistons
Freinage arrière	1 disque de 220 mm de Ø avec étrier à 1 piston
Pneus avant/arrière	120/70 ZR17 & 180/55 ZR17
Empattement	1 380 mm
Hauteur de selle	850 mm
Poids tous pleins faits	188 kg (à vide : 166 kg)
Réservoir de carburant	17,3 litres

QUOI DE NEUF EN 2010 ?

Silencieux allongé de 100 mm et unité de contrôle électronique reprogrammée afin de maximiser les performances

Coûte 100 $ de plus qu'en 2009

PAS MAL

Une mécanique au tempérament furieux à haut régime ; garder la R6 dans les tours élevés et l'écouter littéralement hurler jusqu'à sa zone rouge est une expérience en soi

Une partie cycle absolument brillante sur circuit, où la R6 semble enfin prendre tout son sens et dévoiler sa raison d'être

Une ligne qui, malgré qu'elle soit restée plus ou moins la même depuis plusieurs années, ne demeure rien de moins que spectaculaire ; la R6 est l'une de ces motos auxquelles les photos ne rendent pas complètement justice et qu'on n'apprécie vraiment qu'en 3 dimensions

BOF

Une mécanique que Yamaha a tenté de rendre un peu moins creuse par l'ajout de diverses technologies, mais qui demeure probablement la plus faible à bas régime chez les 600 ; s'il ne s'agit pas d'un défaut en piste, sur la route, il manque décidément de jus en bas

Un concept qui ne fait pas la moindre concession aux réalités d'une utilisation routière et qui n'existe que pour accomplir des choses extraordinaires sur circuit

Un niveau de confort très faible et un côté pratique sérieusement handicapé par la pureté sportive du modèle

Un prix qui grimpe, comme chez les autres constructeurs, d'ailleurs ; ça commence à faire cher pour une 600

Conclusion

Décrire la YZF-R6 comme étant une machine extrême parmi des machines extrêmes serait la meilleure manière d'illustrer à quel point Yamaha a poussé le concept de la « 600 Supersport » dans ce cas. Par ailleurs, le fait qu'elle arrive à se démarquer de façon aussi nette dans un environnement aussi compétitif que cette classe illustre bien à quel genre de monture unidimensionnelle on a affaire. Les amateurs de performance pure qui insistent afin de posséder la plus belle pièce technologique du peloton semblent donc constituer sa clientèle naturelle. Ceux-ci en seront ravis, mais seulement s'ils acceptent aussi le genre de sacrifices inhérents à un concept dont la mission est aussi pointue.

YAMAHA
FZ1

Préretraite...

La jeunesse est telle qu'elle ne se fait pas de soucis face à des situations jugées inacceptables en vieillissant. Pour cette raison, l'inconfort flagrant de la plupart des sportives pures, s'il ne dérange aucunement la clientèle jeune que ce genre de motos attire généralement, finit éventuellement par devenir intolérable. La FZ1 s'adresse aux motocyclistes souhaitant ne plus avoir à vivre de tels inconvénients, mais sans toutefois qu'ils se sentent tout à fait prêts pour la retraite et les machines de type FJR ou ST. Lancée en 2001, puis entièrement revue en 2006, la FZ1 est la seule routière offerte sur le marché permettant de vivre aussi fidèlement l'expérience d'une vraie sportive, inconfort en moins.

Le concept de la version routière d'une YZF-R1 est beaucoup plus crédible dans le cas de cette génération de la FZ1 que dans celui du modèle original puisque ce dernier se voulait plutôt une alternative moderne et performante à la Bandit 1200S de l'époque.

En lieu et place des poignées basses d'une sportive pure, on retrouve sur la FZ1 un large guidon tubulaire plat, tandis qu'un demi-carénage révélant un impressionnant châssis d'aluminium remplace l'habituel habillage complet. Enfin, une peinture unie passe-partout donne un air sobre qui permet à l'ensemble de passer inaperçu devant assureurs, politiciens ainsi que policiers. Mais la réalité c'est que la FZ1 cache un tempérament bouillant capable de distraire même un pilote de sportive pure tant en courbe qu'en ligne droite. Pour y arriver, elle utilise des arguments classiques, mais sérieux : 150 chevaux pour 220 kg tous pleins faits. La FZ1 vous catapulte à 140 km/h en première et à 170 km/h en deuxième. La troisième vous fait déjà violer par un facteur de deux la limite de vitesse permise sur l'autoroute. Tout ça en une dizaine de secondes seulement, et avec encore trois rapports à passer... S'il s'agit de performances légèrement en retrait par rapport à celles d'une sportive pure d'un litre, elles suffisent amplement à divertir un pilote habitué aux sensations offertes par ces dernières. Comme le moteur de la FZ1 est une version recalibrée de celui qui animait la YZF-R1 2004-2006, il affiche en gros les mêmes traits de caractère et aime donc flirter avec les hauts régimes. Il serait injuste d'aller jusqu'à dire qu'il est creux

> ## ON CROIRAIT AVOIR AFFAIRE À UNE SPORTIVE PURE DÉGUISÉE EN ROUTIÈRE, CE QUI EST UNIQUE SUR LE MARCHÉ.

en bas ou au milieu, mais le qualifier d'un peu mou à ces régimes serait toutefois approprié. Cela dit, son rendement entre 8 000 et la zone rouge de 12 000 tr/min vous fait tout oublier de cette « mollesse ». Malgré cette fougue, le nez de la FZ1 résiste étonnamment bien au soulèvement. Les similitudes avec la mécanique de la R1 ne s'arrêtent pas là puisqu'on retrouve aussi une transmission fluide très précise dont les rapports sont rapprochés ainsi que des suspensions fermes, mais pas rudes. Le système d'injection se montre un peu abrupt à la réouverture des gaz, ce qui a pour résultat de rendre la conduite saccadée, surtout avec un passager à bord.

La selle est confortable seulement sur des distances courtes et moyennes tandis que la protection au vent se situe à mi-chemin entre celle d'une sportive et celle d'une standard munie d'un saute-vent, ce qui équivaut à dire qu'elle n'est décidément pas très généreuse. Par rapport au modèle original, le niveau de confort est d'ailleurs en recul. Heureusement, la position de conduite reste relevée et plaisante. Elle est compacte et ressemble à celle d'une R1 sur laquelle on aurait installé un guidon plat surélevé.

Grâce au nombre impressionnant de composantes qu'elle emprunte à sa cousine sportive, la FZ1 affiche une tenue de route de haut niveau. Si sa devancière pouvait occasionnellement jouer les sportives sur un circuit, la nouvelle se sent tellement chez elle dans cet environnement qu'on croirait avoir affaire à une sportive pure déguisée en routière. Il s'agit d'une proposition unique sur le marché.

Général

Catégorie	Routière Sportive
Prix	13 199 $
Immatriculation 2010	627 $
Catégorisation SAAQ 2010	« régulière »
Évolution récente	introduite en 2001 ; revue en 2006
Garantie	1 an/kilométrage illimité
Couleur(s)	noir, rouge
Concurrence	Honda CBF1000 Suzuki GSX1250FA

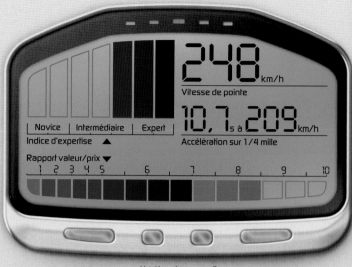

Voir légende en page 7

Moteur

Type	4-cylindres en ligne 4-temps, DACT, 5 soupapes par cylindre, refroidissement par liquide
Alimentation	injection à 4 corps de 45 mm
Rapport volumétrique	11,5:1
Cylindrée	998 cc
Alésage et course	77 mm x 53,6 mm
Puissance	150 ch @ 11 000 tr/min
Couple	78,5 lb-pi @ 8 000 tr/min
Boîte de vitesses	6 rapports
Transmission finale	par chaîne
Révolution à 100 km/h	environ 4 000 tr/min
Consommation moyenne	6,8 l/100 km
Autonomie moyenne	264 km

Partie cycle

Type de cadre	périmétrique, en aluminium
Suspension avant	fourche inversée de 43 mm ajustable en précharge, compression et détente
Suspension arrière	monoamortisseur ajustable en précharge et détente
Freinage avant	2 disques de 320 mm de Ø avec étriers à 4 pistons
Freinage arrière	1 disque de 245 mm de Ø avec étrier à 1 piston
Pneus avant/arrière	120/70 ZR17 & 190/50 ZR17
Empattement	1 460 mm
Hauteur de selle	815 mm
Poids tous pleins faits	220 kg (à vide : 194 kg)
Réservoir de carburant	18 litres

QUOI DE NEUF EN 2010 ?

Unité de contrôle électronique reprogrammée afin de maximiser la réponse de l'accélérateur à bas régime

Coûte 100 $ de plus qu'en 2009

PAS MAL

Un niveau de performances de très haut calibre, peut-être pas équivalent à celui d'une R1, mais amplement suffisant pour divertir un pilote expert, même sur circuit

Une tenue de route irréprochable et un comportement routier d'une grande rigueur qui trahissent son héritage sportif ; la FZ1 peut tourner en piste toute la journée sans jamais sembler ridicule

Le meilleur de deux mondes : performances et tenue de route de très haut niveau ; polyvalence raisonnable et confort décent

BOF

Une injection qui se montre abrupte à la réouverture des gaz, ce qui provoque des à-coups gênants ; le problème devient plus évident avec un passager à bord alors qu'on tente justement d'adopter une conduite coulée et douce ; Yamaha annonce toutefois cette année une modification qui pourrait améliorer cet aspect

Un niveau de confort en recul par rapport à la première génération du modèle puisque la selle est ferme et pas vraiment adaptée aux longues distances, et que les suspensions ont presque une fermeté de sportive pure

Une des rares motos performantes à encore passer à travers les mailles des filets des assureurs et des institutions gouvernementales convaincus que le type de motos est seul responsable du danger, et non le type de pilote...

Conclusion

Personne ne sait au juste ce qui a poussé Yamaha à prendre une telle direction, mais le fait est que le concept original de la FZ1 s'est vu considérablement radicalisé lors de la refonte du modèle en 2006. Dans la transformation, une partie de sa polyvalence fut sacrifiée au profit d'un comportement nettement plus agressif. L'intégrité de sa tenue de route étonne et la place dans la même catégorie que les sportives pures, si bien qu'elle est devenue l'une des rares façons d'avoir accès à de sérieuses performances sans trop souffrir en raison d'une position de conduite trop agressive. Autant la FZ1 originale n'était pas la « R1 pour la route » qu'elle avait promis être, autant la version actuelle correspond exactement à cette description, et ce, pour le meilleur et pour le pire.

YAMAHA
FZ6R

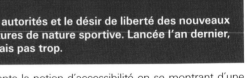

Sport 101...

Le débat entourant l'accès à la moto n'est certes pas nouveau. Depuis des lustres, tant les adeptes de deux-roues que les autorités tentent de déterminer la formule la plus judicieuse pour accéder au sport. Mais les opinions divergent tellement que le débat tombe presque inévitablement dans l'anarchie. Entre les recommandations instinctives et souvent contradictoires des vieux motards, la logique comptable des autorités et le désir de liberté des nouveaux motocyclistes, on ne s'entend tout simplement pas. Surtout lorsqu'il s'agit de montures de nature sportive. Lancée l'an dernier, la FZ6R tente de concilier toutes les parties en se montrant juste assez sportive, mais pas trop.

Si la FZ6R attire l'attention grâce à sa facture modérée se situant tout juste sous les 9 000 $ ainsi qu'à son niveau de technologie tout à fait décent, c'est avant tout au chapitre esthétique que son intérêt se trouve. En effet, les montures offrant à la fois une bonne valeur, un niveau d'accessibilité compatible avec une clientèle peu expérimentée et des performances le moindrement grisantes ont régulièrement été mises sur le marché. Mais elles ont presque toutes échoué leur mission de séduction du jeune motocycliste pour des raisons d'esthétisme. Bien et même très bien construites, celles-ci ont traditionnellement affiché une ligne beaucoup trop retenue par rapport aux modèles hypersportifs faisant rêver cette jeune clientèle.

Bien que techniquement à jour, la FZ6R ne réinvente pas la roue en matière de mécanique. Animée par une version adoucie du 4-cylindres en ligne de la FZ6 — qui était elle-même propulsée par une version adoucie du moteur de la YZF-R6 pré-2006 — et construite autour d'un cadre plutôt simple en acier, elle propose une fiche technique plutôt routinière.

Le résultat ne sent toutefois aucunement la monture économique et se comporte au contraire de manière absolument brillante, particulièrement au chapitre de la tenue de route qui est presque digne de celle d'une véritable sportive. Un pilote le désirant pourrait même l'amener en piste pour s'amuser, une réalité qui illustre bien la compétence, la solidité et la précision de la partie cycle. De plus, au chapitre du comportement routier, la FZ6R définit de

> ### ELLE SE MONTRE D'UNE EXTRÊME FACILITÉ À PILOTER ET RÉDUIT PRESQUE À NÉANT LES RÉACTIONS SÈCHES DES SPORTIVES PURES.

manière très élégante la notion d'accessibilité en se montrant d'une extrême facilité à piloter tout en réduisant presque à néant les réactions sèches souvent générées par des sportives plus pointues.

Il faut toutefois préciser que l'une des raisons principales derrière cette grande accessibilité a trait à un niveau de performances relativement modeste. Avec un peu plus de 75 chevaux «sous le capot» et un couple à bas régime plutôt limité en raison de l'origine hypersportive de sa mécanique, même si elle n'a rien d'une tortue, la FZ6R n'a pas non plus le genre de puissance ou de caractère qui serait d'un grand intérêt pour un pilote avide de chevaux. Mettez-la néanmoins dans les mains d'un motocycliste inexpérimenté ou facilement intimidé par une grande puissance et ce niveau de performances devient non seulement tout à fait adéquat, mais aussi amusant et facilement exploitable.

Si la FZ6R se définit comme une monture tout particulièrement appropriée pour amener une clientèle jeune, inexpérimentée ou un tant soit peu craintive dans l'univers sportif, l'histoire nous dit que cette même clientèle la bouderait sans hésiter si elle n'affichait pas une ligne aussi aguichante. Il y a des années que cette fameuse clientèle se dirige vers des modèles sportifs trop extrêmes pour elle pour des raisons surtout esthétiques. En donnant un carénage plein et une ligne peut-être pas aussi agressive que celle d'une YZF-R6, mais quand même racée à la FZ6R, Yamaha répond enfin à l'un des besoins les plus criants du marché actuel.

Général

Catégorie	Routière Sportive
Prix	8 899 $
Immatriculation 2010	627 $
Catégorisation SAAQ 2010	« régulière »
Évolution récente	introduite en 2009
Garantie	1 an/kilométrage illimité
Couleur(s)	bleu, noir, blanc et rouge, blanc et noir
Concurrence	Kawasaki Ninja 650R, Suzuki GSX650F

Voir légende en page 7

Moteur

Type	4-cylindres en ligne 4-temps, DACT, 4 soupapes par cylindre, refroidissement par liquide
Alimentation	injection à corps de 32 mm
Rapport volumétrique	12,2:1
Cylindrée	599 cc
Alésage et course	65,5 mm x 44,5 mm
Puissance	76,44 ch @ 10 000 tr/min
Couple	44,1 lb-pi @ 8 500 tr/min
Boîte de vitesses	6 rapports
Transmission finale	par chaîne
Révolution à 100 km/h	environ 5 300 tr/min
Consommation moyenne	6,4 l/100 km
Autonomie moyenne	270 km

Partie cycle

Type de cadre	de type « diamant », en acier tubulaire
Suspension avant	fourche conventionnelle de 41 mm non ajustable
Suspension arrière	monoamortisseur ajustable en précharge
Freinage avant	2 disques de 298 mm de Ø avec étriers à 2 pistons
Freinage arrière	1 disque de 245 mm de Ø avec étrier à 1 piston
Pneus avant/arrière	120/70 ZR17 & 160/60 ZR17
Empattement	1 440 mm
Hauteur de selle	785 mm
Poids tous pleins faits	212 kg
Réservoir de carburant	17,3 litres

QUOI DE NEUF EN 2010 ?

Aucun changement

Coûte 100 $ de plus qu'en 2009

PAS MAL

Un concept qui répond enfin à un besoin criant du motocyclisme, celui d'offrir des sportives tout aussi attrayantes que celles que les constructeurs alignent sur les lignes de départ des différents circuits routiers, mais dont le comportement et le prix sont beaucoup plus accessibles

Un comportement routier qui impressionne par sa qualité puisque la solidité, la précision et l'agilité dont fait preuve la partie cycle permettraient à la FZ6R de franchement s'amuser en piste

Une finition impeccable malgré le prix

Un niveau de confort très intéressant en raison, entre autres, de suspensions calibrées pour la route et d'une position à saveur sportive, mais aucunement fatigante puisqu'elle est relevée

BOF

Un niveau de performances modeste qui n'est approprié que pour une clientèle débutante ou craintive, qui en aura, soit dit en passant, plein les bras avec les 75 chevaux, ou pour une clientèle que le format et le prix intéressent, mais dont la gourmandise en termes de performances est proportionnelle à la puissance du modèle

Un système ABS qui manque à l'appel et qui devrait être offert de série sur une machine destinée à ce type de clientèle

Une mécanique dont le caractère n'est pas le plus excitant qui soit puisqu'elle est creuse en bas et qu'elle n'émet qu'une sonorité générique de 4-cylindres en ligne

Conclusion

Le potentiel de vitesse relativement limité et le caractère mécanique plutôt commun de la FZ6R, ses deux plus grandes lacunes, peuvent décevoir. Mais cela ne se produirait que lorsque la jolie petite sportive de Yamaha est prise « hors contexte » et pilotée par un motocycliste trop expérimenté et trop exigent, surtout en matière de chevaux. Placez-la toutefois dans les mains appropriées et elle devient non seulement une excellente machine d'initiation ou de progression, mais elle représente aussi l'une des façons les plus intelligentes d'entrer dans l'univers des motos de nature sportive.

YAMAHA
VMAX

Légende fumante...

Il est probable que si, chronomètre à la main, l'on comparait sur une ligne droite cette VMAX et une hypersportive de haut calibre, celle-ci finirait par avoir le dernier mot. Mais aucune sportive n'arrive à la cheville de la VMAX lorsqu'il s'agit de violence immédiate et crue en matière d'accélération à partir d'un arrêt. Enfin dévoilée l'an dernier après environ un quart de siècle de longue attente et fausses rumeurs, la VMAX de nouvelle génération est une bête au sens le plus absolu du terme. Mais il s'agit aussi, cette fois, d'une machine parfaitement capable d'encaisser les quelque 200 chevaux crachés par son gigantesque V4 de 1,7 litre.

Une sportive ultrarapide comme une ZX-14 ou une Hayabusa demande un certain doigté afin de démontrer son plein potentiel. On doit faire monter les régimes, laisser délicatement l'embrayage glisser tout en tentant d'éviter le soulèvement de la roue avant, puis, une fois le tout plus ou moins sous contrôle, enfiler les rapports. Sur la VMAX, on relâche l'embrayage, on n'oublie jamais de bien s'accrocher, puis, à la grâce de Dieu, on ouvre grand les gaz. La suite n'est ni plus ni moins qu'un cahot parfaitement contrôlé. D'abord, les 200 chevaux de l'immense V4 de 1,7 litre s'emballent dans un rugissement fou, entraînant avec eux le pneu arrière qui hurle, patine et fume. Ces 200 chevaux vous projettent aussi vers l'avant comme si vous étiez un obus éjecté d'un canon. Heureusement, la VMAX est construite pour ce genre de fantaisie. Elle est non seulement très longue et très lourde, mais elle est également construite aussi solidement que s'il s'agissait d'une bétonnière. Ainsi, même si la furie qui se déchaîne de cette mécanique lorsqu'on en ouvre les gaz est carrément incroyable, le châssis l'encaisse comme si de rien n'était. La suite de l'accélération n'est pas moins hallucinante puisque l'arrière se remet à patiner en passant la deuxième. Le pauvre pneu arrière finit par mordre, l'avant se soulève de quelques centimètres, retenu par la masse et la longueur du monstre tandis que la phénoménale poussée se poursuit.

Simultanément, le sifflement du vent s'intensifie à un rythme exponentiel, tout comme la force du vent qui frappe le torse

LA FURIE QUI SE DÉCHAÎNE LORSQU'ON OUVRE COMPLÈTEMENT LES GAZ EST CARRÉMENT INCROYABLE.

du pilote complètement exposé. En ce qui semble un clin d'œil, les 220 km/h, vitesse maximale limitée électroniquement, sont atteints. Ouf...

Après toutes ces années de critiques dirigées vers le comportement occasionnellement déficient de la première génération, Yamaha se devait d'équiper la nouvelle VMAX d'une partie cycle qui, cette fois, serait à la hauteur des performances. Elle l'est. La stabilité est imperturbable et le châssis encaisse sans broncher toute la rage du V4 de 200 chevaux, tandis qu'en virage, on a affaire à une moto dont la direction n'est pas particulièrement légère, mais qui reste solide et précise même à un bon rythme.

Les suspensions travaillent bien, les freins avec système antiblocage de série sont excellents, tandis que toutes les commandes, incluant l'ensemble embrayage/boîte de vitesses, s'actionnent avec douceur et précision.

Cela dit, la VMAX n'est pas sans défauts. Loin de là en fait, car arriver à maîtriser une telle débauche de chevaux engendre d'importants compromis au chapitre, entre autres, de l'agilité à basse vitesse qui n'a rien d'impressionnant du tout en raison de la longueur et de la géométrie extrêmes du modèle. On a également affaire à un véritable mastodonte en termes de masse et de proportions, sans parler d'une autonomie si faible que c'en est presque incompréhensible. Mais quiconque s'attarderait sur ces «détails» ne serait tout simplement pas un candidat pour la VMAX.

Général

Catégorie	Standard
Prix	22 999 $
Immatriculation 2009	627 $
Catégorisation SAAQ 2009	« régulière »
Évolution récente	introduite en 1985 ; nouvelle génération en 2009
Garantie	1 an/kilométrage illimité
Couleur(s)	rouge
Concurrence	Triumph Rocket III Roadster

220 km/h
Vitesse de pointe
10,3 s à **220** km/h
Accélération sur 1/4 mille

Novice | Intermédiaire | Expert
Indice d'expertise ▲
Rapport valeur/prix ▼
1 2 3 4 5 6 7 8 9 10

Voir légende en page 7

Moteur

Type	4-cylindres 4-temps en V à 65 degrés, DACT, 4 soupapes par cylindre, refroidissement par liquide
Alimentation	injection à 4 corps de 48 mm
Rapport volumétrique	11.3:1
Cylindrée	1 679 cc
Alésage et course	90 mm x 66 mm
Puissance	198 ch @ 9 000 tr/min
Couple	123 lb-pi @ 6 500 tr/min
Boîte de vitesses	5 rapports
Transmission finale	par arbre
Révolution à 100 km/h	environ 3 400 tr/min
Consommation moyenne	9,1 l/100 km
Autonomie moyenne	164 km

Partie cycle

Type de cadre	de type « diamant », en aluminium
Suspension avant	fourche conventionnelle de 52 mm ajustable en précharge, compression et détente
Suspension arrière	monoamortisseur ajustable en précharge, compression et détente
Freinage avant	2 disques de 320 mm de Ø avec étriers radiaux à 6 pistons et système ABS
Freinage arrière	1 disque de 298 mm de Ø avec étrier à 1 piston et système ABS
Pneus avant/arrière	120/70 R18 & 200/50 R18
Empattement	1 700 mm
Hauteur de selle	775 mm
Poids tous pleins faits	310 kg
Réservoir de carburant	15 litres

QUOI DE NEUF EN 2010 ?

Aucun changement

Coûte 1 000 $ de plus qu'en 2009

PAS MAL

Un V4 qui crache littéralement le feu puisque ses 200 chevaux sont non seulement bel et bien réels, mais aussi parce qu'ils se manifestent d'une manière incroyablement immédiate

Une partie cycle qui, cette fois, est parfaitement à la hauteur des incroyables performances de la VMAX

Une ligne qui, quoiqu'un peu prévisible, interprète très bien « l'esprit MAX » et une finition impeccable

BOF

Une livrée de puissance tellement brutale et immédiate qu'elle fait très facilement patiner le pneu arrière; au même titre qu'une sportive pure d'un litre, la VMAX demande beaucoup d'expérience et de respect de la part du pilote qui compte en extraire tout le potentiel

Un prix costaud qui déçoit plusieurs fanatiques du modèle en le mettant hors de leur portée; il reste que même à ce prix, la nouvelle VMAX vaut absolument le coup

Un accueil peu intéressant réservé au passager

Un poids élevé et des dimensions imposantes qui alourdissent le comportement lors de manœuvres serrées

Un réservoir d'essence bien trop petit compte tenu de la consommation très élevée ayant comme résultat une autonomie minuscule

Conclusion

La nouvelle VMAX a mis beaucoup de temps avant de se montrer le bout du nez. Trop de temps. Mais l'attente n'a clairement pas été vaine et le résultat, qui n'est rien de moins que fabuleux dans sa violence, démontre que le projet n'a décidément pas été pris à la légère par Yamaha. La marque aux trois diapasons n'a pas que sérieusement revigoré la légende de la VMAX avec cette nouvelle version, elle a aussi accouché d'une des motos les plus extraordinaires de tous les temps, d'un modèle dont on parlera encore dans 100 ans.

Roadliner S

ROADLINER ET STRATOLINER

NOUVELLE VARIANTE 2010

Excès de tous genres...

Animées par le plus gros V-Twin de notre marché, construites autour d'un cadre en aluminium unique dans l'univers custom, affichant l'une des finitions les plus poussées jamais vues sur une moto de série et dessinées avec une élégance et une grâce généralement réservées aux projets d'un certain Willie G., les 1900 de Yamaha représentent probablement les customs les plus ambitieuses jamais conçues. La Roadliner, sa version de tourisme léger, la Stratoliner, et la toute nouvelle variante de celle-ci appelée Stratoliner Deluxe figurent aussi parmi les customs les plus chères du marché, si l'on fait bien sûr exception de la gamme Harley-Davidson, et s'adressent aux amateurs les plus avertis et exigeants.

Yamaha, en s'engageant dans le projet « 1900 », n'avait comme unique but que de construire le nec plus ultra en matière de customs et de proposer aux plus exigeants des connaisseurs une machine qui les comblerait à tous les niveaux de l'expérience custom. La marque d'Iwata City n'a d'ailleurs pratiquement reculé devant rien afin de se donner les moyens de ses ambitions. Par exemple, comme construire une custom du calibre de celui de ces 1900 devrait normalement se traduire par un produit final dont le poids est très élevé et que cette masse aurait le potentiel de handicaper nombre d'aspects de la conduite, des efforts très inhabituels pour le genre custom furent déployés à ce sujet. Des efforts qui ont porté fruits puisque Yamaha est arrivé à faire de ses 1900 des montures étonnamment agiles qu'on jurerait plus légères qu'elles ne le sont réellement et qui ne renvoient pas la sensation de lourdeur excessive ressentie sur la plupart des modèles du genre.

L'une des facettes les plus intéressantes des modèles est le cadre en aluminium qu'elles partagent. Toujours exclusif à Yamaha et fabriqué avec la même technologie que celle des châssis des sportives de la marque, il est le principal responsable d'un étrange sentiment de pureté senti à leurs commandes, sentiment qui traduit en fait une solidité et une précision qu'on ressent communément sur des sportives pures bâties autour de cadres en aluminium affichant une très haute rigidité.

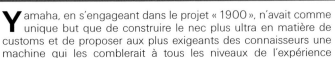

LE SEUL BUT DE YAMAHA, AVEC LE PROJET « 1900 », ÉTAIT DE CONSTRUIRE LE NEC PLUS ULTRA EN MATIÈRE DE CUSTOMS.

Malgré son allure classique, le reste de la partie cycle est également très avancé, une réalité qui amène de nombreux avantages en ce qui concerne le comportement routier, qui est superbe. Faciles à mettre en angle où, imperturbables, elles maintiennent leur trajectoire, stables en ligne droite et équipées d'excellents freins, ces 1900 offrent possiblement la tenue de route la plus efficace. L'une des seules réelles critiques que l'on arrive à formuler à l'égard de leurs qualités routières vise une certaine fermeté de la suspension arrière sur mauvais revêtement, une constatation d'ailleurs beaucoup trop commune chez les customs.

Au-delà des manières impeccables de leur châssis, les 1900 se démarquent de leurs rivales proches ou lointaines grâce à la délicieuse mécanique qui les anime, un gros V-Twin de 1 854 cc qui est une réussite absolue et rien de moins. Bien qu'il existe ou qu'il ait déjà existé des V-Twin plus vifs ou brutaux à très bas régime, celui-ci s'avère gorgé de couple dès le ralenti et arrive à propulser moto et pilote avec une fougue qui devrait ravir les connaisseurs les plus exigeants.

L'importance qu'accorde Yamaha à la musicalité de ses moteurs de type V-Twin et à leur rythmique élève l'expérience de pilotage à un autre niveau. Durant chaque instant de la conduite, le pilote se retrouve ainsi traversé de pulsations aussi lourdes et graves que plaisantes, tandis que son ouïe est caressée par le doux et profond grondement que seule une telle cylindrée peut produire.

« IL S'AGIT D'UNE OBSERVATION PUREMENT SUBJECTIVE, MAIS NOUS CROYONS QUE LES 1900 DE YAMAHA SONT PARMI LES SEULES CUSTOMS DU MARCHÉ QUI PUISSENT COMMENCER À RIVALISER AVEC LES PLUS BELLES PIÈCES DE MILWAUKEE SUR LE PLAN DU STYLE, DES PROPORTIONS ET DE CETTE TOUCHE MAGIQUE JUSQUE-LÀ EXCLUSIVE AUX DESIGNERS DE MILWAUKEE. CETTE NOUVELLE VERSION DELUXE DE LA STRATOLINER SEMBLE D'AILLEURS APPUYER CETTE THÉORIE. EN MATIÈRE DE MÉCANIQUE, LES YAMAHA NE DONNENT TOUTEFOIS PAS LEUR PLACE.

Stratoliner Deluxe

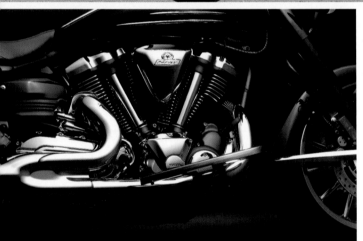

Stratoliner Deluxe

Avec l'exception évidente de Harley-Davidson, aucun constructeur au monde n'offre plus de modèles customs que Yamaha. Par ailleurs, si on fait exception de Victory qui joue essentiellement le tout pour le tout dans le créneau custom, Yamaha est également le manufacturier qui s'est le plus profondément investi dans la réalisation d'une gamme de motos de ce type. L'évidence de cet investissement est immédiatement perceptible sur la dernière variante de la série 1900 de la marque nippone, la nouvelle Stratoliner Deluxe.

Comme il n'est certes pas rare que cela se produise chez les customs, le terme nouveauté est dans ce cas à prendre un peu à la légère puisqu'on a affaire à une Stratoliner accessoirisée plutôt qu'à une machine vraiment nouvelle. En fait, la Deluxe se veut un peu l'équivalent d'une custom de tourisme léger comme une Harley-Davidson Street Glide. Les comparaisons avec les produits de Milwaukee seront certainement fréquentes dans le cas de la Stratoliner Deluxe puisque la forme générale de son carénage de fourche ressemble au traditionnel carénage «Batwing» de la marque américaine. Toutes comparaisons ou discussions sur les «sources d'inspirations» mises à part, on ne peut que conclure que la Stratoliner Deluxe est une belle pièce. Elle fait partie des très rares customs de tourisme léger dont les accessoires n'ont pas l'air d'ajouts maladroits. Au contraire en fait, puisque la ligne créée par l'ajout d'un carénage et de valises paraît non seulement très naturelle, mais elle est aussi d'une rare et étonnante élégance pour un produit japonais.

En ce qui concerne l'équipement qui la distingue des autres modèles de 1 900 cc, la Deluxe se démarque surtout par son carénage de fourche dans lequel est installé un ingénieux système audio en ce sens qu'il est extrêmement simple. Il s'agit uniquement d'une paire de haut-parleurs liés à une connexion de lecteur de fichier MP3. Il n'y a donc pas de radio ou de lecteur de CD. Une commande sur la poignée gauche permet de contrôler volume et fichiers.

Il semblerait logique que Stratoliner Deluxe soit plus chère que la Stratoliner S vu son équipement, mais à 22 999 $, elle coûte en fait 300 $ de moins.

Général

Catégorie	Custom/Tourisme léger
Prix	Roadliner : 19 699 $ (S : 21 299 $) Stratoliner S : 23 299 $ Stratoliner Deluxe : 22 999 $
Immatriculation 2010	627 $
Catégorisation SAAQ 2010	« régulière »
Évolution récente	introduite en 2006, version Deluxe introduite en 2010
Garantie	1 an/kilométrage illimité
Couleur(s)	Roadliner S : bleu Roadliner : noir Stratoliner S : bourgogne Stratoliner Deluxe : noir
Concurrence	Harley-Davidson CVO Suzuki Boulevard C109R

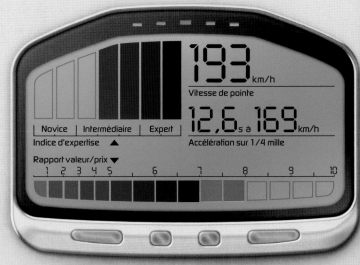

Voir légende en page 7

Moteur

Type	bicylindre 4-temps en V à 48 degrés, culbuté, 4 soupapes par cylindre, refroidissement par air
Alimentation	injection à 2 corps de 43 mm
Rapport volumétrique	9,5:1
Cylindrée	1 854 cc
Alésage et course	100 mm x 118 mm
Puissance	101 ch @ 4 800 tr/min
Couple	124 lb-pi @ 2 200 tr/min
Boîte de vitesses	5 rapports
Transmission finale	par courroie
Révolution à 100 km/h	environ 2 500 tr/min
Consommation moyenne	6,8 l/100 km
Autonomie moyenne	250 km

Partie cycle

Type de cadre	double berceau, en aluminium
Suspension avant	fourche conventionnelle de 46 mm non ajustable
Suspension arrière	monoamortisseur ajustable en précharge
Freinage avant	2 disques de 298 mm de Ø avec étriers à 4 pistons
Freinage arrière	1 disque de 320 mm de Ø avec étrier à 1 piston
Pneus avant/arrière	130/70 R18 & 190/60 R17
Empattement	1 715 mm
Hauteur de selle	705 mm
Poids tous pleins faits	Roadliner : 340 kg; Stratoliner : 364 kg; Stratoliner Deluxe : 368 kg;
Réservoir de carburant	17 litres

QUOI DE NEUF EN 2010 ?

Introduction d'une nouvelle variante basée sur la Stratoliner, la Deluxe

Roadliner Midnight devient Roadliner, retrait de la Stratoliner Midnight

Roadliner coûte 400 $ de moins que Roadliner Midnight 2009

Roadliner S coûte 800 $ de moins et Stratoliner S 100 $ de plus qu'en 2009

PAS MAL

Un comportement d'un équilibre très surprenant; malgré son gabarit, la Roadliner se balance avec une grâce et une élégance qui étonnent autant qu'elles séduisent

Un V-Twin qui propose à la fois un caractère fort et plaisant combiné à un niveau de performances décidément impressionnant

Une allure non seulement différente, mais aussi très chic et raffinée, ainsi qu'une qualité de finition qui doit être considérée comme le standard de l'industrie; la nouvelle Deluxe ne fait que démontrer ce point de manière encore plus convaincante

BOF

Une facture élevée qui prive malheureusement beaucoup de motocyclistes du plaisir de piloter une Roadliner; à ces prix, plusieurs préfèrent opter pour une Harley-Davidson sans donner la moindre importance aux innombrables différences techniques qui séparent ces choix

Une version de tourisme léger qui accomplit son mandat de manière ordinaire, sans plus; une Kawasaki Nomad est, par exemple, bien plus accueillante et beaucoup plus confortable pour son passager

Un gros silencieux qui ne semble pas être au même niveau de design que l'ensemble et qui nuit à la pureté de l'image, dont l'inspiration « Streamliner » est pourtant du meilleur effet

Conclusion

Lorsqu'une compagnie de la trempe de Yamaha se donne comme but de pousser un concept aux limites du possible, des résultats extraordinaires sont attendus. C'est exactement la réalité de ces customs puisqu'elles sont effectivement extraordinaires. L'affirmation risque d'en choquer plusieurs, mais le fait est que dans la quasi-totalité des cas, les customs produites depuis que le genre est devenu populaire au milieu des années 90 ne font qu'imiter tant bien que mal des lignes et des sensations piquées chez Harley-Davidson. Jamais, ou à tout le moins très rarement, voit-on un modèle japonais pousser le concept custom plus loin en faisant évoluer l'expérience et non seulement le cubage. Les machines de classe 1900 de Yamaha y arrivent. À ce jour, il s'agit des seules customs que nous ayons pilotées qui font vivre une expérience sensorielle supérieure et aussi des seules dont le traitement visuel est aussi soigné.

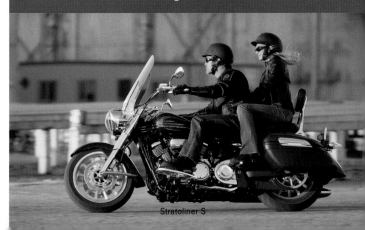

Stratoliner S

Raider S

YAMAHA
RAIDER

Ère post-Milwaukee...

Les manufacturiers japonais, depuis qu'ils se sont intéressés au genre custom, ont surtout proposé des produits réinterprétant un thème et une expérience qui provenaient de chez Harley-Davidson. Très rarement, pour ne pas dire jamais, a-t-on vu une quelconque initiative être prise par ceux-ci. La situation semble néanmoins être en train de changer très probablement en raison de l'appétit de leur clientèle en matière de nouveautés, ce qui les force à innover. Comme la Fury et les autres VT1300 de Honda, la ligne de la Raider s'inspire du phénomène chopper plutôt que du catalogue Harley-Davidson. Elle est propulsée par le même magnifique V-Twin de 1 900 cc qui anime les Roadliner et Stratoliner.

La manière dont on «crée» un nouveau modèle custom est la même depuis toujours chez les constructeurs rivaux de Harley-Davidson : on choisit un modèle de la gamme américaine, généralement un classique comme la Fat Boy, et on en propose un équivalent. Comme Yamaha est aussi coupable que n'importe lequel de ses voisins nippons à ce chapitre, l'arrivée de la Raider en 2008 constitua une surprise de taille.

Affichant une ligne non pas inspirée par le catalogue Harley-Davidson, mais plutôt par des tendances observées dans la rue — le même endroit d'où s'inspirent souvent les stylistes de Milwaukee, d'ailleurs —, la Raider n'est certes pas une custom commune.

Se voulant le reflet d'exhaustives recherches menées par la firme Iwata City sur le phénomène custom, elle représente la combinaison aussi délicieuse que réussie d'une position de conduite peu habituelle, d'un style bien particulier et de technologies de pointe. Une combinaison formant par ailleurs un ensemble qu'on pourrait presque qualifier de bouleversant d'un point de vue émotionnel tellement l'expérience que celui-ci fait vivre est forte.

Voilà maintenant quelque temps que Yamaha a saisi l'importance du son et des sensations renvoyées par un V-Twin sur une custom. La Raider démontre que la marque a également compris le pouvoir qu'une position de conduite exerce sur l'expérience de pilotage.

Assis très bas sur une selle large et moulante, le pilote de la Raider doit étirer les jambes pour atteindre les repose-pieds et

> **EN RÉSISTANT À LA TENTATION D'INSTALLER UN PNEU ARRIÈRE DE 240 MM, YAMAHA A ÉPARGNÉ LA TENUE DE ROUTE DE LA RAIDER.**

tendre les bras à la hauteur des épaules de manière à ce que ses poings soient positionnés face à la route. Décrire la posture comme macho ou dominante n'aurait rien d'exagéré. Un magnifique — dans tous les sens du mot — V-Twin provenant de la Roadliner et une solide partie cycle bâtie autour d'un cadre en aluminium complètent un ensemble de première classe au chapitre technique.

En résistant à la tentation d'installer un gros pneu arrière de 240 mm et en optant plutôt pour une gomme de 210 mm, Yamaha a épargné à la Raider la lourdeur de direction et la maladresse généralement inhérentes à beaucoup de customs équipées d'un pneu arrière très large. Sans toutefois être particulièrement agile dans les manœuvres serrées en raison de sa direction très ouverte, la Raider démontre une stabilité royale, fait preuve d'une direction assez précise et offre un aplomb en virage très correct.

Si le confort offert par la selle est surprenant, et ce, même sur des distances plutôt longues, le passager n'est toutefois pas très gâté parce que la suspension arrière peut s'avérer très sèche sur les défauts prononcés de la chaussée. Elle reste correcte ailleurs.

Le V-Twin de 1,9 litre compte pour une très importante partie du plaisir de pilotage que la Raider propose. Puissant et sublimement coupleux à très bas régime, il gronde lourdement sans toutefois trembler outre mesure. On le sent clairement «pulser» en pleine accélération, mais il s'adoucit dès qu'une vitesse de croisière est atteinte. Il s'agit probablement du meilleur V-Twin custom du marché.

Général

Catégorie	Custom
Prix	19 599 $ (S : 19 999 $)
Immatriculation 2010	627 $
Catégorisation SAAQ 2010	« régulière »
Évolution récente	introduite en 2008
Garantie	1 an/kilométrage illimité
Couleur(s)	rouge, argent (S : bleu, noir)
Concurrence	Harley-Davidson Rocker et Dyna Wide Glide; Honda VT1300

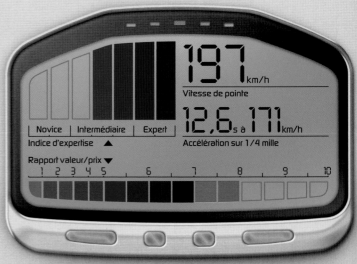

Voir légende en page 7

Moteur

Type	bicylindre 4-temps en V à 48 degrés, culbuté, 4 soupapes par cylindre, refroidissement par air
Alimentation	injection à 2 corps de 43 mm
Rapport volumétrique	9,5:1
Cylindrée	1 854 cc
Alésage et course	100 mm x 118 mm
Puissance	101 ch @ 4 800 tr/min
Couple	124 lb-pi @ 2 200 tr/min
Boîte de vitesses	5 rapports
Transmission finale	par courroie
Révolution à 100 km/h	environ 2 500 tr/min
Consommation moyenne	6,8 l/100 km
Autonomie moyenne	228 km

Partie cycle

Type de cadre	double berceau, en aluminium
Suspension avant	fourche conventionnelle de 46 mm non ajustable
Suspension arrière	monoamortisseur ajustable en précharge
Freinage avant	2 disques de 298 mm de Ø avec étriers à 4 pistons
Freinage arrière	1 disque de 310 mm de Ø avec étrier à 1 piston
Pneus avant/arrière	120/70-21 & 210/40 R18
Empattement	1 799 mm
Hauteur de selle	695 mm
Poids tous pleins faits	331 kg (à vide : 314 kg)
Réservoir de carburant	15,5 litres

QUOI DE NEUF EN 2010 ?

Aucun changement

Coûte 200 $ de plus qu'en 2009

PAS MAL

Un véritable joyau de V-Twin gavé de couple lourd et gras dès les tout premiers régimes, doté d'un délicieux grondement sourd et tremblant juste assez, et jamais trop

Une partie cycle étonnamment bien maniérée pour une moto dont la géométrie est aussi extrême

Une selle basse, des repose-pieds avancés et un guidon droit placé bien à l'avant se combinent pour former l'une des positions de conduite les plus cool de l'univers custom

BOF

Une suspension arrière qui ne donne pas beaucoup de chances au pilote sur des défauts prononcés de la chaussée, où elle peut se montrer très rude

Un niveau de confort très précaire pour le passager, tant au chapitre de la position qu'au sujet de la rude suspension arrière

Un style formé d'une foule de petits détails très réussis, mais dont certains ne semblent pas toujours s'agencer de façon homogène avec l'ensemble; la forme des silencieux, par exemple, est souvent critiquée, comme le dessin un peu banal des roues d'ailleurs

Conclusion

Comme ses cousines de 1 900 cc, les Roadliner et Stratoliner, la Raider est l'une de ces fabuleuses customs construites par Yamaha avec le but d'arriver à un produit ultime. Elle nous a probablement marqués encore plus que les modèles classiques. D'abord, en raison de la manière avec laquelle elle installe le pilote à ses commandes, franchement, le derrière bas, mains et pieds devant, sans offrir d'excuses. Puis, évidemment, en raison de l'extraordinaire caractère du gros V-Twin qui l'anime. Puissant et coupleux, grondant et pulsant, il est l'incarnation de ce qu'un V-Twin devrait être et de ce qu'il devrait transmettre. Rares, très rares, sont les moteurs qui sont plus qu'un moteur. Et tout aussi rares sont les V-Twin dont nous parlons de la sorte. En fait, à part le Harley-Davidson TC96 installé dans les châssis Dyna et celui-ci, il n'y en a à peu près pas.

Raider

Road Star Midnight Warrior

YAMAHA
ROAD STAR WARRIOR

Le sport, pris au sérieux...

Au beau milieu d'un univers où l'accent est bien davantage mis sur le chrome et les courbes que sur une quelconque facette de la performance, la Warrior fait décidément bande à part en prônant plutôt la sportivité. Dotée du premier châssis en aluminium installé sur une custom, mue par un gros V-Twin de 1 700 cc aussi grondant que charmeur et affichant certaines pièces de partie cycle littéralement piquées chez la YZF-R1 de l'époque, la Warrior n'a presque pas d'équivalent direct sur le marché. Certains modèles s'en rapprochent, comme la Night Rod Special de Harley-Davidson ou la Boulevard M109R de Suzuki, mais aucune ne traite le thème sportif de manière aussi sérieuse.

La Warrior se distingue de la horde de customs qui ont envahi le marché depuis une bonne quinzaine d'années en empruntant une voie originale plutôt qu'en répétant le commun exercice d'imiter une quelconque Harley-Davidson. En effet, elle est construite autour d'un cadre en aluminium léger et rigide — une solution technique non seulement inusitée dans l'univers custom, mais aussi exclusive à Yamaha — et d'un V-Twin dont la présence sensorielle est décidément digne de mention, sans parler de la ligne très particulière. Avec ces quelques ingrédients, Yamaha a créé une moto d'exception qui fait mentir la règle. Et en lui greffant une panoplie de composantes piratées aux sportives de la marque — freins, roues, suspensions, pneus —, le constructeur a aussi donné naissance à une machine dont le comportement se veut vraiment un croisement entre celui d'une sportive et celui d'une custom.

L'impression dominante ressentie aux commandes d'une Warrior en est une de rigidité, de solidité d'ensemble qui reste à ce jour presque exclusive au modèle et qui provient du châssis en aluminium retrouvé uniquement sur certaines customs de Yamaha. Une fois en mouvement, elle se montre légère et maniable. La direction est agréablement neutre et précise, tandis que le freinage s'avère être de première classe, gracieuseté des composantes empruntées aux plus sérieuses sportives du constructeur. Même plusieurs années après son introduction de

2002, la Warrior reste la custom qui affiche la meilleure tenue route de l'industrie. Il suffit de l'emmener sur une route en lacets et de maintenir un rythme rapide et soutenu pour en avoir la preuve puisqu'aucune rivale ne peut suivre sa cadence. Si elle ne peut évidemment pas s'incliner autant qu'une sportive, les angles dont elle est capable demeurent aisément supérieurs à ceux des customs classiques.

Résultat d'un compromis entre allure custom et performances sportives, la position de conduite ne fait pas l'unanimité, mais elle reste tout de même très tolérable. À l'inverse, le travail des suspensions suscite relativement peu de critiques puisqu'elles se montrent à la fois souples et fermes.

Le plaisir qu'on tire de la Warrior ne vient pas seulement de son impressionnant comportement routier puisque le caractère de sa mécanique contribue également à l'agrément de pilotage. Tout le charisme du V-Twin de la Road Star 1700 demeure présent, avec en prime un niveau de performances considérablement remonté. En plus du grondement profond et du tremblement marqué de la custom classique, on a aussi droit sur la Warrior à des accélérations très agréables caractérisées par une production massive de couple dès les premiers tours, suivies d'une augmentation graduelle et linéaire de la puissance. Sans qu'elle soit exceptionnellement rapide, la Warrior propose quand même des accélérations qui arrivent à satisfaire.

> **L'IMPRESSION DOMINANTE RESSENTIE À SES COMMANDES EN EST UNE DE RIGIDITÉ ET DE SOLIDITÉ D'ENSEMBLE EXCLUSIVE AU MODÈLE.**

Général

Catégorie	Custom
Prix	19 199 $ (Midnight : 19 499 $)
Immatriculation 2010	627 $
Catégorisation SAAQ 2010	« régulière »
Évolution récente	introduite en 2002
Garantie	1 an/kilométrage illimité
Couleur(s)	rouge (Midnight : noir)
Concurrence	Harley-Davidson Night Rod Special, Suzuki Boulevard M109R, Victory Hammer

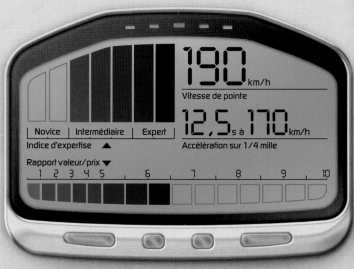

Voir légende en page 7

Moteur

Type	bicylindre 4-temps en V à 48 degrés, culbuté, 4 soupapes par cylindre, refroidissement par air
Alimentation	injection à 2 corps de 40 mm
Rapport volumétrique	8,4:1
Cylindrée	1 670 cc
Alésage et course	97 mm x 113 mm
Puissance	88 ch @ 4 400 tr/min
Couple	109 lb-pi @ 3 500 tr/min
Boîte de vitesses	5 rapports
Transmission finale	par courroie
Révolution à 100 km/h	environ 2 500 tr/min
Consommation moyenne	6,5 l/100 km
Autonomie moyenne	230 km

Partie cycle

Type de cadre	double berceau, en aluminium
Suspension avant	fourche inversée de 41 mm ajustable en précharge
Suspension arrière	monoamortisseur ajustable en précharge et détente
Freinage avant	2 disques de 298 mm de Ø avec étriers radiaux à 4 pistons
Freinage arrière	1 disque de 282 mm de Ø avec étrier à 1 piston
Pneus avant/arrière	120/70 ZR18 & 200/50 ZR17
Empattement	1 665 mm
Hauteur de selle	725 mm
Poids tous pleins faits	295 kg (à vide : 275,5 kg)
Réservoir de carburant	15 litres

QUOI DE NEUF EN 2010 ?

Aucun changement

Coûte 100 $ de plus qu'en 2009

PAS MAL

Un châssis en aluminium qui reprend les technologies des sportives; son comportement est unique chez les customs

Un V-Twin qui séduit les amateurs de caractère par ses pulsations profondes et sa façon de gronder lourdement

Des ventes relativement faibles qui font de la Warrior une véritable moto de niche, une custom exclusive et presque exotique

BOF

Une allure unique et des proportions inusitées qui sont à l'origine de la controverse entourant le style du modèle; son train avant clairement sportif et son énorme silencieux sont deux exemples de pièces qui semblent détonner avec le reste de l'ensemble; peut-être serait-il temps pour Yamaha de la rajeunir, ou même de s'interroger sur les justifications de sa présence dans le marché actuel ?

Un niveau de confort toujours limité par une position de conduite particulière et pas aussi équilibrée que la coutume le veut chez ces motos

Une facture salée qui la place parmi les plus chères des customs japonaises, un fait qui, avec l'allure controversée, explique les modestes ventes; la présence de la Raider, dont le style n'est peut-être pas exactement le même, mais dont le prix, lui est très proche, complique d'autant plus les choses pour la Warrior

Conclusion

Propulsée par un gros V-Twin gavé de caractère et dotée d'une allure, disons, très particulière, la Warrior illustre la volonté de la firme d'Iwata City d'offrir une custom qui sort des rangs. Arrivée sur le marché à une époque où l'idée de la custom de performances en était à ses balbutiements, elle a réussi à s'imposer comme l'un des rares modèles méritant vraiment cette appellation, d'ailleurs souvent utilisée à tort. Il s'agit d'une custom construite de façon à livrer un certain plaisir de pilotage et non seulement pour la balade et les parades. Bien qu'elle livre la marchandise promise et qu'elle satisfasse pleinement les quelques motocyclistes qui l'acquièrent chaque année, on se demande combien de temps encore Yamaha la gardera dans sa gamme, puisqu'il semble aujourd'hui évident que le monde custom est tout simplement passé à autre chose.

Road Star Warrior

Road Star S

YAMAHA
ROAD STAR

Évolution de l'espèce...

À l'époque à laquelle la Road Star, alors une 1600, fut développée, soit au milieu des années 90, les premières «vraies» customs japonaises arrivaient sur le marché. Bien que chacune tentait à ce moment d'offrir la plus grosse cylindrée possible, on cherchait surtout à savoir laquelle serait la plus proche d'une Harley en termes de style et de mécanique. Personne n'alla plus loin que Yamaha et sa Road Star dont l'architecture du V-Twin refroidi par air avait été fortement inspirée par celle du V-Twin Evolution de Harley-Davidson. Mise en marché en 1999 et ayant vu sa cylindrée grimper de 1 600 à 1 700 cc en 2004, la Road Star est aussi offerte en version de tourisme léger Silverado.

Animée par un gros V-Twin culbuté ouvert à «presque» 45 degrés et refroidi par air, affichant une élégante ligne classique et proposant de généreuses surfaces chromées, la Road Star appuie sa crédibilité sur les nombreux parallèles qu'elle établit avec les customs américaines. Une crédibilité qui va d'ailleurs beaucoup plus loin que des données techniques similaires, car celle qui a longtemps été le porte-drapeau de la gamme custom de Yamaha s'éveille en effet en émettant l'un des plus profonds grondements de l'univers custom. Bien qu'il existe désormais des cylindrées plus imposantes que ses 1 700 cc, la Road Star ne s'en trouve pas le moindrement gênée puisque rares sont les customs qui surpassent l'ampleur de sa présence mécanique.

Yamaha comprend tout autant que Harley-Davidson l'importance de l'expérience sensorielle découlant de la conduite d'une custom et n'a reculé devant aucun effort pour donner vie au moteur de la Road Star. Il s'agit d'une réalité qui devient évidente sitôt la première enfoncée, l'embrayage relâché et les gaz enroulés, et qui est à la fois ressentie sous la forme de pulsations franches et d'un grondement profond. Sur l'autoroute, les tours sont bas et chaque mouvement des deux gros pistons s'avère tout aussi clairement audible que palpable. Cette particularité qu'a la Road Star d'accompagner chaque instant de conduite d'une telle présence mécanique en fait même l'une des customs les plus communicatives sur le marché. Si communicative en fait qu'il vaudrait mieux que les intéressés soient certains de vouloir

> **LES INTÉRESSÉS DOIVENT ÊTRE CERTAINS DE VOULOIR VIVRE AVEC UNE TELLE PRÉSENCE DE LA PART DU V-TWIN.**

vivre avec une telle présence de la part du V-Twin puisqu'un comportement de ce genre n'est pas nécessairement considéré par tous comme un point positif.

Malgré des performances mesurées sortant peu de l'ordinaire, la Road Star arrive quand même à satisfaire en ligne droite, mais elle y arrive surtout grâce au caractère fort et à la nature musclée de son V-Twin à bas régime.

Si le comportement routier et le confort proposés par ce modèle ont toujours été très honnêtes, son fabricant est tout de même arrivé à les peaufiner lors de la révision de 2004. La Road Star a toujours été une moto dont la direction se montre légère, dont le comportement est sain et solide en courbe, dont la position de conduite est bien équilibrée et dont les suspensions se débrouillent de façon correcte sur la route. Le constructeur a toutefois profité de cette révision pour ajouter une selle mieux formée et plus spacieuse ainsi que pour améliorer le freinage, gracieuseté des composantes empruntées à la sportive R1. Les commentaires négatifs au sujet du confort et du comportement routier se résument en trois points : le poids élevé de la moto; les agaçantes turbulences produites par le pare-brise des versions Silverado et le niveau de confort au mieux ordinaire réservé au passager. Les adeptes de longs voyages en duo seraient d'ailleurs bien avisés de sérieusement évaluer les autres choix qui s'offrent à eux avant de s'arrêter sur une Silverado.

Général

Catégorie	Custom/Tourisme léger
Prix	Road Star : 16 549 $ (S : 16 999 $) Silverado : 18 499 $ (S : 19 199 $)
Immatriculation 2010	627 $
Catégorisation SAAQ 2010	« régulière »
Évolution récente	introduite en 1999; revue en 2004
Garantie	1 an/kilométrage illimité
Couleur(s)	Road Star : bleu (S : noir) Silverado : blanc (S : rouge)
Concurrence	Harley-Davidson Softail Deluxe, Kawasaki Vulcan 1700 Classic, Suzuki Boulevard C109R, Victory King Pin

175 km/h
Vitesse de pointe

14,1 s à **151** km/h
Accélération sur 1/4 mille

Novice	Intermédiaire	Expert

Indice d'expertise ▲

Rapport valeur/prix ▼

1 2 3 4 5 6 7 8 9 10

Voir légende en page 7

Moteur

Type	bicylindre 4-temps en V à 48 degrés, culbuté, 4 soupapes par cylindre, refroidissement par air
Alimentation	injection à deux corps de 40 mm
Rapport volumétrique	8,4:1
Cylindrée	1 670 cc
Alésage et course	97 mm x 113 mm
Puissance	72,3 ch @ 4 000 tr/min
Couple	106,3 lb-pi @ 2 500 tr/min
Boîte de vitesses	5 rapports
Transmission finale	par courroie
Révolution à 100 km/h	environ 2 400 tr/min
Consommation moyenne	6,3 l/100 km
Autonomie moyenne	269 km

Partie cycle

Type de cadre	double berceau, en acier
Suspension avant	fourche conventionnelle de 43 mm non ajustable
Suspension arrière	monoamortisseur ajustable en précharge
Freinage avant	2 disques de 298 mm de Ø avec étriers à 4 pistons
Freinage arrière	1 disque de 320 mm de Ø avec étrier à 4 pistons
Pneus avant/arrière	130/90-16 & 150/80-16
Empattement	1 688 mm
Hauteur de selle	710 mm
Poids tous pleins faits	337 kg (Silverado : 352 kg) (à vide : 315 kg; Silverado : 323 kg)
Réservoir de carburant	17 litres

QUOI DE NEUF EN 2010 ?

Aucun changement

Coûtent 100 $ de plus qu'en 2009

PAS MAL

Une mécanique extrêmement communicative et excessivement plaisante pour les sens, du moins pour l'amateur de customs qui s'attend à de franches sensations sonores et tactiles d'un gros V-Twin à l'américaine

Un comportement sain provenant d'une bonne stabilité et d'une direction précise et légère, du moins une fois qu'on se met en mouvement

Un niveau de confort appréciable pour le pilote grâce à des suspensions bien calibrées et à une position de conduite dégagée et détendue

BOF

Un poids considérable qui complique autant les opérations quotidiennes telle la sortie du garage que les manœuvres serrées et à basse vitesse

Un pare-brise qui mériterait une attention particulière de Yamaha, sur les Silverado, puisqu'il produit depuis toujours d'agaçantes turbulences au niveau du casque

Une très forte présence mécanique qui ne plaît pas à tous; certains sont surpris de retrouver un niveau de pulsations aussi franc, mais s'y habituent, tandis que d'autres le considèrent simplement comme excessif

Un niveau de confort ordinaire pour le passager, qui ne bénéficie pas du même genre d'accueil que sur certains autres modèles de la classe telle la Kawasaki Nomad

Conclusion

Au sein de sa classe, la Road Star se distingue en se présentant comme la custom poids lourd qui « s'inspire » avec le plus de fidélité de l'expérience proposée par certaines Harley-Davidson. Elle le fait tant d'un point de vue technique avec son V-Twin culbuté refroidi par air très américain, qu'à bien d'autres niveaux comme la facilité de personnalisation et la popularité des associations de propriétaires. Mais le véritable et le plus intéressant attrait d'une Road Star demeure le caractère fort et franc de son gros bicylindre. Il s'agit d'une particularité qui ne plaît pas nécessairement à tout le monde, mais qu'adoreront ceux qui apprécient qu'un V-Twin ne fasse pas que propulser la moto, mais qu'il leur fasse aussi vivre une expérience mécanique.

Road Star Silverado S

V-Star 1300 Tourer

V-STAR 1300

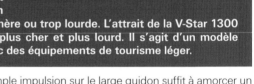

Ni trop petite, ni trop grosse...

Lorsque vient le temps pour l'amateur de custom de déterminer quel modèle deviendra le sien, un vaste choix de cylindrées s'offre à lui. Comme une grande cylindrée est toujours plus agréable à piloter qu'une petite, les questions du poids et du prix deviennent les limites de l'acheteur. Celui-ci cherche ainsi à trouver non seulement la plus jolie, mais aussi la plus grosse, sans toutefois qu'elle soit trop chère ou trop lourde. L'attrait de la V-Star 1300 est qu'elle est le dernier échelon avant qu'on tombe dans le considérablement plus cher et plus lourd. Il s'agit d'un modèle relativement récent puisqu'il fut introduit en 2007. La version Tourer est livrée avec des équipements de tourisme léger.

Honda avait vu juste en tentant, avec sa VTX1300, de combler l'écart entre les prix alléchants des customs de «petites» cylindrées dotées d'une mécanique de moins d'un litre et les factures beaucoup plus élevées des machines de plus de 1,5 litre.

L'écart que visent à combler les 1300 n'est pas que d'ordre économique puisqu'une telle cylindrée garantit aussi une série de bénéfices touchant le plaisir de pilotage. À ce sujet, l'intérêt d'une 1300 est qu'elle a le potentiel d'améliorer les sensations mécaniques sans du même coup élever le poids de la moto à un niveau qui le rend gênant pour les motocyclistes moins forts, moins grands ou moins expérimentés.

Visuellement, la V-Star 1300 est somme toute réussie. Elle possède une présence physique comparable à celle des poids lourds, mais est aussi facile à relever de sa béquille qu'une custom de cylindrée plus faible. Pour un motocycliste que la masse d'une moto de plus gros cubage intimide, il s'agit d'une caractéristique rassurante. Les plus expérimentés trouveront sur la 1300 l'avantage d'une position plus dégagée que sur la V-Star 1100. Ironiquement, et c'était probablement là le seul défaut de l'ergonomie de la V-Star 1300, la courbure prononcée du guidon vers l'arrière provoquait un contact avec les genoux du pilote en virage lent et serré. Il faudra vérifier si le nouveau guidon installé en 2010 règle le problème.

La V-Star 1300 affiche une stabilité sans faute, même à haute vitesse. La direction se montre exceptionnellement

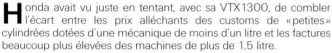

L'INTÉRÊT D'UNE 1300 EST QU'ELLE A LE POTENTIEL D'AMÉLIORER LES SENSATIONS MÉCANIQUES SANS TROP ÉLEVER LE POIDS.

légère et une simple impulsion sur le large guidon suffit à amorcer un virage. Une fois inclinée, elle fait preuve de manières impeccables et suit la trajectoire choisie proprement et solidement. Les plateformes finissent par frotter, mais pas de manière prématurée. Si les freins sont puissants, surtout à l'avant, une pression importante au levier est tout de même nécessaire pour arriver aux meilleurs résultats.

Le V-Twin qui anime la V-Star 1300 possède une cylindrée juste assez imposante pour éveiller vos sens. Chatouillant le pilote de ses douces pulsations sur l'autoroute, il tremble juste assez à l'accélération pour rendre l'expérience plaisante et ne vibre jamais exagérément. Sa sonorité est propre et pure. Exempte de tout bruit mécanique, elle se caractérise par un profond grondement des silencieux qui varie au rythme des changements de régimes du moteur. Si l'amplitude des sensations n'est pas aussi large que sur la caractérielle Road Star, elle est plus flatteuse que sur la V-Star 1100.

Le couple est omniprésent dès le relâchement de l'embrayage, lequel fait preuve d'une belle progressivité. Les accélérations sont franches sur toute la plage de régimes. Il est clair qu'on n'est pas en présence du genre de couple de tracteur délivré par un gros cubage, mais ça pousse quand même plus fort qu'une 1100. La douceur de l'entraînement final par courroie, l'absence de jeu dans le rouage d'entraînement et l'excellente alimentation par injection renvoient par ailleurs au pilote une sensation de sophistication et de qualité.

Général

Catégorie	Custom/Tourisme léger
Prix	V-Star 1300 : 12 599 $ V-Star 1300 Tourer : 14 199 $
Immatriculation 2010	627 $
Catégorisation SAAQ 2010	« régulière »
Évolution récente	introduite en 2007
Garantie	1 an/kilométrage illimité
Couleur(s)	noir (Tourer : noir, bleu)
Concurrence	Harley-Davidson Sportster 1200, Honda VT 1300, Suzuki Boulevard M90

170 km/h
Vitesse de pointe

13,8 s à 154 km/h
Accélération sur 1/4 mille

Novice | Intermédiaire | Expert
Indice d'expertise ▲

Rapport valeur/prix ▼
1 2 3 4 5 6 7 8 9 10

Voir légende en page 7

Moteur

Type	bicylindre 4-temps en V à 60 degrés, SACT, 4 soupapes par cylindre, refroidissement par liquide
Alimentation	injection à 2 corps de 40 mm
Rapport volumétrique	9,5:1
Cylindrée	1 304 cc
Alésage et course	100 mm x 83 mm
Puissance	76,8 ch @ 5 500 tr/min
Couple	81,8 lb-pi @ 4 000 tr/min
Boîte de vitesses	5 rapports
Transmission finale	par courroie
Révolution à 100 km/h	environ 3 000 tr/min
Consommation moyenne	6,3 l/100 km
Autonomie moyenne	293 km

Partie cycle

Type de cadre	double berceau, en acier
Suspension avant	fourche conventionnelle de 41 mm non ajustable
Suspension arrière	monoamortisseur ajustable en précharge
Freinage avant	2 disques de 298 mm de Ø avec étriers à 2 pistons
Freinage arrière	1 disque de 298 mm de Ø avec étrier à 1 piston
Pneus avant/arrière	130/90-16 & 170/70-16
Empattement	1 690 mm
Hauteur de selle	690 mm
Poids tous pleins faits	303 kg (Tourer : 323 kg) (à vide : 283 kg; Tourer : 303 kg)
Réservoir de carburant	18,5 litres

QUOI DE NEUF EN 2010 ?

Angle du guidon modifié, couvercle du phare et protecteur de courroie chromés, emblème en 3 dimensions sur réservoir, nouvelle forme de selle et hauteur de selle réduite

Coûtent 100 $ de plus qu'en 2009

PAS MAL

Un comportement équilibré et sain qui satisfait les pilotes expérimentés et rassure les moins avancés

Une mécanique offrant abondamment de couple que l'on prend plaisir à écouter et à sentir vrombir

Une attention aux détails qui surprend pour une moto de ce prix; la V-Star 1300 abonde en pièces travaillées, bien finies et bien présentées

BOF

Un guidon qui ne tombe pas naturellement sous les mains et dont la courbure prononcée vers le bas et l'arrière provoque un contact entre les poignées et les genoux lors de virages lents et serrés; Yamaha annonce une correction à ce niveau pour 2010 et dont les bénéfices restent à vérifier

Une suspension arrière plutôt ferme, adéquate sur un revêtement de bonne qualité, mais trop rude quand celui-ci se détériore

Un pare-brise haut, sur la version Tourer, qui ne génère pas trop de turbulences, mais qui force le pilote à regarder au travers, ce qui peut devenir embêtant la nuit ou par temps pluvieux

Conclusion

La V-Star 1300 propose de fort respectables performances, démontre un excellent comportement routier et accorde une impressionnante attention aux détails et à la finition. Elle représente une excellente manière d'acquérir une custom de bonne cylindrée sans tomber dans les factures d'un niveau beaucoup plus important qu'imposent les modèles plus gros. Par ailleurs, comme la VTX 1300 n'est désormais plus sur le marché et que sa remplaçante chez Honda arbore une ligne qui n'est pas du type classique, la V-Star 1300 se retrouve dans une situation où elle n'a plus une concurrence aussi directe que par le passé.

V-Star 1300 Tourer

V-Star 950 Tourer

YAMAHA
V-STAR 950

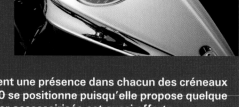

Petite cylindrée moyenne...

Il n'existe aujourd'hui aucune compagnie — pas même Harley-Davidson — dont la gamme custom est plus diversifiée que celle de Yamaha. En effet, avec ses 650, 950, 1300 V-Twin et 1300 V4, 1700, et 1900 (on ne parle même pas de la VMAX à moteur 1700 V4 que certains considèrent comme une custom mais qui n'en est pas une, ou de la toute petite V-Star 250), le constructeur d'Iwata City a non seulement une présence dans chacun des créneaux customs, mais il offre même des produits intercréneaux. C'est ainsi que la V-Star 950 se positionne puisqu'elle propose quelque chose de plus que les 750-800, mais à meilleur prix que les 1300. Une version Tourer accessoirisée est aussi offerte.

Yamaha semble s'être carrément donné la mission de noyer l'univers du chrome et des franges avec ses innombrables modèles, si bien qu'on ne trouve aujourd'hui plus aucune catégorie, ou même sous-catégorie où la marque n'est pas présente.

La raison d'être de la V-Star 950, qui fut lancée l'an dernier, n'est toutefois pas seulement de combler l'écart de cylindrée existant entre les 650 et 1100 de la même famille. Compte tenu de l'âge avancé de ces dernières, de leur popularité à la baisse, de leur style retardataire et des nouvelles tendances du marché, la 950 prend d'une certaine façon leur relève.

Yamaha a en effet très habilement dosé la masse et les proportions de la nouveauté de manière à ce qu'elle soit parfaitement accessible aux motocyclistes novices ou aux femmes qui craignent souvent le poids trop élevé des grosses cylindrées. Par ailleurs, cette accessibilité n'empêche en rien la V-Star 950, qui est tout de même propulsée par une mécanique de près d'un litre, de satisfaire un motocycliste plus expérimenté, pour autant, évidemment, qu'il ne demande pas la lune en termes de performances. Donc, si le niveau de puissance offert par la 950 n'est pas exceptionnel, il reste que la quantité de couple produite par le V-Twin est juste assez substantielle pour qu'on n'ait pas l'impression d'être aux commandes d'une custom de petite cylindrée. Cette qualité représente un avantage non négligeable puisqu'elle place la 950 du côté favorable de cette fine ligne qui sépare

TOUT SANS EXCEPTION FONCTIONNE BIEN ET DE FAÇON TRANSPARENTE. L'ENSEMBLE RENVOIE UNE SENSATION D'HARMONIE.

les customs à «petit» V-Twin des modèles bénéficiant d'une cylindrée qu'on peut commencer à qualifier de grosse. Yamaha a de plus déployé des efforts considérables afin de donner au nouveau V-Twin de la V-Star 950 une sonorité propre et aussi profonde que possible compte tenu de la cylindrée, ce qui ne fait qu'ajouter à l'agrément de conduite.

S'il est une qualité qui ressort de manière prédominante de la dernière V-Star, c'est l'impression d'harmonie et d'homogénéité que renvoie l'ensemble. Tout, et ce, sans exception fonctionne bien et de manière transparente.

La selle très basse, le poids étonnamment faible, la position de conduite joliment équilibrée et la direction très légère se combinent pour en faire une custom qu'on semble apprivoiser de manière presque immédiate. L'embrayage progressif et qui demande très peu d'efforts, la transmission douce et précise, les freins assez puissants et les suspensions habilement calibrées sont autant de caractéristiques additionnelles qui ne font que renforcer cette plaisante sensation d'ensemble cohérent et fonctionnel.

Le comportement routier de la V-Star 950 s'avère pratiquement impeccable en proposant une excellente stabilité, une bonne précision en virage et une grande légèreté de direction en entrée de courbe. La seule petite ombre au tableau concerne la garde au sol puisque les plateformes frottent relativement tôt en virage. On ne s'en rend pas compte en conduite normale, mais on doit en être conscient.

Général

Catégorie	Custom/Tourisme léger
Prix	V-Star 950 : 10 099 $ V-Star 950 Tourer : 12 099 $
Immatriculation 2010	627 $
Catégorisation SAAQ 2010	« régulière »
Évolution récente	introduite en 2009
Garantie	1 an/kilométrage illimité
Couleur(s)	bourgogne, noir, blanc (Tourer : noir, champagne)
Concurrence	Harley-Davidson Sportster 883, Honda Shadow 750, Kawasaki Vulcan 900, Suzuki Boulevard C50

Voir légende en page 7

Moteur

Type	bicylindre 4-temps en V à 60 degrés SACT, 4 soupapes par cylindre, refroidissement par air
Alimentation	injection à corps unique de 35 mm
Rapport volumétrique	9:1
Cylindrée	942 cc
Alésage et course	85mm x 83 mm
Puissance	54 ch @ 6 000 tr/min
Couple	58,2 lb-pi @ 3 500 tr/min
Boîte de vitesses	5 rapports
Transmission finale	par courroie
Révolution à 100 km/h	n/d
Consommation moyenne	5,4 l/100 km
Autonomie moyenne	314 km

Partie cycle

Type de cadre	double berceau, en acier
Suspension avant	fourche conventionnelle de 41 mm non ajustable
Suspension arrière	monoamortisseur ajustable en précharge
Freinage avant	1 disque de 320 mm de Ø avec étriers à 2 pistons
Freinage arrière	1 disque de 298 mm de Ø avec étrier à 1 piston
Pneus avant/arrière	130/70-18 & 170/70-16
Empattement	1 685 mm
Hauteur de selle	675 mm
Poids tous pleins faits	278 kg (Tourer : 297 kg)
Réservoir de carburant	17 litres

QUOI DE NEUF EN 2010 ?

Aucun changement

Coûtent 100 $ de plus qu'en 2009

PAS MAL

Une très bonne valeur puisqu'on obtient, pour un prix pas beaucoup plus élevé que celui des modèles rivaux, une mécanique de cylindrée plus forte, ce qui représente un avantage clair chez les customs

Un comportement absolument impeccable qui se montre à la fois assez relevé pour intéresser les pilotes de longue date et assez facile d'accès pour mettre à l'aise les moins expérimentés

Un V-Twin agréablement coupleux dont la cylindrée est juste assez importante pour qu'il génère un vrombissement plaisant

BOF

Un pare-brise qui provoque une certaine quantité de turbulence à la hauteur du casque sur la version Tourer; on a vu pire, malgré tout

Une faible hauteur de selle dictant un emplacement proportionnellement bas des plateformes qui frottent relativement tôt en virage; il ne s'agit pas d'un défaut majeur, mais plutôt d'un facteur dont il faut tenir compte en s'engageant dans une courbe

Une ligne élégante et propre, mais quand même un peu anonyme; Yamaha tente de faire évoluer le style de ses customs, mais il semble manquer un certain « je ne sais quoi » au résultat

Conclusion

La V-Star 950 est venue se positionner juste à côté de l'autre « grosse petite cylindrée » ou « petite cylindrée moyenne », la Vulcan 900 de Kawasaki. Coûtant quelques centaines de dollars de plus que les 750 et les 800 rivales, la 950 de Yamaha forcera les intéressés à se demander si le supplément qu'elle commande en vaut la peine. Le fait est que ce supplément ne change rien à la règle disant que l'agrément de l'expérience custom croît avec la cylindrée. Le prix légèrement supérieur de la V-Star 950 est donc justifié. Surtout qu'il s'agit d'un ensemble aussi bien maniéré qu'intégré qui se montre non seulement très accessible, mais aussi intéressant à piloter pour un large éventail de motocyclistes.

V-Star 950

V-Star 1100 Custom

V-STAR 1100

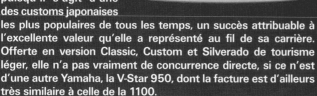

Éternelle...

La V-Star 1100 n'a plus besoin d'être présentée puisqu'il s'agit d'une des customs japonaises les plus populaires de tous les temps, un succès attribuable à l'excellente valeur qu'elle a représenté au fil de sa carrière. Offerte en version Classic, Custom et Silverado de tourisme léger, elle n'a pas vraiment de concurrence directe, si ce n'est d'une autre Yamaha, la V-Star 950, dont la facture est d'ailleurs très similaire à celle de la 1100.

Personne n'est irremplaçable, dit l'expression qui semble être aussi valable pour les motos. Il faut tout de même dire que durant les nombreuses années qui ont passé depuis sa mise en production de 1999, la V-Star 1100 n'a jamais vraiment été menacée. En fait, il est vrai que la Vulcan 900 s'en est un peu approchée, mais c'est surtout aux customs de 750 et 800 cc que la Kawasaki fait mal. En rehaussant la mise de la Vulcan avec l'introduction d'une V-Star 950 l'an dernier, plusieurs se demandent s'il ne vaut pas mieux sacrifier quelques chevaux pour acquérir une monture plus moderne et dessinée de manière plus actuelle. Très bonne question, à laquelle la réponse n'est d'ailleurs pas évidente. En effet, malgré son âge, la V-Star 1100 ne fait rien de mal et accomplit bien encore presque tout. On pourrait dire que l'un de ses plus gros défauts — qui, il faut le dire, n'est devenu notable qu'après l'arrivée de montures plus dégagées — serait sa position de conduite un tout petit peu compacte, tandis que ses plus belles qualités seraient son excellent moteur — 1 100 cc sont plus plaisants à solliciter que 900 ou 950 cc, soit dit en passant —, le comportement sain de sa partie cycle et, bien entendu, la bonne valeur qu'elle représente encore.

L'an dernier, la rumeur voulait que la V-Star 1100 n'ait pas encore été tout à fait prête à tirer sa révérence et qu'elle demeure encore présente au catalogue Yamaha en 2010. La rumeur s'est avérée juste, mais elle n'allait pas plus loin. Une chose est sûre, si elle est retirée ou remplacée, la V-Star 1100 aura eu une belle carrière.

Général

Catégorie	Custom/Tourisme léger
Prix	Custom : 10 499 $, Classic : 11 099 $ Silverado : 12 899 $
Immatriculation 2010	627 $
Catégorisation SAAQ 2010	« régulière »
Évolution récente	Custom introduite en 1999, Classic en 2000 et Silverado en 2003
Garantie	1 an/kilométrage illimité
Couleur(s)	Custom : gris, Classic : noir Silverado : noir
Concurrence	Harley-Davidson Sportster 1200, Kawasaki Vulcan 900, Yamaha V-Star 950

Moteur

Type	bicylindre 4-temps en V à 75 degrés, SACT, 2 soupapes par cylindre, refroidissement par air
Alimentation	2 carburateurs à corps de 37 mm
Rapport volumétrique	8,3:1
Cylindrée	1 063 cc
Alésage et course	95 mm x 75 mm
Puissance	62 ch @ 5 750 tr/min
Couple	63,6 lb-pi @ 2 500 tr/min
Boîte de vitesses	5 rapports
Transmission finale	par arbre
Révolution à 100 km/h	environ 3 400 tr/min
Consommation moyenne	5,5 l/100 km
Autonomie moyenne	309 km

Partie cycle

Type de cadre	double berceau, en acier
Suspension avant	fourche conventionnelle de 41 mm non ajustable
Suspension arrière	monoamortisseur ajustable en précharge
Freinage avant	2 disques de 298 mm de Ø avec étriers à 2 pistons
Freinage arrière	1 disque de 282 mm de Ø avec étrier à 2 pistons
Pneus avant/arrière	130/90-16 (Custom : 110/90-18) & 170/80-15
Empattement	1 645 mm (Custom : 1 640 mm)
Hauteur de selle	710 mm (Custom : 690 mm)
Poids tous pleins faits	285 kg (Custom : 275 kg; Silverado : 303 kg)
Réservoir de carburant	17 litres

V-Star 650 Custom

V-STAR 650

Général

Catégorie	Custom
Prix	Custom : 8 099 ; Classic : 8 499 $; Silverado : 9 899 $
Immatriculation 2010	627 $
Catégorisation SAAQ 2010	« régulière »
Évolution récente	introduite en 1998
Garantie	1 an/kilométrage illimité
Couleur(s)	rouge, noir, bleu, blanc
Concurrence	Honda Shadow 750

Moteur

Type	bicylindre 4-temps en V à 70 degrés, SACT, 2 soupapes par cylindre, refroidissement par air
Alimentation	2 carburateurs à corps de 28 mm
Rapport volumétrique	9:1
Cylindrée	649 cc
Alésage et course	81 mm x 63 mm
Puissance	40 ch @ 6 500 tr/min
Couple	37,5 lb-pi @ 3 000 tr/min
Boîte de vitesses	5 rapports
Transmission finale	par arbre
Révolution à 100 km/h	environ 4 300 tr/min
Consommation moyenne	5,0 l/100 km
Autonomie moyenne	320 km

Partie cycle

Type de cadre	double berceau, en acier
Suspension avant	fourche conventionnelle de 41 mm non ajustable
Suspension arrière	monoamortisseur ajustable en précharge
Freinage avant	1 disque de 298 mm de Ø avec étrier à 2 pistons
Freinage arrière	tambour mécanique
Pneus avant/arrière	130/90-16 (Custom : 100/90-19) & 170/80-15
Empattement	1 625 mm (Custom : 1 610 mm)
Hauteur de selle	710 mm (Custom : 695 mm)
Poids tous pleins faits	247 kg (Custom : 233 kg, Silverado : 265 kg)
Réservoir de carburant	16 litres

Poids plume...

Lancée en 1998, la V-Star 650 inaugurait la famille des V-Star. Grâce à son style sympathique et son prix intéressant, le modèle a joui d'une bonne popularité durant plusieurs années. Le goût du jour étant aux cylindrées plus fortes, l'avenir du modèle est incertain. En revanche, il s'agit désormais de la seule véritable custom de cette cylindrée sur le marché, ce qui pourrait lui ramener un certain intérêt.

Malgré son âge avancé et quoique techniquement vieillotte par rapport au reste de la classe, la V-Star 650 demeure encore un modèle recommandable aujourd'hui, notamment en raison de sa bonne qualité de fabrication, de son comportement sain — elle est stable, légère à manier et aussi facile d'accès qu'une custom peut l'être — et de son prix relativement intéressant.

N'ayant plus aucune concurrente directe sur le marché canadien — la désuète Suzuki Boulevard S40 n'est qu'une monocylindre alors que la Shadow VLX 600 et la Kawasaki Vulcan 500 LTD ont disparu —, la V-Star 650 se retrouve aujourd'hui dans une position un peu inespérée. En effet, en dépit de son âge avancé et de l'absence de toute amélioration apportée au modèle depuis sa mise en marché, un motocycliste novice cherchant à faire ses premiers tours de roues sur une custom ayant un minimum d'authenticité visuelle et mécanique n'a guère d'autre choix, à moins d'opter pour des modèles un peu plus chers et plus gros.

En dépit de sa faible puissance et d'une livrée de couple modeste, la V-Star 650 demeure capable d'affronter les aléas des déplacements quotidiens de manière honnête. On se satisfait des accélérations tant qu'on n'a jamais connu quelque chose de plus rapide et qu'on n'est pas trop gourmand à ce chapitre. Quiconque ayant des attentes plus élevées devrait envisager un modèle semblable avec une cylindrée de 750, 800, 900 ou même 950 cc.

Poids mouche...

La bonne vieille Virago 250 devenait enfin une V-Star en 2008. Rien d'autre que le nom n'a toutefois changé depuis très, très longtemps. N'ayant pratiquement que la Hyosung Aquila 250 comme concurrente directe, elle se veut l'une des rares customs d'aussi faible cylindrée propulsée par un bicylindre en V. Il s'agit d'une monture d'apprentissage, sans plus.

L ongtemps absente du catalogue canadien de Yamaha, la petite Virago 250 fut remise en service en 2003 par le constructeur, un fait surtout attribuable à la volonté de ne pas abandonner la petite et pourtant peu populaire catégorie aux autres manufacturiers. Exhibant désormais fièrement l'écusson V-Star, la petite custom Yamaha est identique au modèle inauguré en 1988. Propulsée par l'un des rares V-Twin de la catégorie, la V-Star 250 offre une authenticité tant visuelle que mécanique à laquelle ne peuvent prétendre les modèles concurrents que sont les Honda Rebel 250 et Suzuki Marauder 250. Avec 21 chevaux «sous le capot» suivre la circulation urbaine, voire s'aventurer occasionnellement sur l'autoroute ne cause aucun problème. Du moins tant qu'on n'est pas pressé... Disons simplement qu'elle s'adresse strictement à une clientèle inexpérimentée et patiente. Son comportement routier honnête est caractérisé par une grande maniabilité imputable surtout à son poids très peu élevé et à une hauteur de selle très faible. La position de conduite n'est toutefois ni naturelle ni au goût du jour, un fait dont est surtout responsable la hauteur importante du guidon ainsi que son étrange courbure et l'angle de ses poignées. Surtout utilisées par l'école de conduite, les motos de ce type sont relativement peu intéressantes sur la route.

Elles peuvent servir durant la période d'apprentissage, mais rares sont les motocyclistes qui ne s'en lassent pas rapidement pour passer à quelque chose de plus sérieux.

YAMAHA
V-STAR 250

Général

Catégorie	Custom
Prix	5 499 $
Immatriculation 2010	373 $
Catégorisation SAAQ 2010	« régulière »
Évolution récente	introduite en 1988
Garantie	1 an/kilométrage illimité
Couleur(s)	noir
Concurrence	Hyosung Aquila 250, Suzuki Marauder 250

Moteur

Type	bicylindre 4-temps en V à 60 degrés, SACT, 2 soupapes par cylindre, refroidissement par air
Alimentation	1 carburateur à corps de 26 mm
Rapport volumétrique	10:1
Cylindrée	249 cc
Alésage et course	49 mm x 66 mm
Puissance	21 ch @ 8 000 tr/min
Couple	15,2 lb-pi @ 6 000 tr/min
Boîte de vitesses	5 rapports
Transmission finale	par chaîne

Partie cycle

Type de cadre	double berceau, en acier
Suspension avant	fourche conventionnelle de 33 mm non ajustable
Suspension arrière	2 amortisseurs ajustables en précharge
Freinage avant	1 disque de 282 mm de Ø avec étrier à 2 pistons
Freinage arrière	tambour mécanique
Pneus avant/arrière	3,00-18 & 130/90-15
Empattement	1 488 mm
Hauteur de selle	685 mm
Poids tous pleins faits	147 kg (à vide : 137 kg)
Réservoir de carburant	9,5 litres

INDEX DES CONCESSIONNAIRES

ABITIBI-TÉMISCAMINGUE
CENTRE A.T.C.
16, rue St-André, Ville-Marie
819 629-3367
www.centreatc.com

A.B. SPORT
840, 10e rue, Senneterre
819 737-2373

BIBEAU MOTO SPORT
1 704, chemin Sullivan, Val-d'Or
819 824-2541

ÉQUIPEMENT R.S. LACROIX
552, rue Principale S., Amos
819 732-2177

BLAIS RÉCRÉATIF
280, rue Larivière, Rouyn-Noranda
819 797-1232

MOTO SPORT LA SARRE
427, 2e rue E., La Sarre
819 333-2249
www.motosportlasarre.com

BAS ST-LAURENT
CENTRE | **CENTRE HONDA DEGIRO**
496, ave. St-David, Montmagny
418 248-2133
www.degiro.com

JEAN MORNEAU
91, boul. Cartier, Rivière-du-Loup
418 862-4357
www.jeanmorneau.com

JEAN MORNEAU
735, rue Taché, St-Pascal (Kamouraska)
418 492-3632
www.jeanmorneau.com

MINI-MÉCANIK
178, rue Léonidas, Rimouski
418 723-5132
www.minimecanik.com

CENTRE DU QUÉBEC
MOTOSPORT 116
100, route 116, Victoriaville
819 752-3103
www.motosport116.com

CHAUDIÈRE-APPALACHES
CENTRE | **CENTRE THETFORD HONDA**
2319, boul. Frontenac Est, Thetford Mines
418 338-3558
www.moto.thetfordhonda.com

J.M. JACQUES SPORT
1314, route 277, Lac-Etchemin
418 625-2081
www.jmjacquessport.com

PRESTIGE MOTO SPORT
15655, boul. Lacroix, St-Georges
418 228-6619
www.prestigemotosport.com

BEAUCE SPORTS
610, boul. Vachon S., Ste-Marie
418 387-6655
www.beaucesports.com

GARAGE RÉJEAN ROY
2760, rue Laval, Lac-Mégantic-Nantes
819 583-5266
www.garagejeanroy.com

LES P'TITS MOTEURS
359, route Laurier, Ste-Croix
418 926-3960

CÔTE NORD
BENOIT VIGNEAULT LTÉE
1280, rue de la Digue, Havre-St-Pierre
418 538-2313
www.benoitvigneault.com

CAMIL MOTO SPORT
189, route 138, Forestville
418 587-4566
www.hamiltonbourassa.com

CENTRE | **CENTRE HONDA DE CHARLEVOIX**

2060, boul. de Comporté, La Malbaie
418 665-6431
www.lecentrehondacharlevoix.com

HAMILTON BOURASSA
305, boul. Lasalle, Baie-Comeau
418 296-9191
www.hamiltonbourassa.com

ESTRIE
CENTRE | **CENTRE MAGOG HONDA**
2400, rue Sherbrooke, Magog
819 843-0099
www.magoghonda.com

ATELIER MOTOSPORT BEULLAC
1150, ch. Knowlton, West Brome
450 263-6902
www.ateliermotosport.com

LES ENTREPRISES DENIS BOISVERT
2, rue Queen, Sherbrooke
819 565-1376
www.amidenis.com

GASPÉSIE
AMABLE CARON ET FILS (MATANE)
475, rue Phare E., Matane
418 562-1108

ANDRÉ HALLÉ & FILS LTÉE
121, boul. St-Benoit, Amqui (Matapédia)
418 629-4111
www.andrehalle.com

BERNARD & GAUVIN
148, boul. Perron E., New-Richmond
418 392-5017
www.sportsbg.com

JAMES LÉVESQUE & FILS LTÉE
383, route 132, Chandler
418 689-2624

**LES ÉQUIPEMENTS MOTORISÉS
DE RIVIÈRE-AU-RENARD**
110, montée Morris, Rivière-au-Renard (Gaspé)
418 269-3366

LANAUDIÈRE
PINARD AUTO
1193, route 125, Ste-Julienne
450 831-2212
www.pinardmoto.com

J. SICARD SPORT
811, boul. St-Laurent E., Louiseville (Maskinongé)
819 228-5803
www.jsicardsport.ca

**JOBIDON MARINE SPORTS
ST-GABRIEL/J.M.S.**
85, rue Cohen, St-Gabriel-de-Brandon
450 835-3407

**LOCATION DE MOTONEIGES
HAUTE-MATAWINIE**
190, rue Brassard, St-Michel-des-Saints
450 833-1355
www.locationhautematawinie.com

MOTO DUCHARME
761, ch. des Prairies, Joliette
450 755-4444
www.motoducharme.com

LAURENTIDES
GOULET MOTO SPORT ST-JÉROME
55, rue Mathilde, St-Jérôme
450 431-6622
www.gouletmoto.com

CENTRE | **SPORT MOTORISÉ HONDA**
1301-B, boul. Albiny-Paquette, Mont-Laurier
819 623-3252

MOTOROUTE DES LAURENTIDES
444, rue St-Jovite, Mont-Tremblant
819 429-6686

ROBIDOUX CENTRE SPORT
56, rue Principale N., L'Annonciation
819 275-2273

MAURICIE
GARAGE G. CHAMPAGNE
83, rue Principale, Lac-aux-Sables (Portneuf)
418 336-2920
www.gastonchampagne.com

MOTO THIBAULT MAURICIE
205, rue Dessureault, Cap-de-la-Madeleine
819 375-2727
www.motosthibault.ca

NAUTICO LA TUQUE
1041, des Érables, La Tuque
819 523-7092
www.nautico.ca

MONTÉRÉGIE
CENTRE | **CENTRE CHAMBLY HONDA**
840, boul. Périgny, Chambly
450 658-2453
www.centrechamblyhonda.com

MOTO CENTRE ST-HYACINTHE
625, boul. Laurier, Ste-Madeleine
450 774-3133
www.moto-centre.com

LALIBERTÉ MOTO SPORT
1162, route 116, Acton Vale
450 549-4717
www.labertemoto.ca

ST-CÉSAIRE MOTOSPORTS
800, route 112, St-Césaire (Comté Rouville)
450 469-2733

MONTÉRÉGIE
MARINA TRACY SPORTS
3890, ch. St-Roch, Tracy
450 742-1910
www.marina-tracy.com

NOUVEAU QUÉBEC
LA FÉD. DES COOP. DU NOUV.-QUÉBEC
19 950, ave. Clark-Graham, Baie-D'Urfé
514 457-9371

OUTAOUAIS
LES SPORTS DAULT ET FRÈRES
383, boul. Desjardins, Maniwaki
819 449-1001
www.sportsdault.qc.ca

MOTO GATINEAU
656, boul. Maloney E., Gatineau
819 663-6162
www.motogatineau.com

RÉGION DE MONTRÉAL
CENTRE | **CENTRE HAMEL HONDA**
332, rue Dubois, voie 640, St-Eustache
450 491-0440
www.centrehamelhonda.com

CENTRE | **CENTRE EXCEL HONDA MOTO**
5480, rue Paré, Ville Mont-Royal
514 342-6360
www.excelhondamoto.ca

ACTION MOTOSPORT
124, rue Joseph-Carrier, Vaudreuil-Dorion
450 510-5100
www.actionmotosport.com

ALEX BERTHIAUME & FILS LTÉE
4398, rue De La Roche, Montréal
514 521-0230
www.alexberthiaume.com

RÉGION DE MONTRÉAL
GOULET MOTO SPORT
110, rue Turgeon, Ste-Thérèse
450 435-2408
www.gouletmoto.com

MOTO REPENTIGNY
101, rue Grenier, Charlemagne
450 585-5224
www.motorepentigny.ca

NADON SPORT
280, ave. Béthany, Lachute
450 562-2272
www.nadonsportlachute.com

RÉGION DE QUÉBEC
CENTRE | **CENTRE LAVERTU HONDA**
4, ave. St-Augustin, Breakeyville
418 832-6143
www.lavertuequipement.com

CENTRE | **CENTRE HONDA DE AUTO FRANK ET MICHEL**
5788, boul. Ste-Anne, Boischatel
418 822-2252
www.lecentrehonda.com

CENTRE | **CENTRE HONDA MOTO RIVE-SUD**
628-1, route Kennedy, Pintendre
418 837-7170
www.motorivesud.com

DION MOTO
840, côte Joyeuse, St-Raymond
418 337-2776
www.dionmoto.com

S.M. SPORT
11 337, boul. Valcartier, Loretteville
418 842-2703
www.smsport.ca

RIVE-SUD
PRIDEX SPORTS
239, boul. St-Jean-Baptiste, Mercier
450 691-2931
www.hondago.ca

CLAUDE STE-MARIE SPORT
5925, ch. Chambly, St-Hubert
450 678-4700
www.stemariesport.com

SAGUENAY/LAC ST-JEAN
CAMIL MOTO SPORT
336, route 172, Sacré-Coeur, Saguenay
418 236-4564
www.hamiltonbourassa.com

DANY GIRARD
1101, rue Pelletier, Roberval
418 275-0996

JOS BESSON
66, rue Dequen, Mistassini
418 276-2883

LES ENTREPRISES GERMAIN DALLAIRE
560, rue Melançon, St-Bruno, Lac St-Jean
418 343-3758
www.dallairest-bruno.com

SPORTS PLEIN AIR GAGNON
215, 3e rue, Chibougamau
418 748-3134

VILLENEUVE ÉQUIPEMENT
1178, boul. Ste-Geneviève, Chicoutimi-Nord
418 543-3600
www.equipementsvilleneuve.com

MOTOSPORT NEWMAN PIERREFONDS
14 400, boul Pierrefonds, Pierrefonds
514 626-1919
www.motosportnewman

RM MOTOSPORT
22, boul. Arthabasca Est, Victoriaville
819 752-6427
www.rmmotosport.com

RPM RIVE-SUD
226, chemin des îles, Lévis
418 835-1624
www.rpmrivesud.com

ATELIER CSP
369, 4e rang Est, St-Valérien-de-Rimouski
418 736-4843
www.ateliercsp.com

MALTAIS PERFORMANCE
190, boul. Gérard D. Lévesque Est, Paspébiac
418 752-7000
www.maltaisperformance.com

MARTIN AUTO CENTRE
1832, 3e avenue, Val-d'Or
819 824-4575

PASSION SPORT
731, boul. Saint-Laurent Est, Louiseville
819 228-2066
www.passionsport.ca

MOTO DUCHARME
761 chemin des Prairies, Joliette
450 755-4444
www.motoducharme.com

MARINE NOR SPORT
25, boul. des Hauteurs, St-Jérôme
450 436-2070
www.nor-sport.com

GRAND LIGNE MOTO
3645 chemin Gascon, Mascouche
450 477-9280
www.grandlignemoto.com

PINARD MOTO
1193, route 125, Ste-Julienne
450-831-2212
www.pinardmoto.com

Index des concessionnaires **KAWASAKI**

www.kawasaki.ca

ANDRÉ JOYAL MOTONEIGE
438, rang Thiersant, St-Aimé Massueville
450 788-2289
www.andrejoyal.com

AS MOTO INC.
8940, boul. Ste-Anne, Château-Richer
418 824-5585
www.asmoto.com

ATELIER DE RÉPARATION LAFORGE
1167, boul. Laure, Sept-Îles
418 962-6051
www.atelierlaforge.com

CENTRE DU SPORT LAC ST JEAN
2500, avenue du Pont Sud, Alma
418 662-6140
www.lecentredusportlacstjean.com

BEAUCE SPORT
610, boul. Vachon Sud, Ste-Marie-de-Beauce
418 387-6655
www.beaucesports.com

CENTRE MOTO FOLIE
7777, Métropolitain Est, Montréal
514 493-1956

CLÉMENT MOTOS
630, Grande Carrière, Louiseville
819 228-5267
www.clementmoto.com

DESHAIE'S MOTOSPORT
8568, boul. St-Michel, Montréal
514 593-1950
www.deshaiesmotosport.com

ENTREPRISE QUIRION & FILS
283, Pabos, Pabos
418 689-2179

ÉQUIPEMENTS MOTORISÉS LES CHUTES
975, 5ᵉ avenue, Shawinigan Sud
819 537-5136
www.equipementsleschutes.com

ÉQUIPEMENT R.S. LACROIX
552, Principale Sud, Amos
819 732-2177

GAUTHIER MARINE
1 095, rue L'escale, Val-d'Or
819 825-5955

GÉNÉRATION SPORT
945, chemin Rhéaume, St-Michel-de-Napierville
450 454-9711
www.generation-sport.ca

JAC MOTOS SPORT
855, des Laurentides, St-Antoine
450 431-1911
www.jacmotosport.com

LEHOUX SPORT
1407, Route 277, Lac Etchemin
418 625-3081
www.lehouxsport.com

LOCATION BLAIS INC.
280, avenue Larivière, Rouyn-Noranda
819 797-9292
www.locationblais.com

MATANE MOTOSPORT
615, du Phare Est, Matane
418 562-3322
www.matanemotosport.ca

MEGA FORMULE D'OCCASION
195A, rue Leonidas, Rimouski
418 723-5955
www.formulekawasaki.ca

MOTO DUCHARME
761, chemin des Prairies, Joliette
450 755-4444
www.motoducharme.com

MOTO EXPERT
6500, boul. Laurier Est, St-Hyacinthe
450 799-3000
www.moto-expert.ca

MOTO EXPERT BAIE COMEAU
1884, Laflèche, Baie Comeau
418 295-3030

MOTO FALARDEAU
1670, boul. Paquette, Mont-Laurier
819 440-4500
www.motofalardeau.com

MOTO MAG
2, du Pont, Chicoutimi
418 543-3750

MOTO NEWMAN PIERREFOND
14 400, boul. Pierrefonds, Pierrefonds
514 626-1919
www.motosportnewman.com

MOTO PERFORMANCE 2000 INC.
1500, Forand, Plessisville
819 362-8505
www.motoperformance2000.com

MOTOPRO GRANBY
564, Dufferin, Granby
450 375-1188
www.motoprogranby.net

MOTOS ILLIMITÉES
3250, des Entreprises, Terrebonne
450 477-4000
www.motosillimitees.com

MOTOSPORT NEWMAN
7308, boul. Newman, LaSalle
514 366-4863
www.motosportnewman.com

MOTO SPORT NEWMAN RIVE-SUD
3259, boul. Taschereau, Greenfield Park
450 656-5006
www.motosportnewman.com

MOTO VANIER QUÉBEC
776, boul. Wilfrid-Hamel, Québec
418 527-6907
www.motovanier.com

NADON SPORT
280, Béthanie, Lachute
450 562-2272
www.nadonsportlachute.com

NADON SPORT
62, St-Louis, St-Eustache
450 473-2381
www.nadonsport.com

PELLETIER MOTOSPORT
356, rue Temiscouata, Rivière-du-Loup
418 867-4611

R-100 SPORTS
512, chemin Chapleau, Bois-des-Filions
450 621-7100
www.r-100sport.com

ROCK MOTO SPORT
989, rue Fortier Sud, Sherbrooke
819 564-8008
www.rockmotosport.com

ROGER A. PELLETIER
6, rue des Érables, Cabano
418 854-2680
www.fautvoirpelletier.ca

R.P.M. RIVE-SUD
4822, boul. de la Rive-Sud, Lévis
418 835-1624
www.rpmrivesud.com

SPORT BG
148, boul. Perron Est, New Richmond
418 392-5017
www.sportsbg.com

SPORT PLUS ST-CASMIR
480, Notre-Dame, St-Casimir
418 339-3069
www.sportsplusst-casimir.com

SPORT COLLETTE RIVE-SUD INC.
1233, rue Armand-Frappier, Ste-Julie
450 649-0066
www.sportcollette.com

ST-JEAN MOTO
8, route 144, St-Jean-sur-Richelieu
450 347-5999
www.stjeanmoto.ca

TECH MINI-MÉCANIQUE
196, chemin Haut-de-la-Rivière, St-Pacôme
418 852-2922

TRUDEL PERFORMANCE 3-RIVIÈRES
1908, rue St-Phillip, Trois-Rivières
819 376-7436

À LA POINTE DE LA PUISSANCE / DE LA PERFORMANCE / DE LA PASSION

Kawasaki

SPORT D.R.C.
3055, avenue du Pont, Alma
418 668-7389

HARRICANA AVENTURES
211, Principale Sud, Amos
819 732-4677

GARAGE J-M VILLENEUVE
206, boul. St-Benoit Est, Amqui
418 629-1500

RMB RÉCRÉATIF
458, Vanier, Aylmer
819 682-6686

BAIE COMEAU MOTOSPORT
2633, boul. Laflèche, Baie-Comeau
418 589-2012

PRO-PERFORMANCE GPL
5750, boul. Ste-Anne, Boischatel
418 822-3838
www.properformance.ca

JAMES LÉVESQUES & FILS
383, Route 132, Chandler
418 689-2624

MOTO REPENTIGNY
101, Grenier, Charlemagne
450 585-5224

SUZUKI CHATEAUGUAY
201, Principale, Chateauguay
450 697-6697

MARTIAL GAUTHIER LOISIRS
1015, boul. Ste-Geneviève, Chicoutimi
418 543-6537
www.martialgauthier.com

SUPER MOTO DESCHAILLONS
1101, Marie-Victorin, Deschaillons
819 292-3438

PULSION SUZUKI
150 D, Route 122, (St-Germain) Drummondville
819 395-4040
www.pulsionsuzuki.com

MOTO GATINEAU
666, boul. Maloney, Gatineau
819 663-6162

PICOTTE MOTOSPORT
1257, rue Principale, Granby
450 777-5486
www.picottemotosport.com

GERMAIN BOUCHER SPORTS
980, boul. Iberville, Iberville
450 347-3457

ROLAND SPENCE & FILS
4364, boul. du Royaume, Jonquiere
418 542-4456

LACHINE MOTO
2496, Remembrance, Lachine
514 639-1619

MARINE NOR SPORT
25, boul. des Hauteurs, Lafontaine
450 436-2070

LAVAL MOTO
315, boul. Cartier Ouest, Laval
450 662-1919

MOTO FOLIE LAVAL
5952, boul. Arthur-Sauvé, Laval-Ouest
450 627-6686

RPM RIVE-SUD
226, chemin des Îles, Lévis
418 835-1624
www.rpmrive-sud.com

CLÉMENT MOTOS
630, Grande Carrière, Louiseville
819 228-5267

ZENON FORTIN
874, du Phare, Matane
418 562-3072

SPORTS JLP
1596, boul. Gaboury, Mont-Joli
418 775-3333

MONT-LAURIER SPORTS
224, boul. des Ruisseaux, Mont-Laurier
819 623-4777

MOTOROUTE DES LAURENTIDES
444, Ouimet, Mont-Tremblant
819 429-6686

PERFORMANCE GP MONTMAGNY
230, chemin des Poiriers, Montmagny
418 248-9555
www.performancegp.com

CENTRE MOTO FOLIE
7777, boul. Métropolitain Est, Montréal
514 352-9999

MOTO SPORT OKA
151 A, Notre-Dame, Oka
450 479-1922

GAÉTAN MOTO
1601, boul. Henri-Bourassa, Québec
418 648-0621
www.gaetanmoto.com

SM SPORT
11337, boul. Valcartier, (Loretteville) Québec
418 842-2703
www.smsport.ca

SUZUKI AUTO & MOTO RC
688, boul. du Rivage, Rimouski
418 723-2233
www.suzukiautorc.com

SPORT PLUS
9, rue Ernest-Paradis, Rivière-du-Loup
418 862-9444
www.sportsplusenr.com

SPORT PATOINE
1431, Route Kennedy, Scott
418 387-5574
www.sportspatoine.com

ATELIER RÉPARATION LAFORGE
1167, boul. Laure, Sept-Îles
418 962-6051
www.atelierlaforge.com

MOTOS THIBAULT SHERBROOKE
3750, du Blanc-Côteau, Sherbrooke
819 569-1155
www.motosthibault.com

MINI MOTEUR RG
1012, Bergeron, St-Agapit
418 888-3692

GRÉGOIRE SPORT
1291 A, Route 343, St-Ambroise
450 752-2442

ÉQUIPEMENTS F.L.M.
1346, boul. St-Antoine, (St-Antoine) St-Jérome
450 436-8838

BELLEMARE MOTO
1571, rue Principale, St-Étienne-des-Grès
819 535-3726

SPORT BELLEVUE
1395, Sacré-Coeur, St-Félicien
418 679-1005

PRESTIGE MOTOSPORT
15655, boul. Lacroix Est, St-Georges (Beauce)
418 228-6619
www.prestigemotosport.com

SUPER MOTO ST-HILAIRE
581, boul. Laurier, St-Hilaire
450 467-1521
www.super-moto.ca

CLAUDE STE-MARIE SPORTS
5925, chemin Chambly, St-Hubert
450 678-4700

MOTO R.L. LAPIERRE
1307, rue St-Édouard, St-Jude
450 792-2366

DION MOTO
840, Côte Joyeuse, St-Raymond (Portneuf)
418 337-2776
www.dionmoto.com

SPORT COLLETTE RIVE-SUD
1233, Armand Frappier, Ste-Julie
450 649-0066

M. BROUSSEAU & FILS
163, Principale, Ste-Justine
418 383-3212
www.mbrousseau.com

MOTOS ILLIMITÉES
3250, boul de L'Entreprise, Terrebonne
450 477-4000

MOTO JMF
842, boul. Frontenac Ouest, Thetford Mines
418 335-6226
www.motojmf.com

MARINA TRACY SPORTS
3890, chemin St-Rock, Tracy
450 742-1910
www.marina-tracy.com

MOTO THIBAULT MAURICIE
205, Dessurault, Trois-Rivières
819 375-2727

MARTIN AUTO CENTRE
1086, 3e avenue, Val-d'Or
819 824-4575

SPORT BOUTIN
2000, boul. Hébert, Valleyfield
450 373-6565

ACTION MOTOSPORT
124, Joseph-Cartier, Vaudreuil
450 510-5100

RM MOTOSPORT
22, boul. Arthabasca (Route 116), Victoriaville
819 752-6427
www.rmmotosport.com

ABITIBI-TÉMISCAMINGUE
SCIE ET MARINE FERRON LTÉE
7, rue Principale N., Béarn
819 726-3231
www.scieetmarineferron.com

MOTO SPORT DU CUIVRE
175, boul. Évain E., Évain (via Rouyn)
819 768-5611
www.motosportducuivre.com

DIMENSION SPORT
208, route 393 S., La Sarre
819 333-3030
www.dimensionsports.com

HARRICANA AVENTURES
211, rue Principale S., Amos
819 732-4677
www.harricanaaventures.com

HARRICANA AVENTURES VAL-D'OR
1601, 3e avenue, Val-d'Or
819 874-2233
www.harricanaaventures.com

BAS ST-LAURENT
BELZILE AUTO SQUATEC
168, rue St-Joseph, Squatec
418 855-2112

GÉRARD CASTONGUAY ET FILS
32 Chemin-du-Lac, St-Antonin
418 862-5330

JEAN MORNEAU
91, boul. Cartier, Rivière-du-Loup
418 860-3632

LIONEL CHAREST & FILS
472, rue Principale, Pohénégamook
418 893-5334

P. LABONTÉ ET FILS
1255, rue Industrielle, Mont-Joli
418 775-5877

CENTRE DU QUÉBEC
LE DOCTEUR DE LA MOTO
4919, rang St-Joseph, Ste-Perpétue
819 336-6303
www.docteurdelamoto.qc.ca

EUGÈNE FORTIER & FILS
100, boul. Baril, Princeville
819 364-5339

CHAUDIÈRE-APPALACHES
MINI MOTEURS R.G.
1012, ave. Bergeron, St-Agapit
418 888-3692

SPORT TARDIF
428, rue Principale, Vallée-Jonction
418 253-6164

MOTO JMF
842, boul. Frontenac O., Thetford Mines
418 335-6226

MOTO PRO
6685, 127e rue, St-Georges-Est (Beauce)
418 228-7574

CÔTE NORD
BAIE-COMEAU MOTORSPORTS
2633, boul. La Flèche, Baie-Comeau
418 294-4120

CHARLEVOIX MOTO SPORT
531, rue St-Étienne, La Malbaie
418 665-9927

XTREM MOTOSPORTS
487, ave. du Québec, Sept-Îles
418 691-2111

ESTRIE
MOTOS THIBAULT SHERBROOKE
3750, Du Blanc-Coteau, Sherbrooke
819 569-1155

GAGNÉ-LESSARD SPORTS
16, route 147, Coaticook
819 849-4849

MOTOPRO GRANBY
564, rue Dufferin, Granby
450 375-1188
www.motoprogranby.net

PICOTTE MOTOSPORT
1257, rue Principale, Granby
450 777-5486
www.picottemotosport.com/fr/index.spy

GASPÉSIE
ABEL-DENIS HUARD MARINE ET MOTO
12, route Leblanc, Pabos
418 689-6283

AMABLE CARON ET FILS (MATANE)
475, rue du Phare E., Matane
418 562-1108

GARAGE LÉON COULOMBE ET FILS
40, rue Prudent-Cloutier, Mont-St-Pierre
418 797-2103

MINI MÉCANIQUE GASPÉ
5, rue des Lilas (Parc Industriel), Gaspé
418 368-5733

AVENTURES SPORT MAX
141, boul. Interprovincial, Pointe-à-la-Croix
418 788-5666

ILES-DE-LA-MADELEINE
AVENTURES SPORT MAX
161, Perron O., Caplan
418 388-2231

LANAUDIÈRE
GRÉGOIRE SPORT
1291, route 343, St-Ambroise-de-Kildare (comté Joliette)
450 752-2442
www.gregoiresport.com

GRÉGOIRE SPORT
2061, boul. Barrette (route 131), Notre-Dame-de-Lourdes
450 752-2201
www.gregoiresport.com

MOTOS ILLIMITÉES
3250, boul. des Entreprises, Terrebonne
450 477-4000
www.motosillimitees.com

LAURENTIDES
CENTRE DU SPORT ALARY
1324, route 158 (boul. St-Antoine), St-Jérôme
450 436-2242
www.sportalary.com

NADON SPORT LACHUTE
280, ave. Béthany, Lachute
450 562-2272
www.nadonsportlachute.com

GÉRALD COLLIN SPORTS
1664, route 335, St-Lin-des-Laurentides
450 439-2769
www.geraldcollinsport.com

DESJARDINS STE-ADÈLE MARINE
1961, boul. Ste-Adèle, Ste-Adèle
450 229-2946
www.desjardinsmarine.com

MONT-LAURIER SPORTS
224, boul. des Ruisseaux, Mont-Laurier
819 623-4777
www.mont-laurier-sports.com

XTREME MILLER SPORT
169 Route 117, Mont-Tremblant
819 681-6686
www.xtrememillersport.com

MAURICIE
J. SICARD SPORT
811, boul. St-Laurent E., Louiseville
819 228-5803
www.jsicardsport.com

DENIS GÉLINAS MOTOS
1430, boul. Ducharme, La Tuque
819 523-8881

MOTOS THIBAULT MAURICIE
205, rue Dessureault, Trois-Rivières
819 375-2222

SPORTS PLUS ST-CASIMIR
480, rue Notre-Dame, St-Casimir
418 339-3069

PRO SPORTS MAURICIE
645, route 153, St-Tite
819 698-2322

MONTÉRÉGIE
H. GRÉGOIRE YAMAHA
1840, chemin Chambly, Carignan
450 658-5858
www.hgregoireyamaha.com

JASMIN PÉLOQUIN SPORTS
1210, boul. Fiset, Sorel-Tracy
450 742-7173
www.jasminpeloquinsport.com/fr/index.spy

MOTO EXPERT
6500, boul. Laurier E., St-Hyacinthe
450 799-3000
www.moto-expert.ca

MOTONEIGE DE CHÂTEAUGUAY
125, rue Notre-Dame N., Châteauguay
450 698-0295

MOTO SPORT NEWMAN RIVE-SUD
3259, boul. Taschereau, Greenfield Park
450 656-5006
www.motosportnewman.com

MOTO R.L. LAPIERRE
1307, rue St-Édouard, St-Jude
450 792-2366
www.motorl.com

SÉGUIN SPORT
5, St-Jean-Baptiste E., Rigaud
450 451-5745
www.seguinsport.ca

SPORT COLLETTE RIVE-SUD
1233, boul. Armand-Frappier, Ste-Julie
450 652-2405
www.sportcollette.com/fr/index.spy

SUPER MOTO ST-HILAIRE
581, boul. Laurier, St-Hilaire
450 467-1521
www.super-moto.ca

VARIN YAMAHA
245, rue St-Jacques, Napierville
450 245-3663
showrooms.hebdo.net/1515/1520

OUTAOUAIS
EARL LÉPINE GARAGE
1235, Chapeau Waltham Road, Chapeau
819 689-2972

CHARTRAND YAMAHA
1087, chemin de Montréal, Gatineau
819 986-3595
www.chartrandyamaha.com

MOTO GATINEAU
656, boul. Maloney E., Gatineau
819 663-6162
www.motogatineau.com

RÉCRÉATIF RMB
458, rue Vanier, Gatineau
819 682-6686
www.rmbmoto.com

LES SPORTS DAULT ET FRÈRES
383, boul. Desjardins, Maniwaki
819 449-1001
www.sportsdault.qc.ca

RÉGION DE MONTRÉAL
LA FÉDÉRATION DES CO-OPÉRATIVES
19950 Clark-Graham, Baie d'Urfé
514 457-9371

NADON SPORT ST-EUSTACHE
62, rue St-Louis, St-Eustache
450 473-2381
www.nadonsport.com

MOTOSPORT NEWMAN LASALLE
7308, boul. Newman, LaSalle
514 366-4863
www.motosportnewman.com

CENTRE MOTO FOLIE
7777, boul. Métropolitain E., Montréal
514 493-1956

DESHAIES MOTOS
8568, boul. St-Michel, Montréal
514 593-1950
www.deshaiesmotosport.com

ALEX BERTHIAUME & FILS
4398, De la Roche, Montréal
514 521-0230
www.alexberthiaume.com/fr/index.spy

MOTOSPORT NEWMAN PIERREFONDS
1440, boul. Pierrefonds, Pierrefonds
514 626-1919
www.motosportnewman.com

RÉGION DE QUÉBEC
PRO-PERFORMANCE
5750, boul. Ste-Anne, Boischatel
418 822-3838

RPM RIVE-SUD
4822, boul. de la Rive S., Lévis
418 835-1624

MOTOS SPORTS AUCLAIR INC.
800, boul. Wilfrid-Hamel, Québec
418 681-3533

S.M. SPORT
113, boul. Valcartier, Loretteville
418 842-2703

G.L. SPORT
94, rue Principale, Saint-Gervais-de-Bellechasse
418 887-3691

PERFORMANCE VOYER
125, Grande Ligne, St-Raymond-de-Portneuf
418 337-8744

SAGUENAY/LAC ST-JEAN
SPORTS PLEIN-AIR GAGNON
215, 3e rue, Chibougamau
418 748-3134

MARTIAL GAUTHIER LOISIRS
1015, boul. Ste-Geneviève, Chicoutimi-Nord
418 543-6537

CHAMBORD SPORT YAMAHA
1454, rue Principale, Chambord (Lac St-Jean)
418 342-6202

SAGUENAY MARINE
1911, rue Sainte-Famille, Jonquière
418 547-2022

ÉVASION SPORT D.R.
2639, route 170, Laterrière
418 678-2481

CENTRE DU SPORT LAC ST-JEAN
2500, ave. du Pont S., Alma
418 342-6202

GAUDREAULT YAMAHA
2872, boul. Wallberg, Dolbeau-Mistassini
418 276-2393

MONETTE SPORTS
251, boul des Laurentides, Laval
450 668-6466
www.monettesports.com

MOTO MONTRÉAL
1601, Wellington, Montréal
514 932-9718
www.motomontreal.com

MOTO VANIER QUÉBEC
776, boul. Wilfrid-Hamel, Québec
418 527-6907 • 1 888 527-6907
www.motovanier.ca

ADRENALINE SPORTS EXTREMES
6280, boul Wilfrid-Hamel, Québec
418 687-0383
www.adrenalinesports.ca

CONTANT LAVAL
6310, boul. des Mille Îles, laval
450 666-6676
www.contant.ca

CONTANT MIRABEL
18 000 J.A. Bombardier, Mirabel
450 434-6676
www.contant.ca

CONTANT STE-AGATHE
1300, ch. Impasse de la Tourbière, Ste-Agathe-des-Monts
819 326-6626
www.contant.ca

H. GRÉGOIRE RECREATIF
625, rue Dubois, Suite 101, St-Eustache
450 974-0404

LAPOINTE SPORTS
576, route 131 (Notre-Dame-des-Prairies), Joliette
450 752-1224
www.lapointesports.com

MERCIER MARINE LTEE
3670, boul. Frontenac Ouest, Thetford-Mines
418 423-5517
www.merciermarine.com

RIENDEAU SPORTS INC.
2109, chemin de l'Industrie, St-Mathieu-de-Beloeil
450 446-9109 • 1-877-449-0109
www.riendeausports.com

T.Y. MOTEURS INC.
1091, rue Commerciale, St-Jean-Chrysostome
418-833-0500

Index des concessionnaires **BMW**

www.bmw-motorrad.ca

ÉVASION BMW
5020, boul. Industriel, Sherbrooke
819 821-3595

MONETTE SPORTS
251, boul. des Laurentides, Laval
450 668-6466
www.monettesports.com

MOTO INTERNATIONALE
6695, rue St-Jacques Ouest, Montréal
514 483-6686
www.motointer.com

MOTO VANIER QUÉBEC
776, boul. Wilfrid-Hamel, Québec
418 527-6907
www.motovanier.ca

Index des concessionnaires **DUCATI**

www.ducati.com

DUCATI MONTRÉAL
6816, boul. St-Laurent, Montréal
514 658-0610
www.ducatimontreal.com

MOTO VANIER QUÉBEC
776, boul. Wilfrid-Hamel, Québec
418 527-6907 • 1 888 527-6907
www.motovanier.ca

MONETTE SPORTS
251, boul. des Laurentides, Laval
450 668-6466 • 1 800 263-6466
www.monettesports.com

Index des concessionnaires **HARLEY-DAVIDSON**MD **/BUELL**MC

www.harleycanada.com

MOTO SPORT BIBEAU
1704, chemin Sullivan, Val d'Or
819 824-2541

HARLEY-DAVIDSONMD **RIMOUSKI**
424, montée Industrielle, Rimouski
418 724-0883

ATELIER DE MÉCANIQUE PRÉMONT
2495, boul. Wilfrid-Hamel Ouest, Québec
418 683-1340
www.premont-harley.com

HARLEY-DAVIDSONMD**/BUELL**MC **LAVAL**
4501, autoroute 440 Ouest, Laval
450 973-4501
www.harleylaval.net

CENTRE DE MOTOS
8705, boul. Taschereau, Brossard
450 443-4488
www.leoharleydavidson.com

CARRIER HARLEY-DAVIDSONMD
888, route 116 Ouest, Acton Vale
450 549-4341
www.boileauharley.ca

CARRIER HARLEY-DAVIDSONMD
DRUMMONDVILLE
176, boul. Industriel, Drummondville
819 395-2464

SPORT BOUTIN
2000, boul. Hébert, Valleyfield
450 373-6565
www.sportboutin.com

MOTOSPORTS G.P.
12, boul. Arthabasca, Victoriaville
819 758-8830
www.motosportsgp.com

R.P.M. MOTO PLUS
2510, rue Dubose, Saguenay
418 699-7766

HARLEY-DAVIDSONMD **CÔTE-NORD**
305, boul. Lasalle, Baie Comeau
418 296-9191

HARLEY-DAVIDSONMD **DE L'OUTAOUAIS**
22, boul. Mont-Bleu, Gatineau
819 772-8008
www.hdoutaouais.ca

PRÉMONT BEAUCE HARLEY-DAVIDSONMD
3050, route Kennedy, Notre-Dame-des-Pins
418 774-2453

HARLEY-DAVIDSONMD **MONTRÉAL**
6695, rue St-Jacques Ouest, Montréal
514 483-6686
www.harleydavidsonmontreal.com

SHERBROOKE HARLEY-DAVIDSONMD
4203, King Ouest, Sherbrooke
819 563-0707
www.sherbrookeharley.com

BÉCANCOUR HARLEY-DAVIDSONMD
4350, rue Arsenault, Bécancour
819 233-3303
www.harley-blanchette.com

SHAWINIGAN HARLEY-DAVIDSONMD
6033, boul. des Hêtres, Shawinigan
819 539-1450
www.shawiniganharleydavidson.com

VISION HARLEY-DAVIDSONMD
515, rue Leclerc, local 104, Repentigny
450 582-2442
www.visionharley.com

VISION HARLEY-DAVIDSONMD
LAURENTIDES
695, chemin Avila, local 8, Piedmont
450 227-4888
www.visionharley.com